만렙은 찰만(滿)과 레벨(Level)의 합성어로, 게임 등에서 지원하는 최대 레벨을 의미한다.

만렙 수학은 "내 수준에 맞는 유형서로 나의 수학 실력을 최대치까지 끌어올려 보자" 라는 의미로 사용되었으며,

두 수준의 유형서 PM, AM으로 구분된다.

만렙

만렙은 찰만(滿)과 레벨(Level)의 합성어로, 게임 등에서 지원하는 최대 레벨을 의미한다.

만렙 수학은 "내 수준에 맞는 유형서로 나의 수학 실력을 최대치까지 끌어올려 보자" 라는 의미로 사용되었으며,

두 수준의 유형서 PM, AM으로 구분된다.

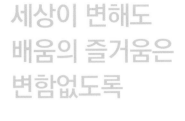

세상이 변해도
배움의 즐거움은
변함없도록

시대는 빠르게 변해도
배움의 즐거움은
변함없어야 하기에

어제의 비상은
남다른 교재부터
결이 다른 콘텐츠
전에 없던 교육 플랫폼까지

변함없는 혁신으로
교육 문화 환경의 새로운 전형을
실현해왔습니다.

비상은 오늘, 다시 한번
새로운 교육 문화 환경을 실현하기 위한
또 하나의 혁신을 시작합니다.

오늘의 내가 어제의 나를 초월하고
오늘의 교육이 어제의 교육을 초월하여
배움의 즐거움을 지속하는 혁신,

바로, 메타인지 기반 완전 학습을.

상상을 실현하는 교육 문화 기업 비상

메타인지 기반 완전 학습
초월을 뜻하는 meta와 생각을 뜻하는 인지가 결합한 메타인지는
자신이 알고 모르는 것을 스스로 구분하고 학습계획을 세우도록 하는
궁극의 학습 능력입니다. 비상의 메타인지 기반 완전 학습 시스템은
잠들어 있는 메타인지를 깨워 공부를 100% 내 것으로 만들도록 합니다.

핵심 유형 마스터

만렙 PM

수학 II

만렙 PM의 특징

시험 빈출 핵심 유형 최다 수록

☑ 너무 쉬워서 시험에 안 나오는 문제는 NO
☑ 너무 어려워서 시험에 안 나오는 문제도 NO

기초 문제는 필요 없고 시험에 출제되는 상 수준의 문제까지 풀고 싶은 학생에게 최적화된 구성으로, 실속 있게 내 실력을 레벨업할 수 있다.

유형별로 모든 난이도의 문제를 한 번에 배열

☑ 1단계, 2단계, 3단계, …마다 같은 개념의 문제가 반복되는 구성이 지루하다.
☑ 유형별 문제를 한 번에 마스터하기 어렵다.

유형별로 시험에 출제되는 모든 문제를 한 번에 학습하기를 원하는 학생에게 최적화된 구성으로, 유형을 빠르게 마스터할 수 있다.

하	중	상
A개념	A개념	A개념
B개념	B개념	B개념
C개념	C개념	C개념

A개념	B개념	C개념
하 중 상	하 중 상	하 중 상

핵심 유형 정리와 대표 문제만을 모아서 구성하여 핵심 및 대표 문제를 한눈에 파악하기 쉽다.

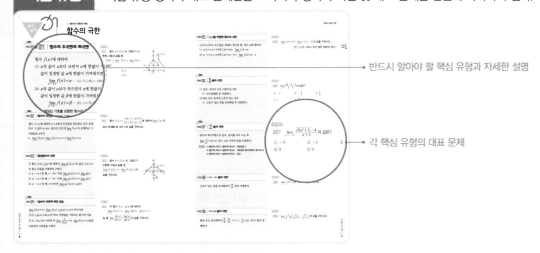

반드시 알아야 할 핵심 유형과 자세한 설명

각 핵심 유형의 대표 문제

구성

핵심 유형 완성하기

대표 문제를 다시 한 번 풀어보고 다양한 난이도의 문제를 유형별로 풀어볼 수 있다.

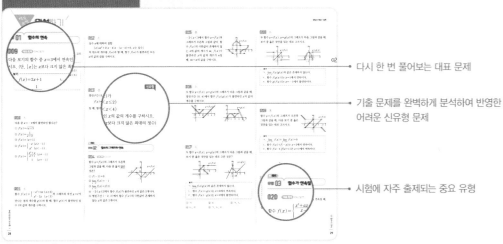

다시 한 번 풀어보는 대표 문제

기출 문제를 완벽하게 분석하여 반영한 어려운 신유형 문제

시험에 자주 출제되는 중요 유형

핵심 유형 최종 점검하기

출제율 높은 핵심 문제로 자신의 실력을 테스트할 수 있다.

만렙 PM의 차례

Contents

I 함수의 극한과 연속

미분

적분

01

함수의 극한

핵심유형 01

함수의 극한

★중요
유형 01 | 함수의 우극한과 좌극한

함수 $f(x)$에 대하여

(1) x의 값이 a보다 크면서 a에 한없이 가까워질 때, $f(x)$의 값이 일정한 값 α에 한없이 가까워지면
$$\lim_{x \to a+} f(x) = \alpha \quad \text{— } \alpha \text{는 } f(x) \text{의 } x=a \text{에서의 우극한}$$

(2) x의 값이 a보다 작으면서 a에 한없이 가까워질 때, $f(x)$의 값이 일정한 값 β에 한없이 가까워지면
$$\lim_{x \to a-} f(x) = \beta \quad \text{— } \beta \text{는 } f(x) \text{의 } x=a \text{에서의 좌극한}$$

참고 절댓값 기호를 포함한 함수의 극한은 절댓값의 성질을 이용하여 좌극한과 우극한을 구한다.

(1) $x \to 0+$일 때, $x > 0$이므로 $\displaystyle\lim_{x \to 0+} |x| = \lim_{x \to 0+} x = 0$

(2) $x \to 0-$일 때, $x < 0$이므로 $\displaystyle\lim_{x \to 0-} |x| = \lim_{x \to 0-} (-x) = 0$

대표 문제

001 함수 $y=f(x)$의 그래프가 오른쪽 그림과 같을 때,
$$f(0) + \lim_{x \to -1-} f(x) + \lim_{x \to 1+} f(x)$$
의 값은?

① 3 ② 4
③ 5 ④ 6
⑤ 7

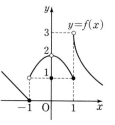

★중요
유형 02 | 함수의 극한값의 존재

함수 $f(x)$에 대하여 $x=a$에서 우극한과 좌극한이 모두 존재하고 그 값이 α (α는 실수)로 같으면 극한값 $\displaystyle\lim_{x \to a} f(x)$가 존재하고 그 값은 α이다.

$$\Rightarrow \lim_{x \to a+} f(x) = \lim_{x \to a-} f(x) = \alpha \iff \lim_{x \to a} f(x) = \alpha$$

대표 문제

002 함수 $f(x) = \begin{cases} kx+3 & (x \geq 3) \\ x^2+2x & (x < 3) \end{cases}$에 대하여 $\displaystyle\lim_{x \to 3} f(x)$의 값이 존재할 때, 상수 k의 값을 구하시오.

유형 03 | 합성함수의 극한

두 함수 $f(x)$, $g(x)$에 대하여 $\displaystyle\lim_{x \to a+} g(f(x))$의 값은 $f(x)=t$로 놓고 다음을 이용하여 구한다.

(1) $x \to a+$일 때, $t \to b+$이면 $\displaystyle\lim_{x \to a+} g(f(x)) = \lim_{t \to b+} g(t)$

(2) $x \to a+$일 때, $t \to b-$이면 $\displaystyle\lim_{x \to a+} g(f(x)) = \lim_{t \to b-} g(t)$

(3) $x \to a+$일 때, $t=b$이면 $\displaystyle\lim_{x \to a+} g(f(x)) = g(b)$

대표 문제

003 함수 $y=f(x)$의 그래프가 오른쪽 그림과 같을 때,
$$\lim_{x \to 1+} f(f(x)) + \lim_{x \to 0+} f(f(x))$$의 값을 구하시오.

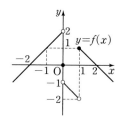

★중요
유형 04 | 함수의 극한에 대한 성질

$\displaystyle\lim_{x \to \infty} f(x) = \infty$, $\displaystyle\lim_{x \to \infty} \{f(x)+g(x)\} = \alpha$가 주어지면 $f(x)+g(x)=h(x)$라 하고 극한값을 구하려는 함수의 식을 $f(x)$, $h(x)$로 나타낸 후 $\displaystyle\lim_{x \to \infty} \frac{1}{f(x)} = 0$, $\displaystyle\lim_{x \to \infty} h(x) = \alpha$임을 이용하여 극한값을 구한다.

대표 문제

004 두 함수 $f(x)$, $g(x)$에 대하여
$$\lim_{x \to \infty} f(x) = \infty, \quad \lim_{x \to \infty} \{3f(x)-g(x)\} = 1$$
일 때, $\displaystyle\lim_{x \to \infty} \frac{3f(x)+2g(x)}{9f(x)-2g(x)}$의 값을 구하시오.

유형 05 │ $[x]$를 포함한 함수의 극한

$[x]$가 x보다 크지 않은 최대의 정수일 때, 정수 n에 대하여

(1) $n \leq x < n+1$이면 $[x]=n$ ➡ $\lim\limits_{x \to n+} [x] = n$

(2) $n-1 \leq x < n$이면 $[x]=n-1$ ➡ $\lim\limits_{x \to n-} [x] = n-1$

참고 x보다 크지 않은 정수를 나타내는 기호 $[x]$를 가우스 기호라 한다.

대표 문제

005 $\lim\limits_{x \to 0-} [x+1] + \lim\limits_{x \to 2+} ([x]-2)$의 값을 구하시오.

(단, $[x]$는 x보다 크지 않은 최대의 정수)

★ 중요

유형 06 │ $\dfrac{0}{0}$ 꼴의 극한

(1) 분모, 분자가 모두 다항식인 경우

➡ 인수분해한 후 약분한다.

(2) 분모 또는 분자에 근호가 있는 경우

➡ 근호가 있는 쪽을 유리화한 후 약분한다.

대표 문제

006 $\lim\limits_{x \to 2} \dfrac{\sqrt{x-1}-1}{x-2}$의 값은?

① -1 ② $-\dfrac{1}{2}$ ③ $\dfrac{1}{2}$

④ 1 ⑤ $\dfrac{3}{2}$

★ 중요

유형 07 │ $\dfrac{\infty}{\infty}$ 꼴의 극한

분모의 최고차항으로 분모, 분자를 각각 나눈 후

$\lim\limits_{x \to \infty} \dfrac{c}{x^n} = 0$ (c는 상수, n은 자연수)임을 이용한다.

참고 (1) (분자의 차수)<(분모의 차수) ➡ 극한값은 0

(2) (분자의 차수)=(분모의 차수) ➡ 극한값은 최고차항의 계수의 비

(3) (분자의 차수)>(분모의 차수) ➡ 발산

대표 문제

007 $\lim\limits_{x \to -\infty} \dfrac{\sqrt{9x^2+5}-4}{x+2}$의 값은?

① -3 ② -1 ③ 1

④ 3 ⑤ 5

유형 08 │ $\infty - \infty$ 꼴의 극한

근호가 있는 쪽을 유리화하여 $\dfrac{\infty}{\infty}$ 꼴로 변형한다.

대표 문제

008 $\lim\limits_{x \to \infty} (\sqrt{x^2+4x}-x)$의 값을 구하시오.

유형 09 │ $\infty \times 0$ 꼴의 극한

통분 또는 유리화하여 $\dfrac{0}{0}$, $\dfrac{\infty}{\infty}$, $\infty \times c$, $\dfrac{c}{\infty}$ (c는 상수) 꼴로 변형한다.

대표 문제

009 $\lim\limits_{x \to 3} \dfrac{1}{x-3} \left(\dfrac{5}{x+2} - \dfrac{4}{x+1} \right)$의 값을 구하시오.

01 함수의 극한

★중요

유형 **10** │ 극한값을 이용하여 미정계수 구하기

$\dfrac{0}{0}$ 꼴의 극한에서 $x \to a$일 때

(1) (분모) $\to$ 0이고 극한값이 존재하면 ➡ (분자) $\to$ 0

(2) (분자) $\to$ 0이고 0이 아닌 극한값이 존재하면 ➡ (분모) $\to$ 0

대표 문제

010 $\lim\limits_{x \to 1} \dfrac{x^2 + ax + b}{x - 1} = -1$일 때, 상수 a, b에 대하여 $a - b$

의 값을 구하시오.

★중요

유형 **11** │ 극한값을 이용하여 함수의 식 구하기

두 다항함수 $f(x)$, $g(x)$에 대하여

(1) $\lim\limits_{x \to \infty} \dfrac{f(x)}{g(x)} = \alpha$ (α는 0이 아닌 실수)이면

➡ $f(x)$와 $g(x)$의 차수가 같다.

➡ $\alpha = \dfrac{(f(x)의\ 최고차항의\ 계수)}{(g(x)의\ 최고차항의\ 계수)}$ ── 최고차항의 계수의 비가 α

(2) $\lim\limits_{x \to a} \dfrac{f(x)}{g(x)} = \beta$ (β는 실수)일 때, $\lim\limits_{x \to a} g(x) = 0$이면

➡ $\lim\limits_{x \to a} f(x) = 0$

대표 문제

011 다항함수 $f(x)$가 다음 조건을 모두 만족시킬 때, $f(2)$의 값은?

(가) $\lim\limits_{x \to \infty} \dfrac{f(x)}{x^2 - 2x - 3} = 2$	(나) $\lim\limits_{x \to 1} \dfrac{f(x)}{x - 1} = 4$

① 4   ② 5   ③ 6

④ 7   ⑤ 8

유형 **12** │ 함수의 극한의 대소 관계

세 함수 $f(x)$, $g(x)$, $h(x)$에 대하여 $f(x) \le h(x) \le g(x)$이고 $\lim\limits_{x \to a} f(x) = \lim\limits_{x \to a} g(x) = \alpha$ (α는 실수)이면

➡ $\lim\limits_{x \to a} h(x) = \alpha$

대표 문제

012 함수 $f(x)$가 모든 양의 실수 x에 대하여

$$3x^2 - x + 1 < f(x) < 3x^2 + 2x + 4$$

를 만족시킬 때, $\lim\limits_{x \to \infty} \dfrac{f(x)}{x^2 + 1}$의 값을 구하시오.

★중요

유형 **13** │ 함수의 극한의 활용

구하는 점의 좌표, 선분의 길이, 도형의 넓이 등을 식으로 나타낸 후 극한의 성질을 이용하여 극한값을 구한다.

대표 문제

013 오른쪽 그림과 같이 곡선 $y = \sqrt{x}$ 위의 한 점 $\mathrm{P}(a, \sqrt{a})$에서 y축에 내린 수선의 발을 H라 하자. x축 위의 점 $\mathrm{A}(3, 0)$에 대하여 $\lim\limits_{a \to \infty} (\overline{\mathrm{PH}} - \overline{\mathrm{PA}})$의 값을 구하시오.

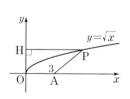

핵심유형 완성하기

★중요
유형 01 함수의 우극한과 좌극한

014 대표 문제 다시 보기

함수 $y=f(x)$의 그래프가 오른쪽 그림과 같을 때,
$$f(-1)+\lim_{x\to 0+}f(x)+\lim_{x\to 1-}f(x)$$
의 값은?

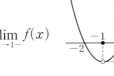

① -1 ② 0

③ 1 ④ 2

⑤ 3

015 하

함수 $f(x)=\begin{cases}(x+1)^2 & (x\geq 1)\\ x^2 & (x<1)\end{cases}$ 에 대하여

$\lim_{x\to 1+}f(x)+\lim_{x\to 1-}f(x)$의 값을 구하시오.

016 중

함수 $f(x)=\dfrac{|x-1|}{x-1}$에 대하여 $\lim_{x\to 1+}f(x)+\lim_{x\to 1-}f(x)$의

값은?

① -2 ② -1 ③ 0

④ 1 ⑤ 2

★중요
유형 02 함수의 극한값의 존재

017 대표 문제 다시 보기

함수 $f(x)=\begin{cases}x^2-2k & (x\geq 2)\\ kx+8 & (x<2)\end{cases}$ 에 대하여 $\lim_{x\to 2}f(x)$의 값이 존

재할 때, 상수 k의 값을 구하시오.

018 중

다음 보기 중 극한값이 존재하는 것만을 있는 대로 고른 것은?

보기
ㄱ. $\lim_{x\to\infty}(x-5)$ ㄴ. $\lim_{x\to 1}\sqrt{x+1}$

ㄷ. $\lim_{x\to -\infty}\left(\dfrac{1}{x}+1\right)$ ㄹ. $\lim_{x\to 0}\dfrac{x}{|x|}$

① ㄱ, ㄴ   ② ㄱ, ㄷ   ③ ㄴ, ㄷ

④ ㄴ, ㄹ   ⑤ ㄷ, ㄹ

019 중

$-1\leq x\leq 3$에서 함수 $y=f(x)$의 그래프가 오른쪽 그림과 같을 때, 다음 보기 중 옳은 것만을 있는 대로 고르시오.

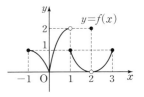

보기
ㄱ. $\lim_{x\to 1}f(x)$의 값이 존재한다.

ㄴ. $\lim_{x\to 2}f(x)$의 값이 존재한다.

ㄷ. $-1<a<1$인 임의의 실수 a에 대하여 $\lim_{x\to a}f(x)$의 값이 존재한다.

유형 03 합성함수의 극한

020 대표 문제 다시 보기

두 함수 $y=f(x)$, $y=g(x)$의 그래프가 다음 그림과 같을 때,
$\lim\limits_{x \to 0-} g(f(x)) + \lim\limits_{x \to 1+} f(g(x))$의 값을 구하시오.

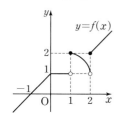 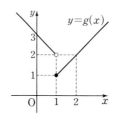

021 중

함수 $f(x)=\begin{cases} 2 & (x \geq 0) \\ x-1 & (x<0) \end{cases}$에 대하여 다음 보기 중 옳은 것만을 있는 대로 고른 것은?

> 보기
> ㄱ. $f(0)=2$　　　　　　　ㄴ. $\lim\limits_{x \to 0} f(x)=2$
> ㄷ. $\lim\limits_{x \to 0+} f(f(x))=0$　　ㄹ. $\lim\limits_{x \to -1-} f(f(x))=-3$

① ㄱ, ㄴ 　　　② ㄱ, ㄹ 　　　③ ㄴ, ㄷ
④ ㄴ, ㄹ 　　　⑤ ㄱ, ㄷ, ㄹ

022 중

함수 $y=f(x)$의 그래프가 오른쪽 그림과 같을 때,
$$\lim_{x \to 0-} f(x+1) + \lim_{x \to 1-} f(-x)$$
의 값을 구하시오.

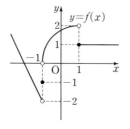

023 상

함수 $y=f(x)$의 그래프가 오른쪽 그림과 같을 때,
$$\lim_{t \to \infty} f\left(\frac{t+3}{t-2}\right) + \lim_{t \to \infty} f\left(\frac{4t+2}{t+3}\right)$$
의 값을 구하시오.

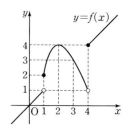

★ 중요

유형 04 함수의 극한에 대한 성질

024 대표 문제 다시 보기

두 함수 $f(x)$, $g(x)$에 대하여
$$\lim_{x \to \infty} f(x)=\infty, \quad \lim_{x \to \infty} \{2f(x)+g(x)\}=-3$$
일 때, $\lim\limits_{x \to \infty} \dfrac{f(x)-3g(x)}{3f(x)+2g(x)-1}$의 값은?

① -7 　　　② -5 　　　③ -3
④ -1 　　　⑤ 1

025 하

두 함수 $f(x)$, $g(x)$에 대하여
$$\lim_{x \to 2} f(x)=-3, \quad \lim_{x \to 2} g(x)=2$$
일 때, $\lim\limits_{x \to 2} \dfrac{f(x)+\{g(x)\}^2}{2f(x)+g(x)}$의 값을 구하시오.

026 중

두 함수 $y=f(x)$, $y=g(x)$의 그래프가 다음 그림과 같을 때, 보기 중 극한값이 존재하는 것만을 있는 대로 고르시오.

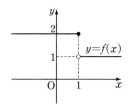 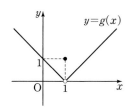

> **보기**
>
> ㄱ. $\lim_{x \to 1}\{f(x)+g(x)\}$ ㄴ. $\lim_{x \to 1}\{g(x)-f(x)\}$
>
> ㄷ. $\lim_{x \to 1}f(x)g(x)$ ㄹ. $\lim_{x \to 1}\dfrac{g(x)}{f(x)}$

027 중

함수 $f(x)$에 대하여 $\lim_{x \to 1}(x+2)f(x)=1$일 때, $\lim_{x \to 1}(x^2+1)f(x)$의 값을 구하시오.

028 중

두 함수 $f(x)$, $g(x)$에 대하여
$$\lim_{x \to 3}f(x)=4,\ \lim_{x \to 3}\{f(x)+2g(x)\}=3$$
일 때, $\lim_{x \to 3}\{f(x)-6g(x)\}$의 값을 구하시오.

029 중

두 함수 $f(x)$, $g(x)$에 대하여 $\lim_{x \to 2}\dfrac{f(x-2)}{x-2}=3$, $\lim_{x \to 0}\dfrac{g(x)}{x}=2$일 때, $\lim_{x \to 0}\dfrac{f(x)+3x}{2g(x)-x^2}$의 값을 구하시오.

030 중

함수 $f(x)$에 대하여 $\lim_{x \to 0}\dfrac{x}{f(x)}=\dfrac{1}{3}$일 때, $\lim_{x \to 1}\dfrac{x^2+4x-5}{f(x-1)}$의 값을 구하시오.

031 중

두 함수 $f(x)$, $g(x)$에 대하여 $\lim_{x \to 1}f(x)=\alpha$, $\lim_{x \to 1}g(x)=\beta$이고
$$\lim_{x \to 1}\{f(x)+g(x)\}=1,\ \lim_{x \to 1}f(x)g(x)=-6$$
일 때, $\lim_{x \to 1}\dfrac{5f(x)+1}{2g(x)-3}$의 값을 구하시오. (단, $\alpha<\beta$)

032 상

두 함수 $f(x)$, $g(x)$에 대하여 다음 보기 중 옳은 것만을 있는 대로 고른 것은? (단, a는 실수)

> **보기**
>
> ㄱ. $\lim_{x \to a}\{f(x)+g(x)\}$와 $\lim_{x \to a}\{f(x)-g(x)\}$의 값이 각각 존재하면 $\lim_{x \to a}f(x)$와 $\lim_{x \to a}g(x)$의 값도 각각 존재한다.
>
> ㄴ. $\lim_{x \to a}g(x)$와 $\lim_{x \to a}\dfrac{f(x)}{g(x)}$의 값이 각각 존재하면 $\lim_{x \to a}f(x)$의 값도 존재한다.
>
> ㄷ. $\lim_{x \to a}\{f(x)-g(x)\}=0$이면 $\lim_{x \to a}f(x)=\lim_{x \to a}g(x)$이다.
>
> ㄹ. $\lim_{x \to a}f(x)$와 $\lim_{x \to a}g(x)$의 값이 모두 존재하지 않으면 $\lim_{x \to a}\{f(x)+g(x)\}$의 값도 존재하지 않는다.

① ㄱ, ㄴ   ② ㄱ, ㄹ   ③ ㄴ, ㄷ
④ ㄱ, ㄷ, ㄹ   ⑤ ㄴ, ㄷ, ㄹ

유형 05 [x]를 포함한 함수의 극한

033 대표 문제 다시 보기

$\lim\limits_{x \to 0-} \dfrac{[x-1]}{x-1} + \lim\limits_{x \to 1+} [-x^2+2x-1]$의 값은?

(단, [x]는 x보다 크지 않은 최대의 정수)

① -2　　　　② -1　　　　③ 0

④ 1　　　　⑤ 2

034 중

함수 $f(x) = [x]^2 + (k+5)[x]$에 대하여 $\lim\limits_{x \to -1} f(x)$의 값이 존재할 때, 상수 k의 값을 구하시오.

(단, [x]는 x보다 크지 않은 최대의 정수)

035 상

$\lim\limits_{x \to n} \dfrac{[x]^2+2x}{[x]} = \alpha$일 때, 1이 아닌 자연수 n과 상수 α에 대하여 $n+\alpha$의 값은? (단, [x]는 x보다 크지 않은 최대의 정수)

① 2　　　　② 4　　　　③ 6

④ 8　　　　⑤ 10

유형 06 $\dfrac{0}{0}$ 꼴의 극한

036 대표 문제 다시 보기

$\lim\limits_{x \to 2} \dfrac{x^2-4}{\sqrt{x+2}-2}$의 값을 구하시오.

037 하

$\lim\limits_{x \to 1} \dfrac{x^3+x-2}{x^2-1}$의 값은?

① $\dfrac{1}{2}$　　　　② 1　　　　③ $\dfrac{3}{2}$

④ 2　　　　⑤ $\dfrac{5}{2}$

038 중

다음 중 옳지 <u>않은</u> 것은?

① $\lim\limits_{x \to 2} \sqrt{x+2} = 2$　　　　② $\lim\limits_{x \to -1} (-x+2) = 3$

③ $\lim\limits_{x \to 1} \dfrac{x^2+3x-4}{x-1} = 5$　　　　④ $\lim\limits_{x \to 3} \dfrac{\sqrt{x+6}-3}{x-3} = \dfrac{1}{3}$

⑤ $\lim\limits_{x \to 0} \dfrac{4x}{\sqrt{2+x}-\sqrt{2-x}} = 4\sqrt{2}$

039 중

다항함수 $f(x)$에 대하여 $\lim\limits_{x \to 2} \dfrac{x^4-16}{(x^2-4)f(x)} = 1$일 때, $f(2)$의 값을 구하시오.

I. 함수의 극한과 연속

14

040 중

$\displaystyle\lim_{x \to -2+} \frac{x^2-2x-8}{|x+2|}=a$, $\displaystyle\lim_{x \to 1-} \frac{x^2-x}{|x-1|}=b$라 할 때, 실수 a, b에 대하여 ab의 값을 구하시오.

★ 중요

유형 07 $\dfrac{\infty}{\infty}$ 꼴의 극한

041   대표 문제 다시 보기

$\displaystyle\lim_{x \to -\infty} \frac{x-\sqrt{9x^2-1}}{x+1}$의 값을 구하시오.

042 하

$\displaystyle\lim_{x \to \infty} \frac{(x-1)(3x+1)}{x^2+3x+2}$의 값은?

① 0   ② $\dfrac{1}{3}$ ③ 1

④ 2   ⑤ 3

043 하

$\displaystyle\lim_{x \to \infty} \frac{\sqrt{4x^2-x}+3}{x-1}$의 값을 구하시오.

044 중

다음 중 옳지 않은 것은?

① $\displaystyle\lim_{x \to \infty} \frac{2x+4}{x^2+5}=0$

② $\displaystyle\lim_{x \to \infty} \frac{5x^2-1}{x^2-x+1}=5$

③ $\displaystyle\lim_{x \to \infty} \frac{\sqrt{x^2+5}-1}{3x}=\frac{1}{3}$

④ $\displaystyle\lim_{x \to \infty} \frac{2x^2}{\sqrt{x^2+1}-3}=2$

⑤ $\displaystyle\lim_{x \to -\infty} \frac{\sqrt{x^2+2}}{3x+1}=-\frac{1}{3}$

유형 08 $\infty-\infty$ 꼴의 극한

045   대표 문제 다시 보기

$\displaystyle\lim_{x \to \infty} (\sqrt{4x^2-2x+3}-2x)$의 값은?

① $-\dfrac{1}{2}$ ② 0   ③ 1

④ $\dfrac{3}{2}$ ⑤ 2

046 중

$\displaystyle\lim_{x \to \infty} \frac{1}{\sqrt{x^2+2x}-\sqrt{x^2-2x}}$의 값을 구하시오.

047 중

$\lim\limits_{x \to -\infty} (\sqrt{9x^2-2x}+3x)$의 값은?

① $\dfrac{1}{3}$ ② $\dfrac{2}{3}$ ③ 1

④ $\dfrac{4}{3}$ ⑤ $\dfrac{5}{3}$

048 중

$\lim\limits_{x \to \infty} (\sqrt{x^2+ax}-\sqrt{x^2-ax})=8$일 때, 상수 a의 값을 구하시오.

유형 09 ∞×0 꼴의 극한

049 대표 문제 다시 보기

$\lim\limits_{x \to -2} \dfrac{1}{x^2-4}\left(2-\dfrac{2}{x+3}\right)$의 값은?

① $-\dfrac{1}{2}$ ② $-\dfrac{1}{4}$ ③ $\dfrac{1}{4}$

④ $\dfrac{1}{2}$ ⑤ 1

050 중

$\lim\limits_{x \to 2} (\sqrt{x^2-3}-1)\left(2+\dfrac{1}{x-2}\right)$의 값을 구하시오.

051 중

$\lim\limits_{x \to -\infty} x\left(\dfrac{x}{\sqrt{x^2-4x}}+1\right)$의 값을 구하시오.

052 중

함수 $f(x)=x^2+4x+4$에 대하여
$\lim\limits_{x \to \infty} x\left\{f\left(1+\dfrac{3}{x}\right)-f\left(1-\dfrac{2}{x}\right)\right\}$의 값은?

① 15 ② 20 ③ 25

④ 30 ⑤ 35

053 상

$\lim\limits_{x \to 0} x^2\left[\dfrac{1}{6x^2}\right]$의 값을 구하시오.

(단, $[x]$는 x보다 크지 않은 최대의 정수)

★ 중요
유형 10 극한값을 이용하여 미정계수 구하기

054 대표 문제 다시 보기
$\lim_{x \to 2} \dfrac{x^2 + ax + b}{4 - 2x} = -\dfrac{7}{2}$일 때, 상수 a, b에 대하여 $a + b$의 값은?

① -10 ② -7 ③ -4
④ -1 ⑤ 2

055 중
$\lim_{x \to -2} \dfrac{x^2 + (a+2)x + 2a}{x^2 + b} = 5$일 때, 상수 a, b에 대하여 $a - 5b$의 값은?

① -4 ② -2 ③ 0
④ 2 ⑤ 4

056 중
$\lim_{x \to -1} \dfrac{\sqrt{2x+a} - \sqrt{x+3}}{x^2 - 1} = b$일 때, 상수 a, b에 대하여 ab의 값을 구하시오.

057 중
$\lim_{x \to 3} \dfrac{\sqrt{x+a} - b}{x - 3} = \dfrac{1}{4}$일 때, 상수 a, b에 대하여 $a - b$의 값을 구하시오.

058 중
$\lim_{x \to 2} \dfrac{x - 2}{\sqrt{x^2 + a} - b} = 2$일 때, 상수 a, b에 대하여 $a + b$의 값은?

① 12 ② 14 ③ 16
④ 18 ⑤ 20

059 상
$\lim_{x \to \infty} (\sqrt{x^2 + ax + 2} - bx) = 3$일 때, 상수 a, b에 대하여 $a - b$의 값은?

① 3 ② 4 ③ 5
④ 6 ⑤ 7

★ 중요
유형 11 극한값을 이용하여 함수의 식 구하기

060 대표 문제 다시 보기

다항함수 $f(x)$가 다음 조건을 모두 만족시킬 때, $f(-1)$의 값을 구하시오.

(가) $\displaystyle\lim_{x \to \infty} \frac{2x - 3x^2}{f(x)} = 1$　　(나) $\displaystyle\lim_{x \to 0} \frac{f(x)}{x^2 - x} = 1$

061 중

다항함수 $f(x)$가

$$\lim_{x \to \infty} \frac{f(x) - x^3}{2x + 1} = 2, \quad \lim_{x \to 0} f(x) = -5$$

를 만족시킬 때, $f(1)$의 값을 구하시오.

062 중

다항함수 $f(x)$가

$$\lim_{x \to \infty} \frac{f(x)}{x^3} = 0, \quad \lim_{x \to 2} \frac{f(x)}{x - 2} = 6$$

을 만족시킨다. 방정식 $f(x) = 3x - 4$의 한 근이 $x = 1$일 때, $f(3)$의 값을 구하시오.

063 중

이차함수 $f(x)$에 대하여 $\displaystyle\lim_{x \to 3} \frac{f(x)}{x - 3} = 8$이고 $\displaystyle\lim_{x \to -1} \frac{f(x)}{x + 1}$의 값이 존재할 때, $\displaystyle\lim_{x \to \infty} \frac{f(x)}{x^2}$의 값을 구하시오.

064 중

다항함수 $f(x)$가

$$\lim_{x \to \infty} \frac{f(x) - x^3}{x^2} = 7, \quad \lim_{x \to 1} \frac{f(x)}{x - 1} = 20$$

을 만족시킬 때, $f(0)$의 값은?

① -15　　　② -13　　　③ -11
④ -9　　　⑤ -7

065 상

다항함수 $f(x)$가

$$\lim_{x \to \infty} \frac{x^2 f\left(\dfrac{1}{x}\right)}{3x + 1} = 3, \quad \lim_{x \to \infty} \frac{f(x) - x^3}{x^2 + 4} = 2$$

를 만족시킬 때, $f(1)$의 값은?

① 10　　　② 11　　　③ 12
④ 13　　　⑤ 14

066 상　　신유형

두 다항함수 $f(x)$, $g(x)$에 대하여

$$\lim_{x \to \infty} \frac{f(x)}{g(x)} = 2, \quad \lim_{x \to \infty} \frac{f(x) - g(x)}{x - 4} = 3$$

이고 $\displaystyle\lim_{x \to -1} \frac{f(x) + g(x)}{x + 1}$의 값이 존재할 때, 그 값을 구하시오.

유형 **12** 함수의 극한의 대소 관계

067 대표 문제 다시 보기

함수 $f(x)$가 모든 실수 x에 대하여
$$x^3+3x^2-4<f(x)<x^3+3x^2+7$$
을 만족시킬 때, $\displaystyle\lim_{x\to\infty}\frac{f(x)-x^3}{5x^2+1}$의 값을 구하시오.

068 하

함수 $f(x)$가 모든 실수 x에 대하여
$$x-6\leq f(x)\leq x^2-x-5$$
를 만족시킬 때, $\displaystyle\lim_{x\to1}f(x)$의 값을 구하시오.

069 중

함수 $f(x)$가 모든 실수 x에 대하여
$$5x^2-1<(x^2+3)f(x)<5x^2+2$$
를 만족시킬 때, $\displaystyle\lim_{x\to\infty}f(x)$의 값은?

① 3   ② $\dfrac{7}{2}$ ③ 4

④ $\dfrac{9}{2}$ ⑤ 5

070 중

함수 $f(x)$가 모든 양의 실수 x에 대하여 $|f(x)-2x|<1$을
만족시킬 때, $\displaystyle\lim_{x\to\infty}\frac{\{f(x)\}^3}{x^3+1}$의 값을 구하시오.

071 중

함수 $f(x)$가 모든 양의 실수 x에 대하여
$$2x^2+1<\frac{x}{f(x)}<2x^2+x+3$$
을 만족시킬 때, $\displaystyle\lim_{x\to\infty}10xf(x)$의 값은?

① 3   ② 4   ③ 5

④ 6   ⑤ 7

072 상

함수 $f(x)$가 모든 실수 x에 대하여
$$-x^2+2x\leq f(x)\leq x^2+2x$$
를 만족시킬 때, $\displaystyle\lim_{x\to0+}\frac{\{f(x)\}^2}{x\{2x+f(x)\}}$의 값을 구하시오.

073 상   신유형

함수 $f(x)$가 모든 실수 x에 대하여
$$x^2-1\leq f(x)\leq 3x^2-4x+1$$
을 만족시킬 때, $\displaystyle\lim_{x\to1}\frac{f(x)}{x-1}$의 값은?

① $\dfrac{1}{2}$ ② 1   ③ $\dfrac{3}{2}$

④ 2   ⑤ $\dfrac{5}{2}$

유형 13 함수의 극한의 활용

074 대표 문제 다시 보기

오른쪽 그림과 같이 곡선 $y=\sqrt{3x}$ 위의 점 $P(t, \sqrt{3t})$에서 x축에 내린 수선의 발을 H라 할 때, $\lim_{t\to\infty}(\overline{OP}-\overline{OH})$의 값을 구하시오.

(단, O는 원점)

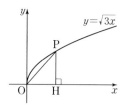

075 중

오른쪽 그림과 같이 곡선 $y=x^2\,(x\geq0)$ 위의 점 $P(a, a^2)$에서 두 직선 $x=2$, $y=4$에 내린 수선의 발을 각각 A, B라 할 때, $\lim_{a\to2-}\dfrac{\overline{PB}}{\overline{PA}}$의 값은?

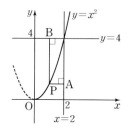

① $\dfrac{1}{4}$ ② $\dfrac{1}{2}$ ③ 1

④ 2 ⑤ 4

076 중

오른쪽 그림과 같이 중심이 원점이고 반지름의 길이가 a인 원이 직선 $y=2ax$와 제1사분면에서 만나는 점을 P라 하자. 점 P의 x좌표를 $f(a)$라 할 때, $\lim_{a\to\infty}f(a)$의 값을 구하시오.

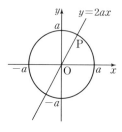

077 중

오른쪽 그림과 같이 원 $x^2+y^2=1$ 위를 움직이는 제1사분면 위의 점 $P(a, b)$를 지나고 x축에 평행한 직선을 그어 원과 만나는 다른 점을 Q라 하고, x축 위의 한 점을 R라 하자. 삼각형 PQR의 넓이를 $S(a)$라 할 때, $\lim_{a\to1-}\dfrac{S(a)}{\sqrt{1-a}}$의 값은?

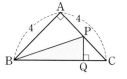

① 1 ② $\sqrt{2}$ ③ $\sqrt{3}$

④ 2 ⑤ $\sqrt{5}$

078 상

오른쪽 그림과 같이 $\overline{AB}=\overline{AC}=4$이고 $\angle A=90°$인 직각삼각형 ABC가 있다. 변 AC 위의 점 P에서 변 BC에 내린 수선의 발을 Q, 삼각형 BPQ의 넓이를 S라 할 때, $\lim_{P\to C}\dfrac{S}{\overline{PC}}$의 값을 구하시오.

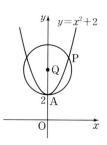

079 상

오른쪽 그림과 같이 곡선 $y=x^2+2$ 위의 점 $A(0, 2)$가 아닌 점 P에 대하여 점 P와 점 A를 지나고 y축 위의 점 Q를 중심으로 하는 원이 있다. 점 P가 곡선 $y=x^2+2$를 따라 점 A에 한없이 가까워질 때, 점 Q는 점 $(0, a)$에 한없이 가까워진다. 이때 a의 값을 구하시오.

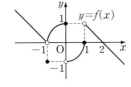 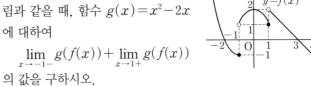

080

유형 01+02

함수 $y=f(x)$의 그래프가 오른쪽 그림과 같을 때,
$$\lim_{x \to -1} f(x) + \lim_{x \to 0-} f(x) + \lim_{x \to 1+} f(x)$$
의 값은?

① -2 ② -1 ③ 0

④ 1 ⑤ 2

081

유형 01

실수 t에 대하여 직선 $y=t$가 함수 $y=|x^2-1|$의 그래프와 만나는 점의 개수를 $f(t)$라 할 때,
$$f(0) + \lim_{t \to 1-} f(t) + \lim_{t \to 1+} f(t)$$
의 값은?

① 5 ② 6 ③ 7

④ 8 ⑤ 9

082

유형 01+02

함수 $f(x)=\begin{cases} 5x-2 & (x>2) \\ kx+4 & (-2 \le x \le 2) \\ 2x^2-6 & (x<-2) \end{cases}$에 대하여 $\lim\limits_{x \to 2} f(x)$의

값이 존재할 때, $\lim\limits_{x \to 2} f(x) + \lim\limits_{x \to -2+} f(x) + \lim\limits_{x \to -2-} f(x)$의 값을 구하시오. (단, k는 상수)

083

유형 03

함수 $y=f(x)$의 그래프가 오른쪽 그림과 같을 때, 함수 $g(x)=x^2-2x$에 대하여
$$\lim_{x \to -1-} g(f(x)) + \lim_{x \to 1+} g(f(x))$$
의 값을 구하시오.

084

유형 04

함수 $f(x)$에 대하여 $\lim\limits_{x \to 1} \dfrac{f(x)}{x-1}=-3$일 때, $\lim\limits_{x \to 1} \dfrac{4f(x)}{x^2-1}$의 값은?

① -12 ② -6 ③ 0

④ 6 ⑤ 12

085

유형 04

두 함수 $f(x)$, $g(x)$에 대하여
$$\lim_{x \to 2} \{3f(x)+g(x)\}=1, \quad \lim_{x \to 2} \{f(x)-2g(x)\}=5$$
일 때, $\lim\limits_{x \to 2} f(x)g(x)$의 값은?

① $-\dfrac{5}{2}$ ② -2 ③ $-\dfrac{3}{2}$

④ -1 ⑤ $-\dfrac{1}{2}$

086

두 함수 $f(x)$, $g(x)$에 대하여 다음 보기 중 옳은 것만을 있는 대로 고르시오. (단, a는 실수)

보기

ㄱ. $\lim\limits_{x \to a} f(x)$와 $\lim\limits_{x \to a} \{2f(x)+g(x)\}$의 값이 각각 존재하면 $\lim\limits_{x \to a} g(x)$의 값도 존재한다.

ㄴ. $\lim\limits_{x \to a} f(x)$와 $\lim\limits_{x \to a} f(x)g(x)$의 값이 각각 존재하면 $\lim\limits_{x \to a} g(x)$의 값도 존재한다.

ㄷ. $\lim\limits_{x \to a} f(x)$와 $\lim\limits_{x \to a} \dfrac{f(x)}{g(x)}$의 값이 각각 존재하면 $\lim\limits_{x \to a} g(x)$의 값도 존재한다.

ㄹ. $\lim\limits_{x \to a} f(x)=\infty$, $\lim\limits_{x \to a} g(x)=\infty$이면 $\lim\limits_{x \to a} \dfrac{f(x)}{g(x)}=1$이다.

087

다음 중 극한값이 존재하지 <u>않는</u> 것은?

(단, $[x]$는 x보다 크지 않은 최대의 정수)

① $\lim\limits_{x \to 3} (x^2-2)$

② $\lim\limits_{x \to \infty} \dfrac{1}{|x+1|}$

③ $\lim\limits_{x \to 2} \dfrac{[x]^2+x}{[x]}$

④ $\lim\limits_{x \to 2} \dfrac{x^2-4}{|x-2|}$

⑤ $\lim\limits_{x \to -\infty} \dfrac{x+1}{|x|-2}$

088

$\lim\limits_{x \to a} \dfrac{x^3-a^3}{x^2-a^2}=3$일 때, $\lim\limits_{x \to a} \dfrac{x^3-ax^2+a^2x-a^3}{x-a}$의 값을 구하시오. (단, a는 상수)

089

$\lim\limits_{x \to 1} \dfrac{\sqrt{x^2+3}-2}{\sqrt{x+8}-3}$의 값은?

① 0

② $\dfrac{2}{3}$

③ 1

④ $\dfrac{3}{2}$

⑤ 3

090

$\lim\limits_{x \to \infty} \dfrac{f(x)}{x}=4$일 때, $\lim\limits_{x \to \infty} \dfrac{3x^2+xf(x)}{x^2-f(x)}$의 값을 구하시오.

091

함수 $f(x)=x^2+ax$에 대하여 $\lim\limits_{x \to 0} \dfrac{f(x)}{x}=2$일 때, $\lim\limits_{x \to \infty} \dfrac{ax^3+2f(x)}{xf(x)}$의 값을 구하시오. (단, a는 상수)

092

$\lim\limits_{x \to -\infty} (\sqrt{x^2+4x}+x)$의 값은?

① -4

② -2

③ -1

④ 1

⑤ 2

093 유형 09

$\displaystyle\lim_{x \to 0}\frac{1}{x^2-x}\left(\frac{1}{\sqrt{x+9}}-\frac{1}{3}\right)$의 값을 구하시오.

094 유형 10

$\displaystyle\lim_{x \to -2}\frac{\sqrt{x+a}-3}{2x+4}=b$일 때, 상수 a, b에 대하여 ab의 값을 구하시오.

095 유형 10

$\displaystyle\lim_{x \to 1}\frac{ax^2-4x+b}{x-1}=2$일 때, 상수 a, b에 대하여 $a-b$의 값은?

① -4　　　　② -2　　　　③ -1

④ 2　　　　⑤ 4

096 유형 11

다항함수 $f(x)$와 함수 $g(x)=3x-9$가
$$\lim_{x \to \infty}\frac{xg(x)}{f(x)}=1, \quad \lim_{x \to 3}\frac{f(x)}{xg(x)}=2$$
를 만족시킬 때, $f(1)$의 값을 구하시오.

097 유형 11

삼차함수 $f(x)$가
$$\lim_{x \to 1}\frac{f(x)}{x-1}=1, \quad \lim_{x \to 2}\frac{x-2}{f(x)}=\frac{1}{2}$$
을 만족시킬 때, $f(3)$의 값을 구하시오.

098 유형 12

함수 $f(x)$가 모든 양의 실수 x에 대하여
$$\sqrt{9x+1}<f(x)<\sqrt{9x+4}$$
를 만족시킬 때, $\displaystyle\lim_{x \to \infty}\frac{\{f(x)\}^2}{6x+2}$의 값은?

① $\dfrac{1}{2}$　　　　② 1　　　　③ $\dfrac{3}{2}$

④ 2　　　　⑤ $\dfrac{5}{2}$

099 유형 13

오른쪽 그림과 같이 두 점
$A(0, t)$ $(t>0)$, $B(-2, 0)$을 지나
는 직선과 원 $x^2+y^2=4$의 교점 중
B가 아닌 점을 P라 하고, 점 P에서
x축에 내린 수선의 발을 H라 할 때,
$\displaystyle\lim_{P \to B}(\overline{OA}\times\overline{PH})$의 값을 구하시오.

(단, O는 원점)

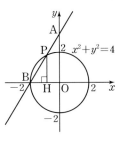

함수의 연속

I. 함수의 극한과 연속

핵심유형

02 함수의 연속

유형 01 | 함수의 연속

함수 $f(x)$가 실수 a에 대하여 다음 조건을 모두 만족시키면 함수 $f(x)$는 $x=a$에서 연속이다.

(i) 함수 $f(x)$가 $x=a$에서 정의되어 있다. → 함숫값 존재

(ii) 극한값 $\lim\limits_{x \to a} f(x)$가 존재한다. → 극한값 존재

(iii) $\lim\limits_{x \to a} f(x)=f(a)$ → (극한값)=(함숫값)

참고 함수 $f(x)$가 위의 세 조건 중 어느 하나라도 만족시키지 않으면 함수 $f(x)$는 $x=a$에서 불연속이다.

대표 문제

001 다음 보기의 함수 중 $x=1$에서 연속인 것만을 있는 대로 고르시오.

보기
ㄱ. $f(x)=x^2+1$

ㄴ. $f(x)=\dfrac{2}{x-1}$

ㄷ. $f(x)=\begin{cases} \dfrac{x^2-1}{x-1} & (x \neq 1) \\ 0 & (x=1) \end{cases}$

ㄹ. $f(x)=\begin{cases} \sqrt{x-1}+2 & (x \geq 1) \\ x+1 & (x<1) \end{cases}$

★중요
유형 02 | 함수의 그래프와 연속

함수 $y=f(x)$의 그래프가 $x=a$에서 끊어져 있으면 함수 $f(x)$는 $x=a$에서 불연속이다.

참고 함수 $y=f(x)$의 그래프가 $x=a$에서 끊어져 있으면 연속 조건을 만족시키지 않는다.

➡ $x=a$에서 정의되어 있지 않다.

➡ $\lim\limits_{x \to a} f(x)$가 존재하지 않는다.

➡ $\lim\limits_{x \to a} f(x) \neq f(a)$

대표 문제

002 함수 $y=f(x)$의 그래프가 오른쪽 그림과 같을 때, 다음 보기 중 옳은 것만을 있는 대로 고르시오.

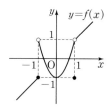

보기
ㄱ. $\lim\limits_{x \to 0} f(x)=-1$

ㄴ. 함수 $f(x)$는 $x=-1$에서 극한값이 존재한다.

ㄷ. 함수 $f(x)$는 $x=1$에서 불연속이다.

★중요
유형 03 | 함수가 연속일 조건

(1) 함수 $f(x)=\begin{cases} g(x) & (x \geq a) \\ h(x) & (x<a) \end{cases}$ 가 모든 실수 x에서 연속이면

➡ $\lim\limits_{x \to a+} g(x)=\lim\limits_{x \to a-} h(x)=g(a)$

(2) $x \neq a$에서 연속인 함수 $g(x)$에 대하여 함수

$f(x)=\begin{cases} g(x) & (x \neq a) \\ k & (x=a) \end{cases}$ 가 모든 실수 x에서 연속이면

➡ $\lim\limits_{x \to a} g(x)=k$

참고 (1) 구간에 따라 다르게 정의된 함수가 연속이려면
➡ 구간의 경계에서 연속이어야 한다.

(2) 분수 꼴이 포함된 함수가 연속이려면
➡ 분모가 0이 되는 x의 값에서 연속이어야 한다.

대표 문제

003 함수 $f(x)=\begin{cases} \dfrac{x^2+ax-3}{x-3} & (x \neq 3) \\ b & (x=3) \end{cases}$ 가 $x=3$에서 연속일 때, 상수 a, b에 대하여 $a+b$의 값은?

① -2 ② -1 ③ 0

④ 1 ⑤ 2

유형 04 | $(x-a)f(x)$ 꼴의 함수의 연속

모든 실수 x에서 연속인 두 함수 $f(x)$, $g(x)$가
$(x-a)f(x)=g(x)$를 만족시키면
➡ $f(a)=\lim\limits_{x\to a}\dfrac{g(x)}{x-a}$

004 모든 실수 x에서 연속인 함수 $f(x)$가
$$(x-2)f(x)=x^3-kx+2$$
를 만족시킬 때, $f(2)$의 값을 구하시오. (단, k는 상수)

유형 05 | 연속함수의 성질

두 함수 $f(x)$, $g(x)$가 $x=a$에서 연속이면 다음 함수도 $x=a$에서 연속이다.

(1) $kf(x)$ (단, k는 상수)　　(2) $f(x)\pm g(x)$

(3) $f(x)g(x)$　　(4) $\dfrac{f(x)}{g(x)}$ (단, $g(a)\neq0$)

참고 유리함수 $y=\dfrac{f(x)}{g(x)}$는 $g(x)\neq0$인 모든 실수 x에서 연속이다.

005 두 함수 $f(x)=x+3$, $g(x)=x^2+1$에 대하여 다음 보기의 함수 중 모든 실수 x에서 연속인 것만을 있는 대로 고르시오.

보기
ㄱ. $f(x)+3g(x)$　　ㄴ. $\{f(x)\}^2$
ㄷ. $\dfrac{f(x)}{g(x)}$　　ㄹ. $\dfrac{f(x)}{g(x)-f(x)}$

유형 06 | 최대·최소 정리

함수 $f(x)$가 닫힌구간 $[a,b]$에서 연속이면 함수 $f(x)$는 이 구간에서 반드시 최댓값과 최솟값을 갖는다.

참고 함수 $f(x)$가 닫힌구간 $[a,b]$에서 연속이 아니면
➡ 함수 $y=f(x)$의 그래프를 이용하여 최댓값과 최솟값의 존재를 확인한다.

006 함수 $f(x)=\dfrac{2x+1}{x-1}$에 대하여 다음 보기 중 최댓값과 최솟값이 모두 존재하는 구간을 있는 대로 고르시오.

보기
ㄱ. $[-2,-1]$　　ㄴ. $[-1,2)$　　ㄷ. $[0,1]$
ㄹ. $[2,3]$　　ㅁ. $(3,4]$

유형 07~08 | 사잇값의 정리

(1) 사잇값의 정리
함수 $f(x)$가 닫힌구간 $[a,b]$에서 연속이고 $f(a)\neq f(b)$일 때, $f(a)$와 $f(b)$ 사이의 임의의 값 k에 대하여 $f(c)=k$인 c가 열린구간 (a,b)에 적어도 하나 존재한다.

(2) 사잇값의 정리의 응용
함수 $f(x)$가 닫힌구간 $[a,b]$에서 연속이고 $f(a)f(b)<0$이면 방정식 $f(x)=0$은 열린구간 (a,b)에서 적어도 하나의 실근을 갖는다.

007 방정식 $2x^3-5x-9=0$이 단 하나의 실근을 가질 때, 다음 중 이 방정식의 실근이 존재하는 구간은?

① $(-2,-1)$　　② $(-1,0)$　　③ $(0,1)$
④ $(1,2)$　　⑤ $(2,3)$

008 모든 실수 x에서 연속인 함수 $f(x)$에 대하여
$$f(-2)=-1,\ f(-1)=2,\ f(0)=-3,$$
$$f(1)=-2,\ f(2)=1$$
일 때, 방정식 $f(x)=0$은 열린구간 $(-2,2)$에서 적어도 몇 개의 실근을 갖는지 구하시오.

유형 01 함수의 연속

009 대표문제 다시 보기

다음 보기의 함수 중 $x=3$에서 연속인 것만을 있는 대로 고르시오. (단, $[x]$는 x보다 크지 않은 최대의 정수)

┌ 보기 ──────────────────────
ㄱ. $f(x)=2x+1$ ㄴ. $f(x)=[x]-x$

ㄷ. $f(x)=\dfrac{1}{x^2-9}$ ㄹ. $f(x)=\begin{cases} x+2 & (x \geq 3) \\ 2x-1 & (x < 3) \end{cases}$

ㅁ. $f(x)=\begin{cases} \dfrac{|x-3|}{x-3} & (x \neq 3) \\ 1 & (x=3) \end{cases}$
└────────────────────────

010 중

다음 중 $x=-1$에서 불연속인 함수는?

① $f(x)=\sqrt{x+3}$

② $f(x)=\dfrac{1}{x+2}$

③ $f(x)=|x+1|$

④ $f(x)=\begin{cases} -x & (x \geq -1) \\ x^2 & (x < -1) \end{cases}$

⑤ $f(x)=\begin{cases} \dfrac{x^2+x}{x+1} & (x \neq -1) \\ 1 & (x=-1) \end{cases}$

011 중

함수 $f(x)=\begin{cases} -x^2+4x & (x \geq 3) \\ x^2-2x & (x < 3) \end{cases}$의 그래프와 직선 $y=t$가 만나는 점의 개수를 $g(t)$라 할 때, 함수 $g(t)$가 불연속인 실수 t의 값의 개수를 구하시오.

012 중

실수 a에 대하여 집합
$$\{x \mid ax^2+2(a-4)x-(a-4)=0, \ x는 \ 실수\}$$
의 원소의 개수를 $f(a)$라 할 때, 함수 $f(a)$가 불연속인 모든 a의 값의 곱을 구하시오.

013 상   신유형

열린구간 $(0, 4)$에서 함수 $f(x)$가
$$f(x)=\begin{cases} -x+3 & (0 < x \leq 2) \\ x^2-4x+5 & (2 < x < 4) \end{cases}$$
일 때, 함수 $[f(x)]$가 불연속인 x의 값의 개수를 구하시오.
(단, $[x]$는 x보다 크지 않은 최대의 정수)

★ 중요
유형 02 함수의 그래프와 연속

014 대표문제 다시 보기

함수 $y=f(x)$의 그래프가 오른쪽 그림과 같을 때, 다음 중 옳지 않은 것은?

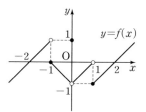

① $f(-1)=0$

② $\lim\limits_{x \to 0} f(x)=-1$

③ $\lim\limits_{x \to 2} f(x)=f(2)$

④ $-2 \leq x \leq 2$에서 함수 $f(x)$가 불연속인 x의 값은 2개이다.

⑤ 열린구간 $(-2, 2)$에서 함수 $f(x)$의 극한값이 존재하지 않는 x의 값은 2개이다.

015 하

$-2<x<3$에서 함수 $y=f(x)$의
그래프가 오른쪽 그림과 같다. 함
수 $f(x)$의 극한값이 존재하지 않
는 x의 값의 개수가 m, 함수
$f(x)$가 불연속인 x의 값의 개수
가 n일 때, $m+n$의 값을 구하시오.

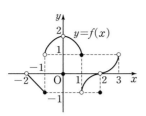

016 중

두 함수 $y=f(x)$, $y=g(x)$의 그래프가 다음 그림과 같을 때,
열린구간 $(0, 4)$에서 함수 $f(x)g(x)$가 불연속인 x의 값의
개수를 구하시오.

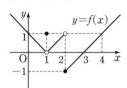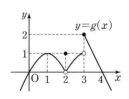

017 중

두 함수 $y=f(x)$, $y=g(x)$의 그래프가 다음 그림과 같을 때,
보기 중 옳은 것만을 있는 대로 고른 것은?

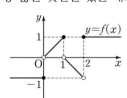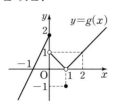

보기
ㄱ. $\lim_{x \to 1} f(x)g(x)$의 값은 존재하지 않는다.
ㄴ. 함수 $f(x)+g(x)$는 $x=0$에서 연속이다.
ㄷ. 함수 $f(x)-g(x)$는 $x=2$에서 불연속이다.

① ㄱ   ② ㄷ   ③ ㄱ, ㄴ
④ ㄴ, ㄷ   ⑤ ㄱ, ㄴ, ㄷ

018 중

두 함수 $y=f(x)$, $y=g(x)$의 그래프가 다음 그림과 같을 때,
보기 중 옳은 것만을 있는 대로 고르시오.

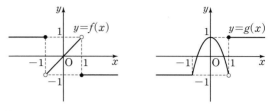

보기
ㄱ. $\lim_{x \to -1} f(x)g(x)$의 값은 존재하지 않는다.
ㄴ. 함수 $f(g(x))$는 $x=1$에서 연속이다.
ㄷ. 함수 $g(f(x))$는 $x=-1$에서 불연속이다.

019 상

함수 $y=f(x)$의 그래프가 오른쪽
그림과 같을 때, 다음 보기 중 옳은
것만을 있는 대로 고르시오.

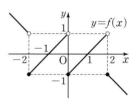

보기
ㄱ. $\lim_{x \to -2-} f(x) + \lim_{x \to 2+} f(x)=0$
ㄴ. 함수 $f(x)+f(-x)$는 $x=2$에서 연속이다.
ㄷ. 함수 $f(x-1)f(x+1)$은 $x=1$에서 연속이다.

★중요
유형 03 함수가 연속일 조건

020 대표 문제 다시 보기

함수 $f(x)=\begin{cases} \dfrac{x^2+ax+b}{x-1} & (x\neq1) \\ -4 & (x=1) \end{cases}$ 가 $x=1$에서 연속일 때,
상수 a, b에 대하여 $a+2b$의 값을 구하시오.

021 중

함수 $f(x)=\begin{cases} 3-x^2 & (x \ge a) \\ x^2-2x & (x < a) \end{cases}$ 가 모든 실수 x에서 연속일 때, 모든 실수 a의 값의 합을 구하시오.

022 중

함수 $f(x)=\begin{cases} \dfrac{x^2-4}{\sqrt{x+a}-2} & (x \ne 2) \\ b & (x=2) \end{cases}$ 가 $x=2$에서 연속일 때, 상수 a, b에 대하여 ab의 값을 구하시오. (단, $b \ne 0$)

023 중

함수 $y=f(x)$의 그래프가 오른쪽 그림과 같다. 함수 $(x-a)f(x)$가 $x=2$에서 연속일 때, 상수 a의 값은?

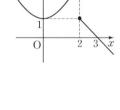

① -2 ② -1
③ 0 ④ 1
⑤ 2

024 중

함수 $f(x)=\begin{cases} (x-1)^2 & (|x| \ge 1) \\ -x^2+ax+b & (|x| < 1) \end{cases}$ 가 모든 실수 x에서 연속일 때, 상수 a, b에 대하여 $2a+b$의 값은?

① -2 ② -1 ③ 0
④ 1 ⑤ 2

025 중

두 함수

$$f(x)=x^2+ax+b, \quad g(x)=\begin{cases} -x+4 & (x \ge 2) \\ x-1 & (1 < x < 2) \\ x+1 & (x \le 1) \end{cases}$$

에 대하여 함수 $f(x)g(x)$가 모든 실수 x에서 연속일 때, $f(-1)$의 값을 구하시오. (단, a, b는 상수)

026 중

실수 전체의 집합에서 정의된 함수 $y=f(x)$의 그래프가 오른쪽 그림과 같다. 함수 $g(x)=x^3+ax^2+bx+2$에 대하여 합성함수 $g(f(x))$가 모든 실수 x에서 연속일 때, 상수 a, b에 대하여 ab의 값은?

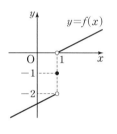

① 2 ② 4 ③ 6
④ 8 ⑤ 10

027 중

함수 $f(x)=\begin{cases} -\dfrac{1}{2}x+5 & (x \ge 0) \\ x+2 & (x < 0) \end{cases}$ 에 대하여 함수 $f(x)f(x-k)$가 $x=k$에서 연속일 때, 모든 상수 k의 값의 합을 구하시오.

028 상

모든 실수 x에서 연속인 함수 $f(x)$가 닫힌구간 $[0, 4]$에서

$$f(x) = \begin{cases} 4x & (0 \le x < 2) \\ a(x-1)^2 + b & (2 \le x \le 4) \end{cases}$$

이고, 모든 실수 x에 대하여 $f(x) = f(x+4)$를 만족시킬 때, $f(19)$의 값을 구하시오. (단, a, b는 상수)

★ 중요

유형 04 $(x-a)f(x)$ 꼴의 함수의 연속

029   대표 문제 다시 보기

모든 실수 x에서 연속인 함수 $f(x)$가

$$(x-1)f(x) = x^2 + ax + a - 5$$

를 만족시킬 때, $f(1)$의 값을 구하시오. (단, a는 상수)

030   중

$x \ge -6$인 모든 실수 x에서 연속인 함수 $f(x)$가

$$(x-3)f(x) = a\sqrt{x+6} + b$$

를 만족시키고 $f(3) = -\dfrac{1}{3}$일 때, 상수 a, b에 대하여 $a+b$의 값을 구하시오.

031   중

모든 실수 x에서 연속인 함수 $f(x)$가

$$(x^2 - x - 2)f(x) = 2x^3 + ax + b$$

를 만족시킬 때, $f(-1) + f(2)$의 값을 구하시오.

(단, a, b는 상수)

032   중

다항함수 $f(x)$와 모든 실수 x에서 연속인 함수 $g(x)$가 다음 조건을 모두 만족시킬 때, $f(2) + g(1)$의 값을 구하시오.

> (가) $(x-1)g(x) = f(x) - x^2$
>
> (나) $\displaystyle\lim_{x \to \infty} g(x) = 2$

유형 05   연속함수의 성질

033   대표 문제 다시 보기

두 함수 $f(x) = x + 2$, $g(x) = x^2 - 3x$에 대하여 다음 보기의 함수 중 모든 실수 x에서 연속인 것만을 있는 대로 고르시오.

> 보기
>
> ㄱ. $f(x) + g(x)$ 　　ㄴ. $f(x)g(x)$
>
> ㄷ. $\dfrac{g(x)}{f(x)}$ 　　ㄹ. $\dfrac{1}{g(x) - 4}$

034   하

두 함수 $f(x) = x^2 - x - 5$, $g(x) = -3x$에 대하여 함수 $\dfrac{f(x)}{f(x) + g(x)}$가 연속인 구간은?

① $(-\infty, \infty)$

② $(-\infty, -1)$, $(-1, \infty)$

③ $(-\infty, 1)$, $(1, \infty)$

④ $(-\infty, 5)$, $(5, \infty)$

⑤ $(-\infty, -1)$, $(-1, 5)$, $(5, \infty)$

035 중

두 함수 $f(x)=x+3$, $g(x)=x^2+ax+4$에 대하여 함수 $\dfrac{f(x)}{g(x)}$가 모든 실수 x에서 연속일 때, 정수 a의 개수를 구하시오.

036 중

실수 전체의 집합에서 정의된 두 함수 $f(x)$, $g(x)$가 $x=a$에서 연속일 때, 다음 보기의 함수 중 $x=a$에서 항상 연속인 것만을 있는 대로 고르시오.

┌ 보기 ──────────────────────────────
ㄱ. $3f(x)-g(x)$ ㄴ. $\dfrac{f(x)}{g(x)}$

ㄷ. $\{g(x)\}^2$ ㄹ. $\dfrac{f(x)}{f(x)+g(x)}$
└────────────────────────────────────

037 상

두 함수 $f(x)$, $g(x)$에 대하여 다음 보기 중 옳은 것만을 있는 대로 고르시오. (단, a는 실수)

┌ 보기 ──────────────────────────────
ㄱ. 함수 $\{f(x)\}^2$이 $x=a$에서 연속이면 함수 $f(x)$도 $x=a$에서 연속이다.

ㄴ. 함수 $f(x)+g(x)$가 $x=a$에서 연속이면 두 함수 $f(x)$, $g(x)$도 $x=a$에서 연속이다.

ㄷ. 두 함수 $f(x)$, $f(x)-g(x)$가 $x=a$에서 연속이면 함수 $g(x)$도 $x=a$에서 연속이다.

ㄹ. 두 함수 $f(x)$, $\dfrac{f(x)}{g(x)}$가 $x=a$에서 연속이면 함수 $g(x)$도 $x=a$에서 연속이다.
└────────────────────────────────────

유형 06   **최대·최소 정리**

038 대표 문제 다시 보기

함수 $f(x)=\dfrac{x+2}{2x-4}$에 대하여 다음 보기 중 최댓값과 최솟값이 모두 존재하는 구간을 있는 대로 고르시오.

┌ 보기 ──────────────────────────────
ㄱ. $[-1,\,0]$ ㄴ. $[0,\,1)$ ㄷ. $[1,\,3)$

ㄹ. $[2,\,3]$ ㅁ. $[3,\,4]$
└────────────────────────────────────

039 하

닫힌구간 $[-1,\,3]$에서 함수 $f(x)=\dfrac{3x+5}{x+2}$의 최댓값을 M, 함수 $g(x)=\sqrt{-x+4}$의 최솟값을 m이라 할 때, $M+m$의 값은?

① 3   ② $\dfrac{17}{5}$ ③ $\dfrac{19}{5}$

④ $\dfrac{21}{5}$ ⑤ $\dfrac{23}{5}$

040 중

닫힌구간 $[0,\,3]$에서 정의된 함수 $f(x)$가
$$f(x)=\lim_{t\to-\infty}\frac{1+xt}{1-t}(x-2)$$
일 때, 함수 $f(x)$의 최댓값과 최솟값의 곱을 구하시오.

★중요
유형 **07** 사잇값의 정리

041 대표 문제 다시 보기

방정식 $x^3-8x-10=0$이 단 하나의 실근을 가질 때, 다음 중 이 방정식의 실근이 존재하는 구간은?

① $(0, 1)$ ② $(1, 2)$ ③ $(2, 3)$

④ $(3, 4)$ ⑤ $(4, 5)$

042 중

방정식 $x^2+4x+a=0$이 열린구간 $(-1, 2)$에서 적어도 하나의 실근을 갖도록 하는 정수 a의 개수를 구하시오.

043 중

다음 보기의 방정식 중 사잇값의 정리에 의하여 열린구간 $(2, 3)$에서 적어도 하나의 실근을 갖는다고 할 수 있는 것만을 있는 대로 고른 것은?

보기
ㄱ. $x^3-3x^2+3=0$ ㄴ. $\dfrac{4}{2x-1}-1=0$

ㄷ. $\sqrt{x}-\dfrac{3}{x}-1=0$

① ㄱ ② ㄷ ③ ㄱ, ㄴ

④ ㄴ, ㄷ ⑤ ㄱ, ㄴ, ㄷ

★중요
유형 **08** 사잇값의 정리 – 실근의 개수

044 대표 문제 다시 보기

모든 실수 x에서 연속인 함수 $f(x)$에 대하여
$$f(-1)=-2,\ f(0)=2,\ f(1)=-3,\ f(2)=-2$$
일 때, 방정식 $f(x)=x$는 열린구간 $(-1, 2)$에서 적어도 몇 개의 실근을 갖는지 구하시오.

045 중

모든 실수 x에서 연속인 함수 $f(x)$에 대하여 $f(x)=f(-x)$가 성립하고
$$f(1)f(2)<0,\ f(4)f(5)<0$$
일 때, 방정식 $f(x)=0$은 적어도 몇 개의 실근을 갖는지 구하시오.

046 중

모든 실수 x에서 연속인 함수 $f(x)$에 대하여 함수 $y=f(x)$의 그래프가 네 점 $(-2, 1)$, $(-1, -1)$, $(0, 3)$, $(1, 1)$을 지날 때, 방정식 $f(x)=x+1$은 열린구간 $(-2, 1)$에서 적어도 n개의 실근을 갖는다. 이때 n의 값을 구하시오.

047 상

다항함수 $f(x)$에 대하여
$$\lim_{x \to 0}\frac{f(x)}{x}=4,\ \lim_{x \to 2}\frac{f(x)}{x-2}=2$$
일 때, 방정식 $f(x)=0$은 닫힌구간 $[0, 2]$에서 적어도 몇 개의 실근을 갖는지 구하시오.

핵심 유형 **최종 점검하기**

048
유형 01

다음 보기의 함수 중 모든 실수 x에서 연속인 것만을 있는 대로 고르시오.

보기
ㄱ. $f(x)=x|x|$
ㄴ. $f(x)=\dfrac{x^2+3x+1}{x-2}$
ㄷ. $f(x)=\begin{cases} \sqrt{x-1} & (x\geq 1) \\ x-1 & (x<1) \end{cases}$
ㄹ. $f(x)=\begin{cases} \dfrac{x^3-8}{x-2} & (x\neq 2) \\ 2 & (x=2) \end{cases}$

049
유형 02

두 함수 $y=f(x)$, $y=g(x)$의 그래프가 다음 그림과 같을 때, 보기의 함수 중 $x=0$에서 연속인 것만을 있는 대로 고르시오.

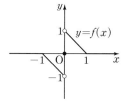
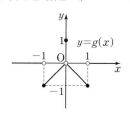

보기
ㄱ. $f(x)+g(x)$
ㄴ. $f(x)g(x)$
ㄷ. $f(g(x))$
ㄹ. $g(f(x))$

050
유형 03

함수 $f(x)=\begin{cases} x^2+a & (x\geq 1) \\ 3x+3 & (-1\leq x<1) \\ x+b & (x<-1) \end{cases}$ 가 모든 실수 x에서 연속

일 때, $f(-2)+f(1)$의 값을 구하시오. (단, a, b는 상수)

051
유형 03

함수 $f(x)=\begin{cases} \dfrac{2x+4}{\sqrt{x^2-a}+b} & (x\neq -2) \\ -1 & (x=-2) \end{cases}$ 이 $x=-2$에서 연속일

때, 상수 a, b에 대하여 $a-b$의 값은?

① 2   ② 3   ③ 4
④ 5   ⑤ 6

052
유형 03

함수 $f(x)=\begin{cases} -x+a & (x>0) \\ x+2 & (x\leq 0) \end{cases}$ 에 대하여 함수 $f(x)f(x-1)$

이 $x=1$에서 연속일 때, 모든 상수 a의 값의 곱을 구하시오.

053
유형 04

모든 실수 x에서 연속인 함수 $f(x)$가 다음 조건을 모두 만족시킬 때, $f(-1)$의 값을 구하시오. (단, a, b는 상수)

(가) $(x+1)f(x)=3x^5+ax+b$
(나) $\displaystyle\lim_{x \to 1}f(x)=6$

054
유형 04

모든 실수 x에서 연속인 함수 $f(x)$가
$$(x-a)f(x)=x^2+2x+1$$
을 만족시킬 때, 상수 a에 대하여 $a+f(a)$의 값을 구하시오.

055
유형 05

두 함수 $f(x)$, $g(x)$에 대하여 다음 보기 중 옳은 것만을 있는 대로 고르시오. (단, a는 실수)

보기
ㄱ. 두 함수 $f(x)$, $g(x)$가 $x=a$에서 불연속이면 함수 $f(x)+g(x)$도 $x=a$에서 불연속이다.
ㄴ. 두 함수 $f(x)$, $f(x)g(x)$가 $x=a$에서 연속이면 함수 $g(x)$도 $x=a$에서 연속이다.
ㄷ. 두 함수 $f(x)+g(x)$, $f(x)-g(x)$가 $x=a$에서 연속이면 함수 $f(x)$도 $x=a$에서 연속이다.
ㄹ. 함수 $|f(x)|$가 $x=a$에서 연속이면 함수 $f(x)$도 $x=a$에서 연속이다.

056
유형 06

함수 $f(x)=\dfrac{2}{x-1}$에 대하여 다음 중 최댓값이 존재하지 <u>않는</u> 구간은?

① $[-1, 0]$ ② $[0, 1)$ ③ $(1, 2]$
④ $[2, 3]$ ⑤ $[3, 4]$

057
유형 03+06

닫힌구간 $[-1, 2]$에서 연속인 함수

$$f(x)=\begin{cases} \dfrac{x^2-ax+b}{x-1} & (-1 \le x < 1) \\ x^2+c & (1 \le x \le 2) \end{cases}$$

의 최댓값과 최솟값의 차를 구하시오.

058
유형 07

모든 실수 x에서 연속인 함수 $f(x)$에 대하여 $f(0)=k+2$, $f(2)=k-3$이다. 방정식 $f(x)=3x$가 중근이 아닌 오직 하나의 실근을 가질 때, 그 실근이 열린구간 $(0, 2)$에 존재하도록 하는 정수 k의 개수는?

① 6   ② 7   ③ 8
④ 9   ⑤ 10

059
유형 08

자동차로 A 지점을 출발하여 B 지점까지 가는데 중간에 휴게소에서 한 번 정차하였다. A 지점에서 휴게소까지 갈 때의 이 자동차의 최고 속력은 80 km/h이고, 휴게소에서 B 지점까지 갈 때의 이 자동차의 최고 속력은 60 km/h이었다. 다음 보기 중 옳은 것만을 있는 대로 고르시오.

보기
ㄱ. 속력이 70 km/h인 순간이 적어도 2번 존재한다.
ㄴ. 속력이 50 km/h인 순간이 적어도 4번 존재한다.
ㄷ. A 지점에서 휴게소까지 갈 때의 평균 속력이 휴게소에서 B 지점까지 갈 때의 평균 속력보다 빠르다.

060
유형 08

모든 실수 x에서 연속인 함수 $f(x)$에 대하여
$$f(-2)=-2,\ f(-1)=-4,\ f(0)=3,\ f(1)=0$$
일 때, 방정식 $x^2 f(x)=3x-1$은 열린구간 $(-2, 1)$에서 적어도 n개의 실근을 갖는다. 이때 n의 값을 구하시오.

II . 미분

03

미분계수와
도함수

미분계수와 도함수

유형 01 | 평균변화율

함수 $y=f(x)$에서 x의 값이 a에서 b까지 변할 때의 평균변화율은

$$\frac{\Delta y}{\Delta x}=\frac{f(b)-f(a)}{b-a}=\frac{f(a+\Delta x)-f(a)}{\Delta x}$$

대표 문제

001 함수 $f(x)=x^2-3x$에 대하여 x의 값이 2에서 a까지 변할 때의 평균변화율이 4일 때, 상수 a의 값을 구하시오.

(단, $a>2$)

유형 02 | 미분계수

함수 $y=f(x)$의 $x=a$에서의 미분계수(순간변화율)는

$$f'(a)=\lim_{\Delta x \to 0}\frac{f(a+\Delta x)-f(a)}{\Delta x}=\lim_{h \to 0}\frac{f(a+h)-f(a)}{h}$$
$$=\lim_{x \to a}\frac{f(x)-f(a)}{x-a}$$

대표 문제

002 함수 $f(x)=-x^2+x+2$에 대하여 x의 값이 -1에서 1까지 변할 때의 평균변화율과 $x=a$에서의 미분계수가 같을 때, 상수 a의 값을 구하시오.

유형 03 | 평균변화율과 미분계수의 기하적 의미

(1) 함수 $y=f(x)$에서 x의 값이 a에서 b까지 변할 때의 평균변화율은 함수 $y=f(x)$의 그래프 위의 두 점 $(a, f(a))$, $(b, f(b))$를 지나는 직선의 기울기와 같다.

(2) 함수 $y=f(x)$의 $x=a$에서의 미분계수 $f'(a)$는 곡선 $y=f(x)$ 위의 점 $(a, f(a))$에서의 접선의 기울기와 같다.

대표 문제

003 함수 $y=f(x)$의 그래프와 직선 $y=x$가 오른쪽 그림과 같다.
$0<a<1<b$일 때, 다음 보기 중 옳은 것만을 있는 대로 고르시오.

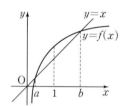

보기

ㄱ. $\dfrac{f(b)}{b}<1<\dfrac{f(a)}{a}$　　ㄴ. $f'(a)>f'(b)$

ㄷ. $f'(b)<\dfrac{f(b)-f(a)}{b-a}$

★중요

유형 04 | 미분계수를 이용한 극한값의 계산 (1)

$f'(a)$가 존재할 때, 분모의 항이 1개이면

$$\lim_{h \to 0}\frac{f(a+h)-f(a)}{h}=f'(a) \leftarrow \lim_{\blacksquare \to 0}\frac{f(a+\blacksquare)-f(a)}{\blacksquare}=f'(a)$$

임을 이용할 수 있도록 식을 변형한다.

대표 문제

004 미분가능한 함수 $f(x)$에 대하여 $f'(1)=3$일 때, $\displaystyle\lim_{h \to 0}\frac{f(1+3h)-f(1)}{h}$의 값은?

① -9　　　② -3　　　③ 1

④ 3　　　⑤ 9

★중요
유형 05 | 미분계수를 이용한 극한값의 계산 (2)

$f'(a)$가 존재할 때, 분모의 항이 2개이면

$$\lim_{x \to a}\frac{f(x)-f(a)}{x-a}=f'(a) \leftarrow \lim_{▲ \to a}\frac{f(▲)-f(a)}{▲-a}=f'(a)$$

임을 이용할 수 있도록 식을 변형한다.

대표 문제
005 미분가능한 함수 $f(x)$에 대하여 $f(1)=4$, $f'(1)=-2$일 때, $\displaystyle\lim_{x \to 1}\frac{xf(1)-f(x)}{x^2-1}$의 값을 구하시오.

★중요
유형 06 | 관계식이 주어질 때 미분계수 구하기

함수 $f(x)$에 대한 관계식이 주어지면 미분계수 $f'(a)$는 다음
과 같은 순서로 구한다.

(1) 주어진 관계식의 x, y에 적당한 수를 대입하여 $f(0)$의 값을
구한다.

(2) $f'(a)=\displaystyle\lim_{h \to 0}\frac{f(a+h)-f(a)}{h}$에서 $f(a+h)$에 주어진 관
계식을 대입하여 정리한다.

(3) 주어진 조건을 이용하여 $f'(a)$의 값을 구한다.

대표 문제
006 미분가능한 함수 $f(x)$가 모든 실수 x, y에 대하여
$$f(x+y)=f(x)+f(y)+xy$$
를 만족시키고 $f'(0)=1$일 때, $f'(1)$의 값은?

① 0   ② 1   ③ 2
④ 3   ⑤ 4

★중요
유형 07 | 미분가능성과 연속성 – 정의를 이용하는 경우

함수 $f(x)$가 실수 a에 대하여

(1) $\displaystyle\lim_{x \to a}f(x)=f(a)$이면 $x=a$에서 연속이다.

(2) $\underbrace{\displaystyle\lim_{h \to 0}\frac{f(a+h)-f(a)}{h}}_{=f'(a)}$가 존재하면 $x=a$에서 미분가능하다.

참고 함수 $f(x)$가 $x=a$에서 미분가능하면 $x=a$에서 연속이다.
그러나 그 역은 성립하지 않는다.

대표 문제
007 다음 보기의 함수 중 $x=0$에서 연속이지만 미분가능하
지 않은 것만을 있는 대로 고르시오.

┌ 보기 ─────────────────────
ㄱ. $f(x)=\sqrt{x^2}$ ㄴ. $f(x)=x^2-2|x|+3$

ㄷ. $f(x)=x|x|$ ㄹ. $f(x)=\begin{cases} 2x & (x \geq 0) \\ -2x & (x < 0) \end{cases}$
└──────────────────────────

유형 08 | 미분가능성과 연속성 – 그래프를 이용하는 경우

함수 $f(x)$가

(1) $x=a$에서 불연속인 경우
➡ $x=a$에서 그래프가 연결되어 있지 않고 끊어져 있다.

(2) $x=a$에서 미분가능하지 않은 경우
➡ ① $x=a$에서 불연속이다.
　② $x=a$에서 그래프가 꺾여 있다.

대표 문제
008 함수 $y=f(x)$의 그래프가
오른쪽 그림과 같을 때, 구간
$(-1, 4)$에서 함수 $f(x)$에 대한
다음 설명 중 옳지 <u>않은</u> 것은?

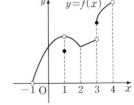

① $f'(0)>0$
② $\displaystyle\lim_{x \to 1}f(x)$의 값이 존재한다.
③ $f'(x)=0$인 점은 1개이다.
④ 불연속인 x의 값은 2개이다.
⑤ 미분가능하지 않은 x의 값은 3개이다.

유형 01 평균변화율

009 대표 문제 다시 보기

함수 $f(x)=x^2-x+2$에 대하여 x의 값이 a에서 $a+1$까지 변할 때의 평균변화율이 4일 때, 상수 a의 값은?

① 1
② 2
③ 3
④ 4
⑤ 5

010 하

함수 $f(x)=x^2+4x-3$에서 x의 값이 -1에서 2까지 변할 때의 평균변화율을 구하시오.

011 하

함수 $f(x)=x^3-ax+1$에 대하여 x의 값이 -2에서 3까지 변할 때의 평균변화율이 10일 때, 상수 a의 값은?

① -3
② -1
③ 1
④ 3
⑤ 5

012 중

함수 $f(x)=\dfrac{x}{x-1}$에 대하여 함수 $g(x)$는 $g(x)=f^{2021}(x)$이다. 함수 $g(x)$에서 x의 값이 3에서 5까지 변할 때의 평균변화율을 구하시오.

(단, $f^1=f$, 자연수 n에 대하여 $f^{n+1}=f\circ f^n$)

유형 02 미분계수

013 대표 문제 다시 보기

함수 $f(x)=x^2-4x+1$에 대하여 x의 값이 0에서 a까지 변할 때의 평균변화율과 $x=3$에서의 미분계수가 같을 때, 상수 a의 값은? (단, $a>0$)

① 3
② 4
③ 5
④ 6
⑤ 7

014 중

미분가능한 함수 $f(x)$에서 임의의 실수 h에 대하여 x의 값이 1에서 $1+h$까지 변할 때의 평균변화율이 $\dfrac{\sqrt{4+h}-\sqrt{4-h}}{h}$이다. 이때 함수 $f(x)$의 $x=1$에서의 미분계수를 구하시오.

(단, $0<h<4$)

015 중

달 표면에서 $24\,\text{m/s}$의 속도로 달 표면과 수직하게 위로 던진 돌의 t초 후의 높이를 $s(t)\,\text{m}$라 할 때,
$$s(t)=24t-0.8t^2 \ (0\le t\le 30)$$
인 관계가 성립한다고 한다. 함수 $s(t)$에 대하여 t의 값이 5에서 15까지 변할 때의 평균변화율을 a라 하면 $t=b$에서의 순간변화율이 a와 같을 때, ab의 값을 구하시오.

유형 03 평균변화율과 미분계수의 기하적 의미

016 대표 문제 다시 보기

함수 $y=f(x)$의 그래프와 직선 $y=2x$가 오른쪽 그림과 같다. $0<a<b$일 때, 다음 보기 중 옳은 것만을 있는 대로 고른 것은?

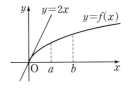

┌ 보기 ───────────────
ㄱ. $f(b)-f(a)>2(b-a)$
ㄴ. $f(b)-f(a)<(b-a)f'(a)$
ㄷ. $f(b)>bf'(b)$
└──────────────────

① ㄱ   ② ㄷ   ③ ㄱ, ㄴ

④ ㄴ, ㄷ   ⑤ ㄱ, ㄴ, ㄷ

017 중

두 이차함수 $y=f(x)$, $y=g(x)$의 그래프가 오른쪽 그림과 같을 때, 부등식 $f'(x)g'(x)>0$의 해를 구하시오. (단, b, c는 각각 두 함수 $g(x)$, $f(x)$의 꼭짓점의 x좌표이다.)

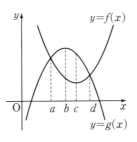

018 중

다음 보기의 함수의 그래프 중 $x>1$에서
$$\frac{f(x)-f(1)}{x-1}\leq f'(1)$$
을 항상 만족시키는 것만을 있는 대로 고르시오.

┌ 보기 ──────────────────────────
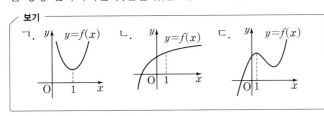
└──────────────────────────────

019 중

함수 $y=f(x)$의 그래프가 오른쪽 그림과 같고, 두 함수 $f(x)$, $g(x)$에 대하여 $(f\circ g)(x)=x$가 성립한다. 다음 중 함수 $g(x)$에 대하여 x의 값이 b에서 c까지 변할 때의 평균변화율과 같은 것은? (단, 모든 점선은 x축 또는 y축에 평행하다.)

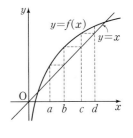

① $\dfrac{b-c}{a-b}$ ② $\dfrac{c-d}{a-b}$ ③ $\dfrac{a-b}{b-c}$

④ $\dfrac{c-d}{b-c}$ ⑤ $\dfrac{b-c}{c-d}$

020 상

오른쪽 그림과 같이 최고차항의 계수가 음수인 이차함수 $y=f(x)$의 그래프가 직선 $y=x$와 점 $(1, 1)$에서 접한다. 양수 a에 대하여 다음 보기 중 옳은 것만을 있는 대로 고르시오.

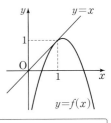

┌ 보기 ──────────────────────────
ㄱ. $\dfrac{f(a)}{a}\leq 1$
ㄴ. $a>1$이면 $f'(a)<1$이다.
ㄷ. $f(a)<af'(a)$이면 $0<a<1$이다.
└──────────────────────────────

021 상 신유형

오른쪽 그림과 같이 최고차항의 계수가 양수인 삼차함수 $y=f(x)$의 그래프와 직선 $y=k$가 서로 다른 세 점에서 만나고 이 세 점의 x좌표를 각각 a, b, c라 할 때, 다음 보기 중 옳은 것만을 있는 대로 고르시오. (단, $a<b<c$)

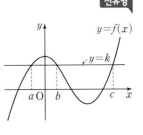

┌ 보기 ──────────────────────────
ㄱ. $f'(a)+f'(c)>0$ ㄴ. $f'(a)f'(b)f'(c)>0$
ㄷ. $\dfrac{f(b)}{b}>\dfrac{f(c)}{c}$ ㄹ. $\dfrac{f(c)-f(0)}{c}>f'(a)$
└──────────────────────────────

중요

유형 **04** 미분계수를 이용한 극한값의 계산 (1)

022 대표 문제 다시 보기

미분가능한 함수 $f(x)$에 대하여 $f'(2)=4$일 때,

$\displaystyle\lim_{h \to 0}\frac{f(2+5h)-f(2)}{2h}$의 값은?

① 8   ② 10   ③ 12

④ 14   ⑤ 16

023 하

미분가능한 함수 $f(x)$에 대하여 $\displaystyle\lim_{h \to 0}\frac{f(a)-f(a-2h)}{3h}$의 값을 $f'(a)$를 이용하여 나타내면?

① $-\dfrac{3}{2}f'(a)$ ② $-f'(a)$ ③ $-\dfrac{2}{3}f'(a)$

④ $\dfrac{2}{3}f'(a)$ ⑤ $\dfrac{3}{2}f'(a)$

024 중

곡선 $y=f(x)$ 위의 점 $(2, f(2))$에서의 접선의 기울기가 3일 때, $\displaystyle\lim_{h \to 0}\frac{f(2+h)-f(2-5h)}{3h}$의 값을 구하시오.

025 중

미분가능한 함수 $f(x)$가 $\displaystyle\lim_{h \to 0}\frac{f(1+2h)-3}{h}=-4$를 만족시킬 때, $f'(1)$의 값은?

① -4 ② -2 ③ 2

④ 4   ⑤ 6

026 중

미분가능한 함수 $f(x)$에 대하여 $f'(1)=3$일 때,

$\displaystyle\lim_{t \to \infty}t\left\{f\left(1+\dfrac{2}{t}\right)-f\left(1+\dfrac{1}{t}\right)\right\}$의 값은?

① 3   ② 6   ③ 9

④ 12   ⑤ 15

027 중

미분가능한 두 함수 $f(x)$, $g(x)$가 다음 조건을 모두 만족시킬 때, $\displaystyle\lim_{h \to 0}\frac{g(h)}{h}$의 값을 구하시오.

> (가) $f'(a)=-2$
>
> (나) $\displaystyle\lim_{h \to 0}\frac{f(a-2h)-f(a)-g(h)}{h}=0$

유형 05   미분계수를 이용한 극한값의 계산 (2)

028 대표 문제 다시 보기

미분가능한 함수 $f(x)$에 대하여 $f(2)=-1$, $f'(2)=-3$일 때, $\lim\limits_{x \to 2} \dfrac{x^2 f(2) - 4f(x)}{x-2}$의 값을 구하시오.

029 중

미분가능한 함수 $f(x)$에 대하여 $f'(1)=2$일 때, $\lim\limits_{x \to 1} \dfrac{f(x^3)-f(1)}{x^2-1}$의 값은?

① 1   ② $\dfrac{3}{2}$ ③ 2

④ $\dfrac{5}{2}$ ⑤ 3

030 중

미분가능한 함수 $f(x)$에 대하여
$\lim\limits_{h \to 0} \dfrac{f(1+h)-f(1-3h)}{2h}=-6$일 때, $\lim\limits_{x \to 1} \dfrac{f(x)-f(1)}{x^3-1}$의 값은?

① -5 ② -3 ③ -1

④ 1   ⑤ 3

031 중

미분가능한 함수 $f(x)$에 대하여 $\lim\limits_{x \to 3} \dfrac{f(x)-2}{x^2-9}=1$일 때, $f(3)+f'(3)$의 값은?

① 6   ② 7   ③ 8

④ 9   ⑤ 10

032 중

미분가능한 함수 $f(x)$에 대하여 $f(1)=3$, $f'(1)=-1$일 때, $\lim\limits_{x \to 1} \dfrac{f(x)-3x}{x-1}$의 값을 구하시오.

033 중

미분가능한 함수 $f(x)$에 대하여 $f(1)=4$, $f'(1)=6$일 때, $\lim\limits_{x \to 1} \dfrac{\sqrt{f(x)}-\sqrt{f(1)}}{x^2-1}$의 값을 구하시오.

034 상

미분가능한 두 함수 $f(x)$, $g(x)$에 대하여
$$\lim\limits_{x \to 0} \dfrac{f(x)}{x}=2, \ g(1)=0, \ g'(1)=-1$$
일 때, $\lim\limits_{x \to 1} \dfrac{f(x-1)+g(x)}{x^2-1}$의 값을 구하시오.

유형 06 관계식이 주어질 때 미분계수 구하기

035 대표 문제 다시 보기

미분가능한 함수 $f(x)$가 모든 실수 x, y에 대하여
$$f(x+y)=f(x)+f(y)+3xy-1$$
을 만족시키고 $f'(0)=3$일 때, $f'(2)$의 값은?

① -7　　　　② -3　　　　③ 1
④ 5　　　　　⑤ 9

036 중

미분가능한 함수 $f(x)$가 모든 실수 x, y에 대하여
$$f(x+y)=f(x)+f(y)-2xy+1$$
을 만족시키고 $f'(1)=2$일 때, $f'(0)$의 값을 구하시오.

037 중

미분가능한 함수 $f(x)$가 모든 실수 x, y에 대하여
$$f(x+y)=f(x)+f(y)+xy$$
를 만족시키고 $f'(1)=3$일 때, $f'(15)$의 값은?

① 14　　　　② 15　　　　③ 16
④ 17　　　　⑤ 18

038 중

항상 양의 값을 갖는 미분가능한 함수 $f(x)$가 모든 실수 x, y에 대하여
$$f(x+y)=2f(x)f(y)$$
를 만족시키고 $f'(0)=2$일 때, $\dfrac{f'(1)}{f(1)}$의 값은?

① 3　　　　② $\dfrac{7}{2}$　　　　③ 4
④ $\dfrac{9}{2}$　　　⑤ 5

039 상

미분가능한 함수 $f(x)$가 모든 실수 x에 대하여 $f(3x)=3f(x)$를 만족시키고 $f'(1)=2$일 때, $f'(3)$의 값을 구하시오.

★ 중요
유형 07 미분가능성과 연속성 – 정의를 이용하는 경우

040 대표 문제 다시 보기

다음 함수 중 $x=1$에서 연속이지만 미분가능하지 않은 것은?

① $f(x)=x-1$
② $f(x)=|x|(x-1)$
③ $f(x)=|x^2-x|$
④ $f(x)=\dfrac{x^2-1}{|x-1|}$
⑤ $f(x)=\begin{cases} x^2 & (x\geq 1) \\ 2x-1 & (x<1) \end{cases}$

041 중

함수 $f(x)=|x-2|$에 대하여 다음 보기 중 옳은 것만을 있는 대로 고르시오.

┌ 보기 ─────────────────────────
ㄱ. 함수 $f(x)$는 $x=2$에서 연속이다.
ㄴ. 함수 $xf(x)$는 $x=2$에서 미분가능하다.
ㄷ. 함수 $x(x-2)f(x)$는 $x=2$에서 연속이지만 미분가능하지 않다.
└─────────────────────────

042 중

두 함수 $y=f(x)$, $y=g(x)$의 그래프가 다음 그림과 같을 때, 보기 중 옳은 것만을 있는 대로 고르시오.

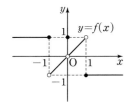 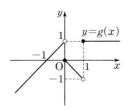

┌ 보기 ─────────────────────────
ㄱ. 함수 $f(x)+g(x)$는 $x=1$에서 연속이다.
ㄴ. 함수 $f(x)-g(x)$는 $x=-1$에서 연속이다.
ㄷ. 함수 $f(x)g(x)$는 $x=0$에서 미분가능하다.
└─────────────────────────

043 상

함수 $f(x)=|x-1|$, $g(x)=\begin{cases} -x & (x\geq1) \\ 2x-1 & (x<1) \end{cases}$에 대하여 다음 보기의 함수 중 $x=1$에서 미분가능한 것만을 있는 대로 고른 것은?

┌ 보기 ─────────────────────────
ㄱ. $x+f(x)$　　　　　　ㄴ. $f(x)g(x)$
ㄷ. $|f(x)-g(x)|$
└─────────────────────────

① ㄱ　　　　② ㄴ　　　　③ ㄱ, ㄷ
④ ㄴ, ㄷ　　　⑤ ㄱ, ㄴ, ㄷ

유형 **08**　미분가능성과 연속성 – 그래프를 이용하는 경우

044 대표 문제 다시 보기

함수 $y=f(x)$의 그래프가 오른쪽 그림과 같을 때, 구간 $(-2, 4)$에서 함수 $f(x)$에 대한 다음 설명 중 옳지 <u>않은</u> 것은?

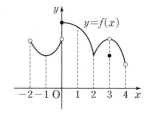

① $\lim\limits_{x\to 1}\dfrac{f(x)-f(1)}{x-1}<0$
② $\lim\limits_{x\to 3}f(x)$의 값이 존재한다.
③ $f'(x)=0$인 x의 값은 1개이다.
④ 불연속인 x의 값은 2개이다.
⑤ 미분가능하지 않은 x의 값은 2개이다.

045 하

함수 $y=f(x)$의 그래프가 다음 그림과 같을 때, 구간 $(-1, 6)$에서 불연속인 x의 값의 개수를 m, 미분가능하지 않은 x의 값의 개수를 n이라 하자. 이때 $m+n$의 값은?

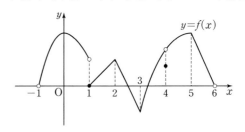

① 6　　　　　　② 7　　　　　　③ 8
④ 9　　　　　　⑤ 10

II. 미분

미분계수와 도함수

미분가능한 함수 $y=f(x)$의 도함수는

$$f'(x)=\lim_{\Delta x \to 0}\frac{f(x+\Delta x)-f(x)}{\Delta x}$$
$$=\lim_{h \to 0}\frac{f(x+h)-f(x)}{h}$$

참고 함수 $f(x)$의 $x=a$에서의 미분계수 $f'(a)$는 도함수 $f'(x)$의 $x=a$에서의 함숫값이다.

대표 문제

046 다음은 도함수의 정의를 이용하여 함수 $f(x)=x^2+3x$의 도함수를 구하는 과정이다. 이때 (가), (나), (다)에 알맞은 것을 구하시오.

$$f'(x)=\lim_{h \to 0}\frac{f(x+h)-f(x)}{h}$$
$$=\lim_{h \to 0}\frac{\{\boxed{(가)}+3(x+h)\}-(x^2+3x)}{h}$$
$$=\lim_{h \to 0}\frac{\boxed{(나)}+h^2+3h}{h}$$
$$=\lim_{h \to 0}(2x+h+3)$$
$$=\boxed{(다)}+3$$

함수 $f(x)$에 대한 관계식이 주어지면 도함수 $f'(x)$는 다음과 같은 순서로 구한다.

(1) 주어진 관계식의 x, y에 적당한 수를 대입하여 $f(0)$의 값을 구한다.

(2) $f'(x)=\lim_{h \to 0}\dfrac{f(x+h)-f(x)}{h}$에서 $f(x+h)$에 주어진 관계식을 대입하여 정리한다.

(3) 주어진 조건을 이용하여 $f'(x)$를 구한다.

대표 문제

047 미분가능한 함수 $f(x)$가 모든 실수 x, y에 대하여
$$f(x+y)=f(x)+f(y)+3xy$$
를 만족시키고 $f'(0)=1$일 때, $f'(x)$는?

① $f'(x)=x+1$　　　　② $f'(x)=x+3$

③ $f'(x)=3x-1$　　　　④ $f'(x)=3x+1$

⑤ $f'(x)=3x+3$

---

(1) 함수 $y=x^n$ (n은 양의 정수)과 상수함수의 도함수
　① $y=x$ ➡ $y'=1$
　② $y=x^n$ ($n\geq2$인 정수) ➡ $y'=nx^{n-1}$
　③ $y=c$ (c는 상수) ➡ $y'=0$

(2) 함수의 실수배, 합, 차의 미분법
　두 함수 $f(x)$, $g(x)$가 미분가능할 때
　① $y=cf(x)$ (c는 상수) ➡ $y'=cf'(x)$
　② $y=f(x)+g(x)$ ➡ $y'=f'(x)+g'(x)$
　③ $y=f(x)-g(x)$ ➡ $y'=f'(x)-g'(x)$

대표 문제

048 함수 $f(x)=x^3-4x^2+3x$에 대하여 $f'(2)$의 값은?

① -2　　　　② -1　　　　③ 1

④ 2　　　　⑤ 3

유형 **12** | 곱의 미분법

세 함수 $f(x)$, $g(x)$, $h(x)$가 미분가능할 때
(1) $y=f(x)g(x)$
➡ $y'=f'(x)g(x)+f(x)g'(x)$
(2) $y=f(x)g(x)h(x)$
➡ $y'=f'(x)g(x)h(x)+f(x)g'(x)h(x)+f(x)g(x)h'(x)$
(3) $y=\{f(x)\}^n$ (n은 양의 정수)
➡ $y'=n\{f(x)\}^{n-1}f'(x)$

대표 문제

049 함수 $f(x)=(2x^2+1)(x^3+x^2-1)$에 대하여 $f'(1)$의 값은?

① 15   ② 17   ③ 19
④ 21   ⑤ 23

★중요
유형 **13** | 접선의 기울기와 미분법

함수 $y=f(x)$의 그래프 위의 점 (a, b)에서의 접선의 기울기가 m이면
➡ $f(a)=b$, $f'(a)=m$

대표 문제

050 곡선 $y=x^4+ax^2+b$ 위의 점 $(1, -2)$에서의 접선의 기울기가 2일 때, 상수 a, b에 대하여 $a-b$의 값을 구하시오.

★중요
유형 **14** | 미분계수와 극한값

함수 $f(x)$의 식이 주어지면 함수 $f(x)$에 대한 극한값은 미분계수를 이용하여 다음과 같은 순서로 구한다.
(1) 미분계수의 정의를 이용하여 주어진 식을 $f'(a)$가 포함된 식으로 변형한다.
(2) 도함수 $f'(x)$를 구한다.
(3) $f'(a)$의 값을 구하여 (1)의 식에 대입한다.

대표 문제

051 함수 $f(x)=x^3-2x^2+3x$에 대하여 $\lim\limits_{h \to 0}\dfrac{f(1+h)-f(1-h)}{h}$의 값은?

① 3   ② 4   ③ 5
④ 6   ⑤ 7

★중요
유형 **15** | 미분계수를 이용하여 미정계수 구하기

미분가능한 함수 $f(x)$에 대하여 $\lim\limits_{x \to a}\dfrac{f(x)-b}{x-a}=c$ (c는 상수)이면
➡ $f(a)=b$, $f'(a)=c$

대표 문제

052 함수 $f(x)=x^3+ax+b$에 대하여 $\lim\limits_{x \to 1}\dfrac{f(x+1)-3}{x^2-1}=4$일 때, 상수 a, b에 대하여 ab의 값은?

① -12   ② -10   ③ -8
④ -6   ⑤ -4

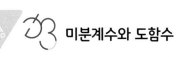

유형 16 | **치환을 이용한 극한값의 계산**

$\dfrac{0}{0}$ 꼴의 극한에서 분모나 분자의 차수가 높으면 다음과 같은 순서로 극한값을 구한다.

⑴ 분모나 분자 중 차수가 높은 식의 일부를 $f(x)$로 치환한다.

⑵ 미분계수의 정의를 이용하여 주어진 식을 $f'(a)$가 포함된 식으로 변형한다.

⑶ 도함수 $f'(x)$를 구한다.

⑷ $f'(a)$의 값을 구하여 ⑵의 식에 대입한다.

대표 문제

053 $\displaystyle\lim_{x \to 1}\dfrac{x^9+x^2+x-3}{x-1}$ 의 값은?

① 8   ② 9   ③ 10

④ 11   ⑤ 12

유형 17 | **미분의 항등식에의 활용**

함수 $f(x)$와 도함수 $f'(x)$를 포함한 관계식이 주어지면 함수 $f(x)$는 다음과 같은 순서로 구한다.

⑴ 조건에 맞게 함수 $f(x)$의 식을 세운다.

⑵ 도함수 $f'(x)$를 구하여 $f(x)$와 $f'(x)$를 주어진 관계식에 대입한 후 항등식의 성질을 이용한다.

대표 문제

054 이차함수 $f(x)$가 모든 실수 x에 대하여
$$f(x)+xf'(x)=3x^2+4x-3$$
을 만족시킬 때, $f'(1)$의 값을 구하시오.

★ 중요

유형 18 | **미분가능할 조건과 미분계수**

두 다항함수 $g(x)$, $h(x)$에 대하여 함수
$f(x)=\begin{cases} g(x) & (x \geq a) \\ h(x) & (x < a) \end{cases}$ 가 $x=a$에서 미분가능하려면 다음 두 가지 조건을 만족시켜야 한다.

⑴ 함수 $f(x)$가 $x=a$에서 연속이다.

➡ $\displaystyle\lim_{x \to a-} h(x)=g(a)$

⑵ $x=a$에서 함수 $f(x)$의 미분계수가 존재한다.

➡ $\displaystyle\lim_{x \to a+}\dfrac{g(x)-g(a)}{x-a}=\lim_{x \to a-}\dfrac{h(x)-h(a)}{x-a}$

대표 문제

055 함수 $f(x)=\begin{cases} ax^2+2x & (x \geq 1) \\ bx+1 & (x < 1) \end{cases}$ 이 $x=1$에서 미분가능할 때, 상수 a, b에 대하여 a^2+b^2의 값은?

① 1   ② 4   ③ 7

④ 10   ⑤ 13

★ 중요

유형 19 | **미분법과 다항식의 나눗셈**

다항식 $f(x)$를 $(x-a)^2$으로 나눌 때

⑴ 나누어떨어지면 ➡ $f(a)=0$, $f'(a)=0$

⑵ 몫이 $Q(x)$, 나머지가 $R(x)$이면

➡ $f(x)=(x-a)^2Q(x)+R(x)$

∴ $f'(x)=2(x-a)Q(x)+(x-a)^2Q'(x)+R'(x)$

참고 다항식 $f(x)$를 다항식 $g(x)$ $(g(x) \neq 0)$로 나누었을 때의 나머지가 $R(x)$이면 $R(x)$는 상수이거나 $(R(x)$의 차수$) < (g(x)$의 차수$)$이다.

대표 문제

056 다항식 $x^{10}+x^5+1$을 $(x+1)^2$으로 나누었을 때의 나머지를 $R(x)$라 할 때, $R(-2)$의 값을 구하시오.

핵심유형 완성하기

유형 09 도함수의 정의

057 대표 문제 다시 보기

다음은 도함수의 정의를 이용하여 함수 $f(x)=x^3$의 도함수를 구하는 과정이다. 이때 (개), (내), (대)에 알맞은 것을 구하시오.

$$f'(x)=\lim_{h \to 0}\frac{f(x+h)-f(x)}{h}$$
$$=\lim_{h \to 0}\frac{(\boxed{\text{(개)}})^3-x^3}{h}$$
$$=\lim_{h \to 0}\frac{\boxed{\text{(내)}}\{(x+h)^2+x(x+h)+x^2\}}{h}$$
$$=\lim_{h \to 0}\{(x+h)^2+x(x+h)+x^2\}$$
$$=\boxed{\text{(대)}}$$

058 중

미분가능한 함수 $f(x)$에 대하여 다음 보기 중 도함수 $f'(x)$와 같은 것만을 있는 대로 고르시오.

보기
ㄱ. $\displaystyle\lim_{h \to 0}\frac{f(x+2h)-f(x)}{2h}$ ㄴ. $\displaystyle\lim_{h \to 0}\frac{f(x)-f(x-h)}{h}$
ㄷ. $\displaystyle\lim_{h \to 0}\frac{f(x+h)-f(x-h)}{3h}$

유형 10 관계식이 주어질 때 도함수 구하기

059 대표 문제 다시 보기

미분가능한 함수 $f(x)$가 모든 실수 x, y에 대하여
$$f(x+y)=f(x)+f(y)+6xy-1$$
을 만족시키고 $f'(0)=2$일 때, $f'(x)$는?

① $f'(x)=2x-1$ ② $f'(x)=2x+2$
③ $f'(x)=6x-1$ ④ $f'(x)=6x+1$
⑤ $f'(x)=6x+2$

060 중

미분가능한 함수 $f(x)$가 모든 실수 x, y에 대하여
$$f(x+y)=f(x)+f(y)-4xy$$
를 만족시키고 $f'(-1)=-1$일 때, $f'(x)$를 구하시오.

유형 11 미분법의 공식

061 대표 문제 다시 보기

함수 $f(x)=1-x+x^2-x^3+\cdots+x^{10}$에 대하여 $f'(0)+f'(1)$의 값을 구하시오.

062 하

함수 $f(x)=x^3+ax^2-(a+1)x+1$에 대하여 $f'(2)=5$일 때, 상수 a의 값을 구하시오.

063 중

함수 $f(x)=ax^2+bx+c$에 대하여
$$f(2)=2, \ f'(1)=2, \ f'(2)=8$$
일 때, 상수 a, b, c에 대하여 abc의 값은?

① 20   ② 24   ③ 28
④ 32   ⑤ 36

064 중

미분가능한 함수 $f(x)$가 $f(x)=2x^3-4x^2-xf'(1)$을 만족시킬 때, $f'(2)$의 값은?

① 1   ② 3   ③ 5

④ 7   ⑤ 9

유형 12   **곱의 미분법**

065 대표 문제 다시 보기

함수 $f(x)=(1+x-x^2)(1-x+x^2)$에 대하여 $\dfrac{f'(2)}{f(2)}$의 값을 구하시오.

066 하

함수 $f(x)=(x^2+3x)(x+1)(x-2)$에 대하여 $f'(1)$의 값을 구하시오.

067 중

함수 $f(x)=(x^3+1)(x^2+k)$에 대하여 $f'(-1)=9$일 때, 상수 k의 값은?

① -2 ② -1 ③ 0

④ 1   ⑤ 2

---

068 중

미분가능한 두 함수 $f(x)$, $g(x)$가

$$g(x)=(x^3+x+1)f(x)$$

를 만족시키고 $f(1)=4$, $f'(1)=1$일 때, $g'(1)$의 값은?

① 16   ② 17   ③ 18

④ 19   ⑤ 20

069 중

함수 $f(x)=(3x-2)^3(x^2+x)^2$에 대하여 $f'(1)$의 값은?

① 46   ② 48   ③ 50

④ 52   ⑤ 54

070 상

최고차항의 계수가 1인 삼차함수 $y=f(x)$의 그래프가 다음 그림과 같이 x축과 세 점 $A(a, 0)$, $B(b, 0)$, $C(c, 0)$에서 만나고 $\overline{AB}=4$, $\overline{BC}=3$일 때, 함수 $y=f(x)$의 그래프 위의 점 A에서의 접선의 기울기를 구하시오. (단, $a<b<c$)

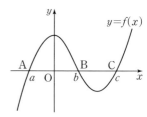

⭐중요
유형 13 접선의 기울기와 미분법

071 대표 문제 다시 보기

곡선 $y = -x^3 + 2ax^2 + bx - 1$ 위의 점 $(-1, 2)$에서의 접선의 기울기가 3일 때, 상수 a, b에 대하여 $a - b$의 값은?

① 2   ② 3   ③ 4

④ 5   ⑤ 6

072 하

곡선 $f(x) = x^3 - 2x$ 위의 점 $(a, f(a))$에서의 접선의 기울기가 10일 때, 양수 a의 값은?

① 1   ② 2   ③ 3

④ 4   ⑤ 5

073 중

곡선 $y = (x-a)(x-b)(x-c)$ 위의 점 $(2, 4)$에서의 접선의 기울기가 8일 때, $\dfrac{1}{2-a} + \dfrac{1}{2-b} + \dfrac{1}{2-c}$의 값을 구하시오. (단, a, b, c는 상수)

074 상

함수 $f(x) = (x-k)^2$과 다항함수 $g(x)$에 대하여 $x = 1$인 점에서의 곡선 $y = f(x)g(x)$의 접선의 기울기가 -16이고 $g(1) = 1$, $g'(1) = -3$일 때, 양수 k의 값을 구하시오.

⭐중요
유형 14 미분계수와 극한값 – 함수가 주어진 경우

075 대표 문제 다시 보기

함수 $f(x) = x^3 + 4x - 2$에 대하여 $\displaystyle\lim_{h \to 0} \dfrac{f(1+2h) - f(1-h)}{h}$의 값을 구하시오.

076 중

함수 $f(x) = -x^3 + x^2 - x$에 대하여 $\displaystyle\lim_{h \to 0} \dfrac{f(1-2h) + 1}{h}$의 값을 구하시오.

077 중

함수 $f(x) = x^3 + 3x + 2$에 대하여 $\displaystyle\lim_{x \to 1} \dfrac{f(x) - f(1)}{x^3 - 1}$의 값은?

① $\dfrac{2}{3}$ ② 1   ③ $\dfrac{4}{3}$

④ $\dfrac{5}{3}$ ⑤ 2

078 중

함수 $f(x) = 2x^4 - 3x + 1$에 대하여 $\displaystyle\lim_{x \to 1} \dfrac{f(x) - f(2x-1)}{x - 1}$의 값을 구하시오.

079 중

두 함수 $f(x)=x^5+x^3-1$, $g(x)=x^4-x^2+1$에 대하여
$\lim\limits_{h \to 0} \dfrac{f(1+2h)-g(1-3h)}{h}$의 값은?

① 21　　　　② 22　　　　③ 23

④ 24　　　　⑤ 25

080 중

미분가능한 두 함수 $f(x)$, $g(x)$가
$$\lim_{x \to 2} \frac{f(x)-3}{x-2}=1, \quad \lim_{x \to 2} \frac{g(x)+1}{x-2}=3$$
을 만족시킬 때, 함수 $h(x)=f(x)g(x)$에 대하여 $h'(2)$의 값을 구하시오.

081 상 　　　　　　　　　　　　　 신유형

미분가능한 함수 $f(x)$, $g(x)$가 다음 조건을 모두 만족시킬 때, $\lim\limits_{h \to 0} \dfrac{f(1+h)g(1+h)-f(1)g(1)}{h}$의 값을 구하시오.

> (가) $f(1)=5$, $f'(1)=9$
> (나) $f(x)+g(x)=2x^3-x+1$

★ 중요
유형 15 미분계수와 극한값을 이용하여 미정계수 구하기

082 대표 문제 다시 보기

함수 $f(x)=x^4+ax+b$에 대하여 $\lim\limits_{x \to -2} \dfrac{f(x+1)+1}{x^2-4}=2$일 때, $f(2)+f'(2)$의 값은? (단, a, b는 상수)

① 26　　　　② 28　　　　③ 30

④ 32　　　　⑤ 34

083 중

함수 $f(x)=2x^3-x^2+ax+3$에 대하여
$\lim\limits_{h \to 0} \dfrac{f(1+2h)-f(1-h)}{h}=6$일 때, 상수 a의 값은?

① -4　　　　② -2　　　　③ 0

④ 2　　　　⑤ 4

084 중

미분가능한 함수 $f(x)$가 다음 조건을 모두 만족시킬 때, $f'(-1)$의 값을 구하시오.

> (가) $\lim\limits_{x \to \infty} \dfrac{f(x)}{2x^3+x-2}=1$　　　(나) $\lim\limits_{x \to 0} \dfrac{f'(x)}{x}=2$

085 중

미분가능한 함수 $f(x)$가 다음 조건을 모두 만족시킬 때, $f(1)+f'(1)$의 값을 구하시오.

(가) $\displaystyle\lim_{x \to \infty} \frac{f(x)-x^3}{-x^2+4x+3}=3$ (나) $\displaystyle\lim_{x \to 2} \frac{f(x)+5}{x-2}=-2$

086 중

삼차함수 $f(x)$에 대하여 $\displaystyle\lim_{x \to 0} \frac{f(x)}{x}=1$, $\displaystyle\lim_{x \to 2} \frac{f(x)-2}{x-2}=5$ 일 때, 방정식 $f'(x)=0$의 모든 근의 합을 구하시오.

유형 16 치환을 이용한 극한값의 계산

087 대표 문제 다시 보기

$\displaystyle\lim_{x \to -1} \frac{x^{10}-x^3+3x+1}{x+1}$의 값은?

① -10 ② -8 ③ -6
④ -4 ⑤ -2

088 중

$\displaystyle\lim_{x \to 1} \frac{x^n+2x-3}{x^2-1}=10$을 만족시키는 자연수 n의 값을 구하시오.

유형 17 미분의 항등식에의 활용

089 대표 문제 다시 보기

이차함수 $f(x)$가 모든 실수 x에 대하여
$$xf'(x)-2f(x)=x+2$$
를 만족시키고 $f(1)=2$일 때, $f'(2)$의 값은?

① 11   ② 13   ③ 15
④ 17   ⑤ 19

090 상

다항함수 $f(x)$가 모든 실수 x에 대하여
$$\{f'(x)\}^2=4f(x)+1$$
을 만족시키고 $f'(1)=5$일 때, $f(3)$의 값은?

① 16   ② 17   ③ 18
④ 19   ⑤ 20

091 상 신유형

두 다항함수 $f(x)$, $g(x)$에 대하여
$$f(x)+g(x)=x, \quad f(x)f'(x)+g(x)g'(x)=5x$$
이고 $f(0)=g(0)=0$일 때, $g(3)-f(3)$의 값을 구하시오.
(단, $f(3)<0$)

092 대표 문제 다시 보기

함수 $f(x)=\begin{cases} ax+b & (x\geq-1) \\ x^3+3x & (x<-1) \end{cases}$ 가 $x=-1$에서 미분가능할 때, 상수 a, b에 대하여 $a+b$의 값을 구하시오.

093 중

함수 $f(x)=x^3+3x^2-9x$에 대하여 함수 $g(x)$를
$$g(x)=\begin{cases} m-f(x) & (x\geq a) \\ f(x) & (x<a) \end{cases}$$
라 하자. 함수 $g(x)$가 모든 실수 x에서 미분가능할 때, 상수 a, m에 대하여 $a+m$의 값을 구하시오. (단, $a>0$)

094 중

함수 $f(x)=|x-1|(x-2a)$가 모든 실수 x에서 미분가능할 때, 상수 a의 값은?

① $\dfrac{1}{4}$ ② $\dfrac{1}{3}$ ③ $\dfrac{1}{2}$

④ 1 ⑤ $\dfrac{3}{2}$

095 상

함수 $f(x)=[x](x^3+ax+b)$가 $x=1$에서 미분가능할 때, 상수 a, b에 대하여 ab의 값을 구하시오.

(단, $[x]$는 x보다 크지 않은 최대의 정수)

096 대표 문제 다시 보기

다항식 $x^8+x^4+x^3+2$를 $x^2(x-1)$로 나누었을 때의 나머지를 $R(x)$라 할 때, $R(3)$의 값은?

① 21 ② 23 ③ 25

④ 27 ⑤ 29

097 중

다항식 x^7-ax^3+bx+2가 $(x-1)^2$으로 나누어떨어질 때, 상수 a, b에 대하여 $a+b$의 값을 구하시오.

098 중

다항식 x^6+2x^3+ax+b를 $(x+1)^2$으로 나누었을 때의 나머지가 $3x-4$일 때, 상수 a, b에 대하여 ab의 값을 구하시오.

099 중

다항함수 $f(x)$가 $\lim\limits_{x\to-2}\dfrac{f(x)+3}{x+2}=1$을 만족시킨다. 다항식 $f(x)$를 $(x+2)^2$으로 나누었을 때의 나머지가 $ax+b$일 때, 상수 a, b에 대하여 $a-b$의 값을 구하시오.

100
유형 01

함수 $f(x)=2x^2-3x+1$에 대하여 x의 값이 a에서 b까지 변할 때의 평균변화율이 -1일 때, 상수 a, b에 대하여 $a+b$의 값은? (단, $a<b$)

① -2 ② -1 ③ 1
④ 2 ⑤ 3

101
유형 02

함수 $f(x)=x^2-5x+4$에 대하여 x의 값이 a에서 $a+2$까지 변할 때의 평균변화율과 $x=2$에서의 미분계수가 같다. 이때 상수 a의 값을 구하시오.

102
유형 03

함수 $y=f(x)$의 그래프가 오른쪽 그림과 같을 때, $\dfrac{f(b)-f(a)}{b-a}$, $f'(a)$, $f'(b)$ 세 값의 대소 관계는? (단, $0<a<b$)

① $\dfrac{f(b)-f(a)}{b-a}<f'(a)<f'(b)$

② $\dfrac{f(b)-f(a)}{b-a}<f'(b)<f'(a)$

③ $f'(a)<f'(b)<\dfrac{f(b)-f(a)}{b-a}$

④ $f'(a)<\dfrac{f(b)-f(a)}{b-a}<f'(b)$

⑤ $f'(b)<\dfrac{f(b)-f(a)}{b-a}<f'(a)$

103
유형 04+05

미분가능한 함수 $f(x)$에 대하여 $f(1)=2$, $f'(1)=3$일 때, 다음 중 옳지 **않은** 것은?

① $\displaystyle\lim_{h \to 0}\dfrac{f(1+2h)-f(1)}{h}=6$

② $\displaystyle\lim_{h \to 0}\dfrac{f(1-3h)-f(1)}{3h}=-3$

③ $\displaystyle\lim_{h \to 0}\dfrac{f(1+2h)-f(1-h)}{h}=9$

④ $\displaystyle\lim_{x \to 1}\dfrac{3f(x)-3f(1)}{x^2-1}=3$

⑤ $\displaystyle\lim_{x \to 1}\dfrac{x^2f(1)-f(x)}{x-1}=1$

104
유형 04+05

미분가능한 함수 $f(x)$에 대하여 $\displaystyle\lim_{h \to 0}\dfrac{f(2+3h)-f(2-4h)}{2h}=14$일 때, $\displaystyle\lim_{x \to 2}\dfrac{f(x)-f(2)}{x^2-4}$의 값을 구하시오.

105
유형 06

미분가능한 함수 $f(x)$가 모든 실수 x, y에 대하여
$$f(x+y)=f(x)+f(y)+xy$$
를 만족시키고 $f'(2)=4$일 때, $f'(1)$의 값을 구하시오.

106

유형 07

다음 보기의 함수 중 $x=1$에서 연속이지만 미분가능하지 않은 것만을 있는 대로 고르시오.

(단, $[x]$는 x보다 크지 않은 최대의 정수)

보기

ㄱ. $f(x)=[x](x-1)$

ㄴ. $f(x)=|x-1|-x+1$

ㄷ. $f(x)=\begin{cases} x^3 & (x \geq 1) \\ 3x-2 & (x < 1) \end{cases}$

107

유형 07

함수 $y=f(x)$의 그래프가 오른쪽 그림과 같을 때, 다음 보기 중 옳은 것만을 있는 대로 고르시오.

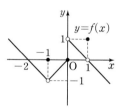

보기

ㄱ. $\lim_{x \to 1} f(x)f(-x)=0$

ㄴ. 함수 $f(x)f(-x)$는 $x=-1$에서 불연속이다.

ㄷ. 함수 $f(x)f(-x)$는 $x=0$에서 미분가능하지 않다.

108

유형 10

미분가능한 함수 $f(x)$가 모든 실수 x, y에 대하여

$$f(x-y)=f(x)+f(y)-xy$$

를 만족시키고 $f'(0)=0$일 때, $f'(x)$는?

① $f'(x)=0$ ② $f'(x)=-x$

③ $f'(x)=x$ ④ $f'(x)=-x^2$

⑤ $f'(x)=x^2$

109

유형 11

이차함수 $f(x)$에 대하여

$$f(0)=2, \quad f(1)=8, \quad f'(-1)=0$$

일 때, $f(-2)$의 값은?

① -2 ② -1 ③ 1

④ 2 ⑤ 3

110

유형 12

오른쪽 그림과 같이 미분가능한 함수 $y=f(x)$의 그래프에서 $x=2$인 점에서의 접선을 l이라 하자. 함수 $g(x)$가 $g(x)=(x^2+2x+1)f(x)$일 때, $g'(2)$의 값을 구하시오.

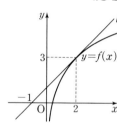

111

유형 13

곡선 $y=2x^2+ax+b$ 위의 점 $(1, 1)$에서의 접선과 수직인 직선의 기울기가 $-\dfrac{1}{2}$일 때, 상수 a, b에 대하여 a^2+b^2의 값을 구하시오.

112
유형 14

함수 $f(x)=x^4-2x^3-1$에 대하여 $\displaystyle\lim_{x\to 2}\frac{\{f(x)\}^2-\{f(2)\}^2}{x-2}$의 값은?

① -20 ② -18 ③ -16

④ -14 ⑤ -12

113
유형 14

미분가능한 두 함수 $f(x)$, $g(x)$가
$$\lim_{x\to 3}\frac{f(x)-2}{x-3}=1,\ \lim_{x\to 3}\frac{g(x)+3}{x-3}=7$$
을 만족시킬 때, 함수 $h(x)=f(x)g(x)$에 대하여 곡선 $y=h(x)$ 위의 $x=3$인 점에서의 접선의 기울기는?

① 7   ② 8   ③ 9

④ 10   ⑤ 11

114
유형 14

두 함수 $f(x)=-x^2+3x+2$, $g(x)=2x^3-x^2+2x-5$에 대하여 $\displaystyle\lim_{x\to 1}\frac{f(x)g(x)-f(1)g(1)}{x^2-1}$의 값을 구하시오.

115
유형 15

함수 $f(x)=x^3+ax^2+b$에 대하여 $f(-1)=2$, $\displaystyle\lim_{x\to 1}\frac{f(x)-f(1)}{x^2-1}=\frac{5}{2}$일 때, $f(2)$의 값을 구하시오.

(단, a, b는 상수)

116
유형 16

$\displaystyle\lim_{x\to 1}\frac{x^{3n}-x^{2n}+x^n-1}{x-1}=12$를 만족시키는 자연수 n의 값은?

① 4   ② 5   ③ 6

④ 7   ⑤ 8

117
유형 17

이차함수 $f(x)$가 모든 실수 x에 대하여
$$xf'(x)=f(x)-2x^2+1$$
을 만족시키고 $f(1)=4$일 때, $f(2)$의 값을 구하시오.

118
유형 18

함수 $f(x)=\begin{cases}2x+b & (x\geq a)\\ x^2-2x & (x<a)\end{cases}$가 모든 실수 x에서 미분가능할 때, $f(3)$의 값을 구하시오. (단, a, b는 상수)

119
유형 19

다항식 x^3-3x^2+b가 $(x-a)^2$으로 나누어떨어질 때, 상수 a, b에 대하여 $\dfrac{b}{a}$의 값을 구하시오. (단, $a\neq 0$)

04

도함수의 활용 (1)

04 도함수의 활용 (1)

★중요

유형 01 | 접점이 주어진 접선의 방정식

곡선 $y=f(x)$ 위의 점 $(a, f(a))$에서의 접선의 방정식은 다음과 같은 순서로 구한다.
(1) 접선의 기울기 $f'(a)$를 구한다.
(2) 접선의 방정식 $y-f(a)=f'(a)(x-a)$를 구한다.

참고 곡선 $y=f(x)$ 위의 점 $(a, f(a))$에서의 접선 $y=g(x)$가 이 곡선과 다시 만나는 점의 x좌표는 방정식 $f(x)=g(x)$의 $x\neq a$인 실근이다.

대표 문제

001 곡선 $y=-x^3+ax+3$ 위의 점 $(1, 4)$에서의 접선의 방정식이 $y=bx+c$일 때, 상수 a, b, c에 대하여 abc의 값은?
① -18 ② -14 ③ -10
④ -6 ⑤ -2

유형 02 | 접선에 수직인 직선의 방정식

곡선 $y=f(x)$ 위의 점 $(a, f(a))$를 지나고, 이 점에서의 접선에 수직인 직선의 방정식은
$$y-f(a)=-\frac{1}{f'(a)}(x-a)$$

대표 문제

002 곡선 $y=x^3+2x+1$ 위의 점 $(-1, -2)$를 지나고 이 점에서의 접선에 수직인 직선의 방정식이 $ax+by+11=0$일 때, 상수 a, b에 대하여 $a+b$의 값을 구하시오.

★중요

유형 03 | 기울기가 주어진 접선의 방정식

곡선 $y=f(x)$에 접하고 기울기가 m인 접선의 방정식은 다음과 같은 순서로 구한다.
(1) 접점의 좌표를 $(t, f(t))$로 놓는다.
(2) $f'(t)=m$임을 이용하여 접점의 좌표를 구한다.
(3) 접선의 방정식 $y-f(t)=m(x-t)$를 구한다.

대표 문제

003 곡선 $y=-x^2-x+4$에 접하고 직선 $y=3x+2$에 평행한 직선의 방정식이 $y=ax+b$일 때, 상수 a, b에 대하여 $b-a$의 값을 구하시오.

★중요

유형 04 | 곡선 밖의 한 점에서 그은 접선의 방정식

곡선 $y=f(x)$ 밖의 점 (x_1, y_1)에서 그은 접선의 방정식은 다음과 같은 순서로 구한다.
(1) 접점의 좌표를 $(t, f(t))$로 놓는다.
(2) 접선의 방정식 $y-f(t)=f'(t)(x-t)$에 $x=x_1$, $y=y_1$을 대입하여 t의 값을 구한다.
(3) t의 값을 $y-f(t)=f'(t)(x-t)$에 대입하여 접선의 방정식을 구한다.

대표 문제

004 점 $(0, 1)$에서 곡선 $y=x^3+3$에 그은 접선의 방정식이 $y=ax+b$일 때, 상수 a, b에 대하여 $a+2b$의 값은?
① -1 ② 1 ③ 3
④ 5 ⑤ 7

유형 **05** │ 두 곡선의 공통인 접선

두 곡선 $y=f(x)$, $y=g(x)$가 점 (a, b)에서 공통인 접선을 가지면
(1) $x=a$인 점에서 두 곡선이 만난다.
  ➡ $f(a)=g(a)=b$
(2) $x=a$인 점에서의 두 곡선의 접선의 기울기가 같다.
  ➡ $f'(a)=g'(a)$

04

대표 문제

005 두 곡선 $y=x^3+a$, $y=bx^2-6$이 $x=2$인 점에서 공통인 접선을 가질 때, 상수 a, b에 대하여 $a+b$의 값은?

① -5 ② -3 ③ 1
④ 3 ⑤ 5

유형 **06** │ 곡선 위의 점과 직선 사이의 거리

곡선 위의 점과 직선 사이의 거리의 최솟값은 다음과 같은 순서로 구한다.
(1) 주어진 직선과 평행한 접선의 접점의 좌표를 구한다.
(2) 접점과 주어진 직선 사이의 거리를 구한다.

참고 점 (x_1, y_1)과 직선 $ax+by+c=0$ 사이의 거리는
  ➡ $\dfrac{|ax_1+by_1+c|}{\sqrt{a^2+b^2}}$

대표 문제

006 곡선 $y=-x^2+x+2$ 위의 점과 직선 $y=x+5$ 사이의 거리의 최솟값을 구하시오.

유형 **07** │ 곡선과 원의 접선

곡선 $y=f(x)$와 원 C가 접할 때
(1) 원 C의 중심과 접점을 지나는 직선은 그 접점에서의 접선과 수직이다.
(2) 원 C의 반지름의 길이는 원 C의 중심과 접점 사이의 거리와 같다.

대표 문제

007 곡선 $y=x^3-2x^2+1$과 점 $(2, 1)$에서 접하고 중심이 x축 위에 있는 원의 반지름의 길이를 구하시오.

유형 **08** │ 롤의 정리

함수 $f(x)$가 닫힌구간 $[a, b]$에서 연속이고 열린구간 (a, b)에서 미분가능할 때, $f(a)=f(b)$이면
    $f'(c)=0$
인 c가 열린구간 (a, b)에 적어도 하나 존재한다.

대표 문제

008 함수 $f(x)=x^3-4x^2+4x$에 대하여 닫힌구간 $[0, 2]$에서 롤의 정리를 만족시키는 상수 c의 값을 구하시오.

★중요
유형 **09** │ 평균값 정리

함수 $f(x)$가 닫힌구간 $[a, b]$에서 연속이고 열린구간 (a, b)에서 미분가능할 때,
    $\dfrac{f(b)-f(a)}{b-a}=f'(c)$
인 c가 열린구간 (a, b)에 적어도 하나 존재한다.

대표 문제

009 함수 $f(x)=x^3+2x$에 대하여 닫힌구간 $[0, 1]$에서 평균값 정리를 만족시키는 상수 c의 값을 구하시오.

⭐중요

유형 01 접점이 주어진 접선의 방정식

010 대표 문제 다시 보기

곡선 $y=x^3+2x^2+ax+1$ 위의 점 $(-1, 3)$에서의 접선의 방정식이 $y=bx+c$일 때, 상수 a, b, c에 대하여 $a+b+c$의 값은?

① -3 ② -2 ③ -1
④ 0 ⑤ 1

011 중

곡선 $y=x^3+ax+b$ 위의 점 $(1, 2)$에서의 접선의 방정식이 $y=x+c$일 때, 상수 a, b, c에 대하여 abc의 값을 구하시오.

012 중

곡선 $y=x^2-3x+2$ 위의 두 점 $(1, 0)$, $(3, 2)$에서 각각 그은 두 접선의 교점의 좌표가 (a, b)일 때, $a+b$의 값을 구하시오.

013 중

곡선 $y=2x^3+ax+b$ 위의 점 $(1, 1)$에서의 접선이 원점을 지날 때, 상수 a, b에 대하여 $a+2b$의 값을 구하시오.

014 중

다항함수 $f(x)$에 대하여 $\lim\limits_{x \to 1}\dfrac{f(x)-1}{x-1}=2$일 때, 곡선 $y=f(x)$ 위의 점 $(1, f(1))$에서의 접선의 방정식을 $y=g(x)$라 하자. 이때 $g(-1)$의 값은?

① -3 ② -1 ③ 1
④ 3 ⑤ 5

015 중

곡선 $y=f(x)$ 위의 점 $(1, 2)$에서의 접선의 방정식이 $y=3x-1$이다. 곡선 $y=(x^3-2x)f(x)$ 위의 $x=1$인 점에서의 접선의 방정식이 $y=ax+b$일 때, 상수 a, b에 대하여 ab의 값을 구하시오.

016 중

오른쪽 그림과 같이 곡선 $y=x^3-2x+1$ 위의 점 $A(1, 0)$에서의 접선이 이 곡선과 다시 만나는 점을 B, 점 B에서 x축에 내린 수선의 발을 H라 할 때, 삼각형 ABH의 넓이를 구하시오.

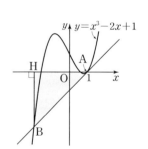

유형 **02**　접선에 수직인 직선의 방정식

017 　대표 문제 　다시 보기

곡선 $y=-3x^3+3x^2+2$ 위의 점 $(1, 2)$를 지나고 이 점에서의 접선에 수직인 직선의 방정식이 $y=mx+n$일 때, 상수 m, n에 대하여 $m-n$의 값을 구하시오.

018 　중

곡선 $y=x^3-3x^2+2x+4$ 위의 점 $P(0, 4)$에서의 접선을 l, 점 P를 지나고 직선 l에 수직인 직선을 m이라 할 때, 두 직선 l, m 및 x축으로 둘러싸인 도형의 넓이는?

① $\dfrac{37}{2}$　　　　② 19　　　　③ $\dfrac{39}{2}$

④ 20　　　　⑤ $\dfrac{41}{2}$

019 　상

오른쪽 그림과 같이 곡선 $y=x^3+x^2$ 위를 움직이는 점 $P(t, t^3+t^2)$이 있다. 점 P를 지나고 점 P에서의 접선에 수직인 직선이 y축과 만나는 점을 $Q(0, f(t))$라 할 때, $\lim\limits_{t\to 0} f(t)$의 값을 구하시오.

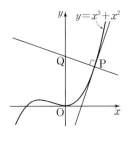

유형 **03**　기울기가 주어진 접선의 방정식

020 　대표 문제 　다시 보기

곡선 $y=-x^2+3x+1$에 접하고 직선 $y=-\dfrac{1}{5}x+1$에 수직인 직선의 방정식이 $y=ax+b$일 때, 상수 a, b에 대하여 $a+b$의 값을 구하시오.

021 　중

곡선 $y=-x^3+6x^2-10x+7$의 접선 중 기울기가 최대인 접선의 y절편을 구하시오.

022 　중

직선 $y=2x+k$가 곡선 $y=x^3-x+2$에 접할 때, 양수 k의 값은?

① 3　　　　② 4　　　　③ 5

④ 6　　　　⑤ 7

023 　중

곡선 $y=x^3-4x+5$에 접하고 직선 $x+y+1=0$에 평행한 두 접선 사이의 거리를 구하시오.

⭐중요

유형 **04** 곡선 밖의 한 점에서 그은 접선의 방정식

024 대표 문제 다시 보기

점 $(0, 3)$에서 곡선 $y=x^3+2x+1$에 그은 접선의 방정식이 $y=ax+b$일 때, 상수 a, b에 대하여 $a-b$의 값은?

① -2　　　　② -1　　　　③ 1
④ 2　　　　⑤ 3

025 중

원점에서 곡선 $y=x^4+3$에 그은 두 접선의 기울기의 곱을 구하시오.

026 중

점 $(0, 2)$에서 곡선 $y=x^3-x$에 그은 접선이 점 $(k, 4)$를 지날 때, k의 값은?

① -3　　　　② -1　　　　③ 1
④ 3　　　　⑤ 5

027 중

원점에서 곡선 $y=x^2+4$에 그은 두 접선의 접점과 원점을 꼭짓점으로 하는 삼각형의 넓이는?

① $\dfrac{29}{2}$　　　　② 15　　　　③ $\dfrac{31}{2}$
④ 16　　　　⑤ $\dfrac{33}{2}$

028 중

점 $(3, 0)$에서 곡선 $y=x^3-3x^2+2$에 그을 수 있는 세 접선의 접점의 x좌표를 각각 x_1, x_2, x_3이라 할 때, $x_1+x_2+x_3$의 값을 구하시오.

029 상

곡선 $f(x)=\dfrac{1}{2}x^2+k$의 접선 중 서로 수직인 두 직선의 교점이 항상 x축 위에 있도록 하는 상수 k의 값은?

① -1　　　　② $-\dfrac{1}{2}$　　　　③ $-\dfrac{1}{4}$
④ $\dfrac{1}{4}$　　　　⑤ $\dfrac{1}{2}$

유형 05 두 곡선의 공통인 접선

030 대표 문제 다시 보기

두 곡선 $y=-x^3+ax+3$, $y=bx^2+2$가 $x=1$인 점에서 공통인 접선을 가질 때, 상수 a, b에 대하여 ab의 값을 구하시오.

031 중

두 곡선 $y=x^3+a$, $y=-x^2+bx+c$가 점 $(1, 2)$에서 공통인 접선을 가질 때, 상수 a, b, c에 대하여 $a+b-c$의 값은?

① 4 　　　　② 5 　　　　③ 6
④ 7 　　　　⑤ 8

032 중

두 곡선 $y=x^3+1$, $y=3x^2-3$이 한 점에서 공통인 접선 $y=ax+b$를 가질 때, 상수 a, b에 대하여 $a+b$의 값을 구하시오.

033 중

두 곡선 $y=x^3+ax$, $y=x^2-1$이 한 점에서 공통인 접선을 가질 때, 상수 a의 값을 구하시오.

유형 06 곡선 위의 점과 직선 사이의 거리

034 대표 문제 다시 보기

곡선 $y=x^2+1$ 위의 점과 직선 $y=2x-3$ 사이의 거리의 최솟값은?

① $\dfrac{\sqrt{5}}{2}$ 　　　② $\dfrac{3\sqrt{5}}{5}$ 　　　③ $\dfrac{2\sqrt{5}}{3}$
④ $\sqrt{5}$ 　　　⑤ $2\sqrt{5}$

035 중

곡선 $y=-\dfrac{1}{4}x^2+1$ 위의 두 점 $A(0, 1)$, $B(2, 0)$과 곡선 위의 점 P에 대하여 삼각형 PAB의 넓이가 최대가 될 때, 점 P의 좌표를 구하시오. (단, 점 P는 제1사분면 위의 점이다.)

036 상

오른쪽 그림과 같이 곡선 $y=-x^3+5x-3$ 위의 점 $P(1, 1)$에서의 접선이 이 곡선과 다시 만나는 점을 Q, y축과 만나는 점을 R 라 하자. 점 Q와 점 P 사이에서 이 곡선 위를 움직이는 점을 A라 할 때, 삼각형 ARQ의 넓이의 최댓값을 구하시오.

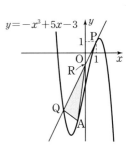

유형 07 곡선과 원의 접선

037 대표 문제 다시 보기

곡선 $y=x^3+x^2-2$와 점 $(1, 0)$에서 접하고 중심이 y축 위에 있는 원의 반지름의 길이를 구하시오.

038 상

곡선 $y=x^3-4x$는 원점에서 어떤 원과 만난다. 이 곡선 위의 원점에서의 접선을 l이라 할 때, 원점을 지나고 접선 l과 수직인 직선이 이 원의 중심을 지난다. 원의 중심이 곡선 위의 점일 때, 이 원의 반지름의 길이를 구하시오.

039 상

오른쪽 그림과 같이 중심의 좌표가 $(0, 3)$인 원 C가 곡선 $y=\dfrac{1}{2}x^2$과 서로 다른 두 점에서 접할 때, 원과 곡선의 공통인 접선 중 기울기가 양수인 접선의 방정식은?

① $y=\dfrac{1}{2}x-3$ ② $y=x-2$ ③ $y=2x-2$

④ $y=\dfrac{5}{2}x-1$ ⑤ $y=3x-1$

유형 08 롤의 정리

040 대표 문제 다시 보기

함수 $f(x)=x^3+2x^2+x-2$에 대하여 닫힌구간 $[-1, 0]$에서 롤의 정리를 만족시키는 상수 c의 값을 구하시오.

041 하

함수 $f(x)=x^4-8x^2+5$에 대하여 닫힌구간 $[-3, 3]$에서 롤의 정리를 만족시키는 상수 c의 개수를 구하시오.

042 중

함수 $f(x)=x^2-ax+1$에 대하여 닫힌구간 $[-1, 2]$에서 롤의 정리를 만족시키는 상수 c의 값을 구하시오.

(단, a는 상수)

043 중

다음 함수의 그래프 중 닫힌구간 $[0, 1]$에서 롤의 정리가 성립하지 <u>않는</u> 것은?

①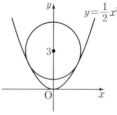

②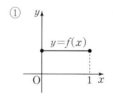

③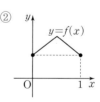

④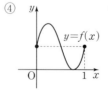

⑤

044 중

함수 $y=f(x)$의 그래프가 오른쪽 그림과 같고 $f(0)=f(10)$이다. 닫힌구간 $[0, 10]$에서 롤의 정리를 만족시키는 상수 c의 개수를 구하시오.

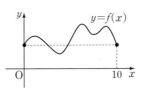

★ 중요

유형 09 평균값 정리

045 대표 문제 다시 보기

함수 $f(x)=x^3+x-1$에 대하여 닫힌구간 $[-1, 2]$에서 평균값 정리를 만족시키는 상수 c의 값을 구하시오.

046 중

함수 $f(x)=-x^2+3x$에 대하여 닫힌구간 $[1, k]$에서 평균값 정리를 만족시키는 상수 c의 값이 2일 때, k의 값은?

(단, $k>1$)

① 3   ② 4   ③ 5

④ 6   ⑤ 7

047 중

함수 $y=f(x)$의 그래프가 오른쪽 그림과 같을 때, 닫힌구간 $[a, b]$에서 평균값 정리를 만족시키는 상수 c의 개수를 구하시오.

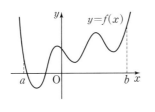

---

048 중

함수 $f(x)=x^2-2x$와 닫힌구간 $[-3, 0]$에 속하는 임의의 두 수 a, b $(a<b)$에 대하여 $\dfrac{f(b)-f(a)}{b-a}=k$를 만족시키는 모든 정수 k의 값의 합은?

① -27 ② -26 ③ -25

④ -24 ⑤ -23

049 상

실수 전체의 집합에서 미분가능한 함수 $f(x)$가 $\lim\limits_{x\to\infty} f'(x)=-3$을 만족시킬 때, $\lim\limits_{x\to\infty}\{f(x-1)-f(x+2)\}$의 값을 구하시오.

050 상   신유형

모든 실수 x에서 미분가능한 함수 $f(x)$가 다음 조건을 모두 만족시킬 때, $f(2)$의 최댓값과 최솟값의 합은?

(가) $f(3)=4$
(나) 모든 실수 x에 대하여 $|f'(x)|\leq 2$이다.

① 4   ② 5   ③ 6

④ 7   ⑤ 8

051
유형 01

곡선 $y=-x^3+2x^2+x+5$ 위의 점 $(3,\ a)$에서의 접선의 방정식이 $y=mx+n$일 때, $a+m+n$의 값을 구하시오.

(단, $m,\ n$은 상수)

052
유형 01

곡선 $y=x^3-6x^2+9x$ 위의 점 $(1,\ 4)$에서의 접선이 이 곡선과 다시 만나는 점을 P라 할 때, 점 P에서의 접선의 방정식을 구하시오.

053
유형 01

미분가능한 두 함수 $f(x),\ g(x)$가 다음 조건을 모두 만족시킬 때, 곡선 $y=g(x)$ 위의 점 $(1,\ g(1))$에서의 접선의 방정식을 구하시오.

(가) $\displaystyle\lim_{x \to 1}\frac{f(x)g(x)-3}{x-1}=15$

(나) $f(1)=-3,\ f'(1)=-6$

054
유형 02

곡선 $y=x^3+x+k$ 위의 점 $(1,\ a)$를 지나고 이 점에서의 접선에 수직인 직선의 y절편이 $\dfrac{5}{4}$일 때, $a+k$의 값을 구하시오.

(단, k는 상수)

055
유형 03

곡선 $y=3x^2-4x-2$에 접하고 두 점 $(-2,\ 3)$, $(0,\ 7)$을 지나는 직선에 평행한 접선의 y절편은?

① -5 ② -3 ③ -1

④ 1 ⑤ 3

056
유형 03

곡선 $y=-2x^3+7x+1$에 접하고 x축의 양의 방향과 이루는 각의 크기가 $45°$인 두 접선이 y축과 만나는 점을 각각 A, B라 하자. 이때 선분 AB의 길이를 구하시오.

057
유형 03

곡선 $y=x^3-3x^2+2x$ 위의 한 점에서의 접선 중 기울기가 최소인 접선과 x축 및 y축으로 둘러싸인 도형의 넓이를 구하시오.

058 유형 04

점 $(0, -4)$에서 곡선 $y=x^2-2x$에 그은 접선 중 기울기가 양수인 접선의 방정식이 $y=ax+b$일 때, 상수 a, b에 대하여 $a-b$의 값을 구하시오.

059 유형 04

점 $A(1, 2)$에서 곡선 $y=-x^2+x+1$에 그은 접선의 접점을 각각 B, C라 할 때, 삼각형 ABC의 넓이를 구하시오.

060 유형 05

두 곡선 $y=x^3+a$, $y=-x^2+bx+c$가 제1사분면 위의 한 점에서 공통인 접선 $y=3x-1$을 가질 때, 상수 a, b, c에 대하여 $a+b-c$의 값은?

① 5 　　　　② 6 　　　　③ 7
④ 8 　　　　⑤ 9

061 유형 06

곡선 $y=-x^2+4$ 위의 두 점 $A(2, 0)$, $B(-1, 3)$ 사이를 움직이는 점 P에 대하여 삼각형 PAB의 넓이의 최댓값을 구하시오.

062 유형 07

곡선 $y=\dfrac{1}{2}x^2$과 원 $x^2+(y-3)^2=5$에 동시에 접하는 서로 다른 두 직선 l, m의 기울기의 곱을 구하시오.

063 유형 08+09

함수 $f(x)=x^2+ax+1$에 대하여 닫힌구간 $[1, 5]$에서 롤의 정리를 만족시키는 상수 c_1이 존재하고 닫힌구간 $[1, 6]$에서 평균값 정리를 만족시키는 상수 c_2가 존재할 때, c_2-c_1의 값은? (단, a는 상수)

① -25 　　　　② -23 　　　　③ $\dfrac{1}{2}$
④ -19 　　　　⑤ -17

064 유형 08+09

함수 $y=f(x)$의 그래프가 오른쪽 그림과 같을 때, 열린구간 (a, b)에서 롤의 정리를 만족시키는 상수 c_1의 개수를 p, 열린구간 (a, c)에서 평균값 정리를 만족시키는 상수 c_2의 개수를 q라 하자. 이때 $p+q$의 값을 구하시오.

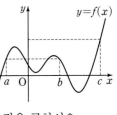

04 도함수의 활용 (1)

05

도함수의 활용 (2)

도함수의 활용 (2)

유형 01 | 함수의 증가와 감소

함수 $f(x)$가 어떤 열린구간에서 미분가능하고 이 구간의 모든 x에 대하여

(1) $f'(x)>0$이면 ➡ $f(x)$는 이 구간에서 증가한다.

(2) $f'(x)<0$이면 ➡ $f(x)$는 이 구간에서 감소한다.

대표 문제

001 함수 $f(x)=x^3-3x^2-9x+1$이 감소하는 구간이 $[a, b]$일 때, $b-a$의 값을 구하시오.

★ 중요

유형 02 | 삼차함수가 실수 전체의 집합에서 증가 또는 감소하기 위한 조건

삼차함수 $f(x)$가 실수 전체의 집합에서

(1) 증가하면 ➡ 모든 실수 x에 대하여 $f'(x)\geq0$

(2) 감소하면 ➡ 모든 실수 x에 대하여 $f'(x)\leq0$

참고 이차방정식 $ax^2+bx+c=0$의 판별식을 D라 할 때, 모든 실수 x에 대하여

(1) 이차부등식 $ax^2+bx+c\geq0$이 성립하면 ➡ $a>0$, $D\leq0$

(2) 이차부등식 $ax^2+bx+c\leq0$이 성립하면 ➡ $a<0$, $D\leq0$

대표 문제

002 함수 $f(x)=x^3+ax^2+ax-1$이 실수 전체의 집합에서 증가하도록 하는 정수 a의 개수는?

① 3 ② 4 ③ 5

④ 6 ⑤ 7

유형 03 | 삼차함수가 주어진 구간에서 증가 또는 감소하기 위한 조건

삼차함수 $f(x)$의 도함수 $f'(x)$를 구한 후 주어진 구간에서 $f(x)$가 증가하면 $f'(x)\geq0$, $f(x)$가 감소하면 $f'(x)\leq0$임을 이용한다.

(1) 최고차항의 계수가 양수일 때, $a\leq x\leq b$에서 $f'(x)\leq0$이려면

➡ $f'(a)\leq0$, $f'(b)\leq0$

(2) 최고차항의 계수가 음수일 때, $a\leq x\leq b$에서 $f'(x)\geq0$이려면

➡ $f'(a)\geq0$, $f'(b)\geq0$

대표 문제

003 함수 $f(x)=x^3-(a+2)x^2+ax-1$이 구간 $[1, 2]$에서 감소하도록 하는 상수 a의 최솟값을 구하시오.

★ 중요

유형 04 | 함수의 극대와 극소

미분가능한 함수 $f(x)$의 극값은 다음과 같은 순서로 구한다.

(1) 함수 $f(x)$의 도함수 $f'(x)$를 구한다.

(2) $f'(x)=0$을 만족시키는 x의 값 a를 구한다.

(3) $x=a$의 좌우에서 $f'(x)$의 부호를 조사한다.

(4) $x=a$의 좌우에서

① $f'(x)$의 부호가 양에서 음으로 바뀌면 $f(x)$는 $x=a$에서 극대이고, 극댓값은 $f(a)$이다. ⌐ $f(x)$가 증가하다가 감소

② $f'(x)$의 부호가 음에서 양으로 바뀌면 $f(x)$는 $x=a$에서 극소이고, 극솟값은 $f(a)$이다. ⌐ $f(x)$가 감소하다가 증가

대표 문제

004 함수 $f(x)=-x^3+6x^2+5$의 극댓값을 M, 극솟값을 m이라 할 때, $M+m$의 값은?

① 32 ② 35 ③ 37

④ 40 ⑤ 42

★ **중요**

유형 **05** | 함수의 극대, 극소를 이용하여 미정계수 구하기

미분가능한 함수 $f(x)$가 $x=a$에서 극값 β를 가지면
$$f'(a)=0, \ f(a)=\beta$$
임을 이용하여 미정계수를 구한다.

대표 문제

005 함수 $f(x)=2x^3+ax^2+bx+1$이 $x=-1$에서 극댓값 8을 가질 때, $f(x)$의 극솟값을 구하시오. (단, a, b는 상수)

유형 **06** | 도함수의 그래프와 함수의 극대, 극소

미분가능한 함수 $f(x)$의 도함수 $y=f'(x)$의 그래프가 오른쪽 그림과 같을 때, x축과 만나는 점의 좌우에서 $f'(x)$의 부호가

(1) 양에서 음으로 바뀌면 ➡ $f(x)$는 $x=a$에서 극대
(2) 음에서 양으로 바뀌면 ➡ $f(x)$는 $x=b$에서 극소

대표 문제

006 삼차함수 $f(x)=x^3+ax^2+bx+c$의 도함수 $y=f'(x)$의 그래프가 오른쪽 그림과 같다. 함수 $f(x)$의 극솟값이 0일 때, $f(x)$의 극댓값을 구하시오.
(단, a, b, c는 상수)

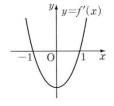

05

★ **중요**

유형 **07** | 도함수의 그래프의 해석

함수 $f(x)$의 도함수 $y=f'(x)$의 그래프에 대하여
(1) $f'(x)>0$인 구간에서 $f(x)$는 증가하고, $f'(x)<0$인 구간에서 $f(x)$는 감소한다.
(2) $f'(a)=0$이고 $x=a$의 좌우에서 $f'(x)$의 부호가 바뀌면 $f(x)$는 $x=a$에서 극값을 갖는다.

대표 문제

007 구간 $[-4, 4]$에서 함수 $f(x)$의 도함수 $y=f'(x)$의 그래프가 아래 그림과 같을 때, 다음 중 옳은 것은?

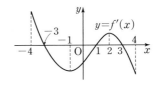

① 함수 $f(x)$는 $-1\le x\le 1$에서 증가한다.
② 함수 $f(x)$는 $x\ge 2$에서 감소한다.
③ 함수 $f(x)$는 $x=-3$에서 극소이다.
④ 함수 $f(x)$는 $x=1$에서 극대이다.
⑤ 함수 $f(x)$는 3개의 극값을 갖는다.

유형 **08** | 함수의 그래프의 개형

함수 $y=f(x)$의 그래프의 개형은 다음과 같은 순서로 그린다.
(1) 도함수 $f'(x)$를 구하고 $f'(x)=0$인 x의 값을 구한다.
(2) (1)에서 구한 x의 값의 좌우에서 $f'(x)$의 부호를 조사하여 함수 $f(x)$에 대한 증가와 감소를 표로 나타내고, 극값을 구한다.
(3) 함수 $y=f(x)$의 그래프와 x축, y축의 교점을 찾아 $y=f(x)$의 그래프의 개형을 그린다.

참고 함수 $f(x)$의 도함수 $y=f'(x)$의 그래프가 주어진 경우에는 도함수 $y=f'(x)$의 그래프를 보고 함수 $f(x)$에 대한 증가, 감소를 표로 나타낸다.

대표 문제

008 함수 $f(x)$의 도함수 $y=f'(x)$의 그래프가 오른쪽 그림과 같을 때, 다음 중 함수 $y=f(x)$의 그래프의 개형이 될 수 있는 것은?

유형 01 함수의 증가와 감소

009 대표 문제 다시 보기

함수 $f(x)=-x^3+6x^2+15x+4$가 증가하는 구간이 $[a, b]$일 때, $a+b$의 값은?

① 4   ② 6   ③ 8

④ 10   ⑤ 12

010 하

다음 중 함수 $f(x)=x^4-2x^2-2$가 감소하는 구간은?

① $[-1, 0]$ ② $[-1, 1]$ ③ $[0, 1]$

④ $[1, 2]$ ⑤ $[2, 3]$

011 중

함수 $f(x)=x^3+6x^2+ax-2$가 감소하는 x의 값의 범위가 $-3 \le x \le b$일 때, 상수 a, b에 대하여 $a-b$의 값을 구하시오.

012 중

함수 $f(x)=-2x^3+ax^2+bx-1$이 다음 조건을 모두 만족시킬 때, 상수 a, b에 대하여 $a+b$의 값을 구하시오.

> (개) 함수 $f(x)$가 구간 $(-\infty, -2]$, $[3, \infty)$에서 감소한다.
> (내) 함수 $f(x)$가 구간 $[-2, 3]$에서 증가한다.

유형 02 삼차함수가 실수 전체의 집합에서 증가 또는 감소하기 위한 조건

013 대표 문제 다시 보기

함수 $f(x)=-x^3+ax^2-3x+5$가 실수 전체의 집합에서 감소하도록 하는 상수 a의 최솟값을 구하시오.

014 중

함수 $f(x)=ax^3+x^2+4x$가 구간 $(-\infty, \infty)$에서 증가하도록 하는 상수 a의 값의 범위는?

① $a \le -\dfrac{1}{12}$ ② $-\dfrac{1}{12} \le a < 0$

③ $-\dfrac{1}{12} \le a < \dfrac{1}{12}$ ④ $0 < a \le \dfrac{1}{12}$

⑤ $a \ge \dfrac{1}{12}$

015 중

함수 $f(x)=-x^3+3ax^2+(a-4)x+1$이 $x_1<x_2$인 임의의 두 실수 x_1, x_2에 대하여 $f(x_1)>f(x_2)$가 성립하도록 하는 정수 a의 개수를 구하시오.

016 중

실수 전체의 집합에서 정의된 함수

$$f(x)=\frac{2}{3}x^3+4x^2-kx-1$$

의 역함수가 존재하기 위한 상수 k의 최댓값을 구하시오.

017 상 신유형

최고차항의 계수가 1인 삼차함수 $f(x)$가 다음 조건을 모두 만족시킬 때, $f(1)$의 최솟값을 구하시오.

> (가) $f(0)=2$
> (나) 모든 실수 x에 대하여 $f'(x) \geq f'(-1)$
> (다) $x_1 < x_2$인 임의의 두 실수 x_1, x_2에 대하여 $f(x_1) < f(x_2)$

유형03 삼차함수가 주어진 구간에서 증가 또는 감소하기 위한 조건

018 대표 문제 다시 보기

함수 $f(x)=-x^3+ax^2+12x+1$이 구간 $[-1, 3]$에서 증가하도록 하는 정수 a의 개수를 구하시오.

019 중

함수 $f(x)=x^3-x^2-ax+2$가 $0 \leq x \leq 1$에서 감소하도록 하는 상수 a의 최솟값은?

① -1 ② 0 ③ 1
④ 2 ⑤ 3

020 중

함수 $f(x)=x^3-\dfrac{9}{2}x^2+ax+5$가 구간 $[1, 2]$에서 감소하고, 구간 $[3, \infty)$에서 증가하도록 하는 상수 a의 값의 범위를 구하시오.

★중요
유형04 함수의 극대와 극소

021 대표 문제 다시 보기

함수 $f(x)=x^3+3x^2-9x+1$의 극댓값을 M, 극솟값을 m이라 할 때, $M-m$의 값은?

① 21 ② 24 ③ 28
④ 30 ⑤ 32

022 하

함수 $f(x)=x^4-4x^3+16x+11$이 $x=\alpha$에서 극솟값 m을 가질 때, $\alpha+m$의 값을 구하시오.

023 하

함수 $f(x)=-3x^4+4x^3+12x^2-3$의 모든 극값의 합을 구하시오.

024 중

함수 $f(x)=x^3-6x^2+9x+1$의 그래프에서 극대인 점을 A, 극소인 점을 B라 할 때, 선분 AB의 길이는?

① $2\sqrt{2}$ ② $2\sqrt{3}$ ③ 4
④ $2\sqrt{5}$ ⑤ $2\sqrt{6}$

★ 중요

유형 05 함수의 극대, 극소를 이용하여 미정계수 구하기

025 대표 문제 다시 보기

함수 $f(x)=-x^3+ax^2+bx+3$이 $x=1$에서 극솟값 -1을 가질 때, $f(x)$의 극댓값은? (단, a, b는 상수)

① 1   ② 2   ③ 3

④ 4   ⑤ 5

026 중

함수 $f(x)=2x^3+ax^2+bx+c$가 $x=-2$에서 극댓값 5를 갖고 $x=1$에서 극솟값을 가질 때, $f(x)$의 극솟값을 구하시오. (단, a, b, c는 상수)

027 중

함수 $f(x)=2x^3+3ax^2-12a^2x+a^3$의 극댓값과 극솟값의 합이 15일 때, 양수 a의 값을 구하시오.

028 중

함수 $f(x)=-2x^3+(a+2)x^2+6x+b$의 그래프에서 극대인 점과 극소인 점이 원점에 대하여 대칭일 때, $f(x)$의 극솟값을 구하시오. (단, a, b는 상수)

029 중

함수 $f(x)=x^3-3(a+1)x^2+3(a^2+2a)x$의 극댓값이 2이고 $f(3)<0$일 때, $f(\sqrt{3})$의 값은? (단, a는 상수)

① $-6\sqrt{3}$ ② $-3\sqrt{3}$ ③ 0

④ $3\sqrt{3}$ ⑤ $6\sqrt{3}$

030 중

최고차항의 계수가 1인 삼차함수 $f(x)$와 그 도함수 $f'(x)$가 다음 조건을 모두 만족시킬 때, $f(x)$의 극댓값과 극솟값의 차를 구하시오.

㈎ 함수 $f(x)$는 $x=2$에서 극솟값을 갖는다.
㈏ 모든 실수 x에 대하여 $f'(1-x)=f'(1+x)$

031 상

두 삼차함수 $f(x)$, $g(x)$가 모든 실수 x에 대하여 $f(x)g(x)=x^2(x-1)^2(x-2)^2$을 만족시킨다. 함수 $g(x)$의 최고차항의 계수가 2이고, $g(x)$가 $x=1$에서 극솟값을 가질 때, $f'(4)$의 값은?

① 2   ② 4   ③ 6

④ 8   ⑤ 10

유형 06 도함수의 그래프와 함수의 극대, 극소

032 《대표 문제》다시 보기

최고차항의 계수가 1인 삼차함수 $f(x)$의 도함수 $y=f'(x)$의 그래프가 오른쪽 그림과 같다. 함수 $f(x)$의 극댓값이 15일 때, $f(x)$의 극솟값을 구하시오.

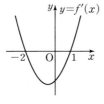

033 중

삼차함수 $f(x)$의 도함수 $y=f'(x)$의 그래프가 오른쪽 그림과 같다. 함수 $f(x)$의 극댓값이 1, 극솟값이 0일 때, $f(-2)$의 값은?

① 3　　　　② 4
③ 5　　　　④ 6
⑤ 7

034 중

삼차함수 $f(x)$의 도함수 $y=f'(x)$의 그래프가 오른쪽 그림과 같을 때, $f(x)$의 극댓값과 극솟값의 차를 구하시오.

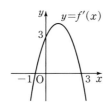

★ 중요

유형 07 도함수의 그래프의 해석

035 《대표 문제》다시 보기

함수 $f(x)$의 도함수 $y=f'(x)$의 그래프가 오른쪽 그림과 같을 때, 다음 중 옳은 것은?

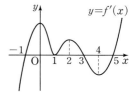

① 함수 $f(x)$는 구간 $(2, 4)$에서 감소한다.
② 함수 $f(x)$는 $x=1$에서 미분가능하다.
③ 함수 $f(x)$는 $x=2$에서 극대이다.
④ 함수 $f(x)$는 $x=3$에서 극소이다.
⑤ 구간 $(-1, 5)$에서 함수 $f(x)$는 2개의 극값을 갖는다.

036 하

삼차함수 $f(x)$의 도함수 $y=f'(x)$의 그래프가 오른쪽 그림과 같을 때, 다음 중 $f(x)$가 증가하는 구간은?

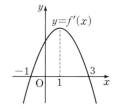

① $(-\infty, -1]$　　② $(-\infty, 1]$
③ $[-1, 3]$　　④ $[1, \infty)$
⑤ $[3, \infty)$

037 중

함수 $f(x)$의 도함수 $y=f'(x)$의 그래프가 다음 그림과 같다. 구간 $[a, b]$에서 함수 $f(x)$가 극대가 되는 x의 값의 개수를 m, 극소가 되는 x의 값의 개수를 n이라 할 때, $m-n$의 값을 구하시오.

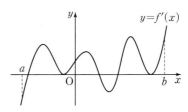

038 <small>중</small>

삼차함수 $f(x)$의 도함수 $y=f'(x)$의 그래프와 사차함수 $g(x)$의 도함수 $y=g'(x)$의 그래프가 다음 그림과 같다. 함수 $h(x)$를 $h(x)=f(x)-g(x)$라 할 때, 함수 $h(x)$가 극소가 되는 x의 값은?

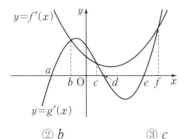

① a ② b ③ c

④ e ⑤ f

유형 08   함수의 그래프의 개형

039 <small>대표 문제 다시 보기</small>

함수 $f(x)$의 도함수 $y=f'(x)$의 그래프가 오른쪽 그림과 같을 때, 다음 중 함수 $y=f(x)$의 그래프의 개형이 될 수 있는 것은?

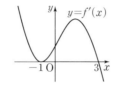

① 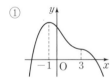   ②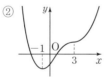

③ 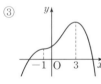   ④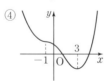

⑤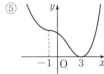

---

040 <small>중</small>

다음 중 함수 $y=x^4-6x^2+5$의 그래프의 개형이 될 수 있는 것은?

① 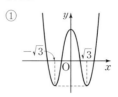   ②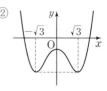

③ 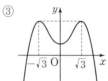   ④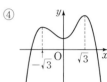

⑤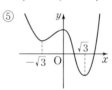

---

041 <small>중</small>

삼차함수 $f(x)=x^3+ax^2+bx+c$의 그래프가 오른쪽 그림과 같을 때, 다음 보기 중 옳은 것만을 있는 대로 고르시오. (단, $|\beta|>|a|$, a, b, c는 상수)

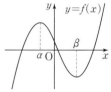

보기

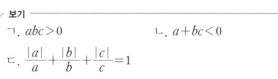

ㄱ. $abc>0$ ㄴ. $a+bc<0$

ㄷ. $\dfrac{|a|}{a}+\dfrac{|b|}{b}+\dfrac{|c|}{c}=1$

---

042 <small>상</small> <small>신유형</small>

함수 $f(x)=-x^3+3x^2+9x+k$에 대하여 함수 $g(x)=|f(x)|$일 때, $g(x)$는 $x=\alpha$, $x=\beta$ $(\alpha<\beta)$에서 극댓값을 갖는다. 이때 $|g(\alpha)-g(\beta)|>10$을 만족시키는 정수 k의 개수를 구하시오.

도함수의 활용 (2)

정답과 해설 **58**쪽

유형 09 │ 삼차함수가 극값을 가질 조건

(1) 삼차함수 $f(x)$가 극값을 갖는다. ─ 극댓값과 극솟값을 모두 갖는다.
 ⟺ 이차방정식 $f'(x)=0$이 서로 다른 두 실근을 갖는다.
 ⟺ 이차방정식 $f'(x)=0$의 판별식을 D라 하면 $D>0$

(2) 삼차함수 $f(x)$가 극값을 갖지 않는다.
 ⟺ 이차방정식 $f'(x)=0$이 중근 또는 허근을 갖는다.
 ⟺ 이차방정식 $f'(x)=0$의 판별식을 D라 하면 $D\leq0$

대표 문제

043 함수 $f(x)=x^3+ax^2-(a-6)x+5$가 극값을 갖지 않도록 하는 정수 a의 개수는?

① 6 　　　　② 7 　　　　③ 8
④ 9 　　　　⑤ 10

유형 10 │ 삼차함수가 주어진 구간에서 극값을 가질 조건

삼차함수 $f(x)$가 열린구간 (a, b)에서 극댓값과 극솟값을 모두 가지면 이차방정식 $f'(x)=0$이 $a<x<b$에서 서로 다른 두 실근을 갖는다. 따라서 다음 세 가지 조건을 조사한다.

(1) 이차방정식 $f'(x)=0$의 판별식을 D라 하면 $D>0$
(2) $f'(a)$, $f'(b)$의 값의 부호
(3) 이차함수 $y=f'(x)$의 그래프의 축의 방정식 $x=k$에서 $a<k<b$

대표 문제

044 함수 $f(x)=x^3-ax^2+2ax+1$이 구간 $(-2, 2)$에서 극댓값과 극솟값을 모두 갖도록 하는 상수 a의 값의 범위를 구하시오.

유형 11 │ 사차함수가 극값을 가질 조건

(1) 사차함수 $f(x)$의 최고차항의 계수가 양수일 때, $f(x)$는 적어도 하나의 극솟값을 갖는다.
 ① 사차함수 $f(x)$가 극댓값을 갖는다. ─ 극댓값 1개, 극솟값 2개를 갖는다.
  ⟺ 삼차방정식 $f'(x)=0$이 서로 다른 세 실근을 갖는다.
 ② 사차함수 $f(x)$가 극댓값을 갖지 않는다.
  ⟺ 삼차방정식 $f'(x)=0$이 중근 또는 허근을 갖는다.

(2) 사차함수 $f(x)$의 최고차항의 계수가 음수일 때, $f(x)$는 적어도 하나의 극댓값을 갖는다.
 ① 사차함수 $f(x)$가 극솟값을 갖는다. ─ 극댓값 2개, 극솟값 1개를 갖는다.
  ⟺ 삼차방정식 $f'(x)=0$이 서로 다른 세 실근을 갖는다.
 ② 사차함수 $f(x)$가 극솟값을 갖지 않는다.
  ⟺ 삼차방정식 $f'(x)=0$이 중근 또는 허근을 갖는다.

대표 문제

045 함수 $f(x)=x^4-4x^3-2ax^2$이 극댓값을 갖도록 하는 상수 a의 값의 범위를 구하시오.

★ 중요

유형 12 │ 함수의 최대, 최소

닫힌구간 $[a, b]$에서 연속인 함수 $f(x)$에 대하여 극댓값, 극솟값, $f(a)$, $f(b)$ 중에서 가장 큰 값이 $f(x)$의 최댓값이고, 가장 작은 값이 $f(x)$의 최솟값이다.

대표 문제

046 구간 $[-2, 3]$에서 함수 $f(x)=2x^3-3x^2-12x+5$의 최댓값을 M, 최솟값을 m이라 할 때, $M+m$의 값을 구하시오.

 도함수의 활용 (2)

유형 **13** │ 함수의 최대, 최소를 이용하여 미정계수 구하기

함수 $f(x)$의 최댓값 또는 최솟값이 주어지면
➡ 함수 $f(x)$의 최댓값 또는 최솟값을 미정계수를 포함한 식으로 나타낸 후 주어진 값과 비교하여 미정계수를 구한다.

대표 문제

047 구간 $[-2, 2]$에서 함수 $f(x)=ax^3-3ax+b$의 최댓값이 10, 최솟값이 6일 때, 상수 a, b에 대하여 $a+b$의 값을 구하시오. (단, $a>0$)

유형 **14** │ 함수의 최대, 최소의 활용 – 길이, 넓이

평면도형의 길이 또는 넓이에 대한 최대, 최소 문제는 두 점 사이의 거리, 피타고라스 정리, 도형의 넓이 공식 등을 이용하여 길이 또는 넓이를 한 문자에 대한 함수로 나타낸 후 도함수를 이용하여 최댓값 또는 최솟값을 구한다.

대표 문제

048 오른쪽 그림과 같이 곡선 $y=6-x^2$과 x축으로 둘러싸인 도형에 내접하고 한 변이 x축 위에 있는 직사각형 ABCD의 넓이의 최댓값을 구하시오.

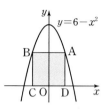

유형 **15** │ 함수의 최대, 최소의 활용 – 부피

입체도형의 부피에 대한 최대, 최소 문제는 입체도형의 부피를 구하는 공식을 이용하여 부피를 한 문자에 대한 함수로 나타낸 후 도함수를 이용하여 최댓값 또는 최솟값을 구한다.

대표 문제

049 오른쪽 그림과 같이 한 변의 길이가 6 cm인 정사각형 모양의 종이의 네 모퉁이에서 같은 크기의 정사각형을 잘라 내고 남은 부분을 접어서 뚜껑이 없는 직육면체 모양의 상자를 만들려고 한다. 이 상자의 부피의 최댓값을 구하시오.

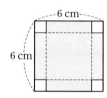

유형 **16** │ 함수의 최대, 최소의 활용 – 실생활

이익의 최댓값이나 비용의 최솟값 등을 구하는 문제는
(1) (수입)＝(가격)×(수량)   (2) (이익)＝(수입)−(비용)
임을 이용하여 관계식을 세운 후 도함수를 이용하여 최댓값 또는 최솟값을 구한다.

대표 문제

050 어떤 박물관의 입장료가 x백 원일 때의 입장객 수를 y명이라 하면 $y=4800-10x-\dfrac{1}{3}x^2$이라 한다. 이 박물관의 입장 수입이 최대가 되기 위한 입장료는?

① 5000원   ② 5500원   ③ 6000원
④ 6500원   ⑤ 7000원

유형 09 삼차함수가 극값을 가질 조건

051 대표 문제 다시 보기

함수 $f(x) = \frac{2}{3}x^3 + (a-1)x^2 + 2x - 5$가 극값을 갖지 않도록 하는 정수 a의 개수는?

① 3   ② 4   ③ 5

④ 6   ⑤ 7

052 중

함수 $f(x) = x^3 + ax^2 + (a^2 - 4a)x + 3$이 극값을 갖도록 하는 모든 정수 a의 값의 합은?

① 12   ② 13   ③ 14

④ 15   ⑤ 16

053 중

함수 $f(x) = ax^3 - 6x^2 + (a-1)x - 2$가 극댓값과 극솟값을 모두 갖도록 하는 정수 a의 개수를 구하시오. (단, $a \neq 0$)

054 중

함수 $f(x) = -\frac{1}{3}x^3 - ax^2 + (2a-3)x - 1$이 극값을 갖고, 함수 $g(x) = \frac{4}{3}x^3 - (a+2)x^2 + (2a+1)x + 1$이 극값을 갖지 않도록 하는 상수 a의 값의 범위를 $\alpha < a \leq \beta$라 할 때, $\alpha + \beta$의 값을 구하시오.

유형 10 삼차함수가 주어진 구간에서 극값을 가질 조건

055 대표 문제 다시 보기

함수 $f(x) = x^3 - (a+2)x^2 + 3ax + 3$이 구간 $(-1, 2)$에서 극댓값과 극솟값을 모두 갖도록 하는 상수 a의 값의 범위를 $\alpha < a < \beta$라 할 때, $5\alpha + 2\beta$의 값을 구하시오.

056 중

함수 $f(x) = -x^3 + (a+1)x^2 - x + 1$이 $x < 1$에서 극솟값을 갖고 $x > 1$에서 극댓값을 갖도록 하는 상수 a의 값의 범위를 구하시오.

057 중

함수 $f(x) = \frac{1}{3}x^3 - (a-2)x^2 + 4x$의 그래프에서 극대인 점과 극소인 점이 모두 두 직선 $x = -1$, $x = 3$ 사이에 존재하도록 하는 상수 a의 값의 범위를 구하시오.

058 중

함수 $f(x) = \frac{1}{3}x^3 - ax^2 + (a^2 - 1)x + 3$이 구간 $(-1, 2)$에서 극댓값을 갖고 구간 $(2, \infty)$에서 극솟값을 갖도록 하는 정수 a의 값을 구하시오.

유형 11   사차함수가 극값을 가질 조건

059 대표 문제 다시 보기

함수 $f(x)=x^4-4ax^3+3ax^2+1$이 극댓값과 극솟값을 모두 갖도록 하는 상수 a의 값의 범위를 구하시오.

060 중

함수 $f(x)=-x^4+4x^3+2ax^2$이 극솟값을 갖도록 하는 자연수 a의 최솟값은?

① 1   ② 2   ③ 3
④ 4   ⑤ 5

061 상

함수 $f(x)=-x^4-2(a-1)x^2-4ax+1$이 극솟값을 갖지 않도록 하는 상수 a의 값의 범위를 구하시오.

062 상

함수 $f(x)=3x^4-4x^3-3(a+4)x^2+12ax$가 극값을 하나만 갖도록 하는 상수 a의 최댓값을 구하시오.

유형 12   함수의 최대, 최소

중요

063 대표 문제 다시 보기

구간 $[0, 5]$에서 함수 $f(x)=-x^3+6x^2-9x+10$의 최댓값을 M, 최솟값을 m이라 할 때, $M-m$의 값은?

① 12   ② 14   ③ 16
④ 18   ⑤ 20

064 하

함수 $f(x)=x^4-6x^2-8x+15$는 $x=\alpha$에서 최솟값 m을 가질 때, $\alpha+m$의 값을 구하시오.

065 중

구간 $[0, 2]$에서 함수 $f(x)=-\dfrac{2}{3}x^3+ax^2-a$의 최댓값을 $g(a)$라 할 때, $g(a)$의 최솟값을 구하시오. (단, $0<a<2$)

066 상

구간 $[-1, 3]$에서 함수
$$f(x)=(x+1)^3-3(x+1)^2-9(x+1)+5$$
의 최댓값과 최솟값의 합을 구하시오.

★ 중요
유형 **13**   함수의 최대, 최소를 이용하여 미정계수 구하기

067 (대표 문제) 다시 보기

구간 $[-2, 0]$에서 함수 $f(x)=ax^4-2ax^2+b+1$의 최댓값이 11, 최솟값이 2일 때, 상수 a, b에 대하여 $a+b$의 값은?

(단, $a>0$)

① 2   ② 3   ③ 4
④ 5   ⑤ 6

068 중

구간 $[-1, 3]$에서 함수 $f(x)=-2x^3+6x^2+a$의 최댓값이 5일 때, $f(x)$의 최솟값을 구하시오. (단, a는 상수)

069 중

구간 $[0, 4]$에서 함수 $f(x)=x^4-4x^3-2x^2+12x+a$의 최댓값과 최솟값의 합이 11일 때, 상수 a의 값은?

① -4 ② -2 ③ 0
④ 2   ⑤ 4

유형 **14**   함수의 최대, 최소의 활용 – 길이, 넓이

070 (대표 문제) 다시 보기

오른쪽 그림과 같이 두 곡선 $y=x^2-4$, $y=-x^2+4$로 둘러싸인 도형에 내접하고, 한 쌍의 대변이 x축에 평행한 직사각형의 넓이의 최댓값을 구하시오.

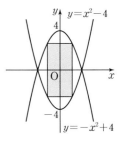

071 중

곡선 $y=x^2$ 위를 움직이는 점 P와 점 A$(3, 0)$에 대하여 선분 AP의 길이의 최솟값을 구하시오.

072 중

오른쪽 그림과 같이 곡선 $y=x^2-6x+9$ 위의 점 P(a, b) $(0<a<3)$에서의 접선이 x축, y축과 만나는 점을 각각 A, B라 할 때, 삼각형 OAB의 넓이의 최댓값을 구하시오. (단, O는 원점)

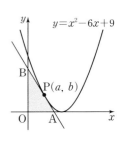

073 상

오른쪽 그림과 같이 좌표평면 위의 점 P$(2, t)$ $(0 \le t \le 2)$에 대하여 직선 $y=2$ 위의 점 Q를 $\overline{OQ}=\overline{PQ}$가 되도록 정할 때, 삼각형 OPQ의 넓이의 최솟값을 구하시오.

(단, O는 원점)

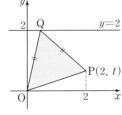

유형 **15** 함수의 최대, 최소의 활용 - 부피

074 대표 문제 다시 보기

오른쪽 그림과 같이 한 변의 길이가 24인 정삼각형 모양의 종이의 세 꼭짓점에서 합동인 사각형을 잘라 내고 남은 부분을 접어서 뚜껑이 없는 삼각기둥 모양의 상자를 만들려고 한다. 이때 이 상자의 부피의 최댓값을 구하시오.

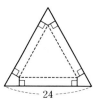

075 중

오른쪽 그림과 같이 원기둥 위에 반구가 얹어진 모양의 입체도형이 있다. 원기둥의 밑면의 반지름의 길이와 높이의 합이 9로 일정할 때, 원기둥의 부피가 최대인 경우의 전체 입체도형의 부피를 구하시오.

076 중

오른쪽 그림과 같이 모선의 길이가 12인 원뿔의 부피가 최대일 때, 밑면의 반지름의 길이와 높이의 비는?

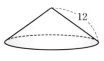

① $3:1$ ② $2:1$ ③ $3:2$
④ $\sqrt{3}:1$ ⑤ $\sqrt{2}:1$

077 중

오른쪽 그림과 같이 반지름의 길이가 1인 구에 내접하는 원기둥의 부피의 최댓값을 구하시오.

078 상

오른쪽 그림과 같이 모든 모서리의 길이가 6인 정사각뿔에 내접하는 직육면체의 부피의 최댓값을 구하시오.

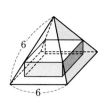

유형 **16** 함수의 최대, 최소의 활용 - 실생활

079 대표 문제 다시 보기

제품 A를 하루에 $x\,\mathrm{kg}$ 생산하는 데 드는 비용을 $f(x)$원이라 하면

$$f(x)=2x^3-90x^2+5000x+2000$$

이라 한다. 이 제품의 $1\,\mathrm{kg}$당 판매 가격이 5000원일 때, 이익을 최대로 하기 위해 하루에 생산해야 할 제품 A는 몇 kg인지 구하시오.

080 중

어느 제약회사에서 개발한 진통제에 대한 임상실험 결과 진통제를 복용한 지 t시간 후의 약효 y가 $y=-t^3+3t^2+9t$라 한다. 이 진통제의 약효가 최대가 되는 것은 진통제를 복용한 지 몇 시간 후인지 구하시오.

081
유형 01

다음 중 함수 $f(x)=-x^3+6x^2-9x$가 증가하는 구간은?

① $(-\infty, 1]$ ② $[-1, 1]$ ③ $[1, 3]$

④ $[3, 4]$ ⑤ $[3, \infty)$

082
유형 02

함수 $f(x)=2ax^3-x^2+6ax+5$가 $x_1<x_2$인 임의의 두 실수 x_1, x_2에 대하여 $f(x_1)<f(x_2)$가 성립하도록 하는 상수 a의 값의 범위를 구하시오.

083
유형 03

함수 $f(x)=2x^3+ax^2-4ax+1$이 구간 $[-2, 1]$에서 감소하도록 하는 상수 a의 최솟값을 구하시오.

084
유형 04

미분가능한 함수 $f(x)$가 $x=1$에서 극댓값 3을 가질 때, 곡선 $y=x^2f(x)$ 위의 $x=1$인 점에서의 미분계수는?

① 6   ② 8   ③ 10

④ 12   ⑤ 14

085
유형 01+04

함수 $f(x)=x^3+ax^2+bx+1$이 감소하는 구간이 $[-1, 1]$일 때, $f(x)$의 극댓값을 M, 극솟값을 m이라 하자. 이때 $M+m$의 값은? (단, a, b는 상수)

① -2 ② -1 ③ 0

④ 1   ⑤ 2

086
유형 05

함수 $f(x)=x^3-\dfrac{3}{2}x^2-6x+a$의 극댓값이 4일 때, $f(x)$의 극솟값을 구하시오. (단, a는 상수)

087
유형 05

함수 $f(x)=x^3-6x^2+9x+a$의 극댓값과 극솟값의 절댓값이 같고 그 부호가 서로 다를 때, 상수 a의 값은?

① -3 ② -2 ③ -1

④ 1   ⑤ 2

088

함수 $f(x)$의 도함수 $y=f'(x)$의 그래프가 오른쪽 그림과 같을 때, 보기 중 옳은 것만을 있는 대로 고르시오.

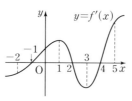

보기
- ㄱ. 함수 $f(x)$는 구간 $[-2, -1]$에서 감소한다.
- ㄴ. 함수 $f(x)$는 구간 $[3, \infty)$에서 증가한다.
- ㄷ. 함수 $f(x)$는 $x=1$에서 극대이다.
- ㄹ. 함수 $f(x)$는 $x=4$에서 극소이다.

089

함수 $f(x)$의 도함수 $y=f'(x)$의 그래프가 오른쪽 그림과 같을 때, 다음 중 함수 $y=f(x)$의 그래프의 개형이 될 수 있는 것은?

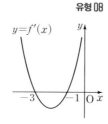

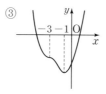

090

함수 $f(x)=x^3+ax^2+bx$의 그래프는 원점이 아닌 점에서 x축에 접하고 극솟값이 -4일 때, 상수 a, b에 대하여 $a+b$의 값을 구하시오.

091

사차함수 $f(x)=\dfrac{1}{4}x^4+\dfrac{a}{3}x^3+\dfrac{b}{2}x^2+cx+1$과 두 실수 α, β가 다음 조건을 모두 만족시킬 때, 상수 a, b, c에 대하여 $a+b+2c$의 값을 구하시오. (단, $\alpha<\beta$)

- (가) $f'(-1)=6$
- (나) 함수 $f(x)$는 $x=1$에서 극대이고 $x=\alpha$, $x=\beta$에서 극소이다.
- (다) $\beta-\alpha=4$

092

함수 $f(x)=\dfrac{1}{3}x^3-ax^2+(2a+3)x+3$이 극댓값과 극솟값을 모두 갖도록 하는 자연수 a의 최솟값은?

① 1   ② 2   ③ 3
④ 4   ⑤ 5

093

함수 $f(x)=\dfrac{1}{3}x^3-kx^2+3kx+7$이 $-1<x<1$에서 극댓값과 극솟값을 모두 갖도록 하는 상수 k의 값의 범위를 구하시오.

094
유형 11

함수 $f(x)=x^4+4x^3+2ax^2+a$가 극댓값을 갖지 않도록 하는 상수 a의 값의 범위를 구하시오.

095
유형 12

구간 $[-1, 2]$에서 함수 $f(x)=x^4-2x^2+3$의 최댓값과 최솟값의 합은?

① 11   ② 12   ③ 13

④ 14   ⑤ 15

096
유형 06+12

함수 $f(x)=x^3+ax^2+bx+c$의 도함수 $y=f'(x)$의 그래프가 오른쪽 그림과 같다. 함수 $f(x)$의 극댓값이 7일 때, 구간 $[-2, 4]$에서 $f(x)$의 최솟값을 구하시오. (단, a, b, c는 상수)

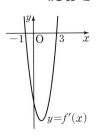

097
유형 13

구간 $[0, 4]$에서 함수 $f(x)=ax^3-3ax^2+b$의 최댓값이 5, 최솟값이 -15일 때, 상수 a, b에 대하여 $a-b$의 값을 구하시오. (단, $a>0$)

098
유형 14

오른쪽 그림과 같이 곡선 $y=-x^2+8x+20$이 x축과 만나는 두 점을 각각 A, B라 할 때, x축과 곡선으로 둘러싸인 부분에 내접하는 사다리꼴 ABCD의 넓이의 최댓값을 구하시오.

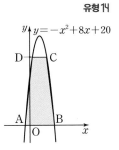

099
유형 15

오른쪽 그림과 같이 밑면의 반지름의 길이가 4이고 높이가 8인 원뿔에 내접하는 원기둥 중에서 부피가 최대인 원기둥의 밑면의 반지름의 길이는?

① 2   ② $\dfrac{7}{3}$

③ $\dfrac{8}{3}$ ④ 3

⑤ $\dfrac{10}{3}$

100
유형 16

어느 주유소에서 휘발유를 1 L당 1350원에 팔고 있다. 이 휘발유의 하루 판매량은 3000 L인데 휘발유 1 L당 가격을 $10x$원 올릴 때마다 판매량이 x^2 L씩 감소한다고 한다. 하루 판매 금액이 최대가 되려면 휘발유 1 L당 가격을 얼마로 정해야 하는지 구하시오.

06

도함수의 활용 (3)

도함수의 활용(3)

★중요
유형 01 | 방정식 $f(x)=k$의 실근의 개수

방정식의 실근의 개수는 함수의 그래프를 그려서 구할 수 있다.
(1) 방정식 $f(x)=0$의 서로 다른 실근의 개수
  $\Longleftrightarrow$ 함수 $y=f(x)$의 그래프와 x축의 교점의 개수
(2) 방정식 $f(x)=k$의 서로 다른 실근의 개수
  $\Longleftrightarrow$ 함수 $y=f(x)$의 그래프와 직선 $y=k$의 교점의 개수

대표 문제

001 사차방정식 $3x^4-4x^3-12x^2-k=0$이 서로 다른 세 실근을 갖도록 하는 모든 실수 k의 값의 합은?
① -9 ② -7 ③ -5
④ -3 ⑤ -1

유형 02 | 방정식 $f(x)=k$의 실근의 부호

방정식 $f(x)=k$의 실근은 함수 $y=f(x)$의 그래프와 직선 $y=k$의 교점의 x좌표와 같으므로 방정식 $f(x)=k$의 실근의 부호가
(1) 양수이면
  $\Rightarrow$ $y=f(x)$의 그래프와 직선 $y=k$의 교점의 x좌표가 양수
(2) 음수이면
  $\Rightarrow$ $y=f(x)$의 그래프와 직선 $y=k$의 교점의 x좌표가 음수

대표 문제

002 삼차방정식 $x^3-3x^2-9x+k=0$이 서로 다른 두 개의 양의 근과 한 개의 음의 근을 갖도록 하는 정수 k의 개수를 구하시오.

★중요
유형 03 | 함수의 극값을 이용한 삼차방정식의 근의 판별

삼차함수 $f(x)$가 극값을 가질 때, 삼차방정식 $f(x)=0$의 근에 대한 조건이 주어지면 함수 $f(x)$의 극값 사이의 관계는 다음과 같다.
(1) 서로 다른 세 실근
  $\Longleftrightarrow$ (극댓값)×(극솟값)<0
(2) 중근과 다른 한 실근(서로 다른 두 실근)
  $\Longleftrightarrow$ (극댓값)×(극솟값)=0
(3) 한 실근과 두 허근(오직 한 실근)
  $\Longleftrightarrow$ (극댓값)×(극솟값)>0

대표 문제

003 삼차방정식 $x^3+6x^2+9x+k=0$이 서로 다른 세 실근을 갖도록 하는 실수 k의 값의 범위는?
① $k<0$ ② $0<k<4$
③ $-4<k<0$ ④ $k>4$
⑤ $k<0$ 또는 $k>4$

유형 04 | 두 그래프의 교점의 개수

두 함수 $y=f(x)$, $y=g(x)$의 그래프의 교점의 개수는 방정식 $f(x)=g(x)$, 즉 $f(x)-g(x)=0$의 서로 다른 실근의 개수와 같다.

대표 문제

004 곡선 $y=2x^3+3x^2-10x$와 직선 $y=2x+k$가 서로 다른 두 점에서 만나도록 하는 양수 k의 값을 구하시오.

유형 **05** | 접선의 개수

곡선 밖의 한 점에서 곡선에 그을 수 있는 접선의 개수는 접점의 개수와 같다.

참고 곡선 $y=f(x)$ 밖의 한 점 (a, b)에서 곡선 $y=f(x)$에 그은 접선의 접점의 좌표를 $(t, f(t))$라 하면 접선의 방정식은
$$y-f(t)=f'(t)(x-t)$$

대표 문제

005 점 $(0, a)$에서 곡선 $y=x^3+x^2$에 서로 다른 세 개의 접선을 그을 수 있도록 하는 실수 a의 값의 범위를 구하시오.

06

★중요
유형 **06** | 모든 실수 x에 대하여 성립하는 부등식

(1) 모든 실수 x에 대하여 부등식 $f(x)>0$이 성립하려면
→ (함수 $f(x)$의 최솟값)>0
(2) 모든 실수 x에 대하여 부등식 $f(x)<0$이 성립하려면
→ (함수 $f(x)$의 최댓값)<0

참고 모든 실수 x에 대하여 부등식 $f(x)>g(x)$가 성립하면 함수 $y=f(x)$의 그래프가 함수 $y=g(x)$의 그래프보다 항상 위쪽에 있다.

대표 문제

006 모든 실수 x에 대하여 부등식 $x^4+3x^2-10x+k>0$이 성립하도록 하는 정수 k의 최솟값은?

① 3   ② 4   ③ 5
④ 6   ⑤ 7

유형 **07** | 주어진 구간에서 성립하는 부등식 – 최대, 최소 이용

(1) 어떤 구간에서 부등식 $f(x)>0$이 성립하려면
→ 그 구간에서 (함수 $f(x)$의 최솟값)>0
(2) 어떤 구간에서 부등식 $f(x)<0$이 성립하려면
→ 그 구간에서 (함수 $f(x)$의 최댓값)<0

대표 문제

007 $x\geq0$일 때, 부등식 $x^3-3x^2-9x+30>k$가 성립하도록 하는 정수 k의 최댓값은?

① 1   ② 2   ③ 3
④ 4   ⑤ 5

유형 **08** | 주어진 구간에서 성립하는 부등식 – 증가, 감소 이용

(1) 구간 (a, b)에서 증가하는 함수 $f(x)$에 대하여 이 구간에서 $f(x)>0$이 성립하려면
→ $f(a)\geq0$
(2) 구간 (a, b)에서 감소하는 함수 $f(x)$에 대하여 이 구간에서 $f(x)<0$이 성립하려면
→ $f(a)\leq0$

대표 문제

008 $1<x<3$일 때, 부등식 $2x^3+9x^2-k>0$이 성립하도록 하는 자연수 k의 개수를 구하시오.

★ 중요
유형 **01** 방정식 $f(x)=k$의 실근의 개수

009 대표문제 다시 보기

사차방정식 $\dfrac{3}{2}x^4+4x^3-3x^2-12x+k=0$이 오직 한 실근만을 갖도록 하는 실수 k의 값을 구하시오.

010 중

사차방정식 $x^4-2x^2-3=0$의 서로 다른 실근의 개수는?

① 0   ② 1   ③ 2

④ 3   ⑤ 4

011 중

삼차함수 $f(x)$의 도함수 $y=f'(x)$의 그래프가 오른쪽 그림과 같고 $f(-1)=2$, $f(2)=-4$일 때, 방정식 $2f(x)-k=0$이 서로 다른 두 실근을 갖도록 하는 모든 실수 k의 값의 합을 구하시오.

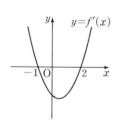

012 중

임의의 실수 k에 대하여 삼차방정식 $x^3-6x^2+9x-k=0$의 서로 다른 실근의 개수를 $f(k)$라 하자. 함수 $f(k)$가 $k=a$에서 불연속일 때, 모든 실수 a의 값의 합을 구하시오.

013 중

함수 $f(x)=3x^3-9x^2+5$에 대하여 방정식 $|f(x)|=k$가 서로 다른 네 실근을 갖도록 하는 실수 k의 값의 범위를 구하시오.

014 상

최고차항의 계수가 1인 삼차함수 $f(x)$가 다음 조건을 모두 만족시킬 때, $f(-1)$의 값을 구하시오.

㈎ 함수 $f(x)$는 $x=0$에서 극댓값 3을 갖는다.
㈏ 방정식 $|f(x)|=1$의 서로 다른 실근의 개수는 5이다.

015 상

최고차항의 계수가 -1인 삼차함수 $f(x)$가 모든 실수 x에 대하여 $f(-x)=-f(x)$를 만족시킨다. 방정식 $|f(x)|=2$의 서로 다른 실근의 개수가 4일 때, $f(2)$의 값을 구하시오.

유형 **02** 방정식 $f(x)=k$의 실근의 부호

016 대표문제 다시 보기

삼차방정식 $2x^3-3x^2-12x-k=0$이 한 개의 양의 근과 서로 다른 두 개의 음의 근을 갖도록 하는 정수 k의 개수를 구하시오.

017 중

삼차방정식 $x^3 - 3x + a = 0$이 한 개의 음의 근과 한 개의 양의 근만을 갖도록 하는 모든 실수 a의 값의 곱을 구하시오.

018 중

사차방정식 $4x^3 - 12x = x^4 - 2x^2 + k$가 서로 다른 두 개의 양의 근과 서로 다른 두 개의 음의 근을 갖도록 하는 실수 k의 값의 범위를 구하시오.

019 중

방정식 $x^3 - 3x^2 + 3 - k = 0$이 1보다 큰 서로 다른 두 개의 실근과 1보다 작은 한 개의 근을 갖도록 하는 실수 k의 값의 범위가 $\alpha < k < \beta$일 때, $\alpha\beta$의 값은?

① -3 ② -1 ③ 0
④ 1 ⑤ 3

중요
유형 **03**   함수의 극값을 이용한 삼차방정식의 근의 판별

020 대표 문제 다시 보기

삼차방정식 $x^3 + 3x^2 - 9x - k = 0$이 서로 다른 세 실근을 갖도록 하는 실수 k의 값의 범위를 구하시오.

021 중

삼차방정식 $2x^3 - 15x^2 + 24x + 6 + k = 0$이 서로 다른 두 실근을 갖도록 하는 모든 실수 k의 값의 합을 구하시오.

022 상

함수 $f(x) = x^3 - 3ax + a$가 극값을 갖고, 방정식 $f(x) = 0$이 오직 한 실근만을 갖도록 하는 실수 a의 값의 범위를 구하시오.

06

유형 **04**   두 그래프의 교점의 개수

023 대표 문제 다시 보기

곡선 $y = -x^3 + x^2$과 직선 $y = -x + k$가 서로 다른 두 점에서 만나도록 하는 양수 k의 값을 구하시오.

024 중

두 삼차함수 $f(x)$, $g(x)$에 대하여 함수 $h(x)$를 $h(x) = f(x) - g(x)$라 할 때, 함수 $h(x)$의 도함수 $y = h'(x)$의 그래프는 오른쪽 그림과 같다. 다음 중 두 곡선 $y = f(x)$, $y = g(x)$가 오직 한 점에서 만나기 위한 필요충분조건은? (단, $\alpha \neq \beta$)

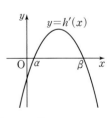

① $h(\alpha)h(\beta) < 0$ ② $h(\alpha)h(\beta) = 0$
③ $h(\alpha)h(\beta) > 0$ ④ $h(\alpha) > h(\beta)$
⑤ $h(\alpha) < h(\beta)$

025 중

두 곡선 $y=-x^4+2x-k$, $y=x^2+8x+k$가 오직 한 점에서 만나도록 하는 상수 k의 값은?

① -2 ② -1 ③ 1

④ 2 ⑤ 3

026 상

곡선 $y=x^3+3x^2-8x+k$가 두 점 $A(-5, 0)$, $B(2, 7)$을 이은 선분 AB와 서로 다른 세 점에서 만나도록 하는 실수 k의 값의 범위를 구하시오.

유형 **05** 접선의 개수

027 대표 문제 다시 보기

점 $(1, a)$에서 곡선 $y=x^3+2$에 서로 다른 두 개의 접선을 그을 수 있도록 하는 모든 실수 a의 값의 합을 구하시오.

028 중

점 $(2, 1)$에서 곡선 $y=x^3+ax+1$에 오직 하나의 접선을 그을 수 있도록 하는 실수 a의 값의 범위를 구하시오.

⭐중요

유형 **06** 모든 실수 x에 대하여 성립하는 부등식

029 대표 문제 다시 보기

모든 실수 x에 대하여 부등식 $x^4-6x^2-8x+10+a>0$이 성립하도록 하는 정수 a의 최솟값은?

① 13 ② 14 ③ 15

④ 16 ⑤ 17

030 중

구간 $(-\infty, \infty)$에서 부등식 $3x^4+4x^3-12x^2 \geq a$가 성립하도록 하는 실수 a의 최댓값을 구하시오.

031 중

두 함수 $f(x)=-3x^4+16x^3-14x^2-24$, $g(x)=4x^2-k$가 있다. 모든 실수 x에 대하여 부등식 $f(x) \leq g(x)$가 성립하도록 하는 실수 k의 값의 범위를 구하시오.

032 중

두 함수 $f(x)=x^4+3x^2+4x$, $g(x)=x^2-4x+a$에 대하여 함수 $y=f(x)$의 그래프가 함수 $y=g(x)$의 그래프보다 항상 위쪽에 있도록 하는 정수 a의 최댓값을 구하시오.

유형 07   주어진 구간에서 성립하는 부등식
        – 최대, 최소 이용

033 대표 문제 다시 보기

$x<0$일 때, 부등식 $2x^3-9x^2-24x+k\le0$이 성립하도록 하는 실수 k의 최댓값은?

① -15 ② -13 ③ -11

④ -9 ⑤ -7

034 중

$x\ge-2$일 때, 부등식 $x^3-x^2+x+3>2x^2+x+k$가 성립하도록 하는 실수 k의 값의 범위를 구하시오.

035 중

두 함수 $f(x)=2x^3+x+k$, $g(x)=3x^2+x+1$에 대하여 $x>0$일 때, 부등식 $f(x)>g(x)$가 성립하도록 하는 실수 k의 값의 범위를 구하시오.

036 상

$0\le x\le3$일 때, 부등식 $|x^4-4x^3-2x^2+12x+k|\le10$이 성립하도록 하는 정수 k의 개수를 구하시오.

유형 08   주어진 구간에서 성립하는 부등식
        – 증가, 감소 이용

037 대표 문제 다시 보기

$2<x<4$일 때, 부등식 $x^3+16x<8x^2+k$가 성립하도록 하는 실수 k의 값의 범위를 구하시오.

038 중

$x>1$일 때, 부등식 $x^3+5x-a(a-1)>0$이 성립하도록 하는 실수 a의 최댓값을 M, 최솟값을 m이라 하자. 이때 $M+m$의 값은?

① -3 ② -1 ③ 1

④ 3 ⑤ 5

039 상

$x>1$일 때, 2 이상의 자연수 n에 대하여 부등식

$$x^n+n(n-3)>nx+1$$

이 성립하도록 하는 자연수 n의 최솟값을 구하시오.

040 상   신유형

최고차항의 계수가 1인 삼차함수 $f(x)$가 다음 조건을 모두 만족시킨다. $g(x)=f(x)-f'(x)$라 할 때, $g(1)$의 최솟값을 구하시오.

㈎ $f(0)=f'(0)$
㈏ $x\ge-1$인 모든 실수 x에 대하여 $f(x)\ge f'(x)$

도함수의 활용(3)

유형 09 | 속도와 가속도

수직선 위를 움직이는 점 P의 시각 t에서의 위치 x가 $x=f(t)$
일 때, 시각 t에서의 점 P의 속도 v와 가속도 a는

(1) $v=\dfrac{dx}{dt}=f'(t)$

(2) $a=\dfrac{dv}{dt}=v'(t)$

참고 속도의 절댓값 $|v|$를 시각 t에서의 점 P의 속력이라 한다.

대표 문제

041 원점을 출발하여 수직선 위를 움직이는 점 P의 시각 t에서의 위치 x가 $x=2t^3-3t^2-10t$일 때, 속도가 2인 순간의 점 P의 가속도를 구하시오.

유형 10 | 속도, 가속도와 운동 방향

(1) 수직선 위를 움직이는 점 P가 운동 방향을 바꾸는 순간의 속도는 0이다.

(2) 수직선 위를 움직이는 두 점 P, Q가 서로 반대 방향으로 움직이면

➡ (점 P의 속도)×(점 Q의 속도)<0

참고 움직이는 물체가 제동을 건 후 t초 동안 움직인 거리를 x m라 할 때

(1) 제동을 건 지 t초 후의 속도 ➡ $\dfrac{dx}{dt}$

(2) 물체가 정지할 때의 속도 ➡ 0

대표 문제

042 원점을 출발하여 수직선 위를 움직이는 점 P의 시각 t에서의 위치 x가 $x=t^3-3t^2-9t$일 때, 점 P가 운동 방향을 바꾸는 순간의 가속도는?

① 2　　　　② 3　　　　③ 6

④ 12　　　　⑤ 18

유형 11 | 위로 던진 물체의 위치와 속도

지면에 수직으로 쏘아 올린 물체의 t초 후의 높이를 h m라 할 때

(1) t초 후의 물체의 속도 ➡ $\dfrac{dh}{dt}$

(2) 최고 높이에 도달했을 때의 속도 ➡ 0

대표 문제

043 지면으로부터 35 m 높이에서 30 m/s의 속도로 지면에 수직으로 쏘아 올린 로켓의 t초 후의 높이를 h m라 하면 $h=35+30t-5t^2$이다. 이 로켓이 지면에 떨어지는 순간의 속도를 구하시오.

유형 **12** | 속도, 가속도와 그래프

(1) 수직선 위를 움직이는 점 P의 시각 t에서의 위치 $x(t)$의 그래프에서
　① $x'(t)>0$인 구간에서 점 P는 양의 방향으로 움직인다.
　② $x'(t)=0$일 때, 점 P는 정지하거나 운동 방향을 바꾼다.
　③ $x'(t)<0$인 구간에서 점 P는 음의 방향으로 움직인다.
　참고 $t=a$에서의 속도 $x'(t)$ ➡ $t=a$인 점에서의 접선의 기울기

(2) 수직선 위를 움직이는 점 P의 시각 t에서의 속도 $v(t)$의 그래프에서
　① $v(t)$의 그래프가 t축과 $t=a$에서 만나고 $t=a$의 좌우에서 $v(t)$의 부호가 바뀌면 점 P는 $t=a$에서 운동 방향을 바꾼다.
　② $v(t)$가 증가하는 구간에서 점 P의 가속도는 양의 값이다.
　③ $v(t)$가 감소하는 구간에서 점 P의 가속도는 음의 값이다.
　참고 $t=a$에서의 가속도 $v'(t)$ ➡ $t=a$인 점에서의 접선의 기울기

대표 문제

044 원점을 출발하여 수직선 위를 움직이는 점 P의 시각 t에서의 위치 $x(t)$의 그래프가 오른쪽 그림과 같을 때, 다음 중 옳지 <u>않은</u> 것은?

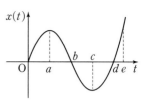

① $t=a$에서 점 P의 속도는 0이다.
② $t=c$에서 점 P의 속도가 최소이다.
③ $0<t<d$에서 점 P는 운동 방향을 두 번 바꾼다.
④ $b<t<c$에서 점 P는 음의 방향으로 움직인다.
⑤ $0<t<e$에서 점 P는 원점을 두 번 지난다.

유형 **13** | 시각에 대한 길이의 변화율

시각 t에서의 길이가 l인 도형의 길이의 변화율은
➡ $\lim\limits_{\Delta t \to 0} \dfrac{\Delta l}{\Delta t} = \dfrac{dl}{dt}$

045 오른쪽 그림과 같이 키가 1.7 m인 학생이 높이 3.4 m인 가로등의 바로 밑에서 출발하여 매초 2 m의 일정한 속도로 일직선으로 걸을 때, 이 학생의 그림자의 길이의 변화율을 구하시오.

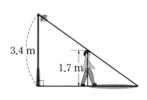

유형 **14** | 시각에 대한 넓이의 변화율

시각 t에서의 넓이가 S인 도형의 넓이의 변화율은
➡ $\lim\limits_{\Delta t \to 0} \dfrac{\Delta S}{\Delta t} = \dfrac{dS}{dt}$

046 잔잔한 호수에 돌을 던지면 동심원 모양의 원이 생긴다. 이 원의 반지름의 길이가 매초 1.5 m씩 늘어날 때, 돌을 던진 지 3초 후의 원의 넓이의 변화율을 구하시오.

유형 **15** | 시각에 대한 부피의 변화율

시각 t에서의 부피가 V인 도형의 부피의 변화율은
➡ $\lim\limits_{\Delta t \to 0} \dfrac{\Delta V}{\Delta t} = \dfrac{dV}{dt}$

047 오른쪽 그림과 같이 밑면의 반지름의 길이가 10 cm, 높이가 20 cm인 원뿔 모양의 그릇에 매초 2 cm의 속도로 수면이 상승하도록 물을 채울 때, 수면의 높이가 6 cm인 순간의 물의 부피의 변화율을 구하시오.

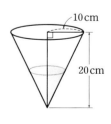

★ 중요

유형 09 속도와 가속도

048 대표 문제 다시 보기

수직선 위를 움직이는 점 P의 시각 t에서의 위치 x가
$x=\dfrac{2}{3}t^3-t^2+2$일 때, 속도가 4인 순간의 점 P의 가속도는?

① 3   ② 4   ③ 5

④ 6   ⑤ 7

049 하

원점을 출발하여 수직선 위를 움직이는 점 P의 시각 t에서의
위치 x가 $x=-t^3+3t^2$일 때, $t=3$에서의 속도와 가속도의
합을 구하시오.

050 하

원점을 출발하여 수직선 위를 움직이는 점 P의 시각 t에서의
위치 x가 $x=-4t^3+12t^2$일 때, 점 P의 속도가 최대일 때의
시각 t의 값을 구하시오.

051 중

수직선 위를 움직이는 점 P의 시각 t에서의 위치 x가
$x=t^3-3t^2+2t+k$이다. 속도가 -1이 되는 순간의 점 P의
위치가 -4일 때, 상수 k의 값을 구하시오.

052 중

원점을 출발하여 수직선 위를 움직이는 점 P의 시각 t에서의
위치 x가 $x=t^3-4t^2+3t$일 때, 점 P가 출발 후 처음으로 다
시 원점을 지나는 순간의 가속도를 구하시오.

053 중

수직선 위를 움직이는 두 점 P, Q의 시각 t에서의 위치가 각
각 $x_P=\dfrac{1}{3}t^3+9t-6$, $x_Q=3t^2-7$일 때, 두 점 P, Q의 속도가
같아지는 순간의 두 점 P, Q 사이의 거리는?

① 6   ② 7   ③ 8

④ 9   ⑤ 10

054 중

수직선 위를 움직이는 점 P의 시각 t에서의 위치 x가
$x=t^3-9t^2+24t+1$이고 점 P의 속도가 0인 순간은 $t=\alpha$,
$t=\beta$이다. 다음 보기 중 옳은 것만을 있는 대로 고르시오.

(단, $\alpha<\beta$)

보기
ㄱ. $\alpha+\beta=6$
ㄴ. $t=\beta$에서의 점 P의 가속도는 6이다.
ㄷ. $t=\alpha$에서의 점 P의 위치가 $t=\beta$에서의 점 P의 위치보
    다 원점에 더 가깝다.

055 상

원점을 출발하여 수직선 위를 움직이는 두 점 P, Q의 시각 t
에서의 위치가 각각 $x_P=t^4-8t^3+18t^2$, $x_Q=mt$이다. 두 점
P, Q의 속도가 같아지는 순간이 세 번 있을 때, 정수 m의 개
수를 구하시오.

유형 **10** 속도, 가속도와 운동 방향

056 대표 문제 다시 보기

수직선 위를 움직이는 점 P의 시각 t에서의 위치 x가 $x=2t^3-6t^2+5$일 때, 점 P가 운동 방향을 바꾸는 순간의 가속도를 구하시오.

057 중

원점을 출발하여 수직선 위를 움직이는 점 P의 시각 t에서의 위치 x가 $x=t^3-9t^2+15t$일 때, 점 P가 $t=\alpha$, $t=\beta$에서 운동 방향을 바꾼다고 한다. 이때 $\beta-\alpha$의 값은? (단, $\alpha<\beta$)

① 2   ② 3   ③ 4

④ 5   ⑤ 6

058 중

수직선 위를 움직이는 두 점 P, Q의 시각 t에서의 위치가 각각 $x_P=t^2-6t+1$, $x_Q=2t^2-8t+3$일 때, 두 점 P, Q가 서로 반대 방향으로 움직이는 시각 t의 값의 범위를 구하시오.

059 중

직선 궤도를 달리는 어떤 열차가 제동을 건 후 t초 동안 움직인 거리를 x m라 하면 $x=32t-4t^2$일 때, 이 열차가 제동을 건 후 정지할 때까지 움직인 거리를 구하시오.

060 중

원점을 출발하여 수직선 위를 움직이는 점 P의 시각 t에서의 위치 x가 $x=t^3+mt^2+nt$이고, 점 P가 운동 방향을 바꾸는 시각 $t=1$에서의 위치가 4이다. 점 P가 $t=1$ 이외에 운동 방향을 바꾸는 순간의 가속도는? (단, m, n은 상수)

① 2   ② 4   ③ 6

④ 8   ⑤ 10

061 중

수직선 위를 움직이는 점 P의 시각 t에서의 위치 x가 $x=t^3-3t^2+at+1$이다. 점 P의 운동 방향이 바뀌지 않도록 하는 상수 a의 최솟값은?

① 2   ② 3   ③ 4

④ 5   ⑤ 6

062 상

원점을 출발하여 수직선 위를 움직이는 두 점 A, B의 시각 t에서의 위치가 각각 $x_A=t^3-8t^2+12t$, $x_B=t^3-10t^2+36t$이다. 두 점 A, B가 움직이는 동안 선분 AB의 중점 M은 운동 방향을 두 번 바꿀 때, 점 M이 두 번째로 운동 방향을 바꾸는 순간의 선분 AB의 길이를 구하시오.

유형 11   위로 던진 물체의 위치와 속도

063 중

지면에서 25 m/s의 속도로 지면에 수직으로 쏘아 올린 물체의 t초 후의 높이를 h m라 하면 $h=25t-5t^2$이다. 이 물체가 지면에 떨어지는 순간의 속도는?

① -25 m/s   ② -20 m/s   ③ -15 m/s

④ -10 m/s   ⑤ -5 m/s

064 중

지면으로부터 25 m 높이에서 20 m/s의 속도로 지면에 수직으로 쏘아 올린 물체의 t초 후의 높이를 h m라 하면 $h=25+20t-5t^2$이다. 이 물체가 최고 높이에 도달할 때까지 걸린 시간을 a초, 그때의 높이를 b m라 할 때, $a+b$의 값을 구하시오.

065 중

지면으로부터 40 m 높이에서 a m/s의 속도로 지면에 수직으로 쏘아 올린 물체의 t초 후의 높이를 h m라 하면 $h=40+at+bt^2$이다. 이 물체가 최고 높이에 도달할 때까지 걸린 시간은 3초이고, 그때의 높이는 85 m일 때, 상수 a, b에 대하여 $a+b$의 값을 구하시오.

066 상

오른쪽 그림과 같이 평평한 바닥에 60° 기울어진 경사면과 반지름의 길이가 0.5 m인 공이 있다. 이 공의 중심은 경사면과 바닥이 만나는 지점에서 수직으로 높이가 6 m인 위치에 있다. 이 공이 자유낙하할 때, t초 후 바닥으로부터 공의 중심까지의 높이를 h m라 하면 $h=6-5t^2$이다. 이때 공이 경사면과 처음으로 충돌하는 순간의 속도를 구하시오.

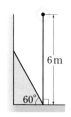

유형 12   속도, 가속도와 그래프

067 대표 문제 다시 보기

원점을 출발하여 수직선 위를 움직이는 점 P의 t초 후의 위치 $x(t)$의 그래프가 오른쪽 그림과 같을 때, 다음 보기 중 옳은 것만을 있는 대로 고르시오.

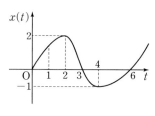

보기
ㄱ. $t=4$에서 점 P의 속도는 0이다.
ㄴ. 점 P의 $t=1$에서의 속도가 $t=2$에서의 속도보다 크다.
ㄷ. $t=3$에서 점 P는 운동 방향을 바꾼다.
ㄹ. 점 P가 출발할 때와 반대 방향으로 움직인 총시간은 3초이다.
ㅁ. $t=2$에서 $t=4$까지 점 P의 위치의 변화량은 -3이다.

068 중

원점을 출발하여 수직선 위를 움직이는 점 P의 시각 t에서의 속도 $v(t)$의 그래프가 오른쪽 그림과 같을 때, 다음 중 옳지 않은 것은?

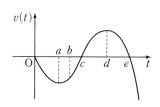

① $t=a$에서 점 P의 가속도는 0이다.
② $t=b$에서 점 P의 가속도는 양의 값이다.
③ $t=b$일 때와 $t=d$일 때 점 P의 운동 방향은 서로 반대이다.
④ $c<t<d$에서 점 P의 속도는 증가한다.
⑤ $0<t<e$에서 점 P는 운동 방향을 두 번 바꾼다.

069 _중

원점을 출발하여 수직선 위를 움직이는 점 P의 시각 t에서의 위치 $x(t)$의 그래프가 오른쪽 그림과 같을 때, $0<t<e$에서 점 P는 운동 방향을 몇 번 바꾸는지 구하시오.

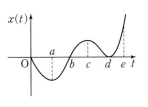

072 _중

오른쪽 그림과 같이 좌표평면 위의 원점 O에서 동시에 출발하여 x축의 양의 방향으로 움직이는 점 A와 y축의 양의 방향으로 움직이는 점 B가 있다. 점 A는 매초 1의 속도로 움직이고, 점 B는 매초 2의 속도로 움직인다고 한다. 두 점 A, B를 $1:2$로 내분하는 점을 P라 할 때, 선분 OP의 길이의 변화율을 구하시오.

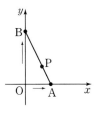

유형 13 시각에 대한 길이의 변화율

070 [대표 문제] 다시 보기

오른쪽 그림과 같이 키가 $1.6\,\mathrm{m}$인 사람이 높이가 $4\,\mathrm{m}$인 가로등의 바로 밑에서 출발하여 매초 $1.5\,\mathrm{m}$의 일정한 속도로 일직선으로 걸을 때, 이 사람의 그림자의 길이의 변화율을 구하시오.

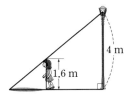

073 _상

다음 그림과 같이 한 변의 길이가 8인 정사각형 ABCD와 한 변의 길이가 4인 정사각형 EFGH가 직선 AF 위에 놓여 있다. 점 P는 점 A를 출발하여 매초 2씩 정사각형 ABCD의 변을 따라 A → B → C → D → A → ⋯의 방향으로 움직이고, 점 Q는 점 F를 출발하여 매초 1씩 정사각형 EFGH의 변을 따라 F → G → H → E → F → ⋯의 방향으로 움직인다. $\overline{BE}=4$일 때, 두 점 P, Q가 각각 점 A, F를 동시에 출발한 후 10초가 되는 순간의 $\overline{PQ}^2$의 변화율을 구하시오.

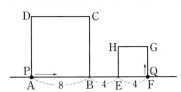

071 _중

원점을 출발하여 수직선 위를 움직이는 두 점 A, B의 시각 t에서의 위치가 각각 $x_A=t^2-2t$, $x_B=t^3+t^2+t$일 때, $t=2$가 되는 순간의 선분 AB의 길이의 변화율은?

① 6 ② 9 ③ 12
④ 15 ⑤ 18

유형 14 시각에 대한 넓이의 변화율

074 [대표 문제] 다시 보기

반지름의 길이가 $1\,\mathrm{cm}$인 구 모양의 풍선에 바람을 넣으면 반지름의 길이가 매초 $2\,\mathrm{mm}$씩 늘어난다고 한다. 바람을 넣은 지 5초 후의 풍선의 겉넓이의 변화율을 $a\pi\,\mathrm{cm}^2/\mathrm{s}$라 할 때, a의 값을 구하시오.

075 _중

한 변의 길이가 10 cm인 정사각형의 가로의 길이는 매초 2 cm씩 늘어나고 세로의 길이는 매초 1 cm씩 줄어든다. 이 직사각형의 넓이가 88 cm²가 되었을 때의 넓이의 변화율은?

① $-14\,\text{cm}^2/\text{s}$ ② $-8\,\text{cm}^2/\text{s}$ ③ $-2\,\text{cm}^2/\text{s}$

④ $4\,\text{cm}^2/\text{s}$ ⑤ $10\,\text{cm}^2/\text{s}$

076 _중

점 P는 좌표평면 위의 원점 O를 출발하여 x축의 양의 방향으로 매초 2의 속도로 움직이고, 점 Q는 점 P가 출발한 지 3초 후에 원점을 출발하여 y축의 양의 방향으로 매초 3의 속도로 움직인다. 이때 점 P가 출발한 지 5초 후의 선분 PQ를 한 변으로 하는 정사각형 PQRS의 넓이의 변화율을 구하시오.

077 _중

오른쪽 그림과 같이 반지름의 길이가 20 cm인 반구 모양의 빈 용기에 수면의 높이가 매초 1 cm씩 일정하게 높아지도록 물을 채우려고 한다. 물을 넣기 시작한 지 10초 후의 수면의 넓이의 변화율을 구하시오.

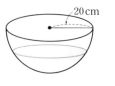

유형 **15**　시각에 대한 부피의 변화율

078 _{대표 문제} 다시 보기

오른쪽 그림과 같이 밑면의 반지름의 길이가 3 m, 높이가 5 m인 원뿔 모양의 물탱크에 매초 50 cm의 속도로 수면이 상승하도록 물을 채울 때, 물이 가득 차는 순간의 물의 부피의 변화율을 구하시오.

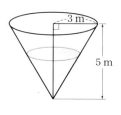

079 _중

반지름의 길이가 3 cm인 구의 반지름의 길이가 매초 2 cm씩 늘어난다고 할 때, 3초 후의 구의 부피의 변화율은?

① $632\pi\,\text{cm}^3/\text{s}$ ② $636\pi\,\text{cm}^3/\text{s}$ ③ $640\pi\,\text{cm}^3/\text{s}$

④ $644\pi\,\text{cm}^3/\text{s}$ ⑤ $648\pi\,\text{cm}^3/\text{s}$

080 _중

밑면이 한 변의 길이가 2 cm인 정사각형이고, 높이가 3 cm인 정사각뿔이 있다. 이 정사각뿔의 밑면의 각 변의 길이는 매초 1 cm씩 늘어나고 높이는 매초 2 cm씩 늘어난다고 할 때, 2초 후의 정사각뿔의 부피의 변화율을 구하시오.

081　유형 01

사차방정식 $3x^4+4x^3-24x^2-48x-k=0$이 서로 다른 네 실근을 갖도록 하는 정수 k의 개수를 구하시오.

082　유형 01

함수 $f(x)=2x^3-9x^2+12x-2$에 대하여 방정식 $|f(x)|=k$의 서로 다른 실근의 개수를 $g(k)$라 하자. 이때 $g(0)+g(1)+g(2)+g(3)$의 값을 구하시오.

083　유형 02

삼차방정식 $(x+2)(x-1)^2-k=0$의 세 실근을 α, β, γ라 할 때, $\alpha<\beta<0<\gamma$를 만족시키는 정수 k의 값을 구하시오.

084　유형 03

삼차방정식 $2x^3-6x^2-18x-k=0$이 중근과 다른 한 실근을 갖도록 하는 자연수 k의 값은?

① 8　　　　② 9　　　　③ 10
④ 11　　　　⑤ 12

085　유형 04

두 곡선 $y=x^3+2x^2-5x-12$, $y=-x^2+4x+k$가 서로 다른 세 점에서 만나도록 하는 실수 k의 값의 범위를 구하시오.

086　유형 05

점 $(0,n)$에서 곡선 $y=x^3-6x^2-5x+10$에 그을 수 있는 접선의 개수를 $f(n)$이라 할 때, $f(10)+f(15)$의 값은?

① 2　　　　② 3　　　　③ 4
④ 5　　　　⑤ 6

087　유형 06

모든 실수 x에 대하여 부등식 $x^4-32x-a^2+14a>0$이 성립하도록 하는 실수 a의 값의 범위를 구하시오.

06

088
유형 07

$-1 \leq x \leq 2$일 때, 부등식 $0 \leq x^3 - 3x + k^2 + k \leq 4$가 성립하도록 하는 모든 실수 k의 값의 합은?

① -2 ② -1 ③ 0

④ 1 ⑤ 2

089
유형 07

두 함수 $f(x) = x^4 + 2x^2 - 6x + a$, $g(x) = -x^2 + 4x$에 대하여 구간 $[0, 2]$에서 함수 $y = f(x)$의 그래프가 함수 $y = g(x)$의 그래프보다 항상 위쪽에 있도록 하는 정수 a의 최솟값을 구하시오.

090
유형 08

$2 < x < 3$일 때, 부등식 $2x^3 - 6x^2 - k + 1 > 0$이 성립하도록 하는 정수 k의 최댓값을 구하시오.

091
유형 07+08

$x \geq k$일 때, 부등식 $x^3 + 3kx^2 + 1 \geq 0$이 성립하도록 하는 실수 k에 대하여 k^3의 최솟값을 구하시오.

092
유형 09

원점을 출발하여 수직선 위를 움직이는 점 P의 시각 t에서의 위치 x가 $x = -4t^3 + 12t^2 + 5t$이다. 점 P의 속도가 17이 되는 순간의 점 P의 가속도는?

① -2 ② -1 ③ 0

④ 1 ⑤ 2

093
유형 09

원점을 출발하여 수직선 위를 움직이는 두 점 P, Q의 시각 t에서의 위치가 각각 $x_P = t^4 + kt^2$, $x_Q = 4t^2$이다. $t > 0$에서 두 점 P, Q의 가속도가 같게 되는 순간이 존재하도록 하는 모든 자연수 k의 값의 합을 구하시오.

094
유형 10

원점을 출발하여 수직선 위를 움직이는 점 P의 시각 t에서의 위치 x가 $x = t^3 - 9t^2 + 15t$일 때, 점 P가 두 번째로 운동 방향을 바꾸는 순간의 가속도는?

① 4 ② 6 ③ 8

④ 10 ⑤ 12

095

유형 09+10

원점을 출발하여 수직선 위를 움직이는 점 P의 시각 t에서의 위치 x가 $x=2t^3-9t^2+12t$일 때, 다음 보기 중 옳은 것만을 있는 대로 고른 것은?

┌ 보기 ┐
ㄱ. 점 P가 출발할 때의 속도는 12이다.
ㄴ. 점 P는 움직이는 동안 운동 방향을 두 번 바꾼다.
ㄷ. $t=2$에서 점 P의 가속도는 -6이다.
ㄹ. 출발 후 점 P는 원점을 다시 지난다.
└─────

① ㄱ ② ㄱ, ㄴ ③ ㄴ, ㄹ
④ ㄱ, ㄴ, ㄷ ⑤ ㄴ, ㄷ, ㄹ

096

유형 11

지면으로부터 $10\,\text{m}$ 높이에서 $5\,\text{m/s}$의 속도로 지면에 수직으로 쏘아 올린 물체의 t초 후의 높이를 $h\,\text{m}$라 하면 $h=10+5t-5t^2$이다. 이때 이 물체가 지면에 떨어지는 순간의 속도를 구하시오.

097

유형 12

원점을 출발하여 수직선 위를 움직이는 점 P의 시각 t에서의 위치 $x(t)$의 그래프가 오른쪽 그림과 같다. 다음 보기 중 옳은 것만을 있는 대로 고른 것은?

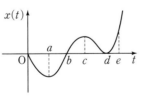

┌ 보기 ┐
ㄱ. $t=a$에서 점 P의 속도는 0이다.
ㄴ. $t=c$에서 점 P의 속도가 최대이다.
ㄷ. $0<t<e$에서 점 P는 운동 방향을 두 번 바꾼다.
ㄹ. 출발 후 점 P는 원점을 두 번 지난다.
└─────

① ㄱ, ㄴ ② ㄱ, ㄹ ③ ㄷ, ㄹ
④ ㄱ, ㄴ, ㄷ ⑤ ㄴ, ㄷ, ㄹ

098

유형 13

오른쪽 그림과 같이 좌표평면 위의 원점 O에서 출발하여 x축의 양의 방향으로 매초 2의 속도로 움직이는 점 P가 있다. 점 P를 지나고 x축에 수직인 직선이 곡선 $y=x^3-4x^2+2x+5$와 만나는 점을 Q라 할 때, 점 P가 출발한 지 2초가 되는 순간의 선분 PQ의 길이의 변화율을 구하시오.

099

유형 14

한 변의 길이가 $5\,\text{m}$인 정사각형의 각 변의 길이가 매초 $0.1\,\text{m}$씩 늘어날 때, 10초 후의 정사각형의 넓이의 변화율을 구하시오.

100

유형 15

밑면의 반지름의 길이가 $2\,\text{cm}$이고 높이가 $4\,\text{cm}$인 원기둥이 있다. 이 원기둥의 밑면의 반지름의 길이는 매초 $2\,\text{cm}$씩 늘어나고 높이는 매초 $1\,\text{cm}$씩 늘어난다고 할 때, 1초 후의 원기둥의 부피의 변화율은?

① $90\pi\,\text{cm}^3/\text{s}$ ② $92\pi\,\text{cm}^3/\text{s}$ ③ $94\pi\,\text{cm}^3/\text{s}$
④ $96\pi\,\text{cm}^3/\text{s}$ ⑤ $98\pi\,\text{cm}^3/\text{s}$

Ⅲ. 적분

07

부정적분

부정적분

유형 01 | 부정적분의 정의

$F(x)$는 $f(x)$의 한 부정적분이다.
$\iff F'(x)=f(x)$
$\iff$ 함수 $F(x)$의 도함수가 $f(x)$이다.
$\iff \int f(x)\,dx=F(x)+C$ (단, C는 적분상수)

대표 문제

001 다항함수 $f(x)$에 대하여
$$\int f(x)\,dx=x^3-2x^2+x+C$$
가 성립할 때, $f(2)$의 값은? (단, C는 적분상수)

① -3 　　　② -1 　　　③ 1
④ 3 　　　⑤ 5

유형 02 | 부정적분과 미분의 관계

(1) $\dfrac{d}{dx}\left\{\displaystyle\int f(x)\,dx\right\}=f(x)$

(2) $\displaystyle\int\left\{\dfrac{d}{dx}f(x)\right\}dx=f(x)+C$ (단, C는 적분상수)

주의 $\dfrac{d}{dx}\left\{\displaystyle\int f(x)\,dx\right\}\neq\displaystyle\int\left\{\dfrac{d}{dx}f(x)\right\}dx$

대표 문제

002 함수 $f(x)=\displaystyle\int\left\{\dfrac{d}{dx}(x^3+3x^2-5x)\right\}dx$에 대하여
$f(1)=0$일 때, $f(-1)$의 값을 구하시오.

★ 중요
유형 03 | 부정적분의 계산

(1) 함수 $y=k$ (k는 상수)와 $y=x^n$ (n은 양의 정수)의 부정적분
(단, C는 적분상수)

① k가 상수일 때, $\displaystyle\int k\,dx=kx+C$

② n이 양의 정수일 때, $\displaystyle\int x^n\,dx=\dfrac{1}{n+1}x^{n+1}+C$

(2) 함수의 실수배, 합, 차의 부정적분

① $\displaystyle\int kf(x)\,dx=k\displaystyle\int f(x)\,dx$ (단, k는 0이 아닌 상수)

② $\displaystyle\int\{f(x)+g(x)\}\,dx=\displaystyle\int f(x)\,dx+\displaystyle\int g(x)\,dx$

③ $\displaystyle\int\{f(x)-g(x)\}\,dx=\displaystyle\int f(x)\,dx-\displaystyle\int g(x)\,dx$

대표 문제

003 함수 $f(x)=\displaystyle\int\dfrac{x^3}{x+1}\,dx+\displaystyle\int\dfrac{1}{x+1}\,dx$에 대하여
$f(0)=1$일 때, $f(2)$의 값은?

① 3 　　　② $\dfrac{10}{3}$ 　　　③ $\dfrac{11}{3}$
④ 4 　　　⑤ $\dfrac{13}{3}$

★ 중요
유형 04 │ 도함수가 주어질 때 함수 구하기

함수 $f(x)$의 도함수 $f'(x)$가 주어지면 $f(x)$는 다음과 같은 순서로 구한다.

(1) $f(x)=\int f'(x)\,dx$임을 이용하여 $f(x)$를 적분상수를 포함한 식으로 나타낸다.

(2) 주어진 함숫값을 이용하여 적분상수를 구한다.

참고 곡선 $y=f(x)$ 위의 임의의 점 $(x, f(x))$에서의 접선의 기울기는 $f'(x)$이다.

대표 문제
004 함수 $f(x)$에 대하여 $f'(x)=3x^2-6$이고 $f(0)=8$일 때, $f(-1)$의 값은?

① 10   ② 11   ③ 12

④ 13   ⑤ 14

유형 05 │ 함수와 그 부정적분 사이의 관계식이 주어질 때 함수 구하기

함수 $f(x)$와 그 부정적분 $F(x)$ 사이의 관계식이 주어지면 $f(x)$는 다음과 같은 순서로 구한다.

(1) 주어진 등식의 양변을 x에 대하여 미분한 후 $F'(x)=f(x)$임을 이용하여 $f'(x)$를 구한다.

(2) $f(x)=\int f'(x)\,dx$임을 이용하여 $f(x)$를 적분상수를 포함한 식으로 나타낸다.

(3) 주어진 함숫값을 이용하여 적분상수를 구한다.

대표 문제
005 다항함수 $f(x)$의 한 부정적분을 $F(x)$라 하면
$$F(x)=xf(x)+2x^3$$
이 성립하고 $f(1)=-1$일 때, $f(2)$의 값을 구하시오.

유형 06 │ 부정적분과 미분의 관계를 이용하여 함수 구하기

$\dfrac{d}{dx}f(x)=g(x)$ 꼴이 주어지면

➡ 양변을 x에 대하여 적분하여 $f(x)=\int g(x)\,dx$임을 이용한다.

대표 문제
006 두 다항함수 $f(x)$, $g(x)$가
$$\frac{d}{dx}\{f(x)-g(x)\}=4x-4,$$
$$\frac{d}{dx}\{f(x)g(x)\}=6x^2+6x-5$$
를 만족시키고 $f(0)=4$, $g(0)=3$일 때, $f(2)-g(1)$의 값은?

① -2 ② -1 ③ 0

④ 1   ⑤ 2

부정적분

유형 **07** | 부정적분과 함수의 연속성

함수 $f(x)$에 대하여 $f'(x)=\begin{cases} g(x) & (x>a) \\ h(x) & (x<a) \end{cases}$이고, $f(x)$가

$x=a$에서 연속이면 $f(x)=\begin{cases} \displaystyle\int g(x)\,dx & (x\geq a) \\ \displaystyle\int h(x)\,dx & (x<a) \end{cases}$에서

➡ $\displaystyle\lim_{x\to a+}\int g(x)\,dx=\lim_{x\to a-}\int h(x)\,dx=f(a)$

대표 문제

007 모든 실수 x에서 연속인 함수 $f(x)$에 대하여

$$f'(x)=\begin{cases} 2x-1 & (x\geq 0) \\ 3x^2-1 & (x<0) \end{cases}$$

이고 $f(1)=2$일 때, $f(-1)$의 값을 구하시오.

유형 **08** | 부정적분과 도함수의 정의를 이용하여 함수 구하기

$f(x+y)=f(x)+f(y)$를 포함하는 등식이 주어지면 함수 $f(x)$는 다음과 같은 순서로 구한다.

(1) 주어진 등식의 양변에 $x=0$, $y=0$을 대입하여 $f(0)$의 값을 구한다.

(2) $f'(x)=\displaystyle\lim_{h\to 0}\dfrac{f(x+h)-f(x)}{h}$임을 이용하여 $f'(x)$를 구한다.

(3) $f'(x)$의 부정적분을 구하고, $f(0)$의 값을 대입하여 적분상수를 구한다.

대표 문제

008 미분가능한 함수 $f(x)$가 임의의 실수 x, y에 대하여

$$f(x+y)=f(x)+f(y)$$

를 만족시키고 $f'(0)=1$일 때, $f(3)$의 값은?

① 3 ② 4 ③ 5
④ 6 ⑤ 7

유형 **09** | 부정적분과 극대, 극소

함수 $f(x)$의 도함수 $f'(x)$가 주어졌을 때 $f(x)$의 극값은 다음과 같은 순서로 구한다.

(1) $f'(x)$를 적분하여 $f(x)$를 적분상수를 포함한 식으로 나타낸다.

(2) 극값을 이용하여 적분상수를 구한다.

참고 미분가능한 함수 $f(x)$에 대하여 $f'(a)=0$이고, $x=a$의 좌우에서 $f'(x)$의 부호가
(1) 양에서 음으로 바뀌면 ➡ 극댓값 $f(a)$를 갖는다.
(2) 음에서 양으로 바뀌면 ➡ 극솟값 $f(a)$를 갖는다.

대표 문제

009 함수 $f(x)$에 대하여 $f'(x)=3x^2-12x$이고 $f(x)$의 극댓값이 15일 때, $f(x)$의 극솟값은?

① -21 ② -19 ③ -17
④ -15 ⑤ -13

유형 **01** 부정적분의 정의

010 대표문제 다시 보기

다항함수 $f(x)$에 대하여

$$\int xf(x)\,dx=2x^3+3x^2+C$$

가 성립할 때, $f(1)+f(-1)$의 값은? (단, C는 적분상수)

① 6   ② 9   ③ 12

④ 15   ⑤ 18

011 하

다음 중 $4x^3$의 부정적분이 <u>아닌</u> 것은?

① x^4-1 ② x^4 ③ $2x^4$

④ x^4+1 ⑤ x^4+2

012 중

등식 $\int(8x^3-ax^2+1)\,dx=bx^4-2x^3+x+C$를 만족시키는 상수 a, b에 대하여 $a+b$의 값을 구하시오.

(단, C는 적분상수)

013 중

함수 $f(x)$의 한 부정적분이 $F(x)=x^3+ax^2$이고 $f(2)=-4$일 때, $f(3)$의 값을 구하시오. (단, a는 상수)

014 중

함수 $f(x)=\int(x^2+x)\,dx$에 대하여

$$\lim_{h\to0}\frac{f(1+h)-f(1-2h)}{h}$$의 값은?

① 2   ② 4   ③ 6

④ 8   ⑤ 10

015 상

두 다항함수 $f(x)$, $g(x)$가

$$f(x)=\int xg(x)\,dx,\ \frac{d}{dx}\{f(x)-g(x)\}=6x^3-2x$$

를 만족시킬 때, $g(1)$의 값은?

① 13   ② 14   ③ 15

④ 16   ⑤ 17

유형 **02** 부정적분과 미분의 관계

016 대표문제 다시 보기

함수 $f(x)=\int\left\{\dfrac{d}{dx}(-x^2+2x)\right\}dx$에 대하여 $f(1)=5$일 때, $f(3)$의 값은?

① -2 ② -1 ③ 0

④ 1   ⑤ 2

017 하

함수 $f(x)=\dfrac{d}{dx}\left\{\displaystyle\int (2x^3-x^2+5)\,dx\right\}$에 대하여 $f(-1)$의 값은?

① 1 ② 2 ③ 3

④ 4 ⑤ 5

018 중

함수 $f(x)=\dfrac{d}{dx}\left\{\displaystyle\int (3x^2-2x)\,dx\right\}+\displaystyle\int\left\{\dfrac{d}{dx}(2x^2-x)\right\}dx$

에 대하여 $f(0)=4$일 때, $f(2)$의 값을 구하시오.

019 중

함수 $f(x)=\displaystyle\int\left\{\dfrac{d}{dx}(x^2-4x)\right\}dx$의 최솟값이 -1일 때, $f(2)$의 값을 구하시오.

020 중

함수 $f(x)=\displaystyle\int\left\{\dfrac{d}{dx}(x^3+ax)\right\}dx$에 대하여 $f(2)=4$, $f'(0)=-3$일 때, $f(-1)+f'(-1)$의 값은? (단, a는 상수)

① -4 ② -2 ③ 0

④ 2 ⑤ 4

021 중

두 다항함수 $f(x)$, $g(x)$에 대하여 다음 보기 중 항상 옳은 것만을 있는 대로 고르시오.

보기
ㄱ. $\displaystyle\int\left\{\dfrac{d}{dx}f(x)\right\}dx=\dfrac{d}{dx}\left\{\displaystyle\int f(x)\,dx\right\}$

ㄴ. $\dfrac{d}{dx}\left[\displaystyle\int\left\{\dfrac{d}{dx}f(x)\right\}dx\right]=f(x)$

ㄷ. $\dfrac{d}{dx}\left\{\displaystyle\int f(x)\,dx\right\}=\displaystyle\int\left\{\dfrac{d}{dx}g(x)\right\}dx$이면 $f'(x)=g'(x)$이다.

022 상

다항함수 $f(x)$가 모든 실수 x에 대하여

$$\int\{2xf(x)+x^2f'(x)\}\,dx=x^4-2x^3-6x^2+1$$

을 만족시킬 때, 방정식 $f(x)=0$의 모든 근의 곱은?

① -8 ② -7 ③ -6

④ -5 ⑤ -4

★중요

유형 **03** 부정적분의 계산

023 대표 문제 다시 보기

함수 $f(x)=\displaystyle\int\dfrac{x^2}{x-2}\,dx-\displaystyle\int\dfrac{5x-6}{x-2}\,dx$에 대하여 $f(-2)=10$일 때, $f(4)$의 값을 구하시오.

024 하

부정적분 $\int (2x^3-6x^2+3)\,dx$를 구하면? (단, C는 적분상수)

① $\dfrac{1}{4}x^4-2x^3-3x+C$

② $\dfrac{1}{4}x^4-x^3+3x+C$

③ $\dfrac{1}{2}x^4-2x^3-3x+C$

④ $\dfrac{1}{2}x^4-2x^3+3x+C$

⑤ $\dfrac{1}{2}x^4-x^3+3x+C$

025 중

함수 $f(x)=\int (5x^4+4x^3+3x^2+2x+1)\,dx$에 대하여 $f(0)=-3$일 때, $f(1)$의 값을 구하시오.

026 중

함수 $f(x)$가 다음 조건을 모두 만족시킬 때, $f(0)$의 최솟값은?

> (개) $f(x)=\int (2x-4)\,dx$
>
> (내) 모든 실수 x에 대하여 $f(x)\geq 0$이다.

① 3 　　　　② 4 　　　　③ 5

④ 6 　　　　⑤ 7

★중요
유형 **04** 　도함수가 주어질 때 함수 구하기

027 대표 문제 다시 보기

함수 $f(x)$에 대하여 $f'(x)=3x^2-4x+1$이고 $f(1)=2$일 때, $f(-1)$의 값은?

① -2 　　　　② -1 　　　　③ 0

④ 1 　　　　⑤ 2

028 하

함수 $f(x)$를 적분해야 할 것을 잘못하여 미분하였더니 $6x+8$이었다. $f(0)=3$일 때, $f(x)$를 바르게 적분하면?

(단, C는 적분상수)

① x^3+2x^2+3x+C

② x^3+4x^2+3x+C

③ $2x^3+2x^2-3x+C$

④ $2x^3+4x^2-3x+C$

⑤ $3x^3+2x^2+3x+C$

029 중

함수 $f(x)$에 대하여 $f'(x)=ax^2-2x+3$이고 $f(0)=1$, $f(2)=19$일 때, 상수 a의 값을 구하시오.

030 중

점 $(0, 3)$을 지나는 곡선 $y=f(x)$ 위의 임의의 점 $(x, f(x))$에서의 접선의 기울기가 $6x^2+2x+10$일 때, $f(-1)$의 값은?

① -10 ② -8 ③ -6
④ -4 ⑤ -2

031 중

함수 $f(x)$에 대하여 $f'(x)=12x$이고 $f(x)$의 한 부정적분을 $F(x)$라 할 때, $f(0)=F(0)$, $f(1)=F(1)$이다. 이때 $F(2)$의 값은?

① 25 ② 26 ③ 27
④ 28 ⑤ 29

032 중

함수 $f(x)$에 대하여 $f'(x)=4x+a$이고 $f(2)=4$이다. 방정식 $f(x)=0$의 모든 근의 곱이 -5일 때, 방정식 $f(x)=0$의 모든 근의 합을 구하시오. (단, a는 상수)

033 중

다항함수 $f(x)$에 대하여
$$\lim_{h \to 0}\frac{f(x+h)-f(x-h)}{h}=4x^2-6x+2$$
가 성립하고 $f(0)=1$일 때, $f(1)$의 값은?

① $\dfrac{1}{2}$ ② $\dfrac{2}{3}$ ③ $\dfrac{5}{6}$
④ 1 ⑤ $\dfrac{7}{6}$

034 중

다항함수 $f(x)$가 다음 조건을 모두 만족시킬 때, $f(2)$의 값을 구하시오.

> (가) $\dfrac{d}{dx}\left\{\displaystyle\int f'(x)\,dx\right\}=3x^2+2x+a$
> (나) $\displaystyle\lim_{x \to 1}\dfrac{f(x)}{x-1}=2a+4$

유형 **05** 함수와 그 부정적분 사이의 관계식이 주어질 때 함수 구하기

035 대표 문제 다시 보기

다항함수 $f(x)$의 한 부정적분을 $F(x)$라 하면
$$F(x)=xf(x)-2x^3+x^2$$
이 성립하고 $f(1)=-1$일 때, $f(-1)$의 값은?

① -3 ② -1 ③ 1
④ 3 ⑤ 5

036 중

다항함수 $f(x)$의 한 부정적분을 $F(x)$라 하면
$$F(x) = \int (x-1)f(x)\,dx + x^4 - 4x^3 + 4x^2$$
이 성립하고 $F(0)=2$일 때, $f(3)+F(3)$의 값을 구하시오.

037 중

다항함수 $f(x)$에 대하여
$$\int x f(x)\,dx = \{f(x)\}^2$$
이 성립하고 $f(0)=1$이다. $f(1)=\dfrac{q}{p}$일 때, $p+q$의 값을 구하시오. (단, p, q는 서로소인 자연수)

유형 06 부정적분과 미분의 관계를 이용하여 함수 구하기

038 대표 문제 다시 보기

두 다항함수 $f(x)$, $g(x)$가
$$\frac{d}{dx}\{f(x)+g(x)\} = 2x+2,$$
$$\frac{d}{dx}\{f(x)g(x)\} = 3x^2+6x+1$$
을 만족시키고 $f(1)=1$, $g(1)=3$일 때, $f(2)-g(2)$의 값은?

① -2　　　② -1　　　③ 0
④ 1　　　⑤ 2

039 중

상수함수가 아닌 두 다항함수 $f(x)$, $g(x)$가
$$\frac{d}{dx}\{f(x)g(x)\} = 3x^2$$
을 만족시키고 $f(1)=-1$, $g(1)=7$일 때, $f(3)+g(-1)$의 값은?

① 3　　　② 4　　　③ 5
④ 6　　　⑤ 7

040 상

다항함수 $f(x)$의 한 부정적분을 $F(x)$라 하면
$$(x^2-1)f(x) + 2xF(x) = 6x^2 - 2$$
가 성립하고 $F(0)=0$일 때, 함수 $F(x)$를 구하시오.

유형 07 부정적분과 함수의 연속성

041 대표 문제 다시 보기

미분가능한 함수 $f(x)$에 대하여
$$f'(x) = \begin{cases} -4x & (x \ge 1) \\ 4x^3 - 8x & (x < 1) \end{cases}$$
이고 $f(0)=3$일 때, $f(2)$의 값은?

① -6　　　② -4　　　③ -2
④ 2　　　⑤ 4

042 중

모든 실수 x에서 연속인 함수 $f(x)$에 대하여
$$f'(x)=-x+|x-1|$$
이고 $f(2)=3$일 때, $f(0)$의 값을 구하시오.

043 중

미분가능한 함수 $f(x)$에 대하여 함수 $y=f'(x)$의 그래프가 오른쪽 그림과 같다. 함수 $y=f(x)$의 그래프가 점 $(0, 2)$를 지날 때, $f(1)+f(-1)$의 값은?

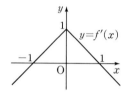

① -4 ② -2 ③ 2
④ 4 ⑤ 6

044 중

모든 실수 x에서 연속인 함수 $f(x)$에 대하여
$$f'(x)=\begin{cases} 5-2x & (x>1) \\ 2x+a & (x<1) \end{cases}$$
이고 $f(3)-f(-3)=2$일 때, 상수 a의 값을 구하시오.

유형 **08** 부정적분과 도함수의 정의를 이용하여 함수 구하기

045 대표 문제 다시 보기

미분가능한 함수 $f(x)$가 임의의 실수 x, y에 대하여
$$f(x+y)=f(x)+f(y)+3xy(x+y)$$
를 만족시키고 $f'(1)=4$일 때, $f(2)$의 값은?

① 6 ② 8 ③ 10
④ 12 ⑤ 15

046 중

미분가능한 함수 $f(x)$가 임의의 실수 x, y에 대하여
$$f(x+y)=f(x)+f(y)+5$$
를 만족시키고 $\lim\limits_{h \to 0}\dfrac{f(h)-f(0)}{h}=-2$일 때, 함수 $f(x)$를 구하시오.

047 중

미분가능한 함수 $f(x)$가 임의의 실수 x, y에 대하여
$$f(x+y)=f(x)+f(y)-3$$
을 만족시키고 $f(3)=-3$일 때, $f'(0)$의 값을 구하시오.

048 <u>상</u>

미분가능한 함수 $f(x)$가 임의의 실수 x, y에 대하여

$$f(x+y)=f(x)+f(y)+4xy$$

를 만족시킨다. 함수 $F(x)=\int (x-1)f'(x)\,dx$의 극값이 존재하지 않을 때, $f(5)$의 값은?

① 15   ② 20   ③ 25

④ 30   ⑤ 35

유형 09   **부정적분과 극대, 극소**

049 대표문제 다시 보기

함수 $f(x)$에 대하여 $f'(x)=-6x^2+6x$이고 $f(x)$의 극솟값이 5일 때, $f(x)$의 극댓값을 구하시오.

050 <u>중</u>

곡선 $y=f(x)$ 위의 점 $(x, f(x))$에서의 접선의 기울기가 $a(x^2-1)$이다. 함수 $f(x)$의 극댓값이 3, 극솟값이 -1일 때, 상수 a의 값을 구하시오. (단, $a<0$)

---

051 <u>중</u>

삼차함수 $f(x)$의 도함수 $y=f'(x)$의 그래프가 오른쪽 그림과 같다. 함수 $f(x)$의 극댓값이 6일 때, $f(x)$의 극솟값은?

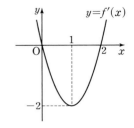

① $\dfrac{4}{3}$ ② $\dfrac{5}{3}$

③ $\dfrac{7}{3}$ ④ $\dfrac{8}{3}$

⑤ $\dfrac{10}{3}$

052 <u>중</u>

삼차함수 $f(x)$가 다음 조건을 모두 만족시킬 때, $f(4)$의 값을 구하시오.

> ㈎ 함수 $f(x)$는 $x=1$에서 극대, $x=3$에서 극소이다.
> ㈏ $0\leq x\leq 3$에서 함수 $f(x)$의 최댓값은 4, 최솟값은 0이다.

053 <u>중</u>

함수 $f(x)$에 대하여 $f'(x)=3(x+1)(x-2)$이고 함수 $y=f(x)$의 그래프가 x축에 접할 때, $f(-2)$의 값을 구하시오. (단, $f(0)>0$)

054
유형 01

다항함수 $f(x)$에 대하여

$$\int (x+1)f(x)\,dx = x^3 + \frac{9}{2}x^2 + 6x + C$$

가 성립할 때, $f(3)$의 값은? (단, C는 적분상수)

① 11   ② 12   ③ 13

④ 14   ⑤ 15

055
유형 02

함수 $f(x) = \int \left\{ \dfrac{d}{dx}(x^4 + 5x) \right\} dx$에 대하여 $f(1) = f'(1)$ 일 때, $f(2)$의 값을 구하시오.

056
유형 03

함수 $f(x) = \int \dfrac{2x^2}{x-1}\,dx + \int \dfrac{3x}{x-1}\,dx - \int \dfrac{5}{x-1}\,dx$에 대하여 $f(1) = 4$일 때, $f(-1)$의 값은?

① -8 ② -6 ③ -4

④ -2 ⑤ 0

057
유형 03

함수 $f(x) = \int \left(\sqrt{x} + \dfrac{1}{\sqrt{x}} \right)^2 dx - \int \left(\sqrt{x} - \dfrac{1}{\sqrt{x}} \right)^2 dx$에 대하여 $f(1) = 2$일 때, $f(3)$의 값은?

① 4   ② 6   ③ 8

④ 10   ⑤ 12

058
유형 04

함수 $f(x)$에 대하여 $f'(x) = -2x + 4$이고 $f(1) = 7$일 때, 방정식 $f(x) = 0$의 모든 근의 곱을 구하시오.

059
유형 04

함수 $f(x)$를 적분해야 할 것을 잘못하여 미분하였더니 $12x^2 + 6x - 2$이었다. $f(x)$의 한 부정적분을 $F(x)$라 할 때, $f(1) = 2$, $F(1) = 3$이다. 이때 $F(-1)$의 값은?

① 5   ② 7   ③ 9

④ 11   ⑤ 13

07

060
유형 05

다항함수 $f(x)$의 한 부정적분을 $F(x)$라 하면

$$F(x) = xf(x) - 3x^4 + x^2$$

이 성립하고 $f(1) = 5$일 때, $f(x)$의 상수항은?

① -1 ② 0 ③ 3

④ 5 ⑤ 9

061
유형 06

두 다항함수 $f(x)$, $g(x)$가 모든 실수 x에 대하여 다음 조건을 모두 만족시키고 $f(0) = g(0)$일 때, $g(2)$의 값을 구하시오.

(가) $f(x) + xf'(x) = 4x^3 + 6x^2 - 8x + 1$
(나) $f'(x) + g'(x) = 6x + 2$

062
유형 07

모든 실수 x에서 연속인 함수 $f(x)$에 대하여

$$f'(x) = \begin{cases} x+a & (x>2) \\ -2x & (x<2) \end{cases}$$

이고 $f(0) = -1$, $f(3) = \dfrac{5}{2}$일 때, 상수 a의 값을 구하시오.

063
유형 09

곡선 $y = f(x)$ 위의 임의의 점 $(x, f(x))$에서의 접선의 기울기가 $2x^2 - 6x$이고 함수 $f(x)$의 극댓값이 2일 때, $f(x)$의 극솟값을 구하시오.

064
유형 09

삼차함수 $f(x)$의 도함수 $y = f'(x)$의 그래프가 오른쪽 그림과 같다. 함수 $f(x)$의 극댓값이 4, 극솟값이 -5일 때, $f(1)$의 값은?

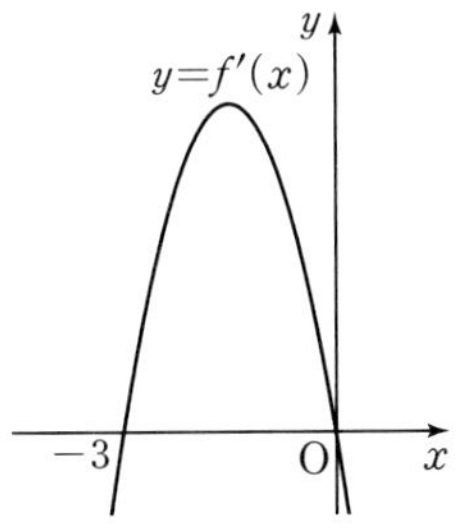

① $\dfrac{1}{3}$ ② $\dfrac{5}{3}$

③ 3 ④ $\dfrac{13}{3}$

⑤ $\dfrac{17}{3}$

065
유형 08+09

미분가능한 함수 $f(x)$가 임의의 실수 x, y에 대하여

$$f(x-y) = f(x) - f(y) + xy(x-y)$$

를 만족시키고 $f'(0) = 4$일 때, $f(x)$의 극댓값과 극솟값의 차를 구하시오.

정적분

정적분

유형 01 | 정적분의 정의

(1) 닫힌구간 $[a, b]$에서 연속인 함수 $f(x)$의 한 부정적분을 $F(x)$라 하면
$$\int_a^b f(x)\,dx = \Big[F(x)\Big]_a^b = F(b) - F(a)$$

(2) 정적분 $\int_a^b f(x)\,dx$에서

① $a=b$일 때, $\int_a^a f(x)\,dx = 0$

② $a>b$일 때, $\int_a^b f(x)\,dx = -\int_b^a f(x)\,dx$

대표 문제

001 $\int_2^2 (x^4 - 3)\,dx + \int_0^2 (3x^2 + 6x)\,dx$의 값은?

① 14   ② 16   ③ 18

④ 20   ⑤ 22

★중요

유형 02 | 정적분의 계산 – 실수배, 합, 차의 정적분

두 함수 $f(x)$, $g(x)$가 닫힌구간 $[a, b]$에서 연속일 때

(1) $\int_a^b kf(x)\,dx = k\int_a^b f(x)\,dx$ (단, k는 상수)

(2) $\int_a^b \{f(x) + g(x)\}\,dx = \int_a^b f(x)\,dx + \int_a^b g(x)\,dx$

(3) $\int_a^b \{f(x) - g(x)\}\,dx = \int_a^b f(x)\,dx - \int_a^b g(x)\,dx$

대표 문제

002 $\int_0^5 (x+1)^2\,dx - \int_0^5 (x-1)^2\,dx$의 값은?

① 47   ② 48   ③ 49

④ 50   ⑤ 51

★중요

유형 03 | 정적분의 계산 – 나누어진 구간에서의 정적분

함수 $f(x)$가 임의의 실수 a, b, c를 포함하는 구간에서 연속일 때,
$$\int_a^c f(x)\,dx + \int_c^b f(x)\,dx = \int_a^b f(x)\,dx$$

대표 문제

003 모든 실수 x에서 연속인 함수 $f(x)$에 대하여
$$\int_2^3 f(x)\,dx = 5,\quad \int_2^6 f(x)\,dx = 6,\quad \int_6^8 f(x)\,dx = 8$$
일 때, $\int_3^8 f(x)\,dx$의 값을 구하시오.

유형 04 | 구간에 따라 다르게 정의된 함수의 정적분

구간에 따라 다르게 정의된 함수의 정적분은 적분 구간을 나누어 계산한다.

➡ 함수 $f(x) = \begin{cases} g(x) & (x \geq c) \\ h(x) & (x \leq c) \end{cases}$ 가 닫힌구간 $[a, b]$에서 연속

이고 $a < c < b$일 때,
$$\int_a^b f(x)\,dx = \int_a^c h(x)\,dx + \int_c^b g(x)\,dx$$

대표 문제

004 함수 $f(x) = \begin{cases} -x^2 + 6x & (x \geq 1) \\ x^2 + 4 & (x \leq 1) \end{cases}$ 에 대하여

$\int_{-1}^2 f(x)\,dx$의 값을 구하시오.

★ 중요
유형 **05** | 절댓값 기호를 포함한 함수의 정적분

절댓값 기호를 포함한 함수의 정적분은 다음과 같은 순서로 구한다.
(1) 절댓값 기호 안의 식의 값이 0이 되게 하는 x의 값을 구한다.
(2) (1)에서 구한 x의 값을 경계로 적분 구간을 나누어 정적분의 값을 구한다.

대표 문제

005 $\int_1^3 x|x-2|\,dx$의 값은?

① 2   ② $\dfrac{8}{3}$ ③ 3

④ $\dfrac{11}{3}$ ⑤ $\dfrac{13}{3}$

08

유형 **06-07** | $\int_{-a}^{a} f(x)\,dx$의 계산

함수 $f(x)$가 닫힌구간 $[-a, a]$에서 연속일 때
(1) $f(-x)=f(x)$이면
$$\int_{-a}^{a} f(x)\,dx=2\int_0^a f(x)\,dx$$
(2) $f(-x)=-f(x)$이면
$$\int_{-a}^{a} f(x)\,dx=0$$

참고 (1) $f(-x)=f(x)$를 만족시키는 함수 $f(x)$는 짝수 차수의 항 또는 상수항으로만 이루어진 함수이다.
(2) $f(-x)=-f(x)$를 만족시키는 함수 $f(x)$는 홀수 차수의 항으로만 이루어진 함수이다.

대표 문제

006 $\int_{-1}^{1} (3x^5+5x^4-4x^3+x+1)\,dx$의 값을 구하시오.

대표 문제

007 다항함수 $f(x)$가 모든 실수 x에 대하여 $f(-x)=f(x)$를 만족시키고 $\int_0^2 f(x)\,dx=4$일 때, $\int_{-2}^{2} (3x^3+5x-2)f(x)\,dx$의 값을 구하시오.

유형 **08** | $f(x+p)=f(x)$를 만족시키는 함수의 정적분

함수 $f(x)$가 모든 실수 x에 대하여 $f(x+p)=f(x)$ (p는 0이 아닌 상수)를 만족시키고 연속일 때, 닫힌구간 $[a, b]$에서의 정적분의 값은 다음을 이용하여 구한다.
$$\int_a^b f(x)\,dx=\int_{a+p}^{b+p} f(x)\,dx=\int_{a+2p}^{b+2p} f(x)\,dx=\cdots$$
$$=\int_{a+np}^{b+np} f(x)\,dx \text{ (단, } n \text{은 정수)}$$

대표 문제

008 함수 $f(x)$가 구간 $[0, 3]$에서
$$f(x)=\begin{cases} 2x & (0\le x\le 1) \\ 3-x & (1\le x\le 3) \end{cases}$$
이고 모든 실수 x에 대하여 $f(x+3)=f(x)$를 만족시킬 때, $\int_0^4 f(x)\,dx$의 값을 구하시오.

★ 중요
유형 **09** | 적분 구간이 상수인 정적분을 포함한 등식

$f(x)=g(x)+\int_a^b f(t)\,dt$ 꼴의 등식이 주어지면 $f(x)$는 다음과 같은 순서로 구한다.
(1) $\int_a^b f(t)\,dt=k$ (k는 상수)로 놓는다.
(2) $f(x)=g(x)+k$를 (1)의 식에 대입하여 k의 값을 구한다.
(3) k의 값을 $f(x)=g(x)+k$에 대입하여 $f(x)$를 구한다.

대표 문제

009 다항함수 $f(x)$가
$$f(x)=x^2-2x+\int_{-1}^{1} f(t)\,dt$$
를 만족시킬 때, $f(1)$의 값을 구하시오.

정적분

★중요

유형 10 | 적분 구간에 변수가 있는 정적분을 포함한 등식

$\int_a^x f(t)\,dt = g(x)$ 꼴의 등식이 주어지면

➡ 양변을 x에 대하여 미분한다.

이때 함수 $g(x)$에 미정계수가 있으면 $\int_a^a f(t)\,dt = 0$임을 이용한다.

대표 문제

010 다항함수 $f(x)$가 모든 실수 x에 대하여
$$\int_1^x f(t)\,dt = -2x^2 + ax + 5$$
를 만족시킬 때, $f(-2)$의 값을 구하시오. (단, a는 상수)

★중요

유형 11 | 적분 구간과 적분하는 함수에 변수가 있는 정적분을 포함한 등식

$\int_a^x (x-t)f(t)\,dt = g(x)$ 꼴의 등식이 주어지면

➡ $x\int_a^x f(t)\,dt - \int_a^x tf(t)\,dt = g(x)$와 같이 변형한 후 등식의 양변을 x에 대하여 미분한다.

대표 문제

011 다항함수 $f(x)$가 모든 실수 x에 대하여
$$\int_1^x (x-t)f(t)\,dt = 2x^3 - 4x^2 + 2x$$
를 만족시킬 때, $f(1)$의 값을 구하시오.

유형 12 | 정적분으로 정의된 함수의 극대, 극소

$f(x) = \int_a^x g(t)\,dt$와 같이 정의된 함수 $f(x)$의 극값은 다음과 같은 순서로 구한다.

(1) 양변을 x에 대하여 미분한다. ➡ $f'(x) = g(x)$

(2) $f'(x) = 0$을 만족시키는 실수 x의 값을 구한다.

(3) (1)에서 구한 x의 값을 주어진 식에 대입하여 극값을 구한다.

대표 문제

012 함수 $f(x) = \int_{-2}^x (t^2 - 3t + 2)\,dt$가 $x = \alpha$에서 극댓값 β를 가질 때, $\alpha + \beta$의 값을 구하시오.

유형 13 | 정적분으로 정의된 함수의 최대, 최소

$f(x) = \int_a^x g(t)\,dt$와 같이 정의된 함수 $f(x)$의 최댓값과 최솟값은 $f(x)$의 극값과 주어진 구간의 양 끝 값에서의 함숫값을 비교하여 구한다.

대표 문제

013 $0 \le x \le 4$에서 함수 $f(x) = \int_1^x t(t-2)\,dt$의 최댓값을 M, 최솟값을 m이라 할 때, Mm의 값을 구하시오.

유형 14 | 정적분으로 정의된 함수의 극한

함수 $f(x)$의 한 부정적분을 $F(x)$라 할 때

(1) $\displaystyle\lim_{x \to 0} \frac{1}{x}\int_a^{x+a} f(t)\,dt = \lim_{x \to 0} \frac{F(x+a) - F(a)}{x}$
$$= F'(a) = f(a)$$

(2) $\displaystyle\lim_{x \to a} \frac{1}{x-a}\int_a^x f(t)\,dt = \lim_{x \to a} \frac{F(x) - F(a)}{x-a}$
$$= F'(a) = f(a)$$

대표 문제

014 함수 $f(x) = x^3 + 2x^2$에 대하여 $\displaystyle\lim_{x \to 1} \frac{1}{x-1}\int_1^x f(t)\,dt$의 값은?

① 3 ② 4 ③ 5

④ 6 ⑤ 7

핵심유형 완성하기

유형 01 정적분의 정의

015 대표 문제 다시 보기

$\int_{-2}^{1} 2(x+2)(x-1)\,dx + \int_{3}^{3} (2x-1)^3\,dx$의 값을 구하시오.

016 하

삼차함수 $y=f(x)$의 그래프가 오른쪽 그림과 같을 때, $\int_{0}^{1} f'(x)\,dx$의 값은?

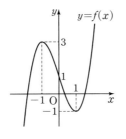

① -3 ② -2
③ -1 ④ 0
⑤ 1

017 하

$\int_{-1}^{0} (4x^3 - 3x^2 + a)\,dx = 8$일 때, 상수 a의 값을 구하시오.

018 하

$\int_{-1}^{a} (x^2 + 2x)\,dx = \dfrac{2}{3}$일 때, 상수 a의 값은? (단, $a > -1$)

① $\dfrac{1}{3}$ ② $\dfrac{1}{2}$ ③ $\dfrac{2}{3}$
④ 1 ⑤ $\dfrac{3}{2}$

019 중

일차함수 $f(x)$가 다음 조건을 모두 만족시킬 때, $f(3)$의 값을 구하시오.

> (가) $\int_{0}^{1} f(x)\,dx = 3$ (나) $\int_{0}^{1} xf(x)\,dx = 1$

020 중

$\int_{0}^{1} (5x^2 - a)^2\,dx$의 값이 최소가 되도록 하는 상수 a의 값을 m, 그때의 정적분의 값을 n이라 할 때, $m+n$의 값을 구하시오.

021 중

함수 $f(x) = x^3$의 그래프를 x축의 방향으로 a만큼, y축의 방향으로 $2b$만큼 평행이동한 그래프의 식을 $g(x)$라 할 때,

$$g(0) = 0, \quad \int_{a}^{3a} g(x)\,dx - \int_{0}^{2a} f(x)\,dx = 64$$

이다. 이때 a^4의 값은?

① 16 ② 20 ③ 24
④ 28 ⑤ 32

★중요

유형 02   정적분의 계산 − 실수배, 합, 차의 정적분

022 대표 문제 다시 보기

$\int_1^2 \left(4x^3 + \dfrac{1}{x}\right) dx - \int_1^2 \left(\dfrac{1}{x} - 4\right) dx$의 값은?

① 15　　　　② 16　　　　③ 17

④ 18　　　　⑤ 19

023 중

$\int_{-1}^3 \dfrac{4x^2}{x+2} dx + \int_3^{-1} \dfrac{16}{t+2} dt$의 값을 구하시오.

024 중

$\int_0^2 (3x^3 + 2x) dx + \int_0^2 (k + 2x - 3x^3) dx = 16$일 때, 상수 k의 값은?

① −4　　　　② 2　　　　③ 4

④ 8　　　　⑤ 12

025 중

$\int_1^k (8x+4) dx + 4\int_k^1 (1 + x - x^3) dx = 0$일 때, 모든 실수 k의 값의 곱은?

① −3　　　　② −1　　　　③ 0

④ 1　　　　⑤ 3

★중요

유형 03   정적분의 계산 − 나누어진 구간에서의 정적분

026 대표 문제 다시 보기

모든 실수 x에서 연속인 함수 $f(x)$에 대하여

$$\int_{-2}^4 f(x) dx = 5, \quad \int_0^5 f(x) dx = 6, \quad \int_4^5 f(x) dx = 4$$

일 때, $\int_{-2}^0 \{f(x) - 2x\} dx$의 값을 구하시오.

027 중

함수 $f(x) = x^2 - x$에 대하여

$$\int_0^2 f(x) dx - \int_{-3}^2 f(x) dx + \int_{-3}^3 f(x) dx$$

의 값은?

① 3　　　　② $\dfrac{7}{2}$　　　　③ 4

④ $\dfrac{9}{2}$　　　　⑤ 5

028 중

$\int_0^2 (2x+1)^2 dx - \int_{-1}^2 (2x+1)^2 dx + \int_{-1}^0 (2x-1)^2 dx$의 값은?

① 4　　　　② 8　　　　③ 12

④ 16　　　　⑤ 20

029 중

이차함수 $f(x)$가

$$\int_{-2}^{2}f(x)\,dx=\int_{0}^{2}f(x)\,dx=\int_{-2}^{0}f(x)\,dx$$

를 만족시키고 $f(0)=1$일 때, $f(4)$의 값은?

① -13　　　　② -11　　　　③ -9
④ -7　　　　⑤ -5

030 상

모든 실수 x에서 연속인 함수 $f(x)$가 다음 조건을 모두 만족시킬 때, $\int_{7}^{8}f(x)\,dx$의 값을 구하시오.

(가) $\int_{0}^{1}f(x)\,dx=1$

(나) $\int_{n}^{n+2}f(x)\,dx=\int_{n}^{n+1}2x\,dx$ (단, $n=0,\ 1,\ 2,\ \cdots$)

유형 04　구간에 따라 다르게 정의된 함수의 정적분

031 대표 문제 다시 보기

함수 $f(x)=\begin{cases}3x^2+2 & (x\geq0) \\ 2-4x & (x\leq0)\end{cases}$ 에 대하여 $\int_{-2}^{2}f(x)\,dx$의 값은?

① 22　　　　② 23　　　　③ 24
④ 25　　　　⑤ 26

032 중

함수 $y=f(x)$의 그래프가 오른쪽 그림과 같을 때, $\int_{-2}^{4}f(x)\,dx$의 값을 구하시오.

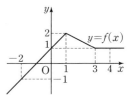

033 중

함수 $f(x)=\begin{cases}4-2x & (x\geq-1) \\ 3x^2+3 & (x\leq-1)\end{cases}$ 에 대하여

$\int_{-2}^{k}f(x)\,dx=18$일 때, 상수 k의 값을 구하시오. (단, $k>1$)

034 중

함수 $f(x)=\begin{cases}-x^2+4x+1 & (x\geq0) \\ 4x+1 & (x\leq0)\end{cases}$ 에 대하여 $\int_{-a}^{a}f(x)\,dx$ 의 최댓값을 구하시오. (단, $a>0$)

035 상

함수 $f(x)=2x^3-6x$에 대하여 $-1\leq x\leq t$에서 $f(x)$의 최솟값을 $g(t)$라 할 때, $\int_{-1}^{2}g(t)\,dt$의 값을 구하시오.

(단, $t\geq-1$)

★중요
유형 05 절댓값 기호를 포함한 함수의 정적분

036 대표 문제 다시 보기

$\displaystyle\int_0^2 |x^2-x|\,dx$의 값은?

① 1   ② 3   ③ 5

④ 7   ⑤ 9

037 하

$\displaystyle\int_0^3 \frac{|x^2-4|}{x+2}\,dx$의 값을 구하시오.

038 중

$\displaystyle\int_1^a |x-2|\,dx = \frac{5}{2}$일 때, 상수 a의 값을 구하시오. (단, $a>2$)

039 중

$\displaystyle\int_0^1 x|x-a|\,dx$의 값이 최소가 되도록 하는 상수 a의 값을 구하시오. (단, $0<a<1$)

040 중

$0 \le x \le 2$인 실수 x에 대하여 함수 $f(x) = \displaystyle\int_0^2 |t-x|\,dt$를 만족시키는 함수 $f(x)$를 구하시오.

유형 06 $\displaystyle\int_{-a}^{a} f(x)\,dx$의 계산 (1)

041 대표 문제 다시 보기

$\displaystyle\int_{-2}^2 (x^5-2x^3+3x^2-1)\,dx$의 값을 구하시오.

042 하

$\displaystyle\int_{-a}^a (x^3+2x+3)\,dx = 12$일 때, 상수 a의 값은?

① 1   ② 2   ③ 3

④ 4   ⑤ 5

043 중

함수 $f(x)=x^2+ax+b$에 대하여
$$\int_{-1}^1 f(x)\,dx=1, \quad \int_{-1}^1 xf(x)\,dx=2$$
가 성립할 때, 상수 a, b에 대하여 ab의 값을 구하시오.

유형 07 $\int_{-a}^{a} f(x)\,dx$의 계산 (2)

044 [대표 문제] 다시 보기

다항함수 $f(x)$가 모든 실수 x에 대하여 $f(-x)=-f(x)$를 만족시키고 $\int_{0}^{1} xf(x)\,dx=3$일 때, $\int_{-1}^{1}(x^4+x+1)f(x)\,dx$의 값은?

① 4   ② 6   ③ 8

④ 10   ⑤ 12

045 (중)

다항함수 $f(x)$, $g(x)$가 모든 실수 x에 대하여
$$f(-x)=f(x),\ g(-x)=-g(x)$$
를 만족시키고 $\int_{0}^{2} f(x)\,dx=3$, $\int_{0}^{2} g(x)\,dx=-1$일 때, $\int_{-2}^{2}\{g(x)-f(x)\}\,dx$의 값은?

① -8 ② -6 ③ -4

④ -2 ⑤ 0

046 (중)

다항함수 $f(x)$가 모든 실수 x에 대하여 $f(-x)=-f(x)$를 만족시키고 $\int_{-1}^{3} f(x)\,dx=15$, $\int_{0}^{1} f(x)\,dx=3$일 때, $\int_{0}^{3} f(x)\,dx$의 값은?

① 15   ② 16   ③ 17

④ 18   ⑤ 19

047 (상)

다항함수 $f(x)$, $g(x)$가 모든 실수 x에 대하여
$$f(-x)=-f(x),\ g(-x)=g(x)$$
를 만족시킨다. 함수 $h(x)=f(x)g(x)$에 대하여 $\int_{-3}^{3}(x+5)h'(x)\,dx=20$일 때, $h(3)$의 값을 구하시오.

08

유형 08 $f(x+p)=f(x)$를 만족시키는 함수의 정적분

048 [대표 문제] 다시 보기

함수 $f(x)$가 구간 $[-1, 1]$에서
$$f(x)=\begin{cases}1-4x^3 & (-1\le x\le 0) \\ 4x+1 & (0\le x\le 1)\end{cases}$$
이고 모든 실수 x에 대하여 $f(x+2)=f(x)$를 만족시킬 때, $\int_{4}^{8} f(x)\,dx$의 값을 구하시오.

049 (중)

모든 실수 x에서 연속인 함수 $f(x)$가 다음 조건을 모두 만족시킬 때, $\int_{1}^{10} f(x)\,dx$의 값은?

> (가) 모든 실수 x에 대하여 $f(x+3)=f(x)$
>
> (나) $\int_{1}^{4} f(x)\,dx=3$

① 5   ② 7   ③ 9

④ 11   ⑤ 13

050 중

함수 $f(x)$가 $-2 \leq x \leq 2$에서 $f(x)=x^2$이고 모든 실수 x에 대하여 $f(x+4)=f(x)$를 만족시킬 때, $\int_{-2}^{10} f(x)\,dx$의 값은?

① 8   ② 10   ③ 12
④ 14   ⑤ 16

051 상   신유형

모든 실수 x에서 연속인 함수 $f(x)$가 다음 조건을 모두 만족시킨다. 함수 $y=f(x)$의 그래프를 x축의 방향으로 2만큼, y축의 방향으로 1만큼 평행이동하면 함수 $y=g(x)$의 그래프와 일치할 때, $\int_{2}^{7} g(x)\,dx$의 값을 구하시오.

(가) 모든 실수 x에 대하여
$$f(-x)=-f(x),\ f(x+2)=f(x)$$
(나) $\int_{0}^{1} f(x)\,dx=2$

★중요
유형 09 적분 구간이 상수인 정적분을 포함한 등식

052 대표 문제 다시 보기

다항함수 $f(x)$가
$$f(x)=3x^2+2x\int_{0}^{2} f(t)\,dt$$
를 만족시킬 때, $f(3)$의 값을 구하시오.

053 하

다항함수 $f(x)$가
$$f(x)=x^3-2x+\int_{-1}^{2} f'(t)\,dt$$
를 만족시킬 때, $f(-2)$의 값은?

① -3 ② -1 ③ 0
④ 1 ⑤ 3

054 중

다항함수 $f(x)$가
$$f(x)=-6x^2+4x\int_{0}^{1} f(t)\,dt+\int_{-1}^{0} f(t)\,dt$$
를 만족시킬 때, $f(-1)$의 값을 구하시오.

055 중

다항함수 $f(x)$가
$$f(x)=12x^2+\int_{0}^{1}(6x-4t)f(t)\,dt$$
를 만족시킬 때, $f(1)$의 값을 구하시오.

★ 중요
유형 10 적분 구간에 변수가 있는 정적분을 포함한 등식

056 대표 문제 다시 보기

다항함수 $f(x)$가 모든 실수 x에 대하여

$$\int_2^x f(t)\,dt = x^3 + ax^2 + 8$$

을 만족시킬 때, $f(3)$의 값을 구하시오. (단, a는 상수)

057 하

함수 $f(x) = \int_3^x (3t^2 - 2t)\,dt$에 대하여 $\int_0^2 f'(x)\,dx$의 값을 구하시오.

058 중

다항함수 $f(x)$가 모든 실수 x에 대하여

$$\int_a^x f(t)\,dt = x^2 + ax - 8$$

을 만족시킬 때, 양수 a에 대하여 $a + f(1)$의 값은?

① 4   ② 6   ③ 8
④ 10   ⑤ 12

059 중

다항함수 $f(x)$가 모든 실수 x에 대하여

$$\int_1^x f(t)\,dt = xf(x) - \frac{4}{3}x^3$$

을 만족시킬 때, $f(2)$의 값을 구하시오.

060 중

상수함수가 아닌 두 다항함수 $f(x)$, $g(x)$가 모든 실수 x에 대하여

$$g(x) + \int_1^x f(t)\,dt = -4x^2 + 9x + 5,$$
$$f(x)g'(x) = -20x^2 + 54x - 36$$

을 만족시키고 $g(2) = 7$일 때, $g(3)$의 값은?

① -6 ② -5 ③ -4
④ -3 ⑤ -2

061 상

다항함수 $f(x)$에 대하여 함수 $F(x)$를 $F(x) = \int_x^a f(t)\,dt$라 할 때, 함수 $F(x)$가 다음 조건을 모두 만족시킨다. 이때 상수 a에 대하여 $a + f(3)$의 값을 구하시오.

> (가) $\lim\limits_{x \to 3} \dfrac{x^2 - 9}{F(x)} = -2$
>
> (나) 함수 $F(x)$는 일대일대응이다.

062 상   신유형

다항함수 $f(x)$가 모든 실수 x에 대하여

$$\int_1^x f(t)\,dt = \frac{x-1}{2}\{f(x) + f(1)\}$$

을 만족시키고 $\int_0^2 f(x)\,dx = 4\int_{-1}^1 xf(x)\,dx$, $f(0) = 1$일 때, $f(5)$의 값을 구하시오.

유형 **11** 적분 구간과 적분하는 함수에 변수가 있는
정적분을 포함한 등식

063 대표 문제 다시 보기

다항함수 $f(x)$가 모든 실수 x에 대하여

$$\int_1^x (x-t)f(t)\,dt = x^3 - x^2 - x + 1$$

을 만족시킬때, $f(2)$의 값을 구하시오.

064 하

다항함수 $f(x)$의 한 부정적분 $F(x)$에 대하여

$F(x) = \int_1^x x(3t+1)\,dt$일 때, $f(1)$의 값을 구하시오.

065 중

다항함수 $f(x)$가 모든 실수 x에 대하여

$$\int_2^x (x-t)f(t)\,dt = x^3 + ax^2 + 4x$$

를 만족시킬 때, 상수 a에 대하여 $a + f(2)$의 값을 구하시오.

066 중

다항함수 $f(x)$가 모든 실수 x에 대하여

$$\int_0^x (x-t)f'(t)\,dt = x^4 - x^3$$

을 만족시키고 $f(0)=2$일 때, $f'(1)+f(1)$의 값을 구하시오.

067 중

다항함수 $f(x)$가 모든 실수 x에 대하여

$$x^2 f(x) = x^3 + \int_0^x (x^2+t)f'(t)\,dt$$

를 만족시키고 $f(0)=3$일 때, $f(2)$의 값을 구하시오.

068 상

다항함수 $f(x)$가 모든 실수 x에 대하여

$$\int_{-1}^x (x-t)f(t)\,dt = 2x^3 + ax^2 + bx$$

를 만족시킬 때, $\int_0^1 f(x)\,dx$의 값을 구하시오.

(단, a, b는 상수)

유형 **12** 정적분으로 정의된 함수의 극대, 극소

069 대표 문제 다시 보기

함수 $f(x) = \int_1^x (4t - t^3)\,dt$의 극솟값은?

① $-\dfrac{7}{4}$ ② $-\dfrac{3}{2}$ ③ $-\dfrac{5}{4}$

④ -1 ⑤ $-\dfrac{3}{4}$

070 _중

함수 $f(x)=\int_0^x (-t^2+t+a)\,dt$ 가 $x=3$에서 극댓값 M을 가질 때, aM의 값을 구하시오. (단, a는 상수)

071 _중

함수 $f(x)=\int_0^x (t^2+at+b)\,dt$ 가 $x=2$에서 극솟값 $\frac{2}{3}$를 가질 때, 상수 a, b에 대하여 $b-a$의 값을 구하시오.

072 _중

함수 $f(x)=\int_x^{x+1} (2t^3-2t)\,dt$ 의 극댓값을 M, 극솟값을 m이라 할 때, $M-m$의 값은?

① -2 ② -1 ③ 0
④ 1 ⑤ 2

073 _중

함수 $y=f(x)$의 그래프가 오른쪽 그림과 같을 때, 함수 $F(x)=\int_{-1}^x f(t)\,dt$의 극솟값을 구하시오.

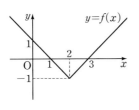

074 _상

함수 $f(x)=x^3-12x+a$에 대하여 함수 $F(x)=\int_0^x f(t)\,dt$ 가 극댓값과 극솟값을 모두 갖도록 하는 정수 a의 개수를 구하시오.

유형 13 정적분으로 정의된 함수의 최대, 최소

075 _{대표 문제} 다시 보기

$-1 \le x \le 1$에서 함수 $f(x)=\int_{-1}^x (6t^3-6t)\,dt$의 최댓값은?

① $\frac{1}{2}$ ② 1 ③ $\frac{3}{2}$

④ 2 ⑤ $\frac{5}{2}$

076 _중

함수 $y=f(t)$의 그래프가 오른쪽 그림과 같고 $\int_0^1 f(t)\,dt=1$, $\int_1^3 f(t)\,dt=-2$이다. 구간 $[0, 3]$에서 함수 $F(x)=\int_0^x f(t)\,dt$의 최댓값과 최솟값의 곱을 구하시오.

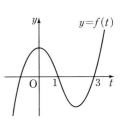

077 중

삼차함수 $y=f(x)$의 그래프가 오른 쪽 그림과 같다. 다음 중 구간 $[0, 4]$ 에서 함수 $F(x)=\int_0^x f(t)\,dt$의 최 솟값과 같은 것은?

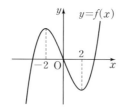

① $F(0)$ ② $F(\sqrt{3})$

③ $F(2)$ ④ $F(2\sqrt{3})$

⑤ $F(4)$

078 중

함수 $f(x)=\int_0^x t(x-t)\,dt$에 대하여 다음 보기 중 옳은 것 만을 있는 대로 고르시오.

> 보기
> ㄱ. $f'(0)=0$
> ㄴ. 모든 실수 x에서 함수 $f(x)$는 증가한다.
> ㄷ. 구간 $[-1, 6]$에서 함수 $f(x)$의 최솟값은 $-\dfrac{1}{6}$이다.

유형 14   정적분으로 정의된 함수의 극한

079 대표 문제 다시 보기

$\displaystyle\lim_{x\to 2}\frac{1}{x-2}\int_2^x (5t^2-4t-8)\,dt$의 값은?

① 4   ② 6   ③ 8

④ 10   ⑤ 12

080 중

함수 $f(x)=-2x^3+5x^2$에 대하여 $\displaystyle\lim_{h\to 0}\frac{1}{h}\int_1^{1+2h} f(x)\,dx$의 값을 구하시오.

081 중

함수 $f(x)=x^2+ax-3$에 대하여 $\displaystyle\lim_{x\to 3}\frac{1}{x^2-9}\int_3^x f(t)\,dt=2$ 일 때, 상수 a의 값을 구하시오.

082 중

다항함수 $f(x)$가 모든 실수 x에 대하여

$$xf(x)-x^3=\int_1^x \{f(t)-t\}\,dt$$

를 만족시킬 때, $\displaystyle\lim_{h\to 0}\frac{1}{h}\int_{3-h}^{3+h} f(x)\,dx$의 값을 구하시오.

083 중

함수 $f(x)=2x-4$에 대하여 미분가능한 함수 $g(x)$가

$$g'(x)=\lim_{h\to 0}\frac{1}{h}\int_x^{x+h} f(t)\,dt$$

를 만족시키고 $g(1)=-1$일 때, 방정식 $g(x)=0$의 모든 근 의 합을 구하시오.

핵심유형 최종 점검하기

084 유형 01

함수 $f(x)=x-2$에 대하여 $\displaystyle\int_0^2 (x^2+2x+4)f(x)\,dx$의 값은?

① -12 ② -10 ③ -8

④ -6 ⑤ -4

085 유형 01

$\displaystyle\int_{-1}^2 (9x^2-2kx+3)\,dx>6$을 만족시키는 정수 k의 최댓값은?

① 7   ② 8   ③ 9

④ 10   ⑤ 11

086 유형 02

$\displaystyle\int_{-1}^k (x^2-2x)\,dx-2\int_k^{-1}(x^2+x+3)\,dx=9k+9$를 만족시키는 상수 k의 값을 구하시오. (단, $k\neq -1$)

087 유형 02+03

$\displaystyle\int_2^4 (\sqrt{x}+2)^2\,dx-\int_4^8 (\sqrt{t}-2)^2\,dt+\int_2^8 (\sqrt{y}-2)^2\,dy$의 값을 구하시오.

088 유형 03

모든 실수 x에서 연속인 함수 $f(x)$에 대하여

$$\int_0^3 f(x)\,dx=6,\ \int_{-3}^2 f(x)\,dx=5,\ \int_0^2 f(x)\,dx=8$$

일 때, $\displaystyle\int_{-3}^3 f(x)\,dx$의 값은?

① -3 ② -1 ③ 1

④ 3   ⑤ 5

089 유형 04

함수 $y=f(x)$의 그래프가 오른쪽 그림과 같을 때, $\displaystyle\int_{-3}^1 xf(x)\,dx$의 값은?

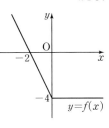

① -2 ② -1

③ 0   ④ 1

⑤ 2

090
유형 05

$\displaystyle\int_{-1}^{2}(|x|+|x-1|)\,dx$의 값은?

① 4　　　　　　② 5　　　　　　③ 6

④ 7　　　　　　⑤ 8

091
유형 06

$\displaystyle\int_{-2}^{0}(x^3-3x^2+5x-1)\,dx+\int_{0}^{2}(x^3-3x^2+5x-1)\,dx$의 값을 구하시오.

092
유형 07

다항함수 $f(x)$, $g(x)$가 모든 실수 x에 대하여
$$f(-x)=-f(x),\ g(-x)=g(x)$$
를 만족시키고, $\displaystyle\int_{0}^{4}f(x)\,dx=2$, $\displaystyle\int_{0}^{4}g(x)\,dx=3$일 때,
$\displaystyle\int_{-4}^{4}\{f(x)+g(x)\}\,dx$의 값은?

① 4　　　　　　② 5　　　　　　③ 6

④ 7　　　　　　⑤ 8

093
유형 08

모든 실수 x에서 연속인 함수 $f(x)$가 다음 조건을 모두 만족시킬 때, $\displaystyle\int_{3}^{8}f(x)\,dx$의 값을 구하시오.

> (가) 모든 실수 x에 대하여 $f(x+1)=f(x-1)$
>
> (나) $\displaystyle\int_{-1}^{1}f(x)\,dx=2$, $\displaystyle\int_{0}^{1}f(x)\,dx=5$

094
유형 09

다항함수 $f(x)$가
$$f(x)=-4x^3+\int_{0}^{1}(2x+2)f(t)\,dt$$
를 만족시킬 때, $f(0)$의 값은?

① $-\dfrac{6}{5}$　　　　② -1　　　　③ $-\dfrac{3}{5}$

④ $\dfrac{2}{3}$　　　　　⑤ 1

095
유형 10

다항함수 $f(x)$가 모든 실수 x에 대하여
$$\int_{a}^{x}f(t)\,dt=2x^2-5x-3$$
을 만족시킬 때, 양수 a에 대하여 $a+f(5)$의 값은?

① 16　　　　　　② 17　　　　　　③ 18

④ 19　　　　　　⑤ 20

096

다항함수 $f(x)$가 모든 실수 x에 대하여
$$\int_0^x f(t)\,dt = -3x^3 + 2x^2 - 2x\int_0^1 f(t)\,dt$$
를 만족시킬 때, $f(0)$의 값은?

① $\dfrac{1}{3}$ ② $\dfrac{2}{3}$ ③ 1

④ $\dfrac{4}{3}$ ⑤ $\dfrac{5}{3}$

097

다항함수 $f(x)$가 모든 실수 x에 대하여
$$\int_0^x (x-t)f(t)\,dt = \frac{1}{2}x^4 - 3x^2$$
을 만족시킬 때, 함수 $f(x)$의 최솟값을 구하시오.

098

함수 $f(x) = \displaystyle\int_2^x (3t^2 + 3t - 6)\,dt$의 극댓값과 극솟값의 곱은?

① -44 ② -36 ③ -28

④ -20 ⑤ -12

099

이차함수 $f(x)$와 일차함수 $g(x)$에 대하여 함수 $y=f(x)$의 그래프와 직선 $y=g(x)$가 오른쪽 그림과 같고, $\alpha < 0$, $1 < \beta < \gamma$이다. 함수 $h(x) = \displaystyle\int_1^x \{f(t) - g(t)\}\,dt$에 대하여 다음 보기 중 옳은 것만을 있는 대로 고르시오.

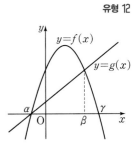

> ㄱ. $h(1) = 0$
> ㄴ. 함수 $h(x)$는 $x = \beta$에서 극소이다.
> ㄷ. 방정식 $h(x) = 0$은 한 개의 음의 근과 두 개의 양의 근을 갖는다.

100

$-2 \le x \le 2$에서 함수 $f(x) = \displaystyle\int_{x-1}^{x+1} (t^2 - 2t)\,dt$의 최댓값을 M, 최솟값을 m이라 할 때, $M - m$의 값을 구하시오.

101

함수 $f(x) = 2x^2 + 6x - 4$에 대하여 $\displaystyle\lim_{x \to 2} \frac{1}{x^2 - 4}\int_2^x f(t)\,dt$의 값은?

① 3 ② 4 ③ 5

④ 6 ⑤ 7

정적분의 활용

Ⅲ. 적분

정적분의 활용

★중요
유형 01 | 곡선과 x축 사이의 넓이

함수 $f(x)$가 닫힌구간 $[a, b]$에서 연속일 때, 곡선 $y=f(x)$와 x축 및 두 직선 $x=a$, $x=b$로 둘러싸인 도형의 넓이 S는

$$S=\int_a^b |f(x)|\,dx$$

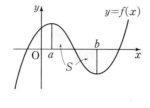

참고 곡선과 x축 및 두 직선 $x=a$, $x=b$로 둘러싸인 도형의 넓이는 닫힌구간 $[a, b]$에서 생각한다.

대표 문제

001 곡선 $y=x^2-2x$와 x축 및 두 직선 $x=-1$, $x=2$로 둘러싸인 도형의 넓이는?

① $\dfrac{5}{3}$ ② 2   ③ $\dfrac{7}{3}$

④ $\dfrac{8}{3}$ ⑤ 3

★중요
유형 02~03 | 두 곡선 사이의 넓이

두 함수 $f(x)$, $g(x)$가 닫힌구간 $[a, b]$에서 연속일 때, 두 곡선 $y=f(x)$, $y=g(x)$ 및 두 직선 $x=a$, $x=b$로 둘러싸인 도형의 넓이 S는

$$S=\int_a^b |f(x)-g(x)|\,dx$$

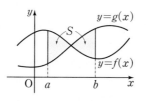

참고 두 곡선 사이의 넓이를 구할 때에는 먼저 두 곡선의 교점의 x좌표를 구한 후 적분 구간을 정하여 두 곡선의 위치 관계를 파악한다.

대표 문제

002 곡선 $y=x^2-5x$와 직선 $y=-x$로 둘러싸인 도형의 넓이를 구하시오.

대표 문제

003 두 곡선 $y=x^2-3x+4$, $y=-x^2+7x-4$로 둘러싸인 도형의 넓이를 구하시오.

유형 04 | 곡선과 접선으로 둘러싸인 도형의 넓이

곡선 $y=f(x)$ 위의 점 $(a, f(a))$에서의 접선의 기울기는 $f'(a)$임을 이용하여 접선의 방정식을 구한 후 곡선과 접선의 위치 관계를 파악하여 도형의 넓이를 구한다.

참고 곡선 $y=f(x)$ 위의 점 $(a, f(a))$에서의 접선의 방정식은
$$y-f(a)=f'(a)(x-a)$$

대표 문제

004 곡선 $y=x^3+2$와 이 곡선 위의 점 $(1, 3)$에서의 접선으로 둘러싸인 도형의 넓이는?

① $\dfrac{13}{2}$ ② $\dfrac{27}{4}$ ③ 7

④ $\dfrac{29}{4}$ ⑤ $\dfrac{15}{2}$

유형 05 | 두 도형의 넓이가 같을 조건

(1) 곡선 $y=f(x)$와 x축으로 둘러싸인 두 도형의 넓이 S_1, S_2에 대하여 $S_1=S_2$이면
$$\int_a^b f(x)\,dx=0$$

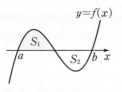

(2) 두 곡선 $y=f(x)$, $y=g(x)$로 둘러싸인 두 도형의 넓이 S_1, S_2에 대하여 $S_1=S_2$이면
$$\int_a^b \{f(x)-g(x)\}\,dx=0$$

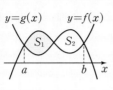

대표 문제

005 오른쪽 그림과 같이 곡선 $y=x^3-ax^2$과 x축으로 둘러싸인 도형의 넓이를 A, 이 곡선과 x축 및 직선 $x=2$로 둘러싸인 도형의 넓이를 B라 하면 $A=B$이다. 이때 상수 a의 값을 구하시오.
(단, $0<a<2$)

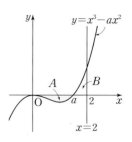

유형 06 | 도형의 넓이를 이등분하는 경우

곡선 $y=f(x)$와 x축으로 둘러싸인 도형의 넓이 S가 곡선 $y=g(x)$에 의하여 이등분되면
$$\int_0^a |f(x)-g(x)|\,dx=\frac{1}{2}S$$

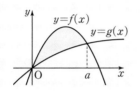

대표 문제

006 곡선 $y=-x^2+2x$와 x축으로 둘러싸인 도형의 넓이가 직선 $y=ax$에 의하여 이등분될 때, 상수 a에 대하여 $(2-a)^3$의 값을 구하시오.

유형 07 | 함수와 그 역함수로 둘러싸인 도형의 넓이

함수 $y=f(x)$의 그래프와 그 역함수 $y=g(x)$의 그래프는 직선 $y=x$에 대하여 대칭이므로 두 곡선 $y=f(x)$, $y=g(x)$로 둘러싸인 도형의 넓이는 곡선 $y=f(x)$와 직선 $y=x$로 둘러싸인 도형의 넓이의 2배와 같다.
$$\int_a^b |f(x)-g(x)|\,dx=2\int_a^b |x-f(x)|\,dx$$

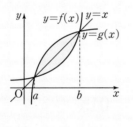

참고 두 곡선 $y=f(x)$, $y=g(x)$의 교점의 x좌표는 곡선 $y=f(x)$와 직선 $y=x$의 교점의 x좌표와 같다.

대표 문제

007 함수 $f(x)=x^3\,(x\geq0)$의 역함수를 $g(x)$라 할 때, 두 곡선 $y=f(x)$, $y=g(x)$로 둘러싸인 도형의 넓이는?

① $\frac{1}{2}$ ② 1 ③ $\frac{3}{2}$
④ 2 ⑤ $\frac{5}{2}$

유형 08 | 함수와 그 역함수의 정적분

함수 $y=f(x)$의 그래프와 그 역함수 $y=g(x)$의 그래프는 직선 $y=x$에 대하여 대칭이므로 $A=B$임을 이용하여 정적분의 값을 구한다.
$$\int_b^c f(x)\,dx+\int_0^a g(x)\,dx=ac$$

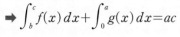
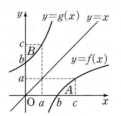

대표 문제

008 함수 $f(x)=\sqrt{x-3}$의 역함수를 $g(x)$라 할 때, $\int_3^{12} f(x)\,dx+\int_0^3 g(x)\,dx$의 값은?

① 30 ② 32 ③ 34
④ 36 ⑤ 38

★중요
유형 01 곡선과 x축 사이의 넓이

009 대표문제 다시보기

곡선 $y=x^2+3x$와 x축 및 두 직선 $x=-2$, $x=1$로 둘러싸인 도형의 넓이를 구하시오.

010 하

곡선 $y=x^2+1$과 x축 및 두 직선 $x=0$, $x=1$로 둘러싸인 도형의 넓이를 구하시오.

011 중

곡선 $y=x^3-3x^2+2x$와 x축으로 둘러싸인 도형의 넓이를 구하시오.

012 중

곡선 $y=ax^2-2ax$와 x축으로 둘러싸인 도형의 넓이가 4일 때, 양수 a의 값은?

① 2   ② $\dfrac{8}{3}$ ③ 3

④ $\dfrac{10}{3}$ ⑤ 4

013 중

오른쪽 그림과 같이 곡선 $y=x^2$과 두 직선 $x=0$, $y=1$로 둘러싸인 도형의 넓이를 S_1, 곡선 $y=x^2$과 두 직선 $x=1$, $y=0$으로 둘러싸인 도형의 넓이를 S_2라 할 때, $\dfrac{S_1}{S_2}$의 값을 구하시오.

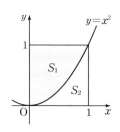

014 중

함수 $f(x)$가 다음 조건을 모두 만족시킬 때, 곡선 $y=f(x)$와 x축으로 둘러싸인 도형의 넓이는?

> (가) $f'(x)=-3x^2-6x+1$
> (나) 곡선 $y=f(x)$는 점 $(-2, -3)$을 지난다.

① 5   ② 6   ③ 7
④ 8   ⑤ 9

015 중

다항함수 $f(x)$가 다음 조건을 모두 만족시킬 때, 오른쪽 그림과 같이 함수 $y=f(x)$의 그래프와 x축 및 두 직선 $x=-2$, $x=4$로 둘러싸인 도형의 넓이를 구하시오.

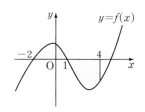

> (가) $2\displaystyle\int_{-2}^{1}f(x)\,dx=-\int_{1}^{4}f(x)\,dx$
> (나) $\displaystyle\int_{-2}^{4}f(x)\,dx=-3$

016 _상

최고차항의 계수가 1인 이차함수 $f(x)$가

$$\int_0^{2020} f(x)\,dx = \int_3^{2020} f(x)\,dx$$

를 만족시키고 $f(0)=3$일 때, 곡선 $y=f(x)$와 x축으로 둘러싸인 도형의 넓이를 구하시오.

★중요
유형 02 곡선과 직선 사이의 넓이

017 대표 문제 다시 보기

곡선 $y=-x^2+2$와 직선 $y=-x$로 둘러싸인 도형의 넓이는?

① 4　　　　　② $\dfrac{9}{2}$　　　　　③ 5

④ $\dfrac{11}{2}$　　　　　⑤ 6

018 _중

곡선 $y=-x^3+2x+1$과 직선 $y=-2x+1$로 둘러싸인 도형의 넓이는?

① 2　　　　　② 4　　　　　③ 6

④ 8　　　　　⑤ 10

019 _중

오른쪽 그림과 같이 곡선 $y=-2x^2+6x$와 x축으로 둘러싸인 도형을 직선 $y=2x$로 나눈 두 부분의 넓이를 각각 S_1, S_2라 할 때, S_2-S_1의 값을 구하시오.

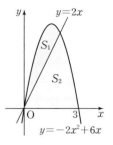

020 _중

다항함수 $f(x)$가

$$f(x)=x^3-3x+\int_0^2 f(t)\,dt$$

를 만족시킬 때, 곡선 $y=f(x)$와 직선 $y=2$로 둘러싸인 도형의 넓이를 구하시오.

021 _상

오른쪽 그림과 같이 삼차함수 $y=f(x)$의 그래프와 직선 $y=g(x)$로 둘러싸인 도형의 넓이가 2일 때, $f(-1)-g(-1)$의 값은?

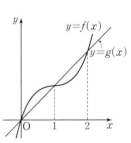

① -28　　　　　② -26

③ -24　　　　　④ -22

⑤ -20

022 상

오른쪽 그림과 같이 곡선
$y=x^2-2x-a$와 직선 $y=-a$로 둘
러싸인 도형의 넓이를 S_1, 곡선
$y=x^2-2x-a$와 x축 및 y축으로
둘러싸인 도형의 넓이를 S_2라 하자.
$S_2=7S_1$일 때, 양수 a의 값을 구하
시오.

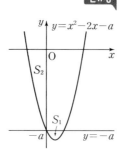

중요

유형 03 두 곡선 사이의 넓이

023 대표 문제 다시 보기

두 곡선 $y=x^2-x-2$, $y=-2x^2+5x+7$로 둘러싸인 도형
의 넓이는?

① 16   ② 20   ③ 24
④ 28   ⑤ 32

024 중

오른쪽 그림과 같이 두 곡선
$y=f(x)$, $y=g(x)$로 둘러싸인
세 도형의 넓이를 각각 A, B,
C라 할 때, $A=6$, $B=8$,
$C=10$이다. 이때
$\int_{-3}^{9}\{f(x)-g(x)\}\,dx$의 값을
구하시오.

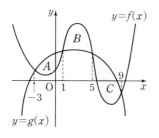

025 중

두 곡선 $y=x^3-2x$, $y=x^2$으로 둘러싸인 도형의 넓이를 구
하시오.

026 중

곡선 $y=x^2$을 원점에 대하여 대칭이동한 후 x축의 방향으로
2만큼, y축의 방향으로 4만큼 평행이동한 곡선을 $y=f(x)$라
하자. 두 곡선 $y=x^2$, $y=f(x)$로 둘러싸인 도형의 넓이를 구
하시오.

027 중

두 곡선 $y=x^3-x$, $y=x^2+ax+b$가 $x=1$인 점에서 공통인
접선을 가질 때, $x\leq0$인 부분에서 두 곡선과 y축으로 둘러싸
인 도형의 넓이를 구하시오. (단, a, b는 상수)

028 상

두 곡선 $y=a^2x^2$, $y=-x^2$과 직선 $x=3$으로 둘러싸인 도형
의 넓이를 $S(a)$라 할 때, $\dfrac{S(a)}{a}$의 최솟값을 구하시오.

(단, $a>0$)

유형 **04** 곡선과 접선으로 둘러싸인 도형의 넓이

029 `대표 문제` 다시 보기

곡선 $y=x^3-3x^2+2x+1$과 이 곡선 위의 점 $(0, 1)$에서의 접선으로 둘러싸인 도형의 넓이를 구하시오.

030 `중`

곡선 $y=x^2-1$과 이 곡선 위의 점 $(1, 0)$에서의 접선 및 y축으로 둘러싸인 도형의 넓이를 구하시오.

031 `중`

곡선 $y=x^2+2$와 원점에서 이 곡선에 그은 두 접선으로 둘러싸인 도형의 넓이를 구하시오.

032 `중`

곡선 $y=-x^2$ 위의 점 $(a, -a^2)$에서의 접선을 l이라 할 때, 구간 $[0, 2]$에서 곡선 $y=-x^2$과 접선 l 및 두 직선 $x=0$, $x=2$로 둘러싸인 도형의 넓이의 최솟값은? (단, $0\le a\le 2$)

① $\dfrac{1}{3}$ ② $\dfrac{2}{3}$ ③ 1

④ $\dfrac{4}{3}$ ⑤ $\dfrac{5}{3}$

033 `상`

삼차함수 $f(x)$가 다음 조건을 모두 만족시킬 때, $f(-1)$의 값을 구하시오.

> ㈎ $f(-x)=-f(x)$
> ㈏ 함수 $f'(x)$의 최솟값은 2이다.
> ㈐ 곡선 $y=f(x)$와 이 곡선 위의 점 $(1, f(1))$에서의 접선으로 둘러싸인 도형의 넓이는 27이다.

`중요`
유형 **05** 두 도형의 넓이가 같을 조건

034 `대표 문제` 다시 보기

오른쪽 그림과 같이 두 곡선 $y=a(x-2)^2(a>0)$, $y=-x^2+2x$는 $x=k$, $x=2$인 점에서 만난다. 두 곡선으로 둘러싸인 도형의 넓이와 구간 $[0, k]$에서 두 곡선 및 y축으로 둘러싸인 도형의 넓이가 서로 같을 때, $a+k$의 값을 구하시오. (단, $0<k<2$)

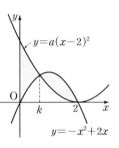

035 `중`

오른쪽 그림과 같이 곡선 $y=x(x-a)(x-1)$과 x축으로 둘러싸인 두 도형의 넓이가 서로 같을 때, 상수 a의 값을 구하시오. (단, $0<a<1$)

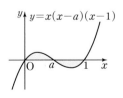

036 중

오른쪽 그림과 같이 구간 $[0, \sqrt{a}]$에서 곡선 $y=x^2$과 y축 및 직선 $y=a$로 둘러싸인 도형의 넓이를 A, 구간 $[\sqrt{a}, 1]$에서 곡선 $y=x^2$과 두 직선 $x=1$, $y=a$로 둘러싸인 도형의 넓이를 B라 하면 $A=B$이다. 이때 상수 a의 값을 구하시오. (단, $0<a<1$)

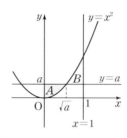

037 중

오른쪽 그림과 같이 함수 $y=-x^2+6x+k$의 그래프에서 색칠한 두 도형의 넓이를 각각 A, B라 하면 $A:B=1:2$이다. 이때 상수 k의 값을 구하시오. (단, $-9<k<0$)

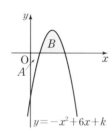

038 상 　　　　　　　　　　　　　　 신유형

이차함수 $f(x)=(x-a)(x-b)$ $(0<a<b)$가 모든 실수 t에 대하여

$$\int_{2-t}^{2} f(x)\,dx + \int_{2+t}^{2} f(x)\,dx = 0$$

을 만족시킨다. 곡선 $y=f(x)$와 x축 및 y축으로 둘러싸인 도형의 넓이를 S_1, 곡선 $y=f(x)$와 x축으로 둘러싸인 도형의 넓이를 S_2라 하면 $S_2=2S_1$이다. 이때, $f(0)$의 값을 구하시오.

유형 06　도형의 넓이를 이등분하는 경우

039 대표 문제 다시 보기

곡선 $y=x^2-3x$와 직선 $y=ax$로 둘러싸인 도형의 넓이가 x축에 의하여 이등분될 때, 상수 a에 대하여 $(a+3)^3$의 값을 구하시오. (단, $a>0$)

040 중

오른쪽 그림과 같이 곡선 $y=2x^2$ $(x\geq0)$과 y축 및 직선 $y=2$로 둘러싸인 도형의 넓이가 곡선 $y=ax^2$ $(x\geq0)$에 의하여 이등분될 때, 양수 a의 값을 구하시오.

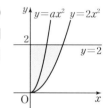

041 중

곡선 $y=x^2-4x+2$와 직선 $y=x-2$로 둘러싸인 도형의 넓이가 직선 $x=a$에 의하여 이등분될 때, 상수 a의 값은?

① $\dfrac{1}{2}$　　　　② 1　　　　③ $\dfrac{3}{2}$

④ 2　　　　⑤ $\dfrac{5}{2}$

042 ❸

실수 전체의 집합에서 정의된 함수

$$f(x)=\begin{cases}2x^2-k^2 & (x<0)\\2x-k^2 & (x\geq0)\end{cases}$$

에 대하여 함수 $y=f(x)$의 그래프와 직선 $y=k^2$으로 둘러싸인 도형의 넓이가 y축에 의하여 이등분될 때, 양수 k의 값을 구하시오.

★중요

유형 07 함수와 그 역함수로 둘러싸인 도형의 넓이

043 대표 문제 다시 보기

함수 $f(x)=x^2-2x+2\ (x\geq1)$의 역함수를 $g(x)$라 할 때, 두 곡선 $y=f(x)$, $y=g(x)$로 둘러싸인 도형의 넓이는?

① $\dfrac{1}{6}$ ② $\dfrac{1}{3}$ ③ $\dfrac{1}{2}$

④ $\dfrac{2}{3}$ ⑤ $\dfrac{5}{6}$

044 ❸

오른쪽 그림과 같이 함수 $y=f(x)$와 그 역함수 $y=g(x)$의 그래프가 두 점 $(0,\,0)$, $(4,\,4)$에서 만나고 $\displaystyle\int_0^4 f(x)\,dx=6$일 때, 두 곡선 $y=f(x)$, $y=g(x)$로 둘러싸인 도형의 넓이를 구하시오.

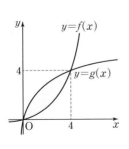

045 ❸

함수 $f(x)=x^3-6$의 역함수를 $g(x)$라 할 때, 두 곡선 $y=f(x)$, $y=g(x)$와 직선 $y=-x-6$으로 둘러싸인 도형의 넓이를 구하시오.

유형 08 함수와 그 역함수의 정적분

046 대표 문제 다시 보기

함수 $f(x)=x^3-3x^2+4x$의 역함수를 $g(x)$라 할 때, $\displaystyle\int_2^3 f(x)\,dx+\int_4^{12} g(x)\,dx$의 값을 구하시오.

047 ❸

역함수를 갖고, 모든 실수 x에서 연속인 함수 $f(x)$에 대하여

$$f(1)=1,\ f(3)=3,\ \int_1^3 f(x)\,dx=\frac{7}{2}$$

이다. 함수 $f(x)$의 역함수를 $g(x)$라 할 때, $\displaystyle\int_1^3 g(x)\,dx$의 값은?

① $\dfrac{7}{2}$ ② 4 ③ $\dfrac{9}{2}$

④ 5 ⑤ $\dfrac{11}{2}$

048 ❸

함수 $f(x)=x(x+2)^2\ (x\geq0)$의 역함수를 $g(x)$라 할 때, $\displaystyle\int_0^9 g(x)\,dx$의 값을 구하시오.

유형 **09** | 위치와 위치의 변화량

수직선 위를 움직이는 점 P의 시각 t에서의 속도가 $v(t)$이고, 시각 $t=a$에서의 위치가 x_0일 때

(1) 시각 t에서의 점 P의 위치 x는

$$x = x_0 + \int_a^t v(t)\,dt$$

(2) 시각 $t=a$에서 $t=b$까지 점 P의 위치의 변화량은

$$\int_a^b v(t)\,dt$$

참고 (1) 움직이는 물체가 운동 방향을 바꿀 때 ➡ (속도)=0
(2) 위로 똑바로 던져 올린 물체가 최고 높이에 도달할 때 ➡ (속도)=0

대표 문제

049 좌표가 3인 점을 출발하여 수직선 위를 움직이는 점 P의 시각 t에서의 속도가 $v(t)=2t-1$일 때, 시각 $t=2$에서의 점 P의 위치는?

① 3   ② 4   ③ 5
④ 6   ⑤ 7

유형 **10** | 움직인 거리

수직선 위를 움직이는 점 P의 시각 t에서의 속도가 $v(t)$일 때, 시각 $t=a$에서 $t=b$까지 점 P가 움직인 거리는

$$\int_a^b |v(t)|\,dt$$

참고 (1) 움직이는 물체가 정지할 때 ➡ (속도)=0
(2) 움직이는 물체가 출발점으로 다시 돌아올 때
➡ (위치의 변화량)=0

대표 문제

050 수직선 위를 움직이는 점 P의 시각 t에서의 속도가 $v(t)=6t-3t^2$일 때, $t=1$에서 $t=3$까지 점 P가 움직인 거리는?

① 5   ② 6   ③ 7
④ 8   ⑤ 9

유형 **11** | 그래프에서의 위치와 움직인 거리

수직선 위를 움직이는 점 P의 시각 t에서의 속도 $v(t)$의 그래프가 오른쪽 그림과 같을 때

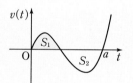

(1) 시각 $t=0$에서 $t=a$까지 점 P의 위치의 변화량은

$$\int_0^a v(t)\,dt = S_1 - S_2$$

(2) 시각 $t=0$에서 $t=a$까지 점 P가 움직인 거리는

$$\int_0^a |v(t)|\,dt = S_1 + S_2$$

참고 속도 $v(t)$의 그래프가 주어질 때, 시각 $t=0$에서 $t=a$까지 점 P가 움직인 거리는 $v(t)$의 그래프와 t축 및 두 직선 $t=0$, $t=a$로 둘러싸인 도형의 넓이와 같다.

대표 문제

051 원점을 출발하여 수직선 위를 움직이는 물체의 시각 t에서의 속도 $v(t)$의 그래프가 다음 그림과 같을 때, 보기 중 옳은 것만을 있는 대로 고르시오.

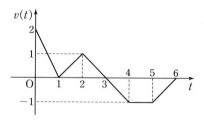

보기

ㄱ. $t=4$에서의 물체의 위치는 $\dfrac{3}{2}$이다.
ㄴ. 물체는 출발 후 $t=6$까지 운동 방향을 두 번 바꾼다.
ㄷ. $t=6$일 때 물체는 원점에서 가장 멀리 떨어져 있다.
ㄹ. 물체가 출발한 후 처음 정지할 때까지 움직인 거리는 1이다.

핵심유형 완성하기

09

★ 중요
유형 09 위치와 위치의 변화량

052 대표 문제 다시 보기

좌표가 1인 점을 출발하여 수직선 위를 움직이는 점 P의 시각 t에서의 속도가 $v(t)=t^2-4t+3$일 때, 시각 $t=3$에서의 점 P의 위치는?

① 1   ② 2   ③ 3
④ 4   ⑤ 5

053 중

원점을 출발하여 수직선 위를 움직이는 점 P의 시각 t에서의 속도가 $v(t)=t^2-2t-3$일 때, 점 P가 출발 후 움직이는 방향이 바뀌는 순간까지 점 P의 위치의 변화량을 구하시오.

054 중

지면으로부터 10 m 높이에서 30 m/s의 속도로 지면에 수직으로 던진 공의 t초 후의 속도를 $v(t)$ m/s라 하면 $v(t)=30-10t$이다. 공이 최고 지점에 도달했을 때의 지면으로부터의 높이는?

① 40 m   ② 45 m   ③ 50 m
④ 55 m   ⑤ 60 m

055 중

원점을 출발하여 수직선 위를 움직이는 두 점 P_1, P_2의 t초 후의 속도가 각각

$$v_1(t)=2t^2-4t+1, \quad v_2(t)=-t^2+8t-8$$

이다. 두 점 P_1, P_2가 원점을 출발한 후 다시 만나는 시각은 몇 초 후인지 구하시오.

056 상

원점을 출발하여 수직선 위를 움직이는 점 P의 시각 t에서의 속도가 $v(t)=t^4-2t^2+1-a$일 때, 속도가 두 번째로 0이 되는 순간까지 점 P의 위치의 변화량이 0이다. 이때 상수 a의 값은? (단, $0<a<1$)

① $\dfrac{1}{3}$ ② $\dfrac{4}{9}$ ③ $\dfrac{5}{9}$
④ $\dfrac{2}{3}$ ⑤ $\dfrac{7}{9}$

057 상

수직선 위를 움직이는 두 점 P, Q의 t초 후의 속도가 각각 $4t+7$, $3t^2-8t+16$이다. 점 P는 원점, 점 Q는 좌표가 -3인 점에서 동시에 출발한다고 할 때, 두 점 P, Q가 만나는 횟수를 구하시오.

유형 10   움직인 거리

058 대표 문제 다시 보기

수직선 위를 움직이는 점 P의 시각 t에서의 속도가
$v(t)=4t-2t^2$일 때, $t=0$에서 $t=3$까지 점 P가 움직인 거리를 구하시오.

059 중

직선 도로를 $10\,\text{m/s}$로 달리는 자동차가 있다. 이 자동차가 제동을 건 지 t초 후의 속도를 $v(t)\,\text{m/s}$라 하면 $v(t)=10-2t$일 때, 제동을 건 후 자동차가 정지할 때까지 달린 거리는?

① $10\,\text{m}$ ② $15\,\text{m}$ ③ $20\,\text{m}$
④ $25\,\text{m}$ ⑤ $30\,\text{m}$

060 중

원점을 출발하여 수직선 위를 움직이는 점 P의 시각 t에서의 속도가 $v(t)=t^3-3t^2$이다. 점 P가 출발한 후 다시 원점으로 돌아올 때까지 움직인 거리는?

① 10 ② $\dfrac{23}{2}$ ③ $\dfrac{27}{2}$
④ 15 ⑤ $\dfrac{35}{2}$

061 중

지면으로부터 $25\,\text{m}$ 높이에서 $40\,\text{m/s}$의 속도로 지면에 수직으로 던진 물체의 t초 후의 속도를 $v(t)\,\text{m/s}$라 하면 $v(t)=40-10t$이다. 이 물체가 두 번째로 지면으로부터 $60\,\text{m}$의 높이에 도달할 때까지 물체가 움직인 거리를 구하시오.

062 상

원점을 출발하여 수직선 위를 움직이는 두 점 P, Q의 시각 t에서의 속도가 각각 $6t^2+2t+2$, $3t^2+4t-5$이다. 선분 PQ를 $2:1$로 외분하는 점을 R라 할 때, 점 R가 출발한 후 다시 원점을 지날 때까지 움직인 거리를 구하시오.

063 상

수직선 위를 움직이는 점 P가 정지된 상태에서 원점을 출발하여 시각 $t=0$에서 $t=5$까지 일정한 가속도로 속도를 높여 거리 25만큼 움직인 후 시각 $t=5$에서 $t=a$까지 일정한 속도로 거리 50만큼 움직이고, 시각 $t=a$에서 $t=b$까지 일정한 가속도로 속도를 줄여 거리 50만큼 움직이고 정지하였다. 이때 상수 a, b에 대하여 $a+b$의 값은? (단, $5<a<b$)

① 26 ② 28 ③ 30
④ 32 ⑤ 34

★ 중요
유형 11 그래프에서의 위치와 움직인 거리

064 대표 문제 다시 보기

원점을 출발하여 수직선 위를 움직이는 점 P의 시각 t에서의 속도 $v(t)$의 그래프가 오른쪽 그림과 같을 때, 다음 보기 중 옳은 것만을 있는 대로 고르시오.

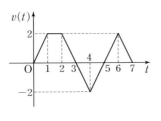

┌ 보기 ─────────────────────────
ㄱ. $t=5$일 때 점 P는 원점을 다시 지난다.
ㄴ. $t=0$에서 $t=6$까지 점 P의 위치의 변화량은 3이다.
ㄷ. 점 P는 출발 후 $t=7$까지 운동 방향을 두 번 바꾼다.
└────────────────────────────

065 중

원점을 출발하여 수직선 위를 움직이는 점 P의 시각 t에서의 속도 $v(t)$의 그래프가 오른쪽 그림과 같다. 점 P가 원점으로부터 가장 멀리 떨어져 있을 때, 점 P의 위치는?

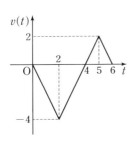

① -8 ② -4
③ 2 ④ 4
⑤ 8

066 중

원점을 출발하여 수직선 위를 움직이는 점 P의 t초 후의 속도 $v(t)$의 그래프가 다음 그림과 같다. 점 P가 출발한 후 원점으로 처음 다시 돌아올 때까지 걸리는 시간을 구하시오.

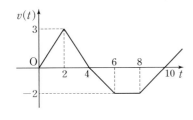

067 중

원점을 출발하여 수직선 위를 움직이는 점 P의 시각 t에서의 속도 $v(t)$의 그래프가 오른쪽 그림과 같다. 시각 $t=0$에서 $t=3$까지 점 P가 움직인 거리가 $\dfrac{5}{2}$일 때, 시각 $t=6$에서의 점 P의 위치를 구하시오. (단, $a<0$)

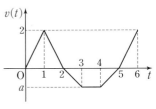

068 중

원점을 출발하여 수직선 위를 움직이는 점 P의 시각 t에서의 속도 $v(t)$의 그래프가 오른쪽 그림과 같고,

$$\int_0^3 v(t)\,dx = \int_3^6 |v(t)|\,dt = 6$$

이다. 시각 $t=4$에서의 점 P의 위치가 4일 때, 시각 $t=4$에서 $t=6$까지 점 P가 움직인 거리를 구하시오.

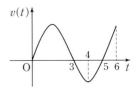

069 상

원점을 출발하여 수직선 위를 움직이는 점 P의 시각 t에서의 속도 $v(t)$의 그래프가 오른쪽 그림과 같고,

$$\int_0^2 v(t)\,dx = \int_2^3 |v(t)|\,dt$$

일 때, 다음 보기 중 옳은 것만을 있는 대로 고르시오.

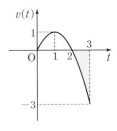

┌ 보기 ─────────────────────────
ㄱ. $t=3$일 때 점 P의 속력이 가장 크다.
ㄴ. $t=3$일 때 점 P는 원점에 있다.
ㄷ. $t=1$일 때 점 P의 가속도는 양수이다.
ㄹ. $t=2$일 때 점 P는 원점에서 가장 멀리 떨어져 있다.
└────────────────────────────

070
유형 01

곡선 $y=2x^3$과 x축 및 두 직선 $x=-2$, $x=a$로 둘러싸인 도형의 넓이가 16일 때, 양수 a의 값을 구하시오.

071
유형 01

함수 $f(x)$의 도함수 $y=f'(x)$의 그래프가 오른쪽 그림과 같다. 곡선 $y=f'(x)$와 x축으로 둘러싸인 두 도형의 넓이를 각각 A, B라 하면 $A=7$, $B=4$이고, $f(-2)=2$일 때, $f(3)$의 값은?

① 3 　　② 4 　　③ 5
④ 6 　　⑤ 7

072
유형 01

다항함수 $f(x)$가 모든 실수 x에 대하여
$$\int_3^x f(t)\,dt = x^3 - ax^2$$
을 만족시킨다. 곡선 $y=f(x)$와 x축으로 둘러싸인 도형의 넓이를 S라 할 때, $a+S$의 값은? (단, a는 상수)

① 5 　　② 6 　　③ 7
④ 8 　　⑤ 9

073
유형 02

곡선 $y=x|x-2|$와 직선 $y=2x$로 둘러싸인 도형의 넓이를 구하시오.

074
유형 03

두 곡선 $y=2x^2-x-4$, $y=-x^2+2x+2$로 둘러싸인 도형의 넓이를 구하시오.

075
유형 04

곡선 $y=x^2-3x+4$와 점 $(2, 1)$에서 이 곡선에 그은 두 접선으로 둘러싸인 도형의 넓이를 구하시오.

076
유형 05

곡선 $y=-2x^2+4x$와 x축으로 둘러싸인 도형의 넓이를 A, 구간 $[2, a]$에서 곡선 $y=-2x^2+4x$와 x축 및 직선 $x=a$로 둘러싸인 도형의 넓이를 B라 하면 $A=B$일 때, 상수 a의 값을 구하시오. (단, $a>2$)

077 유형 06

곡선 $y=x^2-4x$와 x축으로 둘러싸인 도형의 넓이가 직선 $y=ax$에 의하여 이등분될 때, 상수 a에 대하여 $(a+4)^3$의 값을 구하시오. (단, $a<0$)

078 유형 07

함수 $f(x)=x^3-2x^2+2x$의 역함수를 $g(x)$라 할 때, 두 곡선 $y=f(x)$, $y=g(x)$로 둘러싸인 도형의 넓이는?

① $\dfrac{1}{6}$ ② $\dfrac{1}{3}$ ③ $\dfrac{1}{2}$

④ $\dfrac{2}{3}$ ⑤ $\dfrac{5}{6}$

079 유형 08

함수 $f(x)=x^3+x-1$의 역함수를 $g(x)$라 할 때,
$\displaystyle\int_1^2 f(x)\,dx+\int_1^9 g(x)\,dx$의 값을 구하시오.

080 유형 09

좌표가 -5인 점을 출발하여 수직선 위를 움직이는 점 P의 시각 t에서의 속도가 $v(t)=12-3t$일 때, 점 P가 움직이는 방향이 바뀌는 시각에서의 점 P의 위치를 구하시오.

081 유형 09+10

좌표가 2인 점을 출발하여 수직선 위를 움직이는 점 P의 시각 t에서의 속도가 $v(t)=-3t^2+4t+4$일 때, 다음 보기 중 옳은 것만을 있는 대로 고르시오.

> ㄱ. $t=2$에서의 점 P의 위치는 10이다.
> ㄴ. $t=1$에서 $t=3$까지 점 P의 위치의 변화량은 2이다.
> ㄷ. $t=0$에서 $t=3$까지 점 P가 움직인 거리는 13이다.

082 유형 09

원점에서 동시에 출발하여 수직선 위를 움직이는 두 점 P, Q의 시각 t에서의 속도가 각각 $3t^2+t$, $2t^2+3t$이다. 두 점 P, Q가 원점을 출발한 후 속도가 같아지는 순간 두 점 P, Q 사이의 거리를 구하시오.

083 유형 11

원점을 출발하여 수직선 위를 움직이는 점 P의 시각 t에서의 속도 $v(t)$의 그래프가 다음 그림과 같을 때, 보기 중 옳은 것만을 있는 대로 고른 것은?

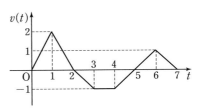

> ㄱ. $t=5$일 때 점 P는 원점을 다시 지난다.
> ㄴ. $t=1$일 때 점 P의 속력이 최대이다.
> ㄷ. 점 P는 출발 후 $t=7$까지 운동 방향을 3번 바꾼다.
> ㄹ. $t=0$에서 $t=6$까지 점 P가 움직인 거리는 1이다.

① ㄱ, ㄴ ② ㄴ, ㄷ ③ ㄷ, ㄹ
④ ㄱ, ㄴ, ㄷ ⑤ ㄱ, ㄷ, ㄹ

01 함수의 극한 —————— 8~23쪽

001 ②	002 4	003 −1	004 3
005 0	006 ③	007 ①	008 2
009 $\frac{1}{20}$	010 −5	011 ③	012 3
013 $\frac{5}{2}$	014 ③	015 5	016 ③
017 −1	018 ③	019 ㄴ, ㄷ	020 4
021 ②	022 2	023 3	024 ①
025 $-\frac{1}{4}$	026 ㄷ, ㄹ	027 $\frac{2}{3}$	028 7
029 $\frac{3}{2}$	030 2	031 −3	032 ①
033 ④	034 −2	035 ④	036 16
037 ④	038 ④	039 8	040 6
041 4	042 ⑤	043 2	044 ④
045 ①	046 $\frac{1}{2}$	047 ①	048 8
049 ①	050 2	051 −2	052 ④
053 $\frac{1}{6}$	054 ②	055 ④	056 $-\frac{\sqrt{2}}{2}$
057 −1	058 ③	059 ③	060 −2
061 0	062 11	063 2	064 ③
065 ③	066 9	067 $\frac{3}{5}$	068 −5
069 ⑤	070 8	071 ③	072 1
073 ④	074 $\frac{3}{2}$	075 ⑤	076 $\frac{1}{2}$
077 ②	078 2	079 $\frac{5}{2}$	080 ⑤
081 ④	082 10	083 3	084 ②
085 ②	086 ㄱ	087 ④	088 8
089 ⑤	090 7	091 2	092 ②
093 $\frac{1}{54}$	094 $\frac{11}{12}$	095 ④	096 −24
097 10	098 ③	099 8	

02 함수의 연속 —————— 26~35쪽

001 ㄱ, ㄹ	002 ㄱ, ㄷ	003 ⑤	004 7
005 ㄱ, ㄴ, ㄷ	006 ㄱ, ㄹ	007 ⑤	008 3개
009 ㄱ, ㄹ	010 ⑤	011 2	012 8
013 4	014 ④	015 6	016 2
017 ④	018 ㄱ, ㄴ, ㄷ	019 ㄱ, ㄷ	020 4
021 1	022 32	023 ⑤	024 ②
025 6	026 ③	027 8	028 5
029 4	030 4	031 6	032 8
033 ㄱ, ㄴ	034 ⑤	035 7	036 ㄱ, ㄷ
037 ㄷ	038 ㄱ, ㅁ	039 ③	040 −3
041 ④	042 14	043 ③	044 2개
045 4개	046 3	047 3개	048 ㄱ, ㄷ
049 ㄴ	050 5	051 ③	052 2
053 18	054 −1	055 ㄷ	056 ③
057 5	058 ⑤	059 ㄱ, ㄴ	060 2

03 미분계수와 도함수 —————— 38~57쪽

001 5	002 0	003 ㄴ, ㄷ	004 ⑤
005 3	006 ③	007 ㄱ, ㄴ, ㄹ	008 ③
009 ②	010 5	011 ①	012 $-\frac{1}{8}$
013 ④	014 $\frac{1}{2}$	015 80	016 ④
017 $b<x<c$	018 ㄴ	019 ③	020 ㄱ, ㄴ, ㄷ
021 ㄱ, ㄷ	022 ②	023 ④	024 6
025 ②	026 ①	027 4	028 8
029 ⑤	030 ③	031 ③	032 −4
033 $\frac{3}{4}$	034 $\frac{1}{2}$	035 ⑤	036 4
037 ④	038 ③	039 2	040 ③
041 ㄱ	042 ㄱ	043 ②	044 ⑤
045 ②	046 (가) $(x+h)^2$ (나) $2xh$ (다) $2x$		
047 ④	048 ②	049 ③	050 1
051 ②	052 ①	053 ⑤	054 4
055 ①	056 6	057 (가) $x+h$ (나) h (다) $3x^2$	
058 ㄱ, ㄴ	059 ⑤	060 $f'(x)=-4x-5$	
061 4	062 −2	063 ②	064 ⑤

04 도함수의 활용 (1) ——— 60~69쪽

065 4	066 -6	067 ⑤	068 ④
069 ②	070 28	071 ⑤	072 ②
073 2	074 3	075 21	076 4
077 ⑤	078 -5	079 ②	080 8
081 -47	082 ③	083 ②	084 4
085 -6	086 $\frac{4}{3}$	087 ①	088 18
089 ③	090 ⑤	091 9	092 8
093 -9	094 ③	095 -6	096 ⑤
097 1	098 -9	099 2	100 ③
101 1	102 ⑤	103 ④	104 1
105 3	106 ㄱ, ㄴ	107 ㄱ, ㄷ	108 ③
109 ④	110 27	111 5	112 ③
113 ⑤	114 11	115 14	116 ③
117 5	118 2	119 2	

04 도함수의 활용 (1) ——— 60~69쪽

001 ③	002 6	003 5	004 ④
005 ③	006 $\frac{3\sqrt{2}}{2}$	007 $\sqrt{17}$	008 $\frac{2}{3}$
009 $\frac{\sqrt{3}}{3}$	010 ②	011 -6	012 1
013 3	014 ①	015 1	016 $\frac{9}{2}$
017 $-\frac{4}{3}$	018 ④	019 $\frac{1}{2}$	020 7
021 -1	022 ②	023 $2\sqrt{2}$	024 ④
025 -16	026 ③	027 ④	028 6
029 ⑤	030 9	031 ⑤	032 -3
033 -1	034 ②	035 $\left(1, \frac{3}{4}\right)$	036 4
037 $\frac{\sqrt{26}}{5}$	038 $\frac{17}{8}$	039 ③	040 $-\frac{1}{3}$
041 3	042 $\frac{1}{2}$	043 ②	044 5
045 1	046 ①	047 5	048 ③
049 9	050 ⑤	051 26	052 $y=9x-32$
053 $y=-3x+2$	054 0	055 ①	
056 8	057 $\frac{1}{2}$	058 6	059 2
060 ④	061 $\frac{27}{8}$	062 -4	063 ③
064 7			

05 도함수의 활용 (2) ——— 72~87쪽

001 4	002 ②	003 $\frac{4}{3}$	004 ⑤
005 -19	006 4	007 ⑤	008 ①
009 ①	010 ③	011 10	012 39
013 -3	014 ⑤	015 3	016 -8
017 9	018 2	019 ③	020 $0 \leq a \leq 6$
021 ⑤	022 -1	023 28	024 ④
025 ③	026 -22	027 1	028 -4
029 ③	030 4	031 ⑤	032 $\frac{3}{2}$
033 ③	034 $\frac{32}{3}$	035 ②	036 ③
037 -1	038 ③	039 ③	040 ①
041 ㄱ, ㄴ	042 20	043 ⑤	044 $-2<a<0$
045 $-\frac{9}{4}<a<0$ 또는 $a>0$		046 -3	047 9
048 $8\sqrt{2}$	049 $16\,\mathrm{cm}^3$	050 ③	051 ③
052 ④	053 5	054 5	055 -5
056 $a>1$	057 $4<a<\frac{25}{6}$		058 2
059 $a<0$ 또는 $a>\frac{2}{3}$		060 ①	
061 $a=-2$ 또는 $a \geq \frac{1}{4}$		062 12	063 ⑤
064 -7	065 $-\frac{2}{3}$	066 -17	067 ②
068 -3	069 ④	070 $\frac{64\sqrt{3}}{9}$	071 $\sqrt{5}$
072 8	073 $\frac{50}{27}$	074 256	075 252π
076 ⑤	077 $\frac{4\sqrt{3}}{9}\pi$	078 $16\sqrt{2}$	079 30 kg
080 3시간	081 ③	082 $a \geq \frac{1}{6}$	083 3
084 ①	085 ⑤	086 $-\frac{19}{2}$	087 ②
088 ㄱ, ㄹ	089 ①	090 15	091 3
092 ④	093 $-\frac{1}{5}<k<0$		
094 $a=0$ 또는 $a \geq \frac{9}{4}$		095 ③	096 -25
097 12	098 256	099 ③	100 1450원

06 도함수의 활용 (3) — 90~105쪽

001 ③	002 26	003 ②	004 20
005 $-\dfrac{1}{27}<a<0$		006 ⑤	007 ②
008 11	009 $\dfrac{19}{2}$	010 ③	011 -4
012 4	013 $5<k<7$	014 -1	015 -2
016 6	017 -4	018 $0<k<9$	019 ②
020 $-5<k<27$		021 -7	022 $0<a<\dfrac{1}{4}$
023 1	024 ③	025 ④	026 $3\le k<10$
027 5	028 $a<-4$ 또는 $a>0$		029 ③
030 -32	031 $k\le-3$	032 -6	033 ②
034 $k<-17$	035 $k>2$	036 5	037 $k\ge8$
038 ③	039 4	040 2	041 18
042 ④	043 $-40\,\text{m/s}$	044 ②	045 $2\,\text{m/s}$
046 $13.5\pi\,\text{m}^2/\text{s}$		047 $18\pi\,\text{cm}^3/\text{s}$	
048 ④	049 -21	050 1	051 -4
052 -2	053 ⑤	054 ㄱ, ㄴ	055 15
056 12	057 ③	058 $2<t<3$	059 64 m
060 ③	061 ②	062 64	063 ①
064 47	065 25	066 $-10\,\text{m/s}$	067 ㄱ, ㄴ, ㅁ
068 ⑤	069 3번	070 $1\,\text{m/s}$	071 ④
072 $\dfrac{2\sqrt{2}}{3}$	073 44	074 3.2	075 ①
076 76	077 $20\pi\,\text{cm}^2/\text{s}$		078 $\dfrac{9}{2}\pi\,\text{m}^3/\text{s}$
079 ⑤	080 $\dfrac{88}{3}\,\text{cm}^3/\text{s}$	081 6	082 9
083 3	084 ③	085 $-17<k<15$	
086 ④	087 $6<a<8$	088 ②	089 7
090 -7	091 $-\dfrac{1}{4}$	092 ③	093 6
094 ⑤	095 ②	096 $-15\,\text{m/s}$	097 ②
098 36	099 $1.2\,\text{m}^2/\text{s}$	100 ④	

07 부정적분 — 108~119쪽

001 ⑤	002 8	003 ③	004 ④
005 -10	006 ⑤	007 2	008 ①
009 ③	010 ③	011 ③	012 8
013 3	014 ③	015 ④	016 ④
017 ②	018 18	019 -1	020 ⑤
021 ㄷ	022 ③	023 -2	024 ④
025 2	026 ②	027 ①	028 ②
029 6	030 ②	031 ④	032 $-\dfrac{3}{2}$
033 ⑤	034 11	035 ④	036 -40
037 9	038 ④	039 ②	040 $F(x)=2x$
041 ①	042 4	043 ④	044 2
045 ③	046 $f(x)=-2x-5$		047 -2
048 ④	049 6	050 -3	051 ⑤
052 4	053 8	054 ⑤	055 29
056 ②	057 ④	058 -4	059 ②
060 ③	061 9	062 5	063 -7
064 ①	065 $\dfrac{32}{3}$		

001 ④　002 ④　003 9　004 $\frac{46}{3}$

005 ①　006 4　007 -16　008 4

009 $-\frac{5}{3}$　010 5　011 4　012 $\frac{29}{2}$

013 -4　014 ①　015 -9　016 ②

017 10　018 ④　019 -12　020 $\frac{35}{9}$

021 ⑤　022 ⑤　023 -16　024 ③

025 ②　026 7　027 ④　028 ①

029 ②　030 6　031 ③　032 $\frac{11}{2}$

033 3　034 $\frac{4\sqrt{2}}{3}$　035 -4　036 ①

037 $\frac{5}{2}$　038 4　039 $\frac{\sqrt{2}}{2}$

040 $f(x)=x^2-2x+2$　041 12　042 ②

043 $\frac{1}{2}$　044 ②　045 ②　046 ④

047 2　048 10　049 ③　050 ⑤

051 7　052 11　053 ②　054 1

055 8　056 3　057 4　058 ②

059 $\frac{22}{3}$　060 ①　061 6　062 16

063 10　064 4　065 0　066 9

067 9　068 14　069 ①　070 81

071 5　072 ④　073 1　074 31

075 ③　076 -1　077 ④　078 ㄱ, ㄴ, ㄷ

079 ①　080 6　081 2　082 22

083 4　084 ①　085 ③　086 2

087 28　088 ④　089 ①　090 ②

091 -20　092 ③　093 1　094 ⑤

095 ③　096 ②　097 -6　098 ①

099 ㄱ, ㄷ　100 18　101 ②

001 ④　002 $\frac{32}{3}$　003 9　004 ②

005 $\frac{3}{2}$　006 4　007 ①　008 ④

009 $\frac{31}{6}$　010 $\frac{4}{3}$　011 $\frac{1}{2}$　012 ③

013 2　014 ④　015 9　016 $\frac{4}{3}$

017 ②　018 ④　019 $\frac{11}{3}$　020 $\frac{9}{2}$

021 ③　022 8　023 ⑤　024 -8

025 $\frac{37}{12}$　026 $\frac{8}{3}$　027 $\frac{11}{12}$　028 18

029 $\frac{27}{4}$　030 $\frac{1}{3}$　031 $\frac{4\sqrt{2}}{3}$　032 ②

033 -6　034 $\frac{7}{6}$　035 $\frac{1}{2}$　036 $\frac{1}{3}$

037 -6　038 $\frac{8}{3}$　039 54　040 8

041 ⑤　042 $\frac{4}{3}$　043 ②　044 4

045 38　046 28　047 ③　048 $\frac{65}{12}$

049 ③　050 ②　051 ㄱ, ㄹ　052 ①

053 -9　054 ④　055 3초　056 ②

057 3　058 $\frac{16}{3}$　059 ④　060 ③

061 125 m　062 24　063 ③　064 ㄴ, ㄷ

065 ①　066 8초　067 1　068 4

069 ㄱ, ㄴ, ㄹ　070 2　071 ③　072 ③

073 8　074 $\frac{27}{2}$　075 $\frac{2}{3}$　076 3

077 32　078 ①　079 17　080 19

081 ㄱ, ㄷ　082 $\frac{4}{3}$　083 ①

핵심 유형 마스터

만렙 PM

15개정 교육과정

수학 Ⅱ
정답과 해설

우리는 남다른 상상과 혁신으로
교육 문화의 새로운 전형을 만들어
모든 이의 행복한 경험과 성장에 기여한다

ABOVE IMAGINATION

우리는 남다른 상상과 혁신으로
교육 문화의 새로운 전형을 만들어
모든 이의 행복한 경험과 성장에 기여한다

핵심 유형 마스터

만렙 PM

정답과 해설
수학 II

001 답 ②

$f(0)+\lim_{x \to -1-}f(x)+\lim_{x \to 1+}f(x)=1+0+3=4$

002 답 4

$\lim_{x \to 3+}f(x)=\lim_{x \to 3+}(kx+3)=3k+3$

$\lim_{x \to 3-}f(x)=\lim_{x \to 3-}(x^2+2x)=15$

$\lim_{x \to 3}f(x)$의 값이 존재하려면 $\lim_{x \to 3+}f(x)=\lim_{x \to 3-}f(x)$이어야 하므로

$3k+3=15,\ 3k=12 \qquad \therefore k=4$

003 답 −1

$f(x)=t$로 놓으면 $x \to 1+$일 때 $t \to 1-$이므로

$\lim_{x \to 1+}f(f(x))=\lim_{t \to 1-}f(t)=-2$

$x \to 0+$일 때 $t \to -1-$이므로

$\lim_{x \to 0+}f(f(x))=\lim_{t \to -1-}f(t)=1$

$\therefore \lim_{x \to 1+}f(f(x))+\lim_{x \to 0+}f(f(x))=-2+1=-1$

004 답 3

$3f(x)-g(x)=h(x)$라 하면 $g(x)=3f(x)-h(x)$이고

$\lim_{x \to \infty}h(x)=1$

$\therefore \lim_{x \to \infty}\dfrac{3f(x)+2g(x)}{9f(x)-2g(x)}=\lim_{x \to \infty}\dfrac{3f(x)+2\{3f(x)-h(x)\}}{9f(x)-2\{3f(x)-h(x)\}}$

$\qquad =\lim_{x \to \infty}\dfrac{9f(x)-2h(x)}{3f(x)+2h(x)}$

$\qquad =\lim_{x \to \infty}\dfrac{9-2\times\dfrac{h(x)}{f(x)}}{3+2\times\dfrac{h(x)}{f(x)}}$

$\qquad =3 \left(\because \lim_{x \to \infty}\dfrac{h(x)}{f(x)}=0\right)$

다른 풀이 $\lim_{x \to \infty}f(x)=\infty,\ \lim_{x \to \infty}\{3f(x)-g(x)\}=1$이므로

$\lim_{x \to \infty}\dfrac{3f(x)-g(x)}{f(x)}=0$

즉, $\lim_{x \to \infty}\left\{3-\dfrac{g(x)}{f(x)}\right\}=0$이므로 $\lim_{x \to \infty}\dfrac{g(x)}{f(x)}=3$

$\therefore \lim_{x \to \infty}\dfrac{3f(x)+2g(x)}{9f(x)-2g(x)}=\lim_{x \to \infty}\dfrac{3+2\times\dfrac{g(x)}{f(x)}}{9-2\times\dfrac{g(x)}{f(x)}}=\dfrac{3+2\times3}{9-2\times3}=3$

005 답 0

$-1<x<0$일 때 $0<x+1<1$이므로 $[x+1]=0$

$\therefore \lim_{x \to 0-}[x+1]=0$

$2<x<3$일 때 $[x]=2$이므로 $\lim_{x \to 2+}[x]=2$

$\therefore \lim_{x \to 0-}[x+1]+\lim_{x \to 2+}([x]-2)=0+2-2=0$

006 답 ③

$\lim_{x \to 2}\dfrac{\sqrt{x-1}-1}{x-2}=\lim_{x \to 2}\dfrac{(\sqrt{x-1}-1)(\sqrt{x-1}+1)}{(x-2)(\sqrt{x-1}+1)}$

$\qquad =\lim_{x \to 2}\dfrac{x-2}{(x-2)(\sqrt{x-1}+1)}$

$\qquad =\lim_{x \to 2}\dfrac{1}{\sqrt{x-1}+1}=\dfrac{1}{1+1}=\dfrac{1}{2}$

007 답 ①

$x=-t$로 놓으면 $x \to -\infty$일 때 $t \to \infty$이므로

$\lim_{x \to -\infty}\dfrac{\sqrt{9x^2+5}-4}{x+2}=\lim_{t \to \infty}\dfrac{\sqrt{9t^2+5}-4}{-t+2}$

$\qquad =\lim_{t \to \infty}\dfrac{\sqrt{9+\dfrac{5}{t^2}}-\dfrac{4}{t}}{-1+\dfrac{2}{t}}=\dfrac{3}{-1}=-3$

008 답 2

$\lim_{x \to \infty}(\sqrt{x^2+4x}-x)=\lim_{x \to \infty}\dfrac{(\sqrt{x^2+4x}-x)(\sqrt{x^2+4x}+x)}{\sqrt{x^2+4x}+x}$

$\qquad =\lim_{x \to \infty}\dfrac{4x}{\sqrt{x^2+4x}+x}$

$\qquad =\lim_{x \to \infty}\dfrac{4}{\sqrt{1+\dfrac{4}{x}}+1}=\dfrac{4}{1+1}=2$

009 답 $\dfrac{1}{20}$

$\lim_{x \to 3}\dfrac{1}{x-3}\left(\dfrac{5}{x+2}-\dfrac{4}{x+1}\right)=\lim_{x \to 3}\left\{\dfrac{1}{x-3}\times\dfrac{x-3}{(x+2)(x+1)}\right\}$

$\qquad =\lim_{x \to 3}\dfrac{1}{(x+2)(x+1)}$

$\qquad =\dfrac{1}{5\times4}=\dfrac{1}{20}$

010 답 −5

$x \to 1$일 때 (분모) $\to 0$이고 극한값이 존재하므로 (분자) $\to 0$이다.

즉, $\lim_{x \to 1}(x^2+ax+b)=0$이므로

$1+a+b=0 \qquad \therefore b=-a-1 \qquad \cdots\cdots \bigcirc$

이를 주어진 등식의 좌변에 대입하면

$\lim_{x \to 1}\dfrac{x^2+ax-(a+1)}{x-1}=\lim_{x \to 1}\dfrac{(x-1)(x+a+1)}{x-1}$

$\qquad =\lim_{x \to 1}(x+a+1)=a+2$

따라서 $a+2=-1$이므로

$a=-3$

이를 $\bigcirc$에 대입하면 $b=2$

$\therefore a-b=-5$

011 답 ③

㈎에서 $f(x)$는 최고차항의 계수가 2인 이차함수이다.

㈏에서 $x \to 1$일 때 (분모) $\to 0$이고 극한값이 존재하므로 (분자) $\to 0$이다.

즉, $\lim_{x \to 1}f(x)=0$이므로 $f(1)=0$

$f(x)=2(x-1)(x+a)$ (a는 상수)라 하면 ㈏에서
$$\lim_{x \to 1} \frac{f(x)}{x-1} = \lim_{x \to 1} \frac{2(x-1)(x+a)}{x-1} = \lim_{x \to 1} 2(x+a) = 2(1+a)$$
즉, $2(1+a)=4$이므로 $a=1$
따라서 $f(x)=2(x-1)(x+1)$이므로
$$f(2)=2 \times 1 \times 3 = 6$$

012 답 3

모든 양의 실수 x에 대하여 $x^2+1>0$이므로 주어진 부등식의 각
변을 x^2+1로 나누면
$$\frac{3x^2-x+1}{x^2+1} < \frac{f(x)}{x^2+1} < \frac{3x^2+2x+4}{x^2+1}$$
이때 $\displaystyle\lim_{x \to \infty} \frac{3x^2-x+1}{x^2+1}=3$, $\displaystyle\lim_{x \to \infty} \frac{3x^2+2x+4}{x^2+1}=3$이므로 함수의 극
한의 대소 관계에 의하여
$$\lim_{x \to \infty} \frac{f(x)}{x^2+1}=3$$

013 답 $\dfrac{5}{2}$

$P(a, \sqrt{a})$, $H(0, \sqrt{a})$이므로 $\overline{PH}=a$
$\overline{PA}=\sqrt{(3-a)^2+(-\sqrt{a})^2}=\sqrt{a^2-5a+9}$
$$\begin{aligned}
\therefore \lim_{a \to \infty}(\overline{PH}-\overline{PA}) &= \lim_{a \to \infty}(a-\sqrt{a^2-5a+9}) \\
&= \lim_{a \to \infty} \frac{(a-\sqrt{a^2-5a+9})(a+\sqrt{a^2-5a+9})}{a+\sqrt{a^2-5a+9}} \\
&= \lim_{a \to \infty} \frac{5a-9}{a+\sqrt{a^2-5a+9}} \\
&= \lim_{a \to \infty} \frac{5-\dfrac{9}{a}}{1+\sqrt{1-\dfrac{5}{a}+\dfrac{9}{a^2}}} = \frac{5}{1+1} = \frac{5}{2}
\end{aligned}$$

014 답 ③

$$f(-1)+\lim_{x \to 0+}f(x)+\lim_{x \to 1-}f(x)=0+1+0=1$$

015 답 5

$$\lim_{x \to 1+}f(x)=\lim_{x \to 1+}(x+1)^2=4, \quad \lim_{x \to 1-}f(x)=\lim_{x \to 1-}x^2=1$$
$$\therefore \lim_{x \to 1+}f(x)+\lim_{x \to 1-}f(x)=4+1=5$$

016 답 ③

$$\lim_{x \to 1+}f(x)=\lim_{x \to 1+}\frac{|x-1|}{x-1}=\lim_{x \to 1+}\frac{x-1}{x-1}=1$$
$$\lim_{x \to 1-}f(x)=\lim_{x \to 1-}\frac{|x-1|}{x-1}=\lim_{x \to 1-}\frac{-(x-1)}{x-1}=-1$$
$$\therefore \lim_{x \to 1+}f(x)+\lim_{x \to 1-}f(x)=1+(-1)=0$$

017 답 -1

$$\lim_{x \to 2+}f(x)=\lim_{x \to 2+}(x^2-2k)=4-2k$$
$$\lim_{x \to 2-}f(x)=\lim_{x \to 2-}(kx+8)=2k+8$$
$\displaystyle\lim_{x \to 2}f(x)$의 값이 존재하려면 $\displaystyle\lim_{x \to 2+}f(x)=\lim_{x \to 2-}f(x)$이어야 하므로
$4-2k=2k+8$, $-4k=4$ $\therefore k=-1$

018 답 ③

ㄱ. $f(x)=x-5$라 하면 $y=f(x)$의 그래
프는 오른쪽 그림과 같고, x의 값이
한없이 커질 때 $f(x)$의 값도 한없이
커지므로
$$\lim_{x \to \infty}(x-5)=\infty$$

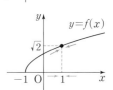

ㄴ. $f(x)=\sqrt{x+1}$이라 하면 $y=f(x)$의 그
래프는 오른쪽 그림과 같고, x의 값이
1에 가까워질 때 $f(x)$의 값은 $\sqrt{2}$에 한
없이 가까워지므로
$$\lim_{x \to 1}\sqrt{x+1}=\sqrt{2}$$

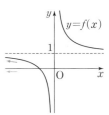

ㄷ. $f(x)=\dfrac{1}{x}+1$이라 하면 $y=f(x)$의 그
래프는 오른쪽 그림과 같고, x의 값이
음수이면서 그 절댓값이 한없이 커질
때 $f(x)$의 값은 1에 한없이 가까워지
므로
$$\lim_{x \to -\infty}\left(\frac{1}{x}+1\right)=1$$

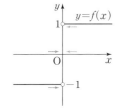

ㄹ. $f(x)=\dfrac{x}{|x|}$라 하면
$$f(x)=\begin{cases} 1 & (x \geq 0) \\ -1 & (x < 0) \end{cases}$$ 이므로 $y=f(x)$
의 그래프는 오른쪽 그림과 같다.
이때 $\displaystyle\lim_{x \to 0+}f(x)=1$, $\displaystyle\lim_{x \to 0-}f(x)=-1$
이므로
$$\lim_{x \to 0+}f(x) \neq \lim_{x \to 0-}f(x)$$
따라서 $\displaystyle\lim_{x \to 0}\frac{x}{|x|}$의 값은 존재하지 않는다.
따라서 보기 중 극한값이 존재하는 것은 ㄴ, ㄷ이다.

019 답 ㄴ, ㄷ

ㄱ. $\displaystyle\lim_{x \to 1+}f(x)=1$, $\displaystyle\lim_{x \to 1-}f(x)=2$이므로 $\displaystyle\lim_{x \to 1+}f(x) \neq \lim_{x \to 1-}f(x)$
따라서 $\displaystyle\lim_{x \to 1}f(x)$은 값은 존재하지 않는다.

ㄴ. $\displaystyle\lim_{x \to 2+}f(x)=\lim_{x \to 2-}f(x)=0$이므로 $\displaystyle\lim_{x \to 2}f(x)=0$

ㄷ. $-1<a<1$인 임의의 실수 a에 대하여 $\displaystyle\lim_{x \to a+}f(x)=\lim_{x \to a-}f(x)$
이므로 $\displaystyle\lim_{x \to a}f(x)$의 값이 존재한다.
따라서 보기 중 옳은 것은 ㄴ, ㄷ이다.

020 답 4

$f(x)=t$로 놓으면 $x \to 0-$일 때 $t \to 1-$이므로
$$\lim_{x \to 0-}g(f(x))=\lim_{t \to 1-}g(t)=2$$
$g(x)=s$로 놓으면 $x \to 1+$일 때 $s \to 1+$이므로
$$\lim_{x \to 1+}f(g(x))=\lim_{s \to 1+}f(s)=2$$
$$\therefore \lim_{x \to 0-}g(f(x))+\lim_{x \to 1+}f(g(x))=2+2=4$$

021 답 ②

ㄱ. $f(0)=2$

ㄴ. $\lim\limits_{x \to 0+} f(x)=2$, $\lim\limits_{x \to 0-} f(x)=\lim\limits_{x \to 0-}(x-1)=-1$

즉, $\lim\limits_{x \to 0+} f(x) \neq \lim\limits_{x \to 0-} f(x)$이므로 $\lim\limits_{x \to 0}f(x)$의 값은 존재하지 않는다.

ㄷ. $f(x)=t$로 놓으면 $x \to 0+$일 때 $t=2$이므로
$\lim\limits_{x \to 0+} f(f(x))=f(2)=2$

ㄹ. $f(x)=t$로 놓으면 $x \to -1-$일 때 $t \to -2-$이므로
$$\lim\limits_{x \to -1-} f(f(x))=\lim\limits_{t \to -2-} f(t)$$
$$=\lim\limits_{t \to -2-}(t-1)=-3$$

따라서 보기 중 옳은 것은 ㄱ, ㄹ이다.

022 답 2

$x+1=t$로 놓으면 $x \to 0-$일 때 $t \to 1-$이므로
$$\lim\limits_{x \to 0-} f(x+1)=\lim\limits_{t \to 1-} f(t)=2$$
$-x=s$로 놓으면 $x \to 1-$일 때 $s \to -1+$이므로
$$\lim\limits_{x \to 1-} f(-x)=\lim\limits_{s \to -1+} f(s)=0$$
$$\therefore \lim\limits_{x \to 0-} f(x+1)+\lim\limits_{x \to 1-} f(-x)=2+0=2$$

023 답 3

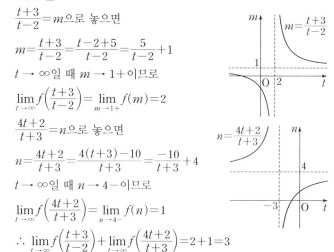

$\dfrac{t+3}{t-2}=m$으로 놓으면

$m=\dfrac{t+3}{t-2}=\dfrac{t-2+5}{t-2}=\dfrac{5}{t-2}+1$

$t \to \infty$일 때 $m \to 1+$이므로

$$\lim\limits_{t \to \infty} f\left(\dfrac{t+3}{t-2}\right)=\lim\limits_{m \to 1+} f(m)=2$$

$\dfrac{4t+2}{t+3}=n$으로 놓으면

$n=\dfrac{4t+2}{t+3}=\dfrac{4(t+3)-10}{t+3}=\dfrac{-10}{t+3}+4$

$t \to \infty$일 때 $n \to 4-$이므로

$$\lim\limits_{t \to \infty} f\left(\dfrac{4t+2}{t+3}\right)=\lim\limits_{n \to 4-} f(n)=1$$

$$\therefore \lim\limits_{t \to \infty} f\left(\dfrac{t+3}{t-2}\right)+\lim\limits_{t \to \infty} f\left(\dfrac{4t+2}{t+3}\right)=2+1=3$$

024 답 ①

$2f(x)+g(x)=h(x)$라 하면 $g(x)=h(x)-2f(x)$이고
$\lim\limits_{x \to \infty} h(x)=-3$

$\therefore \lim\limits_{x \to \infty} \dfrac{f(x)-3g(x)}{3f(x)+2g(x)-1}=\lim\limits_{x \to \infty} \dfrac{f(x)-3\{h(x)-2f(x)\}}{3f(x)+2\{h(x)-2f(x)\}-1}$

$=\lim\limits_{x \to \infty} \dfrac{7f(x)-3h(x)}{-f(x)+2h(x)-1}$

$=\lim\limits_{x \to \infty} \dfrac{7-3 \times \dfrac{h(x)}{f(x)}}{-1+2 \times \dfrac{h(x)}{f(x)}-\dfrac{1}{f(x)}}$

$=-7$

$\left(\because \lim\limits_{x \to \infty} \dfrac{h(x)}{f(x)}=0, \ \lim\limits_{x \to \infty} \dfrac{1}{f(x)}=0 \right)$

다른 풀이 $\lim\limits_{x \to \infty} f(x)=\infty$, $\lim\limits_{x \to \infty}\{2f(x)+g(x)\}=-3$이므로

$$\lim\limits_{x \to \infty} \dfrac{2f(x)+g(x)}{f(x)}=0$$

즉, $\lim\limits_{x \to \infty}\left\{2+\dfrac{g(x)}{f(x)}\right\}=0$이므로 $\lim\limits_{x \to \infty} \dfrac{g(x)}{f(x)}=-2$

$\therefore \lim\limits_{x \to \infty} \dfrac{f(x)-3g(x)}{3f(x)+2g(x)-1}=\lim\limits_{x \to \infty} \dfrac{1-3 \times \dfrac{g(x)}{f(x)}}{3+2 \times \dfrac{g(x)}{f(x)}-\dfrac{1}{f(x)}}$

$=\lim\limits_{x \to \infty} \dfrac{1-3 \times (-2)}{3+2 \times (-2)-0}$

$=-7$

025 답 $-\dfrac{1}{4}$

$$\lim\limits_{x \to 2} \dfrac{f(x)+\{g(x)\}^2}{2f(x)+g(x)}=\dfrac{-3+2^2}{2 \times (-3)+2}=-\dfrac{1}{4}$$

026 답 ㄷ, ㄹ

$\lim\limits_{x \to 1+} f(x)=1$, $\lim\limits_{x \to 1-} f(x)=2$

$\lim\limits_{x \to 1+} g(x)=0$, $\lim\limits_{x \to 1-} g(x)=0$

ㄱ. $\lim\limits_{x \to 1+}\{f(x)+g(x)\}=1+0=1$

$\lim\limits_{x \to 1-}\{f(x)+g(x)\}=2+0=2$

즉, $\lim\limits_{x \to 1+}\{f(x)+g(x)\} \neq \lim\limits_{x \to 1-}\{f(x)+g(x)\}$이므로

$\lim\limits_{x \to 1}\{f(x)+g(x)\}$의 값은 존재하지 않는다.

ㄴ. $\lim\limits_{x \to 1+}\{g(x)-f(x)\}=0-1=-1$

$\lim\limits_{x \to 1-}\{g(x)-f(x)\}=0-2=-2$

즉, $\lim\limits_{x \to 1+}\{g(x)-f(x)\} \neq \lim\limits_{x \to 1-}\{g(x)-f(x)\}$이므로

$\lim\limits_{x \to 1}\{g(x)-f(x)\}$의 값은 존재하지 않는다.

ㄷ. $\lim\limits_{x \to 1+} f(x)g(x)=1 \times 0=0$

$\lim\limits_{x \to 1-} f(x)g(x)=2 \times 0=0$

$\therefore \lim\limits_{x \to 1} f(x)g(x)=0$

ㄹ. $\lim\limits_{x \to 1+} \dfrac{g(x)}{f(x)}=\dfrac{0}{1}=0$, $\lim\limits_{x \to 1-} \dfrac{g(x)}{f(x)}=\dfrac{0}{2}=0$

$\therefore \lim\limits_{x \to 1} \dfrac{g(x)}{f(x)}=0$

따라서 보기 중 극한값이 존재하는 것은 ㄷ, ㄹ이다.

027 답 $\dfrac{2}{3}$

$\lim\limits_{x \to 1}(x^2+1)f(x)=\lim\limits_{x \to 1} \dfrac{(x^2+1)f(x) \times (x+2)}{x+2}$

$=\lim\limits_{x \to 1}\left\{ \dfrac{x^2+1}{x+2} \times (x+2)f(x) \right\}$

$=\lim\limits_{x \to 1} \dfrac{x^2+1}{x+2} \times \lim\limits_{x \to 1}(x+2)f(x)$

$=\dfrac{2}{3} \times 1=\dfrac{2}{3}$

028 답 **7**

$f(x)+2g(x)=h(x)$라 하면 $g(x)=\dfrac{h(x)-f(x)}{2}$이고

$\lim\limits_{x\to3}h(x)=3$

$\therefore \lim\limits_{x\to3}\{f(x)-6g(x)\}=\lim\limits_{x\to3}\left\{f(x)-6\times\dfrac{h(x)-f(x)}{2}\right\}$

$\qquad\qquad\qquad\qquad =\lim\limits_{x\to3}\{4f(x)-3h(x)\}$

$\qquad\qquad\qquad\qquad =4\times4-3\times3=7$

029 답 $\dfrac{3}{2}$

$x-2=t$로 놓으면 $x\to2$일 때 $t\to0$이므로

$\lim\limits_{x\to2}\dfrac{f(x-2)}{x-2}=\lim\limits_{t\to0}\dfrac{f(t)}{t}=3$

$\therefore \lim\limits_{x\to0}\dfrac{f(x)+3x}{2g(x)-x^2}=\lim\limits_{x\to0}\dfrac{\dfrac{f(x)}{x}+3}{2\times\dfrac{g(x)}{x}-x}=\dfrac{3+3}{2\times2-0}=\dfrac{3}{2}$

030 답 **2**

$x-1=t$로 놓으면 $x\to1$일 때 $t\to0$이므로

$\lim\limits_{x\to1}\dfrac{x^2+4x-5}{f(x-1)}=\lim\limits_{x\to1}\dfrac{(x+5)(x-1)}{f(x-1)}$

$\qquad\qquad\qquad =\lim\limits_{x\to1}\dfrac{x-1}{f(x-1)}\times\lim\limits_{x\to1}(x+5)$

$\qquad\qquad\qquad =\lim\limits_{t\to0}\dfrac{t}{f(t)}\times\lim\limits_{x\to1}(x+5)=\dfrac{1}{3}\times6=2$

031 답 **−3**

$\lim\limits_{x\to1}\{f(x)+g(x)\}=1$에서 $\alpha+\beta=1$

$\lim\limits_{x\to1}f(x)g(x)=-6$에서 $\alpha\beta=-6$

$\alpha+\beta=1$, $\alpha\beta=-6$이므로 α, β를 두 근으로 하는 이차방정식을

$x^2-x-6=0$이라 하면

$(x+2)(x-3)=0$ $\quad\therefore x=-2$ 또는 $x=3$

이때 $\alpha<\beta$이므로 $\alpha=-2$, $\beta=3$

$\therefore \lim\limits_{x\to1}\dfrac{5f(x)+1}{2g(x)-3}=\dfrac{5\times(-2)+1}{2\times3-3}=-3$

032 답 ①

ㄱ. $\lim\limits_{x\to a}\{f(x)+g(x)\}=\alpha$, $\lim\limits_{x\to a}\{f(x)-g(x)\}=\beta\,(\alpha,\ \beta$는 실수$)$

라 하면

$\lim\limits_{x\to a}f(x)=\lim\limits_{x\to a}\dfrac{\{f(x)+g(x)\}+\{f(x)-g(x)\}}{2}=\dfrac{\alpha+\beta}{2}$

$\lim\limits_{x\to a}g(x)=\lim\limits_{x\to a}\dfrac{\{f(x)+g(x)\}-\{f(x)-g(x)\}}{2}=\dfrac{\alpha-\beta}{2}$

ㄴ. $\lim\limits_{x\to a}g(x)=\alpha$, $\lim\limits_{x\to a}\dfrac{f(x)}{g(x)}=\beta\,(\alpha,\ \beta$는 실수$)$라 하면

$\lim\limits_{x\to a}f(x)=\lim\limits_{x\to a}\left\{g(x)\times\dfrac{f(x)}{g(x)}\right\}=\alpha\beta$

ㄷ. [반례] $f(x)=g(x)=\begin{cases}1 & (x\geq a)\\ -1 & (x<a)\end{cases}$이면 $f(x)-g(x)=0$이

므로 $\lim\limits_{x\to a}\{f(x)-g(x)\}=0$이지만 $\lim\limits_{x\to a}f(x)$와 $\lim\limits_{x\to a}g(x)$의 값

은 모두 존재하지 않는다.

ㄹ. [반례] $f(x)=\begin{cases}0 & (x\geq a)\\ 1 & (x<a)\end{cases}$, $g(x)=\begin{cases}1 & (x\geq a)\\ 0 & (x<a)\end{cases}$이면 $\lim\limits_{x\to a}f(x)$

와 $\lim\limits_{x\to a}g(x)$의 값은 모두 존재하지 않지만 $f(x)+g(x)=1$이

므로 $\lim\limits_{x\to a}\{f(x)+g(x)\}=1$

따라서 보기 중 옳은 것은 ㄱ, ㄴ이다.

033 답 ④

$-1<x<0$일 때 $-2<x-1<-1$이므로 $[x-1]=-2$

$\therefore \lim\limits_{x\to0-}[x-1]=-2$

$-x^2+2x-1=-(x-1)^2$이고 $1<x<2$일 때 $-1<-(x-1)^2<0$

이므로 $[-x^2+2x-1]=-1$

$\therefore \lim\limits_{x\to1+}[-x^2+2x-1]=-1$

$\therefore \lim\limits_{x\to0-}\dfrac{[x-1]}{x-1}+\lim\limits_{x\to1+}[-x^2+2x-1]=\dfrac{-2}{-1}+(-1)=1$

034 답 **−2**

$\lim\limits_{x\to-1+}[x]=-1$이므로

$\lim\limits_{x\to-1+}f(x)=\lim\limits_{x\to-1+}\{[x]^2+(k+5)[x]\}$

$\qquad\qquad\quad =(-1)^2+(k+5)\times(-1)=-k-4$

$\lim\limits_{x\to-1-}[x]=-2$이므로

$\lim\limits_{x\to-1-}f(x)=\lim\limits_{x\to-1-}\{[x]^2+(k+5)[x]\}$

$\qquad\qquad\quad =(-2)^2+(k+5)\times(-2)=-2k-6$

이때 $\lim\limits_{x\to-1}f(x)$의 값이 존재하려면 $\lim\limits_{x\to-1+}f(x)=\lim\limits_{x\to-1-}f(x)$이

어야 하므로

$-k-4=-2k-6$ $\quad\therefore k=-2$

035 답 ④

$\lim\limits_{x\to n+}[x]=n$이므로

$\lim\limits_{x\to n+}\dfrac{[x]^2+2x}{[x]}=\dfrac{n^2+2n}{n}=n+2$

$\lim\limits_{x\to n-}[x]=n-1$이므로

$\lim\limits_{x\to n-}\dfrac{[x]^2+2x}{[x]}=\dfrac{(n-1)^2+2n}{n-1}=\dfrac{n^2+1}{n-1}$

이때 $\lim\limits_{x\to n}\dfrac{[x]^2+2x}{[x]}$의 값이 존재하므로

$\lim\limits_{x\to n+}\dfrac{[x]^2+2x}{[x]}=\lim\limits_{x\to n-}\dfrac{[x]^2+2x}{[x]}$에서

$n+2=\dfrac{n^2+1}{n-1}$, $n^2+n-2=n^2+1$ $\quad\therefore n=3$

따라서 $\alpha=n+2=3+2=5$이므로

$n+\alpha=8$

036 답 **16**

$\lim\limits_{x\to2}\dfrac{x^2-4}{\sqrt{x+2}-2}=\lim\limits_{x\to2}\dfrac{(x^2-4)(\sqrt{x+2}+2)}{(\sqrt{x+2}-2)(\sqrt{x+2}+2)}$

$\qquad\qquad\qquad =\lim\limits_{x\to2}\dfrac{(x+2)(x-2)(\sqrt{x+2}+2)}{x-2}$

$\qquad\qquad\qquad =\lim\limits_{x\to2}(x+2)(\sqrt{x+2}+2)$

$\qquad\qquad\qquad =4(2+2)=16$

037 답 ④

$$\lim_{x \to 1} \frac{x^3 + x - 2}{x^2 - 1} = \lim_{x \to 1} \frac{(x-1)(x^2 + x + 2)}{(x+1)(x-1)}$$
$$= \lim_{x \to 1} \frac{x^2 + x + 2}{x + 1} = \frac{1+1+2}{1+1} = 2$$

038 답 ④

① $\lim_{x \to 2} \sqrt{x+2} = \sqrt{4} = 2$

② $\lim_{x \to -1} (-x + 2) = -(-1) + 2 = 3$

③ $\lim_{x \to 1} \frac{x^2 + 3x - 4}{x - 1} = \lim_{x \to 1} \frac{(x+4)(x-1)}{x-1} = \lim_{x \to 1}(x+4)$
$$= 1 + 4 = 5$$

④ $\lim_{x \to 3} \frac{\sqrt{x+6} - 3}{x - 3} = \lim_{x \to 3} \frac{(\sqrt{x+6}-3)(\sqrt{x+6}+3)}{(x-3)(\sqrt{x+6}+3)}$
$$= \lim_{x \to 3} \frac{x-3}{(x-3)(\sqrt{x+6}+3)}$$
$$= \lim_{x \to 3} \frac{1}{\sqrt{x+6}+3}$$
$$= \frac{1}{3+3} = \frac{1}{6}$$

⑤ $\lim_{x \to 0} \frac{4x}{\sqrt{2+x} - \sqrt{2-x}}$
$$= \lim_{x \to 0} \frac{4x(\sqrt{2+x} + \sqrt{2-x})}{(\sqrt{2+x} - \sqrt{2-x})(\sqrt{2+x} + \sqrt{2-x})}$$
$$= \lim_{x \to 0} \frac{4x(\sqrt{2+x} + \sqrt{2-x})}{2x}$$
$$= \lim_{x \to 0} 2(\sqrt{2+x} + \sqrt{2-x})$$
$$= 2(\sqrt{2} + \sqrt{2}) = 4\sqrt{2}$$

039 답 8

$$\lim_{x \to 2} \frac{x^4 - 16}{(x^2 - 4)f(x)} = \lim_{x \to 2} \frac{(x^2+4)(x^2-4)}{(x^2-4)f(x)}$$
$$= \lim_{x \to 2} \frac{x^2 + 4}{f(x)} = \frac{8}{f(2)}$$

따라서 $\frac{8}{f(2)} = 1$이므로 $f(2) = 8$

040 답 6

$x > -2$일 때 $x + 2 > 0$이므로

$$\lim_{x \to -2+} \frac{x^2 - 2x - 8}{|x+2|} = \lim_{x \to -2+} \frac{x^2 - 2x - 8}{x+2}$$
$$= \lim_{x \to -2+} \frac{(x+2)(x-4)}{x+2}$$
$$= \lim_{x \to -2+} (x-4) = -6$$

$\therefore a = -6$

또 $x < 1$일 때 $x - 1 < 0$이므로

$$\lim_{x \to 1-} \frac{x^2 - x}{|x-1|} = \lim_{x \to 1-} \frac{x^2 - x}{-(x-1)}$$
$$= \lim_{x \to 1-} \frac{x(x-1)}{-(x-1)}$$
$$= \lim_{x \to 1-} (-x) = -1$$

$\therefore b = -1$

$\therefore ab = 6$

041 답 4

$x = -t$로 놓으면 $x \to -\infty$일 때 $t \to \infty$이므로

$$\lim_{x \to -\infty} \frac{x - \sqrt{9x^2 - 1}}{x + 1} = \lim_{t \to \infty} \frac{-t - \sqrt{9t^2 - 1}}{-t + 1}$$
$$= \lim_{t \to \infty} \frac{-1 - \sqrt{9 - \frac{1}{t^2}}}{-1 + \frac{1}{t}} = \frac{-1 - 3}{-1} = 4$$

042 답 ⑤

$$\lim_{x \to \infty} \frac{(x-1)(3x+1)}{x^2 + 3x + 2} = \lim_{x \to \infty} \frac{3x^2 - 2x - 1}{x^2 + 3x + 2}$$
$$= \lim_{x \to \infty} \frac{3 - \frac{2}{x} - \frac{1}{x^2}}{1 + \frac{3}{x} + \frac{2}{x^2}} = 3$$

043 답 2

$$\lim_{x \to \infty} \frac{\sqrt{4x^2 - x} + 3}{x - 1} = \lim_{x \to \infty} \frac{\sqrt{4 - \frac{1}{x}} + \frac{3}{x}}{1 - \frac{1}{x}} = 2$$

044 답 ④

① $\lim_{x \to \infty} \frac{2x + 4}{x^2 + 5} = \lim_{x \to \infty} \frac{\frac{2}{x} + \frac{4}{x^2}}{1 + \frac{5}{x^2}} = 0$

② $\lim_{x \to \infty} \frac{5x^2 - 1}{x^2 - x + 1} = \lim_{x \to \infty} \frac{5 - \frac{1}{x^2}}{1 - \frac{1}{x} + \frac{1}{x^2}} = 5$

③ $\lim_{x \to \infty} \frac{\sqrt{x^2 + 5} - 1}{3x} = \lim_{x \to \infty} \frac{\sqrt{1 + \frac{5}{x^2}} - \frac{1}{x}}{3} = \frac{1}{3}$

④ $\lim_{x \to \infty} \frac{2x^2}{\sqrt{x^2 + 1} - 3} = \lim_{x \to \infty} \frac{2x}{\sqrt{1 + \frac{1}{x^2}} - \frac{3}{x}} = \infty$

⑤ $x = -t$로 놓으면 $x \to -\infty$일 때 $t \to \infty$이므로

$$\lim_{x \to -\infty} \frac{\sqrt{x^2 + 2}}{3x + 1} = \lim_{t \to \infty} \frac{\sqrt{t^2 + 2}}{-3t + 1}$$
$$= \lim_{t \to \infty} \frac{\sqrt{1 + \frac{2}{t^2}}}{-3 + \frac{1}{t}} = -\frac{1}{3}$$

045 답 ①

$$\lim_{x \to \infty} (\sqrt{4x^2 - 2x + 3} - 2x)$$
$$= \lim_{x \to \infty} \frac{(\sqrt{4x^2 - 2x + 3} - 2x)(\sqrt{4x^2 - 2x + 3} + 2x)}{\sqrt{4x^2 - 2x + 3} + 2x}$$
$$= \lim_{x \to \infty} \frac{-2x + 3}{\sqrt{4x^2 - 2x + 3} + 2x}$$
$$= \lim_{x \to \infty} \frac{-2 + \frac{3}{x}}{\sqrt{4 - \frac{2}{x} + \frac{3}{x^2}} + 2} = \frac{-2}{2+2} = -\frac{1}{2}$$

046 답 $\dfrac{1}{2}$

$$\lim_{x \to \infty} \frac{1}{\sqrt{x^2+2x}-\sqrt{x^2-2x}}$$

$$=\lim_{x \to \infty} \frac{\sqrt{x^2+2x}+\sqrt{x^2-2x}}{(\sqrt{x^2+2x}-\sqrt{x^2-2x})(\sqrt{x^2+2x}+\sqrt{x^2-2x})}$$

$$=\lim_{x \to \infty} \frac{\sqrt{x^2+2x}+\sqrt{x^2-2x}}{4x}$$

$$=\lim_{x \to \infty} \frac{\sqrt{1+\dfrac{2}{x}}+\sqrt{1-\dfrac{2}{x}}}{4}=\frac{1+1}{4}=\frac{1}{2}$$

047 답 ①

$x=-t$로 놓으면 $x \to -\infty$일 때 $t \to \infty$이므로

$$\lim_{x \to -\infty}(\sqrt{9x^2-2x}+3x)=\lim_{t \to \infty}(\sqrt{9t^2+2t}-3t)$$

$$=\lim_{t \to \infty} \frac{(\sqrt{9t^2+2t}-3t)(\sqrt{9t^2+2t}+3t)}{\sqrt{9t^2+2t}+3t}$$

$$=\lim_{t \to \infty} \frac{2t}{\sqrt{9t^2+2t}+3t}$$

$$=\lim_{t \to \infty} \frac{2}{\sqrt{9+\dfrac{2}{t}}+3}=\frac{2}{3+3}=\frac{1}{3}$$

048 답 8

$$\lim_{x \to \infty}(\sqrt{x^2+ax}-\sqrt{x^2-ax})$$

$$=\lim_{x \to \infty} \frac{(\sqrt{x^2+ax}-\sqrt{x^2-ax})(\sqrt{x^2+ax}+\sqrt{x^2-ax})}{\sqrt{x^2+ax}+\sqrt{x^2-ax}}$$

$$=\lim_{x \to \infty} \frac{2ax}{\sqrt{x^2+ax}+\sqrt{x^2-ax}}$$

$$=\lim_{x \to \infty} \frac{2a}{\sqrt{1+\dfrac{a}{x}}+\sqrt{1-\dfrac{a}{x}}}=\frac{2a}{1+1}=a$$

$\therefore a=8$

049 답 ①

$$\lim_{x \to -2} \frac{1}{x^2-4}\left(2-\frac{2}{x+3}\right)=\lim_{x \to -2}\left\{\frac{1}{(x+2)(x-2)} \times \frac{2(x+2)}{x+3}\right\}$$

$$=\lim_{x \to -2} \frac{2}{(x-2)(x+3)}$$

$$=\frac{2}{-4 \times 1}=-\frac{1}{2}$$

050 답 2

$$\lim_{x \to 2}(\sqrt{x^2-3}-1)\left(2+\frac{1}{x-2}\right)$$

$$=\lim_{x \to 2}\left\{\frac{(\sqrt{x^2-3}-1)(\sqrt{x^2-3}+1)}{\sqrt{x^2-3}+1} \times \frac{2x-3}{x-2}\right\}$$

$$=\lim_{x \to 2}\left(\frac{x^2-4}{\sqrt{x^2-3}+1} \times \frac{2x-3}{x-2}\right)$$

$$=\lim_{x \to 2}\left\{\frac{(x+2)(x-2)}{\sqrt{x^2-3}+1} \times \frac{2x-3}{x-2}\right\}$$

$$=\lim_{x \to 2} \frac{(x+2)(2x-3)}{\sqrt{x^2-3}+1}=\frac{4 \times 1}{1+1}=2$$

051 답 -2

$x=-t$로 놓으면 $x \to -\infty$일 때 $t \to \infty$이므로

$$\lim_{x \to -\infty} x\left(\frac{x}{\sqrt{x^2-4x}}+1\right)=\lim_{t \to \infty}\left\{-t\left(\frac{-t}{\sqrt{t^2+4t}}+1\right)\right\}$$

$$=\lim_{t \to \infty} t\left(\frac{t}{\sqrt{t^2+4t}}-1\right)$$

$$=\lim_{t \to \infty}\left(t \times \frac{t-\sqrt{t^2+4t}}{\sqrt{t^2+4t}}\right)$$

$$=\lim_{t \to \infty}\left\{t \times \frac{(t-\sqrt{t^2+4t})(t+\sqrt{t^2+4t})}{\sqrt{t^2+4t}(t+\sqrt{t^2+4t})}\right\}$$

$$=\lim_{t \to \infty} \frac{t \times (-4t)}{\sqrt{t^2+4t}(t+\sqrt{t^2+4t})}$$

$$=\lim_{t \to \infty} \frac{-4}{\sqrt{1+\dfrac{4}{t}}\left(1+\sqrt{1+\dfrac{4}{t}}\right)}$$

$$=\frac{-4}{1 \times (1+1)}=-2$$

052 답 ④

$f(x)=x^2+4x+4=(x+2)^2$

$\dfrac{1}{x}=t$로 놓으면 $x \to \infty$일 때 $t \to 0+$이므로

$$\lim_{x \to \infty} x\left\{f\left(1+\frac{3}{x}\right)-f\left(1-\frac{2}{x}\right)\right\}=\lim_{t \to 0+} \frac{1}{t}\{f(1+3t)-f(1-2t)\}$$

$$=\lim_{t \to 0+} \frac{(3+3t)^2-(3-2t)^2}{t}$$

$$=\lim_{t \to 0+} \frac{5t^2+30t}{t}$$

$$=\lim_{t \to 0+}(5t+30)=30$$

053 답 $\dfrac{1}{6}$

$\left[\dfrac{1}{6x^2}\right]=\dfrac{1}{6x^2}-h\,(0 \leq h < 1)$라 하면

$$\lim_{x \to 0} x^2\left[\frac{1}{6x^2}\right]=\lim_{x \to 0} x^2\left(\frac{1}{6x^2}-h\right)=\lim_{x \to 0}\left(\frac{1}{6}-x^2h\right)=\frac{1}{6}$$

054 답 ②

$x \to 2$일 때 (분모) $\to 0$이고 극한값이 존재하므로 (분자) $\to 0$이다.

즉, $\lim_{x \to 2}(x^2+ax+b)=0$이므로

$4+2a+b=0$ $\therefore b=-2a-4$ ……㉠

이를 주어진 등식의 좌변에 대입하면

$$\lim_{x \to 2} \frac{x^2+ax-2(a+2)}{4-2x}=\lim_{x \to 2} \frac{(x-2)(x+a+2)}{-2(x-2)}$$

$$=\lim_{x \to 2}\left(-\frac{x+a+2}{2}\right)$$

$$=-\frac{a+4}{2}$$

따라서 $-\dfrac{a+4}{2}=-\dfrac{7}{2}$이므로 $a=3$

이를 ㉠에 대입하면 $b=-10$

$\therefore a+b=-7$

055 답 ④

$x \to -2$일 때 (분자) $\to 0$이고 0이 아닌 극한값이 존재하므로
(분모) $\to 0$이다.

즉, $\lim\limits_{x \to -2}(x^2+b)=0$이므로

$4+b=0$ $\therefore b=-4$

이를 주어진 등식의 좌변에 대입하면

$$\lim_{x \to -2}\frac{x^2+(a+2)x+2a}{x^2-4}=\lim_{x \to -2}\frac{(x+2)(x+a)}{(x+2)(x-2)}$$

$$=\lim_{x \to -2}\frac{x+a}{x-2}=\frac{-2+a}{-4}$$

따라서 $\dfrac{-2+a}{-4}=5$이므로

$-2+a=-20$ $\therefore a=-18$

$\therefore a-5b=-18-5\times(-4)=2$

056 답 $-\dfrac{\sqrt{2}}{2}$

$x \to -1$일 때 (분모) $\to 0$이고 극한값이 존재하므로 (분자) $\to 0$이다.

즉, $\lim\limits_{x \to -1}(\sqrt{2x+a}-\sqrt{x+3})=0$이므로

$\sqrt{a-2}-\sqrt{2}=0$ $\therefore a=4$

이를 주어진 등식의 좌변에 대입하면

$$\lim_{x \to -1}\frac{\sqrt{2x+4}-\sqrt{x+3}}{x^2-1}$$

$$=\lim_{x \to -1}\frac{(\sqrt{2x+4}-\sqrt{x+3})(\sqrt{2x+4}+\sqrt{x+3})}{(x^2-1)(\sqrt{2x+4}+\sqrt{x+3})}$$

$$=\lim_{x \to -1}\frac{x+1}{(x+1)(x-1)(\sqrt{2x+4}+\sqrt{x+3})}$$

$$=\lim_{x \to -1}\frac{1}{(x-1)(\sqrt{2x+4}+\sqrt{x+3})}$$

$$=-\frac{\sqrt{2}}{8}$$

$\therefore b=-\dfrac{\sqrt{2}}{8}$

$\therefore ab=4\times\left(-\dfrac{\sqrt{2}}{8}\right)=-\dfrac{\sqrt{2}}{2}$

057 답 -1

$x \to 3$일 때 (분모) $\to 0$이고 극한값이 존재하므로 (분자) $\to 0$이다.

즉, $\lim\limits_{x \to 3}(\sqrt{x+a}-b)=0$이므로

$\sqrt{3+a}-b=0$ $\therefore b=\sqrt{3+a}$ ······ ㉠

이를 주어진 등식의 좌변에 대입하면

$$\lim_{x \to 3}\frac{\sqrt{x+a}-\sqrt{3+a}}{x-3}$$

$$=\lim_{x \to 3}\frac{(\sqrt{x+a}-\sqrt{3+a})(\sqrt{x+a}+\sqrt{3+a})}{(x-3)(\sqrt{x+a}+\sqrt{3+a})}$$

$$=\lim_{x \to 3}\frac{x-3}{(x-3)(\sqrt{x+a}+\sqrt{3+a})}$$

$$=\lim_{x \to 3}\frac{1}{\sqrt{x+a}+\sqrt{3+a}}$$

$$=\frac{1}{2\sqrt{3+a}}$$

따라서 $\dfrac{1}{2\sqrt{3+a}}=\dfrac{1}{4}$이므로

$\sqrt{3+a}=2,\ 3+a=4$ $\therefore a=1$

이를 ㉠에 대입하면 $b=2$

$\therefore a-b=-1$

058 답 ③

$x \to 2$일 때 (분자) $\to 0$이고 0이 아닌 극한값이 존재하므로
(분모) $\to 0$이다.

즉, $\lim\limits_{x \to 2}(\sqrt{x^2+a}-b)=0$이므로

$\sqrt{4+a}-b=0$ $\therefore b=\sqrt{4+a}$ ······ ㉠

이를 주어진 등식의 좌변에 대입하면

$$\lim_{x \to 2}\frac{x-2}{\sqrt{x^2+a}-\sqrt{4+a}}$$

$$=\lim_{x \to 2}\frac{(x-2)(\sqrt{x^2+a}+\sqrt{4+a})}{(\sqrt{x^2+a}-\sqrt{4+a})(\sqrt{x^2+a}+\sqrt{4+a})}$$

$$=\lim_{x \to 2}\frac{(x-2)(\sqrt{x^2+a}+\sqrt{4+a})}{x^2-4}$$

$$=\lim_{x \to 2}\frac{(x-2)(\sqrt{x^2+a}+\sqrt{4+a})}{(x+2)(x-2)}$$

$$=\lim_{x \to 2}\frac{\sqrt{x^2+a}+\sqrt{4+a}}{x+2}=\frac{\sqrt{4+a}}{2}$$

따라서 $\dfrac{\sqrt{4+a}}{2}=2$이므로

$\sqrt{4+a}=4,\ 4+a=16$ $\therefore a=12$

이를 ㉠에 대입하면 $b=4$

$\therefore a+b=16$

059 답 ③

$b\le 0$이면 $\lim\limits_{x \to \infty}(\sqrt{x^2+ax+2}-bx)=\infty$이므로
$b>0$

주어진 등식의 좌변에서

$$\lim_{x \to \infty}(\sqrt{x^2+ax+2}-bx)$$

$$=\lim_{x \to \infty}\frac{(\sqrt{x^2+ax+2}-bx)(\sqrt{x^2+ax+2}+bx)}{\sqrt{x^2+ax+2}+bx}$$

$$=\lim_{x \to \infty}\frac{(1-b^2)x^2+ax+2}{\sqrt{x^2+ax+2}+bx}$$ ······ ㉠

㉠의 극한값이 존재하므로

$1-b^2=0,\ (1-b)(1+b)=0$

$\therefore b=1\ (\because b>0)$

이를 ㉠에 대입하면

$$\lim_{x \to \infty}\frac{ax+2}{\sqrt{x^2+ax+2}+x}=\lim_{x \to \infty}\frac{a+\dfrac{2}{x}}{\sqrt{1+\dfrac{a}{x}+\dfrac{2}{x^2}}+1}$$

$$=\frac{a}{2}$$

따라서 $\dfrac{a}{2}=3$이므로 $a=6$

$\therefore a-b=6-1=5$

060 답 -2

(가)에서 $f(x)$는 최고차항의 계수가 -3인 이차함수이다.

(나)에서 $x \to 0$일 때 (분모) $\to 0$이고 극한값이 존재하므로 (분자) $\to 0$이다.

즉, $\lim_{x \to 0} f(x) = 0$이므로 $f(0) = 0$

$f(x) = -3x(x+a)$ (a는 상수)라 하면 (나)에서

$$\lim_{x \to 0} \frac{f(x)}{x^2 - x} = \lim_{x \to 0} \frac{-3x(x+a)}{x(x-1)} = \lim_{x \to 0} \frac{-3(x+a)}{x-1} = 3a$$

즉, $3a = 1$이므로 $a = \dfrac{1}{3}$

따라서 $f(x) = -3x\left(x + \dfrac{1}{3}\right)$이므로

$$f(-1) = 3\left(-1 + \dfrac{1}{3}\right) = -2$$

061 답 0

$\lim_{x \to \infty} \dfrac{f(x) - x^3}{2x+1} = 2$에서 $f(x) - x^3$은 최고차항의 계수가 4인 일차함수이므로 $f(x) - x^3 = 4x + a$ (a는 상수)라 하면

$f(x) = x^3 + 4x + a$

$\lim_{x \to 0} f(x) = \lim_{x \to 0} (x^3 + 4x + a) = a$ $\therefore a = -5$

따라서 $f(x) = x^3 + 4x - 5$이므로

$f(1) = 1 + 4 - 5 = 0$

062 답 11

$\lim_{x \to \infty} \dfrac{f(x)}{x^3} = 0$에서 $f(x)$는 이차 이하의 함수이다.

$\lim_{x \to 2} \dfrac{f(x)}{x-2} = 6$에서 $x \to 2$일 때 (분모) $\to 0$이고 극한값이 존재하므로 (분자) $\to 0$이다.

즉, $\lim_{x \to 2} f(x) = 0$이므로 $f(2) = 0$

$f(x) = (x-2)(ax+b)$ (a, b는 상수)라 하면

$$\lim_{x \to 2} \frac{f(x)}{x-2} = \lim_{x \to 2} \frac{(x-2)(ax+b)}{x-2} = \lim_{x \to 2} (ax+b) = 2a + b$$

$\therefore 2a + b = 6$ $\cdots\cdots$ ㉠

이때 방정식 $f(x) = 3x - 4$, 즉 $(x-2)(ax+b) = 3x - 4$의 한 근이 $x = 1$이므로

$-(a+b) = -1$ $\therefore a + b = 1$ $\cdots\cdots$ ㉡

㉠, ㉡을 연립하여 풀면 $a = 5$, $b = -4$

따라서 $f(x) = (x-2)(5x-4)$이므로

$f(3) = 1 \times 11 = 11$

063 답 2

$\lim_{x \to 3} \dfrac{f(x)}{x-3} = 8$에서 $x \to 3$일 때 (분모) $\to 0$이고 극한값이 존재하므로 (분자) $\to 0$이다.

즉, $\lim_{x \to 3} f(x) = 0$이므로 $f(3) = 0$ $\cdots\cdots$ ㉠

또 $\lim_{x \to -1} \dfrac{f(x)}{x+1}$에서 $x \to -1$일 때 (분모) $\to 0$이고 극한값이 존재하므로 (분자) $\to 0$이다.

즉, $\lim_{x \to -1} f(x) = 0$이므로 $f(-1) = 0$ $\cdots\cdots$ ㉡

㉠, ㉡에서 $f(x) = a(x+1)(x-3)$ (a는 상수, $a \neq 0$)라 하면

$$\lim_{x \to 3} \frac{f(x)}{x-3} = \lim_{x \to 3} \frac{a(x+1)(x-3)}{x-3} = \lim_{x \to 3} a(x+1) = 4a$$

즉, $4a = 8$이므로 $a = 2$

따라서 $f(x) = 2(x+1)(x-3)$이므로

$$\lim_{x \to \infty} \frac{f(x)}{x^2} = \lim_{x \to \infty} \frac{2(x+1)(x-3)}{x^2} = \lim_{x \to \infty} \frac{2x^2 - 4x - 6}{x^2}$$

$$= \lim_{x \to \infty} \frac{2 - \dfrac{4}{x} - \dfrac{6}{x^2}}{1} = 2$$

064 답 ③

$\lim_{x \to \infty} \dfrac{f(x) - x^3}{x^2} = 7$에서 $f(x) - x^3$은 최고차항의 계수가 7인 이차함수이므로 $f(x) - x^3 = 7x^2 + ax + b$ (a, b는 상수)라 하면

$f(x) = x^3 + 7x^2 + ax + b$

$\lim_{x \to 1} \dfrac{f(x)}{x-1} = 20$에서 $x \to 1$일 때 (분모) $\to 0$이고 극한값이 존재하므로 (분자) $\to 0$이다.

즉, $\lim_{x \to 1} f(x) = 0$이므로 $f(1) = 0$

$1 + 7 + a + b = 0$ $\therefore b = -a - 8$ $\cdots\cdots$ ㉠

$$\therefore \lim_{x \to 1} \frac{f(x)}{x-1} = \lim_{x \to 1} \frac{x^3 + 7x^2 + ax - (a+8)}{x-1}$$

$$= \lim_{x \to 1} \frac{(x-1)(x^2 + 8x + a + 8)}{x-1}$$

$$= \lim_{x \to 1} (x^2 + 8x + a + 8) = a + 17$$

즉, $a + 17 = 20$이므로 $a = 3$

이를 ㉠에 대입하면 $b = -11$

따라서 $f(x) = x^3 + 7x^2 + 3x - 11$이므로 $f(0) = -11$

065 답 ③

$\dfrac{1}{x} = t$로 놓으면 $x \to \infty$일 때 $t \to 0+$이므로

$$\lim_{x \to \infty} \frac{x^2 f\left(\dfrac{1}{x}\right)}{3x+1} = \lim_{t \to 0+} \frac{\dfrac{f(t)}{t^2}}{\dfrac{3}{t} + 1} = \lim_{t \to 0+} \frac{f(t)}{t^2 + 3t} = 3 \quad \cdots\cdots ㉠$$

$t \to 0+$일 때 (분모) $\to 0$이고 극한값이 존재하므로 (분자) $\to 0$이다.

즉, $\lim_{t \to 0+} f(t) = 0$이므로 $f(0) = 0$ $\cdots\cdots$ ㉡

한편 $\lim_{x \to \infty} \dfrac{f(x) - x^3}{x^2 + 4} = 2$에서 $f(x) - x^3$은 최고차항의 계수가 2인 이차함수이므로 $f(x) - x^3 = 2x^2 + ax + b$ (a, b는 상수)라 하면

$f(x) = x^3 + 2x^2 + ax + b$

㉡에서 $f(0) = 0$이므로 $b = 0$

이때 ㉠에서

$$\lim_{t \to 0+} \frac{f(t)}{t^2 + 3t} = \lim_{t \to 0+} \frac{t^3 + 2t^2 + at}{t^2 + 3t} = \lim_{t \to 0+} \frac{t(t^2 + 2t + a)}{t(t+3)}$$

$$= \lim_{t \to 0+} \frac{t^2 + 2t + a}{t+3} = \frac{a}{3}$$

즉, $\dfrac{a}{3} = 3$이므로 $a = 9$

따라서 $f(x) = x^3 + 2x^2 + 9x$이므로

$f(1) = 1 + 2 + 9 = 12$

066 답 9

$\lim\limits_{x \to \infty} \dfrac{f(x)}{g(x)}=2$에서 $f(x)$, $g(x)$의 차수가 같고, $f(x)$의 최고차항의 계수는 $g(x)$의 최고차항의 계수의 2배이다.

$\lim\limits_{x \to \infty} \dfrac{f(x)-g(x)}{x-4}=3$에서 $f(x)-g(x)$는 최고차항의 계수가 3인 일차함수이므로 두 함수 $f(x)$, $g(x)$는 모두 일차함수이다.

$f(x)=2ax+b$, $g(x)=ax+c$ (a, b, c는 상수, $a\neq 0$)라 하면

$f(x)-g(x)=ax+b-c$ $\quad \therefore a=3$

$\therefore f(x)+g(x)=9x+b+c$

$\lim\limits_{x \to -1} \dfrac{f(x)+g(x)}{x+1}$에서 $x \to -1$일 때 (분모) $\to 0$이고 극한값이 존재하므로 (분자) $\to 0$이다.

즉, $\lim\limits_{x \to -1} \{f(x)+g(x)\}=0$이므로

$\lim\limits_{x \to -1} (9x+b+c)=0$, $-9+b+c=0$

$\therefore b+c=9$

따라서 $f(x)+g(x)=9x+9$이므로

$\lim\limits_{x \to -1} \dfrac{f(x)+g(x)}{x+1}=\lim\limits_{x \to -1} \dfrac{9x+9}{x+1}=\lim\limits_{x \to -1} \dfrac{9(x+1)}{x+1}=9$

067 답 $\dfrac{3}{5}$

$x^3+3x^2-4<f(x)<x^3+3x^2+7$에서

$3x^2-4<f(x)-x^3<3x^2+7$

모든 실수 x에 대하여 $5x^2+1>0$이므로 각 변을 $5x^2+1$로 나누면

$\dfrac{3x^2-4}{5x^2+1}<\dfrac{f(x)-x^3}{5x^2+1}<\dfrac{3x^2+7}{5x^2+1}$

이때 $\lim\limits_{x \to \infty} \dfrac{3x^2-4}{5x^2+1}=\dfrac{3}{5}$, $\lim\limits_{x \to \infty} \dfrac{3x^2+7}{5x^2+1}=\dfrac{3}{5}$이므로 함수의 극한의 대소 관계에 의하여

$\lim\limits_{x \to \infty} \dfrac{f(x)-x^3}{5x^2+1}=\dfrac{3}{5}$

068 답 -5

$\lim\limits_{x \to 1} (x-6)=-5$, $\lim\limits_{x \to 1} (x^2-x-5)=-5$이므로 함수의 극한의 대소 관계에 의하여

$\lim\limits_{x \to 1} f(x)=-5$

069 답 ⑤

모든 실수 x에 대하여 $x^2+3>0$이므로 주어진 부등식의 각 변을 x^2+3으로 나누면

$\dfrac{5x^2-1}{x^2+3}<f(x)<\dfrac{5x^2+2}{x^2+3}$

이때 $\lim\limits_{x \to \infty} \dfrac{5x^2-1}{x^2+3}=5$, $\lim\limits_{x \to \infty} \dfrac{5x^2+2}{x^2+3}=5$이므로 함수의 극한의 대소 관계에 의하여

$\lim\limits_{x \to \infty} f(x)=5$

070 답 8

$|f(x)-2x|<1$에서 $-1<f(x)-2x<1$

$\therefore 2x-1<f(x)<2x+1$

각 변을 세제곱하면

$(2x-1)^3<\{f(x)\}^3<(2x+1)^3$

모든 양의 실수 x에 대하여 $x^3+1>0$이므로 각 변을 x^3+1로 나누면

$\dfrac{(2x-1)^3}{x^3+1}<\dfrac{\{f(x)\}^3}{x^3+1}<\dfrac{(2x+1)^3}{x^3+1}$

이때 $\lim\limits_{x \to \infty} \dfrac{(2x-1)^3}{x^3+1}=8$, $\lim\limits_{x \to \infty} \dfrac{(2x+1)^3}{x^3+1}=8$이므로 함수의 극한의 대소 관계에 의하여

$\lim\limits_{x \to \infty} \dfrac{\{f(x)\}^3}{x^3+1}=8$

071 답 ③

모든 양의 실수 x에 대하여 $x^2>0$이므로 주어진 부등식의 각 변을 x^2으로 나누면

$\dfrac{2x^2+1}{x^2}<\dfrac{1}{xf(x)}<\dfrac{2x^2+x+3}{x^2}$

$\therefore \dfrac{2x^2+1}{10x^2}<\dfrac{1}{10xf(x)}<\dfrac{2x^2+x+3}{10x^2}$

이때 $\lim\limits_{x \to \infty} \dfrac{2x^2+1}{10x^2}=\dfrac{1}{5}$, $\lim\limits_{x \to \infty} \dfrac{2x^2+x+3}{10x^2}=\dfrac{1}{5}$이므로 함수의 극한의 대소 관계에 의하여

$\lim\limits_{x \to \infty} \dfrac{1}{10xf(x)}=\dfrac{1}{5}$ $\quad \therefore \lim\limits_{x \to \infty} 10xf(x)=5$

072 답 1

$x>0$일 때, 주어진 부등식의 각 변을 x로 나누면

$-x+2 \leq \dfrac{f(x)}{x} \leq x+2$

이때 $\lim\limits_{x \to 0+} (-x+2)=2$, $\lim\limits_{x \to 0+} (x+2)=2$이므로 함수의 극한의 대소 관계에 의하여

$\lim\limits_{x \to 0+} \dfrac{f(x)}{x}=2$

$\therefore \lim\limits_{x \to 0+} \dfrac{\{f(x)\}^2}{x\{2x+f(x)\}}=\lim\limits_{x \to 0+} \dfrac{\left\{\dfrac{f(x)}{x}\right\}^2}{2+\dfrac{f(x)}{x}}=\dfrac{2^2}{2+2}=1$

073 답 ④

(i) $x>1$일 때, $x-1>0$이므로 주어진 부등식의 각 변을 $x-1$로 나누면

$\dfrac{x^2-1}{x-1} \leq \dfrac{f(x)}{x-1} \leq \dfrac{3x^2-4x+1}{x-1}$

$\dfrac{(x+1)(x-1)}{x-1} \leq \dfrac{f(x)}{x-1} \leq \dfrac{(3x-1)(x-1)}{x-1}$

$\therefore x+1 \leq \dfrac{f(x)}{x-1} \leq 3x-1$

이때 $\lim\limits_{x \to 1+} (x+1)=2$, $\lim\limits_{x \to 1+} (3x-1)=2$이므로 함수의 극한의 대소 관계에 의하여

$\lim\limits_{x \to 1+} \dfrac{f(x)}{x-1}=2$

(ii) $x<1$일 때, $x-1<0$이므로 주어진 부등식의 각 변을 $x-1$로 나누면

$$\frac{3x^2-4x+1}{x-1}\le\frac{f(x)}{x-1}\le\frac{x^2-1}{x-1}$$

$$\frac{(3x-1)(x-1)}{x-1}\le\frac{f(x)}{x-1}\le\frac{(x+1)(x-1)}{x-1}$$

$$\therefore 3x-1\le\frac{f(x)}{x-1}\le x+1$$

이때 $\displaystyle\lim_{x\to1-}(3x-1)=2$, $\displaystyle\lim_{x\to1-}(x+1)=2$이므로 함수의 극한의 대소 관계에 의하여

$$\lim_{x\to1-}\frac{f(x)}{x-1}=2$$

(i), (ii)에서 $\displaystyle\lim_{x\to1+}\frac{f(x)}{x-1}=\lim_{x\to1-}\frac{f(x)}{x-1}=2$이므로

$$\lim_{x\to1}\frac{f(x)}{x-1}=2$$

074 답 $\dfrac{3}{2}$

$\mathrm{P}(t,\sqrt{3t})$, $\mathrm{H}(t,0)$이므로

$$\overline{\mathrm{OP}}=\sqrt{t^2+(\sqrt{3t})^2}=\sqrt{t^2+3t}$$

$$\overline{\mathrm{OH}}=t$$

$$\begin{aligned}\therefore \lim_{t\to\infty}(\overline{\mathrm{OP}}-\overline{\mathrm{OH}})&=\lim_{t\to\infty}(\sqrt{t^2+3t}-t)\\&=\lim_{t\to\infty}\frac{(\sqrt{t^2+3t}-t)(\sqrt{t^2+3t}+t)}{\sqrt{t^2+3t}+t}\\&=\lim_{t\to\infty}\frac{3t}{\sqrt{t^2+3t}+t}\\&=\lim_{t\to\infty}\frac{3}{\sqrt{1+\frac{3}{t}}+1}\\&=\frac{3}{1+1}=\frac{3}{2}\end{aligned}$$

075 답 ⑤

$\mathrm{A}(2,a^2)$, $\mathrm{B}(a,4)$이므로

$$\overline{\mathrm{PA}}=|2-a|,\ \overline{\mathrm{PB}}=|4-a^2|$$

$$\begin{aligned}\therefore \lim_{a\to2-}\frac{\overline{\mathrm{PB}}}{\overline{\mathrm{PA}}}&=\lim_{a\to2-}\frac{|4-a^2|}{|2-a|}\\&=\lim_{a\to2-}\frac{(2+a)(2-a)}{2-a}\\&=\lim_{a\to2-}(2+a)=4\end{aligned}$$

076 답 $\dfrac{1}{2}$

중심이 원점이고 반지름의 길이가 a인 원의 방정식은

$$x^2+y^2=a^2$$

이 원과 직선 $y=2ax$의 제1사분면에서의 교점 P의 x좌표는

$$x^2+(2ax)^2=a^2,\ x^2=\frac{a^2}{4a^2+1}$$

$$\therefore x=\frac{a}{\sqrt{4a^2+1}}\ (\because x>0)$$

따라서 $f(a)=\dfrac{a}{\sqrt{4a^2+1}}$이므로

$$\begin{aligned}\lim_{a\to\infty}f(a)&=\lim_{a\to\infty}\frac{a}{\sqrt{4a^2+1}}\\&=\lim_{a\to\infty}\frac{1}{\sqrt{4+\frac{1}{a^2}}}=\frac{1}{2}\end{aligned}$$

077 답 ②

점 $\mathrm{P}(a,b)\,(a>0,\ b>0)$는 원 $x^2+y^2=1$ 위의 점이므로

$$a^2+b^2=1\quad\therefore b=\sqrt{1-a^2}\ (\because a>0,\ b>0)$$

이때 $\mathrm{Q}(-a,b)$이므로 $\overline{\mathrm{PQ}}=2a$

$$\therefore S(a)=\frac{1}{2}\times2a\times b=ab=a\sqrt{1-a^2}$$

$$\begin{aligned}\therefore \lim_{a\to1-}\frac{S(a)}{\sqrt{1-a}}&=\lim_{a\to1-}\frac{a\sqrt{1-a^2}}{\sqrt{1-a}}\\&=\lim_{a\to1-}\frac{a\sqrt{(1-a)(1+a)}}{\sqrt{1-a}}\\&=\lim_{a\to1-}a\sqrt{1+a}=\sqrt{2}\end{aligned}$$

078 답 2

오른쪽 그림과 같이 삼각형 ABC는 직각이등변삼각형이므로

$$\overline{\mathrm{BC}}=4\sqrt{2}$$

$\overline{\mathrm{QC}}=t$라 하면

$$\overline{\mathrm{BQ}}=4\sqrt{2}-t$$

삼각형 QCP도 직각이등변삼각형이므로

$$\overline{\mathrm{PQ}}=t,\ \overline{\mathrm{PC}}=\sqrt{2}t$$

따라서 삼각형 BPQ의 넓이 S는

$$S=\frac{1}{2}t(4\sqrt{2}-t)$$

$\mathrm{P}\to\mathrm{C}$이면 $\sqrt{2}t\to0+$, 즉 $t\to0+$이므로

$$\begin{aligned}\lim_{\mathrm{P}\to\mathrm{C}}\frac{S}{\overline{\mathrm{PC}}}&=\lim_{t\to0+}\frac{\frac{1}{2}t(4\sqrt{2}-t)}{\sqrt{2}t}\\&=\lim_{t\to0+}\left(2-\frac{\sqrt{2}}{4}t\right)=2\end{aligned}$$

079 답 $\dfrac{5}{2}$

점 Q의 좌표를 $(0,y)$, 점 P의 좌표를 (x,x^2+2)라 하면

$\overline{\mathrm{QA}}=\overline{\mathrm{QP}}$, 즉 $\overline{\mathrm{QA}}^2=\overline{\mathrm{QP}}^2$이므로

$$(y-2)^2=x^2+\{(x^2+2)-y\}^2$$

$$x^4+5x^2-2x^2y=0,\ 2x^2y=x^4+5x^2$$

$$\therefore y=\frac{1}{2}x^2+\frac{5}{2}\ (\because x\ne0)$$

점 P가 점 A에 한없이 가까워지면 $x\to0$이므로

$$\lim_{x\to0}y=\lim_{x\to0}\left(\frac{1}{2}x^2+\frac{5}{2}\right)=\frac{5}{2}$$

따라서 점 Q는 점 $\left(0,\dfrac{5}{2}\right)$에 한없이 가까워진다.

$$\therefore a=\frac{5}{2}$$

080 답 ⑤

$\lim\limits_{x \to -1+} f(x) = \lim\limits_{x \to -1-} f(x) = 0$이므로

$\lim\limits_{x \to -1} f(x) = 0$

$\therefore \lim\limits_{x \to -1} f(x) + \lim\limits_{x \to 0-} f(x) + \lim\limits_{x \to 1+} f(x) = 0 + 1 + 1 = 2$

081 답 ④

함수 $y = |x^2 - 1|$의 그래프는 오른쪽 그
림과 같으므로

$f(t) = \begin{cases} 0 & (t < 0) \\ 2 & (t = 0) \\ 4 & (0 < t < 1) \\ 3 & (t = 1) \\ 2 & (t > 1) \end{cases}$

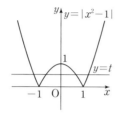

$\therefore f(0) + \lim\limits_{t \to 1-} f(t) + \lim\limits_{t \to 1+} f(t) = 2 + 4 + 2 = 8$

082 답 10

$\lim\limits_{x \to 2+} f(x) = \lim\limits_{x \to 2+} (5x - 2) = 8$

$\lim\limits_{x \to 2-} f(x) = \lim\limits_{x \to 2-} (kx + 4) = 2k + 4$

$\lim\limits_{x \to 2} f(x)$의 값이 존재하려면 $\lim\limits_{x \to 2+} f(x) = \lim\limits_{x \to 2-} f(x)$이어야 하므로

$8 = 2k + 4$, $2k = 4$ $\therefore k = 2$

$\therefore \lim\limits_{x \to 2} f(x) + \lim\limits_{x \to -2+} f(x) + \lim\limits_{x \to -2-} f(x)$

$= 8 + \lim\limits_{x \to -2+} (2x + 4) + \lim\limits_{x \to -2-} (2x^2 - 6)$

$= 8 + 0 + 2 = 10$

083 답 3

$f(x) = t$로 놓으면

$x \to -1-$일 때 $t \to -1+$이므로

$\lim\limits_{x \to -1-} g(f(x)) = \lim\limits_{t \to -1+} g(t)$

$= \lim\limits_{t \to -1+} (t^2 - 2t) = 3$

$x \to 1+$일 때 $t \to 2-$이므로

$\lim\limits_{x \to 1+} g(f(x)) = \lim\limits_{t \to 2-} g(t)$

$= \lim\limits_{t \to 2-} (t^2 - 2t) = 0$

$\therefore \lim\limits_{x \to -1-} g(f(x)) + \lim\limits_{x \to 1+} g(f(x)) = 3 + 0 = 3$

084 답 ②

$\lim\limits_{x \to 1} \dfrac{4f(x)}{x^2 - 1} = \lim\limits_{x \to 1} \left\{ \dfrac{f(x)}{x - 1} \times \dfrac{4}{x + 1} \right\}$

$= \lim\limits_{x \to 1} \dfrac{f(x)}{x - 1} \times \lim\limits_{x \to 1} \dfrac{4}{x + 1}$

$= -3 \times 2 = -6$

085 답 ②

$3f(x) + g(x) = h(x)$, $f(x) - 2g(x) = k(x)$라 하면

$\lim\limits_{x \to 2} h(x) = 1$, $\lim\limits_{x \to 2} k(x) = 5$

$f(x) = \dfrac{1}{7}\{2h(x) + k(x)\}$이므로

$\lim\limits_{x \to 2} f(x) = \dfrac{1}{7}(2 \times 1 + 5) = 1$

$g(x) = \dfrac{1}{7}\{h(x) - 3k(x)\}$이므로

$\lim\limits_{x \to 2} g(x) = \dfrac{1}{7}(1 - 3 \times 5) = -2$

$\therefore \lim\limits_{x \to 2} f(x)g(x) = 1 \times (-2) = -2$

086 답 ㄱ

ㄱ. $\lim\limits_{x \to a} f(x) = \alpha$, $\lim\limits_{x \to a}\{2f(x) + g(x)\} = \beta$ (α, β는 실수)라 하면

$\lim\limits_{x \to a} g(x) = \lim\limits_{x \to a}\{2f(x) + g(x) - 2f(x)\} = \beta - 2\alpha$

ㄴ. [반례] $f(x) = 0$, $g(x) = \begin{cases} 0 & (x \geq a) \\ 1 & (x < a) \end{cases}$이면 $\lim\limits_{x \to a} f(x) = 0$,

$\lim\limits_{x \to a} f(x)g(x) = 0$이지만 $\lim\limits_{x \to a} g(x)$의 값은 존재하지 않는다.

ㄷ. [반례] $f(x) = 0$, $g(x) = \begin{cases} 1 & (x \geq a) \\ 2 & (x < a) \end{cases}$이면 $\lim\limits_{x \to a} f(x) = 0$,

$\lim\limits_{x \to a} \dfrac{f(x)}{g(x)} = 0$이지만 $\lim\limits_{x \to a} g(x)$의 값은 존재하지 않는다.

ㄹ. [반례] $f(x) = \dfrac{1}{(x-a)^2}$, $g(x) = \dfrac{1}{(x-a)^4}$이면 $\lim\limits_{x \to a} f(x) = \infty$,

$\lim\limits_{x \to a} g(x) = \infty$이지만

$\lim\limits_{x \to a} \dfrac{f(x)}{g(x)} = \lim\limits_{x \to a}(x-a)^2 = 0$

따라서 보기 중 옳은 것은 ㄱ이다.

087 답 ④

① $\lim\limits_{x \to 3}(x^2 - 2) = 9 - 2 = 7$

② $f(x) = \dfrac{1}{|x+1|}$이라 하면 $y = f(x)$의
그래프는 오른쪽 그림과 같고, x의 값
이 한없이 커질 때 $f(x)$의 값은 0에
한없이 가까워지므로

$\lim\limits_{x \to \infty} \dfrac{1}{|x+1|} = 0$

③ $\lim\limits_{x \to 2+} [x] = 2$, $\lim\limits_{x \to 2-} [x] = 1$이므로

$\lim\limits_{x \to 2+} \dfrac{[x]^2 + x}{[x]} = \dfrac{4 + 2}{2} = 3$

$\lim\limits_{x \to 2-} \dfrac{[x]^2 + x}{[x]} = \dfrac{1 + 2}{1} = 3$

$\therefore \lim\limits_{x \to 2} \dfrac{[x]^2 + x}{[x]} = 3$

④ $\lim\limits_{x \to 2+} \dfrac{x^2 - 4}{|x - 2|} = \lim\limits_{x \to 2+} \dfrac{x^2 - 4}{x - 2} = \lim\limits_{x \to 2+} \dfrac{(x+2)(x-2)}{x-2}$

$= \lim\limits_{x \to 2+} (x + 2) = 4$

$\lim\limits_{x \to 2-} \dfrac{x^2 - 4}{|x - 2|} = \lim\limits_{x \to 2-} \dfrac{x^2 - 4}{-(x - 2)} = \lim\limits_{x \to 2-} \dfrac{(x+2)(x-2)}{-(x-2)}$

$= \lim\limits_{x \to 2-} \{-(x + 2)\} = -4$

즉, $\lim\limits_{x \to 2+} \dfrac{x^2-4}{|x-2|} \neq \lim\limits_{x \to 2-} \dfrac{x^2-4}{|x-2|}$ 이므로 $\lim\limits_{x \to 2} \dfrac{x^2-4}{|x-2|}$ 의 값은
존재하지 않는다.

⑤ $x=-t$ 로 놓으면 $x \to -\infty$ 일 때 $t \to \infty$ 이므로

$$\lim_{x \to -\infty} \frac{x+1}{|x|-2} = \lim_{t \to \infty} \frac{-t+1}{t-2}$$

$$= \lim_{t \to \infty} \frac{-1+\dfrac{1}{t}}{1-\dfrac{2}{t}} = -1$$

따라서 극한값이 존재하지 않은 것은 ④이다.

088 답 8

$$\lim_{x \to a} \frac{x^3-a^3}{x^2-a^2} = \lim_{x \to a} \frac{(x-a)(x^2+ax+a^2)}{(x+a)(x-a)}$$

$$= \lim_{x \to a} \frac{x^2+ax+a^2}{x+a}$$

$$= \frac{a^2+a^2+a^2}{a+a} = \frac{3a}{2}$$

즉, $\dfrac{3a}{2}=3$ 이므로 $a=2$

이를 $\lim\limits_{x \to a} \dfrac{x^3-ax^2+a^2x-a^3}{x-a}$ 에 대입하면

$$\lim_{x \to 2} \frac{x^3-2x^2+4x-8}{x-2} = \lim_{x \to 2} \frac{(x-2)(x^2+4)}{x-2}$$

$$= \lim_{x \to 2}(x^2+4) = 4+4 = 8$$

089 답 ⑤

$$\lim_{x \to 1} \frac{\sqrt{x^2+3}-2}{\sqrt{x+8}-3}$$

$$= \lim_{x \to 1} \frac{(\sqrt{x^2+3}-2)(\sqrt{x^2+3}+2)(\sqrt{x+8}+3)}{(\sqrt{x+8}-3)(\sqrt{x+8}+3)(\sqrt{x^2+3}+2)}$$

$$= \lim_{x \to 1} \frac{(x^2-1)(\sqrt{x+8}+3)}{(x-1)(\sqrt{x^2+3}+2)}$$

$$= \lim_{x \to 1} \frac{(x+1)(x-1)(\sqrt{x+8}+3)}{(x-1)(\sqrt{x^2+3}+2)}$$

$$= \lim_{x \to 1} \frac{(x+1)(\sqrt{x+8}+3)}{\sqrt{x^2+3}+2}$$

$$= \frac{2(3+3)}{2+2} = 3$$

090 답 7

$$\lim_{x \to \infty} \frac{3x^2+xf(x)}{x^2-f(x)} = \lim_{x \to \infty} \frac{3+\dfrac{f(x)}{x}}{1-\dfrac{f(x)}{x} \times \dfrac{1}{x}} = \frac{3+4}{1-4 \times 0} = 7$$

091 답 2

$$\lim_{x \to 0} \frac{f(x)}{x} = \lim_{x \to 0} \frac{x^2+ax}{x} = \lim_{x \to 0}(x+a) = a$$

$$\therefore a=2$$

이를 $\lim\limits_{x \to \infty} \dfrac{ax^3+2f(x)}{xf(x)}$ 에 대입하면

$$\lim_{x \to \infty} \frac{2x^3+2(x^2+2x)}{x(x^2+2x)} = \lim_{x \to \infty} \frac{2x^3+2x^2+4x}{x^3+2x^2}$$

$$= \lim_{x \to \infty} \frac{2+\dfrac{2}{x}+\dfrac{4}{x^2}}{1+\dfrac{2}{x}} = 2$$

092 답 ②

$x=-t$ 로 놓으면 $x \to -\infty$ 일 때 $t \to \infty$ 이므로

$$\lim_{x \to -\infty} (\sqrt{x^2+4x}+x) = \lim_{t \to \infty} (\sqrt{t^2-4t}-t)$$

$$= \lim_{t \to \infty} \frac{(\sqrt{t^2-4t}-t)(\sqrt{t^2-4t}+t)}{\sqrt{t^2-4t}+t}$$

$$= \lim_{t \to \infty} \frac{-4t}{\sqrt{t^2-4t}+t}$$

$$= \lim_{t \to \infty} \frac{-4}{\sqrt{1-\dfrac{4}{t}}+1}$$

$$= \frac{-4}{1+1} = -2$$

093 답 $\dfrac{1}{54}$

$$\lim_{x \to 0} \frac{1}{x^2-x} \left(\frac{1}{\sqrt{x+9}} - \frac{1}{3} \right)$$

$$= \lim_{x \to 0} \left(\frac{1}{x^2-x} \times \frac{3-\sqrt{x+9}}{3\sqrt{x+9}} \right)$$

$$= \lim_{x \to 0} \left\{ \frac{1}{x^2-x} \times \frac{(3-\sqrt{x+9})(3+\sqrt{x+9})}{3\sqrt{x+9}(3+\sqrt{x+9})} \right\}$$

$$= \lim_{x \to 0} \left\{ \frac{1}{x(x-1)} \times \frac{-x}{3\sqrt{x+9}(3+\sqrt{x+9})} \right\}$$

$$= \lim_{x \to 0} \left\{ \frac{1}{x-1} \times \frac{-1}{3\sqrt{x+9}(3+\sqrt{x+9})} \right\}$$

$$= -1 \times \frac{-1}{3 \times 3 \times (3+3)} = \frac{1}{54}$$

094 답 $\dfrac{11}{12}$

$x \to -2$ 일 때 (분모) $\to 0$ 이고 극한값이 존재하므로 (분자) $\to 0$ 이다.

즉, $\lim\limits_{x \to -2} (\sqrt{x+a}-3)=0$ 이므로

$$\sqrt{-2+a}-3=0 \qquad \therefore a=11$$

이를 주어진 등식의 좌변에 대입하면

$$\lim_{x \to -2} \frac{\sqrt{x+11}-3}{2x+4} = \lim_{x \to -2} \frac{(\sqrt{x+11}-3)(\sqrt{x+11}+3)}{(2x+4)(\sqrt{x+11}+3)}$$

$$= \lim_{x \to -2} \frac{x+2}{2(x+2)(\sqrt{x+11}+3)}$$

$$= \lim_{x \to -2} \frac{1}{2(\sqrt{x+11}+3)}$$

$$= \frac{1}{12}$$

$$\therefore b=\frac{1}{12}$$

$$\therefore ab=\frac{11}{12}$$

095 답 ④

$\lim_{x \to 1} \dfrac{ax^2-4x+b}{x-1}=2$에서 $x \to 1$일 때 (분모) $\to 0$이고 극한값이

존재하므로 (분자) $\to 0$이다.

즉, $\lim_{x \to 1}(ax^2-4x+b)=0$이므로

$a-4+b=0$ $\therefore b=4-a$ ······ ㉠

이를 주어진 등식의 좌변에 대입하면

$\lim_{x \to 1}\dfrac{ax^2-4x+4-a}{x-1}=\lim_{x \to 1}\dfrac{(x-1)(ax+a-4)}{x-1}$

$\qquad\qquad\qquad\qquad\quad =\lim_{x \to 1}(ax+a-4)=2a-4$

따라서 $2a-4=2$이므로 $a=3$

이를 ㉠에 대입하면 $b=1$

$\therefore a-b=2$

096 답 -24

$\lim_{x \to \infty}\dfrac{xg(x)}{f(x)}=\lim_{x \to \infty}\dfrac{3x^2-9x}{f(x)}=1$에서 $f(x)$는 최고차항의 계수가

3인 이차함수이다.

$\lim_{x \to 3}\dfrac{f(x)}{xg(x)}=2$에서 $x \to 3$일 때 (분모) $\to 0$이고 극한값이 존재하

므로 (분자) $\to 0$이다.

즉, $\lim_{x \to 3}f(x)=0$이므로 $f(3)=0$

$f(x)=3(x-3)(x+a)$ (a는 상수)라 하면

$\lim_{x \to 3}\dfrac{f(x)}{xg(x)}=\lim_{x \to 3}\dfrac{3(x-3)(x+a)}{3x(x-3)}=\lim_{x \to 3}\dfrac{x+a}{x}=\dfrac{3+a}{3}$

즉, $\dfrac{3+a}{3}=2$이므로 $a=3$

따라서 $f(x)=3(x-3)(x+3)$이므로

$f(1)=3 \times (-2) \times 4=-24$

097 답 10

$\lim_{x \to 1}\dfrac{f(x)}{x-1}=1$에서 $x \to 1$일 때 (분모) $\to 0$이고 극한값이 존재하

므로 (분자) $\to 0$이다.

즉, $\lim_{x \to 1}f(x)=0$이므로 $f(1)=0$

$\lim_{x \to 2}\dfrac{x-2}{f(x)}=2$에서 $x \to 2$일 때 (분자) $\to 0$이고 0이 아닌 극한값

이 존재하므로 (분모) $\to 0$이다.

즉, $\lim_{x \to 2}f(x)=0$이므로 $f(2)=0$

$f(x)$는 삼차함수이므로

$f(x)=(x-1)(x-2)(ax+b)$ (a, b는 상수)라 하면

$\lim_{x \to 1}\dfrac{f(x)}{x-1}=\lim_{x \to 1}\dfrac{(x-1)(x-2)(ax+b)}{x-1}$

$\qquad\qquad\qquad =\lim_{x \to 1}(x-2)(ax+b)=-a-b$

즉, $-a-b=1$이므로 $a+b=-1$ ······ ㉠

$\lim_{x \to 2}\dfrac{x-2}{f(x)}=\lim_{x \to 2}\dfrac{x-2}{(x-1)(x-2)(ax+b)}$

$\qquad\qquad\quad =\lim_{x \to 2}\dfrac{1}{(x-1)(ax+b)}=\dfrac{1}{2a+b}$

즉, $\dfrac{1}{2a+b}=\dfrac{1}{2}$이므로 $2a+b=2$ ······ ㉡

㉠, ㉡을 연립하여 풀면 $a=3$, $b=-4$

따라서 $f(x)=(x-1)(x-2)(3x-4)$이므로

$f(3)=2 \times 1 \times 5=10$

098 답 ③

$x>0$일 때 $\sqrt{9x+1}>0$, $\sqrt{9x+4}>0$이므로

$\sqrt{9x+1}<f(x)<\sqrt{9x+4}$에서

$9x+1<\{f(x)\}^2<9x+4$

$x>0$일 때 $6x+2>0$이므로

$\dfrac{9x+1}{6x+2}<\dfrac{\{f(x)\}^2}{6x+2}<\dfrac{9x+4}{6x+2}$

이때 $\lim_{x \to \infty}\dfrac{9x+1}{6x+2}=\dfrac{3}{2}$, $\lim_{x \to \infty}\dfrac{9x+4}{6x+2}=\dfrac{3}{2}$이므로 함수의 극한의 대

소 관계에 의하여

$\lim_{x \to \infty}\dfrac{\{f(x)\}^2}{6x+2}=\dfrac{3}{2}$

099 답 8

두 점 A$(0, t)$, B$(-2, 0)$을 지나는 직선의 방정식은

$y=\dfrac{0-t}{-2-0}x+t$ $\therefore y=\dfrac{t}{2}x+t$

점 P는 직선 $y=\dfrac{t}{2}x+t$와 원 $x^2+y^2=4$의 한 교점이므로 점 P의

y좌표는

$\left(\dfrac{2}{t}y-2\right)^2+y^2=4$, $\left(\dfrac{4}{t^2}+1\right)y^2-\dfrac{8}{t}y=0$

$y\left\{\left(\dfrac{4}{t^2}+1\right)y-\dfrac{8}{t}\right\}=0$ $\therefore y=\dfrac{\dfrac{8}{t}}{\dfrac{4}{t^2}+1}=\dfrac{8t}{4+t^2}$ ($\because y \neq 0$)

따라서 $\overline{OA}=t$, $\overline{PH}=\dfrac{8t}{4+t^2}$이고, P $\to$ B일 때 $t \to \infty$이므로

$\lim_{P \to B}(\overline{OA} \times \overline{PH})=\lim_{t \to \infty}\left(t \times \dfrac{8t}{4+t^2}\right)=\lim_{t \to \infty}\dfrac{8t^2}{4+t^2}$

$\qquad\qquad\qquad\qquad =\lim_{t \to \infty}\dfrac{8}{\dfrac{4}{t^2}+1}=8$

다른 풀이 P(a, b)라 하면 H$(a, 0)$이므로 $\overline{PH}=b$

직선 BP의 방정식은

$y=\dfrac{b-0}{a+2}(x+2)$ $\therefore y=\dfrac{b}{a+2}x+\dfrac{2b}{a+2}$

점 A는 이 직선이 y축과 만나는 점이므로

A$\left(0, \dfrac{2b}{a+2}\right)$ $\therefore \overline{OA}=\dfrac{2b}{a+2}$

점 P(a, b)는 원 $x^2+y^2=4$ 위의 점이므로

$a^2+b^2=4$ $\therefore b^2=4-a^2$

P $\to$ B일 때 $a \to -2+$이므로

$\lim_{P \to B}(\overline{OA} \times \overline{PH})=\lim_{a \to -2+}\left(\dfrac{2b}{a+2} \times b\right)$

$\qquad\qquad\qquad\qquad =\lim_{a \to -2+}\dfrac{2b^2}{a+2}$

$\qquad\qquad\qquad\qquad =\lim_{a \to -2+}\dfrac{2(4-a^2)}{a+2}$

$\qquad\qquad\qquad\qquad =\lim_{a \to -2+}\dfrac{2(2+a)(2-a)}{a+2}$

$\qquad\qquad\qquad\qquad =\lim_{a \to -2+}2(2-a)=8$

001 답 ㄱ, ㄹ

ㄱ. $f(1)=2$이고, $\lim\limits_{x\to1}f(x)=\lim\limits_{x\to1}(x^2+1)=2$이므로

$$\lim_{x\to1}f(x)=f(1)$$

즉, 함수 $f(x)$는 $x=1$에서 연속이다.

ㄴ. 함수 $f(x)$는 $x=1$에서 정의되지 않으므로 $x=1$에서 불연속이다.

ㄷ. $f(1)=0$이고,

$$\lim_{x\to1}f(x)=\lim_{x\to1}\frac{x^2-1}{x-1}=\lim_{x\to1}\frac{(x+1)(x-1)}{x-1}$$
$$=\lim_{x\to1}(x+1)=2$$

이므로 $\lim\limits_{x\to1}f(x)\neq f(1)$

즉, 함수 $f(x)$는 $x=1$에서 불연속이다.

ㄹ. $f(1)=2$이고,

$$\lim_{x\to1+}f(x)=\lim_{x\to1+}(\sqrt{x-1}+2)=2,$$
$$\lim_{x\to1-}f(x)=\lim_{x\to1-}(x+1)=2$$이므로
$$\lim_{x\to1}f(x)=f(1)$$

즉, 함수 $f(x)$는 $x=1$에서 연속이다.

따라서 보기 중 $x=1$에서 연속인 함수는 ㄱ, ㄹ이다.

002 답 ㄱ, ㄷ

ㄱ. $\lim\limits_{x\to0}f(x)=-1$

ㄴ. $\lim\limits_{x\to-1+}f(x)=1$, $\lim\limits_{x\to-1-}f(x)=-1$이므로

$$\lim_{x\to-1+}f(x)\neq\lim_{x\to-1-}f(x)$$

즉, 함수 $f(x)$는 $x=-1$에서 극한값이 존재하지 않는다.

ㄷ. $f(1)=-1$이고 $\lim\limits_{x\to1}f(x)=1$이므로

$$\lim_{x\to1}f(x)\neq f(1)$$

즉, 함수 $f(x)$는 $x=1$에서 불연속이다.

따라서 보기 중 옳은 것은 ㄱ, ㄷ이다.

003 답 ⑤

함수 $f(x)$가 $x=3$에서 연속이면 $\lim\limits_{x\to3}f(x)=f(3)$

$$\therefore \lim_{x\to3}\frac{x^2+ax-3}{x-3}=b \qquad \cdots\cdots ㉠$$

$x\to3$일 때 (분모)$\to0$이고 극한값이 존재하므로 (분자)$\to0$이다.

즉, $\lim\limits_{x\to3}(x^2+ax-3)=0$이므로

$9+3a-3=0$ $\therefore a=-2$

이를 ㉠의 좌변에 대입하면

$$\lim_{x\to3}\frac{x^2-2x-3}{x-3}=\lim_{x\to3}\frac{(x+1)(x-3)}{x-3}$$
$$=\lim_{x\to3}(x+1)=4$$

$\therefore b=4$

$\therefore a+b=-2+4=2$

004 답 7

$x\neq2$일 때, $f(x)=\dfrac{x^3-kx+2}{x-2}$

함수 $f(x)$가 모든 실수 x에서 연속이면 $x=2$에서 연속이므로

$$\lim_{x\to2}f(x)=f(2)$$

$$\therefore \lim_{x\to2}\frac{x^3-kx+2}{x-2}=f(2) \qquad \cdots\cdots ㉠$$

$x\to2$일 때 (분모)$\to0$이고 극한값이 존재하므로 (분자)$\to0$이다.

즉, $\lim\limits_{x\to2}(x^3-kx+2)=0$이므로

$8-2k+2=0$ $\therefore k=5$

이를 ㉠의 좌변에 대입하면

$$\lim_{x\to2}\frac{x^3-5x+2}{x-2}=\lim_{x\to2}\frac{(x-2)(x^2+2x-1)}{x-2}$$
$$=\lim_{x\to2}(x^2+2x-1)=7$$

$\therefore f(2)=7$

005 답 ㄱ, ㄴ, ㄷ

ㄱ. $f(x)+3g(x)=x+3+3(x^2+1)=3x^2+x+6$이므로 이 함수는 모든 실수 x에서 연속이다.

ㄴ. $\{f(x)\}^2=(x+3)^2=x^2+6x+9$이므로 이 함수는 모든 실수 x에서 연속이다.

ㄷ. $\dfrac{f(x)}{g(x)}=\dfrac{x+3}{x^2+1}$이므로 이 함수는 모든 실수 x에서 연속이다.

ㄹ. $\dfrac{f(x)}{g(x)-f(x)}=\dfrac{x+3}{x^2+1-(x+3)}=\dfrac{x+3}{x^2-x-2}$

이 함수는 $x^2-x-2=(x+1)(x-2)=0$, 즉 $x=-1$, $x=2$에서 정의되지 않으므로 $x=-1$, $x=2$에서 불연속이다.

따라서 보기의 함수 중 모든 실수 x에서 연속인 것은 ㄱ, ㄴ, ㄷ이다.

006 답 ㄱ, ㄹ

함수 $f(x)=\dfrac{2x+1}{x-1}=\dfrac{3}{x-1}+2$의 그래프는 오른쪽 그림과 같다.

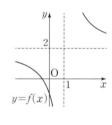

ㄱ, ㄹ. 닫힌구간 $[-2, -1]$, $[2, 3]$에서 연속이므로 최대·최소 정리에 의하여 각 구간에서 반드시 최댓값과 최솟값을 갖는다.

ㄴ. 반열린구간 $[-1, 2)$에서 최댓값과 최솟값은 없다.

ㄷ. 닫힌구간 $[0, 1]$에서 최댓값은 -1, 최솟값은 없다.

ㅁ. 반열린구간 $(3, 4]$에서 최댓값은 없고, 최솟값은 3이다.

따라서 보기 중 최댓값과 최솟값이 모두 존재하는 구간은 ㄱ, ㄹ이다.

007 답 ⑤

$f(x)=2x^3-5x-9$라 하면 함수 $f(x)$는 모든 실수 x에서 연속이고

$f(-2)=-15$, $f(-1)=-6$, $f(0)=-9$, $f(1)=-12$, $f(2)=-3$, $f(3)=30$

따라서 $f(2)f(3)<0$이므로 사잇값의 정리에 의하여 주어진 방정식은 열린구간 $(2, 3)$에서 실근을 갖는다.

008 답 **3개**

함수 $f(x)$는 닫힌구간 $[-2, 2]$에서 연속이고

$f(-2)f(-1)<0$, $f(-1)f(0)<0$, $f(1)f(2)<0$

이므로 사잇값의 정리에 의하여 방정식 $f(x)=0$은 열린구간 $(-2, -1)$, $(-1, 0)$, $(1, 2)$에서 각각 적어도 하나의 실근을 갖는다.

따라서 방정식 $f(x)=0$은 열린구간 $(-2, 2)$에서 적어도 3개의 실근을 갖는다.

009 답 ㄱ, ㄹ

ㄱ. $f(3)=7$, $\lim\limits_{x \to 3} f(x)=\lim\limits_{x \to 3}(2x+1)=7$이므로

　　$\lim\limits_{x \to 3} f(x)=f(3)$

　　즉, 함수 $f(x)$는 $x=3$에서 연속이다.

ㄴ. $\lim\limits_{x \to 3+} f(x)=\lim\limits_{x \to 3+}([x]-x)$

　　　　　$=\lim\limits_{x \to 3+}(3-x)=0$

　　$\lim\limits_{x \to 3-} f(x)=\lim\limits_{x \to 3-}([x]-x)$

　　　　　$=\lim\limits_{x \to 3-}(2-x)=-1$

　　$\therefore \lim\limits_{x \to 3+} f(x) \neq \lim\limits_{x \to 3-} f(x)$

　　즉, $\lim\limits_{x \to 3} f(x)$의 값이 존재하지 않으므로 함수 $f(x)$는 $x=3$에서 불연속이다.

ㄷ. 함수 $f(x)$는 $x=3$에서 정의되지 않으므로 $x=3$에서 불연속이다.

ㄹ. $f(3)=5$이고,

　　$\lim\limits_{x \to 3+} f(x)=\lim\limits_{x \to 3+}(x+2)=5$,

　　$\lim\limits_{x \to 3-} f(x)=\lim\limits_{x \to 3-}(2x-1)=5$이므로

　　$\lim\limits_{x \to 3} f(x)=f(x)$

　　즉, 함수 $f(x)$는 $x=3$에서 연속이다.

ㅁ. $\lim\limits_{x \to 3+} f(x)=\lim\limits_{x \to 3+}\dfrac{x-3}{x-3}=1$

　　$\lim\limits_{x \to 3-} f(x)=\lim\limits_{x \to 3-}\dfrac{-(x-3)}{x-3}=-1$

　　$\therefore \lim\limits_{x \to 3+} f(x) \neq \lim\limits_{x \to 3-} f(x)$

　　즉, $\lim\limits_{x \to 3} f(x)$의 값이 존재하지 않으므로 함수 $f(x)$는 $x=3$에서 불연속이다.

따라서 보기 중 $x=3$에서 연속인 함수는 ㄱ, ㄹ이다.

010 답 ⑤

① $f(-1)=\sqrt{2}$이고, $\lim\limits_{x \to -1} f(x)=\lim\limits_{x \to -1}\sqrt{x+3}=\sqrt{2}$이므로

　　$\lim\limits_{x \to -1} f(x)=f(-1)$

　　즉, 함수 $f(x)$는 $x=-1$에서 연속이다.

② $f(-1)=1$이고, $\lim\limits_{x \to -1} f(x)=\lim\limits_{x \to -1}\dfrac{1}{x+2}=1$이므로

　　$\lim\limits_{x \to -1} f(x)=f(-1)$

　　즉, 함수 $f(x)$는 $x=-1$에서 연속이다.

③ $f(-1)=0$이고,

　　$\lim\limits_{x \to -1+} f(x)=\lim\limits_{x \to -1+}(x+1)=0$,

　　$\lim\limits_{x \to -1-} f(x)=\lim\limits_{x \to -1-}(-x-1)=0$이므로

　　$\lim\limits_{x \to -1} f(x)=f(-1)$

　　즉, 함수 $f(x)$는 $x=-1$에서 연속이다.

④ $f(-1)=1$이고,

　　$\lim\limits_{x \to -1+} f(x)=\lim\limits_{x \to -1+}(-x)=1$,

　　$\lim\limits_{x \to -1-} f(x)=\lim\limits_{x \to -1-}x^2=1$이므로

　　$\lim\limits_{x \to -1} f(x)=f(-1)$

　　즉, 함수 $f(x)$는 $x=-1$에서 연속이다.

⑤ $f(-1)=1$이고,

　　$\lim\limits_{x \to -1} f(x)=\lim\limits_{x \to -1}\dfrac{x^2+x}{x+1}=\lim\limits_{x \to -1}\dfrac{x(x+1)}{x+1}$

　　　　　　　$=\lim\limits_{x \to -1}x=-1$

　　이므로 $\lim\limits_{x \to -1} f(x) \neq f(-1)$

　　즉, 함수 $f(x)$는 $x=-1$에서 불연속이다.

011 답 2

함수 $y=f(x)$의 그래프는 오른쪽 그림과 같으므로

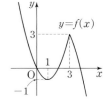

$$g(t)=\begin{cases} 1 & (t<-1 \text{ 또는 } t>3) \\ 2 & (t=-1 \text{ 또는 } t=3) \\ 3 & (-1<t<3) \end{cases}$$

따라서 함수 $y=g(t)$의 그래프는 오른쪽 그림과 같으므로 함수 $g(t)$가 불연속인 t의 값은 -1, 3의 2개이다.

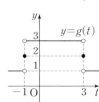

012 답 8

주어진 집합의 원소의 개수 $f(a)$는 이차방정식

$ax^2+2(a-4)x-(a-4)=0$ …… ㉠

의 실근의 개수와 같다.

이차방정식 ㉠의 판별식을 D라 하면

$$\dfrac{D}{4}=(a-4)^2+a(a-4)=2(a-2)(a-4)$$

(i) $f(a)=2$일 때, $\dfrac{D}{4}>0$이므로

　　$2(a-2)(a-4)>0$　　$\therefore a<2$ 또는 $a>4$

(ii) $f(a)=1$일 때, $\dfrac{D}{4}=0$이므로

　　$2(a-2)(a-4)=0$　　$\therefore a=2$ 또는 $a=4$

(iii) $f(a)=0$일 때, $\dfrac{D}{4}<0$이므로

　　$2(a-2)(a-4)<0$　　$\therefore 2<a<4$

(i), (ii), (iii)에서
$$f(a)=\begin{cases} 2 & (a<2 \text{ 또는 } a>4) \\ 1 & (a=2 \text{ 또는 } a=4) \\ 0 & (2<a<4) \end{cases}$$
함수 $y=f(a)$의 그래프는 오른쪽 그림과
같으므로 함수 $f(a)$가 불연속인 a의 값은
2, 4

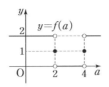

따라서 모든 a의 값의 곱은
$2\times4=8$

013 답 4

$0<x<4$에서 함수 $y=f(x)$의 그래프는
오른쪽 그림과 같다.
$0<x\leq1$일 때, $[f(x)]=2$
$1<x<3$일 때, $[f(x)]=1$
$3\leq x<2+\sqrt{2}$일 때, $[f(x)]=2$
$2+\sqrt{2}\leq x<2+\sqrt{3}$일 때, $[f(x)]=3$
$2+\sqrt{3}\leq x<4$일 때, $[f(x)]=4$

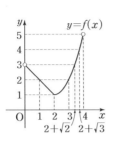

따라서 $0<x<4$에서 함수 $y=[f(x)]$의
그래프는 오른쪽 그림과 같으므로 함수
$[f(x)]$가 불연속인 x의 값은 1, 3,
$2+\sqrt{2}$, $2+\sqrt{3}$의 4개이다.

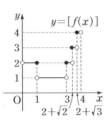

014 답 ④

② $\lim\limits_{x\to0+}f(x)=-1$, $\lim\limits_{x\to0-}f(x)=-1$이므로
$\lim\limits_{x\to0}f(x)=-1$
③ $f(2)=0$이고, $\lim\limits_{x\to2+}f(x)=0$, $\lim\limits_{x\to2-}f(x)=0$이므로
$\lim\limits_{x\to2}f(x)=f(2)$
④ (i) $\lim\limits_{x\to-1+}f(x)=0$, $\lim\limits_{x\to-1-}f(x)=1$이므로
$\lim\limits_{x\to-1+}f(x)\neq\lim\limits_{x\to-1-}f(x)$
즉, $\lim\limits_{x\to-1}f(x)$의 값이 존재하지 않으므로 함수 $f(x)$는
$x=-1$에서 불연속이다.
(ii) $f(0)=1$, $\lim\limits_{x\to0}f(x)=-1$이므로
$\lim\limits_{x\to0}f(x)\neq f(0)$
즉, 함수 $f(x)$는 $x=0$에서 불연속이다.
(iii) 함수 $f(x)$는 $x=1$에서 정의되지 않으므로 $x=1$에서 불연
속이다.
따라서 함수 $f(x)$가 불연속인 x의 값은 -1, 0, 1의 3개이다.
⑤ (i) $\lim\limits_{x\to-1+}f(x)=0$, $\lim\limits_{x\to-1-}f(x)=1$이므로
$\lim\limits_{x\to-1+}f(x)\neq\lim\limits_{x\to-1-}f(x)$
즉, $\lim\limits_{x\to-1}f(x)$의 값이 존재하지 않는다.

(ii) $\lim\limits_{x\to1+}f(x)=-1$, $\lim\limits_{x\to1-}f(x)=0$이므로
$\lim\limits_{x\to1+}f(x)\neq\lim\limits_{x\to1-}f(x)$
즉, $\lim\limits_{x\to1}f(x)$의 값이 존재하지 않는다.
따라서 함수 $f(x)$의 극한값이 존재하지 않는 x의 값은 -1, 1
의 2개이다.

015 답 6

(i) $\lim\limits_{x\to-1+}f(x)=1$, $\lim\limits_{x\to-1-}f(x)=-1$이므로
$\lim\limits_{x\to-1+}f(x)\neq\lim\limits_{x\to-1-}f(x)$
즉, $\lim\limits_{x\to-1}f(x)$의 값이 존재하지 않으므로 함수 $f(x)$는
$x=-1$에서 불연속이다.
(ii) $f(0)=0$이고, $\lim\limits_{x\to0}f(x)=2$이므로
$\lim\limits_{x\to0}f(x)\neq f(0)$
즉, 함수 $f(x)$는 $x=0$에서 불연속이다.
(iii) $\lim\limits_{x\to1+}f(x)=-1$, $\lim\limits_{x\to1-}f(x)=1$이므로
$\lim\limits_{x\to1+}f(x)\neq\lim\limits_{x\to1-}f(x)$
즉, $\lim\limits_{x\to1}f(x)$의 값이 존재하지 않으므로 함수 $f(x)$는 $x=1$에
서 불연속이다.
(iv) $f(2)=-1$이고, $\lim\limits_{x\to2}f(x)=0$이므로
$\lim\limits_{x\to2}f(x)\neq f(2)$
즉, 함수 $f(x)$는 $x=2$에서 불연속이다.
(i)~(iv)에서 함수 $f(x)$는 $x=-1$, $x=1$에서 극한값이 존재하지
않으므로
$m=2$
함수 $f(x)$는 $x=-1$, $x=0$, $x=1$, $x=2$에서 불연속이므로
$n=4$
$\therefore m+n=2+4=6$

016 답 2

(i) $f(1)g(1)=1\times1=1$이고, $\lim\limits_{x\to1}f(x)g(x)=0\times1=0$이므로
$\lim\limits_{x\to1}f(x)g(x)\neq f(1)g(1)$
즉, 함수 $f(x)g(x)$는 $x=1$에서 불연속이다.
(ii) $f(2)g(2)=-1\times1=-1$이고,
$\lim\limits_{x\to2+}f(x)g(x)=-1\times0=0$,
$\lim\limits_{x\to2-}f(x)g(x)=1\times0=0$이므로
$\lim\limits_{x\to2}f(x)g(x)\neq f(2)g(2)$
즉, 함수 $f(x)g(x)$는 $x=2$에서 불연속이다.
(iii) $f(3)g(3)=0\times2=0$이고,
$\lim\limits_{x\to3+}f(x)g(x)=0\times2=0$,
$\lim\limits_{x\to3-}f(x)g(x)=0\times1=0$이므로
$\lim\limits_{x\to3}f(x)g(x)=f(3)g(3)$
즉, 함수 $f(x)g(x)$는 $x=3$에서 연속이다.
따라서 함수 $f(x)g(x)$가 불연속인 x의 값은 1, 2의 2개이다.

017 답 ④

ㄱ. $\lim\limits_{x \to 1+} f(x)g(x) = 0 \times 0 = 0$

　$\lim\limits_{x \to 1-} f(x)g(x) = 1 \times 0 = 0$

　$\therefore \lim\limits_{x \to 1} f(x)g(x) = 0$

　즉, $\lim\limits_{x \to 1} f(x)g(x)$의 값은 존재한다.

ㄴ. $f(0) + g(0) = -1 + 2 = 1$이고,

　$\lim\limits_{x \to 0+} \{f(x) + g(x)\} = 0 + 1 = 1$,

　$\lim\limits_{x \to 0-} \{f(x) + g(x)\} = -1 + 2 = 1$이므로

　$\lim\limits_{x \to 0} \{f(x) + g(x)\} = f(0) + g(0)$

　즉, 함수 $f(x) + g(x)$는 $x = 0$에서 연속이다.

ㄷ. $\lim\limits_{x \to 2+} \{f(x) - g(x)\} = 1 - 1 = 0$,

　$\lim\limits_{x \to 2-} \{f(x) - g(x)\} = -1 - 1 = -2$이므로

　$\lim\limits_{x \to 2+} \{f(x) - g(x)\} \ne \lim\limits_{x \to 2-} \{f(x) - g(x)\}$

　즉, $\lim\limits_{x \to 2} \{f(x) - g(x)\}$의 값이 존재하지 않으므로 함수

　$f(x) - g(x)$는 $x = 2$에서 불연속이다.

따라서 보기 중 옳은 것은 ㄴ, ㄷ이다.

018 답 ㄱ, ㄴ, ㄷ

ㄱ. $\lim\limits_{x \to -1+} f(x)g(x) = -1 \times (-1) = 1$

　$\lim\limits_{x \to -1-} f(x)g(x) = 1 \times (-1) = -1$

　$\therefore \lim\limits_{x \to -1+} f(x)g(x) \ne \lim\limits_{x \to -1-} f(x)g(x)$

　즉, $\lim\limits_{x \to -1} f(x)g(x)$의 값은 존재하지 않는다.

ㄴ. $f(g(1)) = f(1) = -1$이고,

　$g(x) = t$로 놓으면 $x \to 1+$일 때 $t = 1$이므로

　$\lim\limits_{x \to 1+} f(g(x)) = f(1) = -1$

　$x \to 1-$일 때 $t \to -1+$이므로

　$\lim\limits_{x \to 1-} f(g(x)) = \lim\limits_{t \to -1+} f(t) = -1$

　$\therefore \lim\limits_{x \to 1} f(g(x)) = -1$

　즉, $\lim\limits_{x \to 1} f(g(x)) = f(g(1))$이므로 함수 $f(g(x))$는 $x = 1$에서 연속이다.

ㄷ. $f(x) = t$로 놓으면 $x \to -1+$일 때 $t \to -1+$이므로

　$\lim\limits_{x \to -1+} g(f(x)) = \lim\limits_{t \to -1+} g(t) = -1$

　$x \to -1-$일 때 $t \to 1$이므로

　$\lim\limits_{x \to -1-} g(f(x)) = g(1) = 1$

　$\therefore \lim\limits_{x \to -1+} g(f(x)) \ne \lim\limits_{x \to -1-} g(f(x))$

　즉, $\lim\limits_{x \to -1} g(f(x))$의 값이 존재하지 않으므로 함수 $g(f(x))$는 $x = -1$에서 불연속이다.

따라서 보기 중 옳은 것은 ㄱ, ㄴ, ㄷ이다.

019 답 ㄱ, ㄷ

ㄱ. $\lim\limits_{x \to -2-} f(x) + \lim\limits_{x \to 2+} f(x) = 1 + (-1) = 0$

ㄴ. $f(2) + f(-2) = -1 + (-1) = -2$이고,

　$-x = t$로 놓으면 $x \to 2+$일 때 $t \to -2-$이므로

　$\lim\limits_{x \to 2+} \{f(x) + f(-x)\} = \lim\limits_{x \to 2+} f(x) + \lim\limits_{t \to -2-} f(t)$
　$\qquad\qquad = -1 + 1 = 0$

　$x \to 2-$일 때 $t \to -2+$이므로

　$\lim\limits_{x \to 2-} \{f(x) + f(-x)\} = \lim\limits_{x \to 2-} f(x) + \lim\limits_{t \to -2+} f(t)$
　$\qquad\qquad = 1 + (-1) = 0$

　$\therefore \lim\limits_{x \to 2} \{f(x) + f(-x)\} = 0$

　즉, $\lim\limits_{x \to 2} \{f(x) + f(-x)\} \ne f(2) + f(-2)$이므로 함수

　$f(x) + f(-x)$는 $x = 2$에서 불연속이다.

ㄷ. $f(0)f(2) = -1 \times (-1) = 1$이고,

　$x - 1 = t$로 놓으면 $x \to 1+$일 때 $t \to 0+$이고,

　$x + 1 = s$로 놓으면 $x \to 1+$일 때 $s \to 2+$이므로

　$\lim\limits_{x \to 1+} f(x-1)f(x+1) = \lim\limits_{t \to 0+} f(t) \times \lim\limits_{s \to 2+} f(s)$
　$\qquad\qquad = -1 \times (-1) = 1$

　$x \to 1-$일 때 $t \to 0-$이고, $x \to 1-$일 때 $s \to 2-$이므로

　$\lim\limits_{x \to 1-} f(x-1)f(x+1) = \lim\limits_{t \to 0-} f(t) \times \lim\limits_{s \to 2-} f(s) = 1 \times 1 = 1$

　$\therefore \lim\limits_{x \to 1} f(x-1)f(x-1) = 1$

　즉, $\lim\limits_{x \to 1} f(x-1)f(x+1) = f(0)f(2)$이므로 함수

　$f(x-1)f(x+1)$은 $x = 1$에서 연속이다.

따라서 보기 중 옳은 것은 ㄱ, ㄷ이다.

020 답 4

함수 $f(x)$가 $x = 1$에서 연속이면 $\lim\limits_{x \to 1} f(x) = f(1)$

$\therefore \lim\limits_{x \to 1} \dfrac{x^2 + ax + b}{x - 1} = -4$ 　　…… ㉠

$x \to 1$일 때 (분모) $\to 0$이고 극한값이 존재하므로 (분자) $\to 0$이다.

즉, $\lim\limits_{x \to 1} (x^2 + ax + b) = 0$이므로

$1 + a + b = 0$ 　　$\therefore b = -a - 1$ 　　…… ㉡

이를 ㉠의 좌변에 대입하면

$\lim\limits_{x \to 1} \dfrac{x^2 + ax - (a+1)}{x - 1} = \lim\limits_{x \to 1} \dfrac{(x-1)(x+a+1)}{x-1}$
$\qquad\qquad = \lim\limits_{x \to 1} (x + a + 1) = a + 2$

즉, $a + 2 = -4$이므로 $a = -6$

이를 ㉡에 대입하면 $b = 5$

$\therefore a + 2b = -6 + 2 \times 5 = 4$

021 답 1

함수 $f(x)$는 모든 실수 x에서 연속이면 $x = a$에서 연속이므로

$\lim\limits_{x \to a+} f(x) = \lim\limits_{x \to a-} f(x) = f(a)$

$\lim\limits_{x \to a+} f(x) = \lim\limits_{x \to a+} (3 - x^2) = 3 - a^2$

$\lim\limits_{x \to a-} f(x) = \lim\limits_{x \to a-} (x^2 - 2x) = a^2 - 2a$

$f(a) = 3 - a^2$

즉, $3 - a^2 = a^2 - 2a$이므로 $2a^2 - 2a - 3 = 0$

따라서 이차방정식의 근과 계수의 관계에 의하여 모든 실수 a의 값의 합은 1이다.

022 답 32

함수 $f(x)$가 $x=2$에서 연속이면 $\lim_{x \to 2} f(x)=f(2)$

$\therefore \lim_{x \to 2} \dfrac{x^2-4}{\sqrt{x+a}-2}=b$ ······ ㉠

$x \to 2$일 때 (분자) $\to 0$이고 0이 아닌 극한값이 존재하므로

(분모) $\to 0$이다.

즉, $\lim_{x \to 2} (\sqrt{x+a}-2)=0$이므로

$\sqrt{2+a}-2=0$ $\therefore a=2$

이를 ㉠의 좌변에 대입하면

$\begin{aligned}
\lim_{x \to 2} \dfrac{x^2-4}{\sqrt{x+2}-2} &= \lim_{x \to 2} \dfrac{(x^2-4)(\sqrt{x+2}+2)}{(\sqrt{x+2}-2)(\sqrt{x+2}+2)} \\
&= \lim_{x \to 2} \dfrac{(x+2)(x-2)(\sqrt{x+2}+2)}{x-2} \\
&= \lim_{x \to 2} (x+2)(\sqrt{x+2}+2)=16
\end{aligned}$

따라서 $b=16$이므로 $ab=2 \times 16=32$

023 답 ⑤

함수 $(x-a)f(x)$가 $x=2$에서 연속이므로

$\lim_{x \to 2+} (x-a)f(x)=\lim_{x \to 2-} (x-a)f(x)=(2-a)f(2)$

$\lim_{x \to 2+} (x-a)f(x)=(2-a) \times 1=2-a$

$\lim_{x \to 2-} (x-a)f(x)=(2-a) \times 3=6-3a$

$(2-a)f(2)=2-a$

즉, $2-a=6-3a$이므로 $a=2$

024 답 ②

함수 $f(x)$가 모든 실수 x에서 연속이면 $x=-1$, $x=1$에서 연속이다.

(i) $x=-1$에서 연속이면

$\quad \lim_{x \to -1+} f(x)=\lim_{x \to -1-} f(x)=f(-1)$

$\quad \lim_{x \to -1+} f(x)=\lim_{x \to -1+} (-x^2+ax+b)=-1-a+b$

$\quad \lim_{x \to -1-} f(x)=\lim_{x \to -1-} (x-1)^2=4$

$\quad f(-1)=(-1-1)^2=4$

$\quad$즉, $-1-a+b=4$이므로 $a-b=-5$ ······ ㉠

(ii) $x=1$에서 연속이면

$\quad \lim_{x \to 1+} f(x)=\lim_{x \to 1-} f(x)=f(1)$

$\quad \lim_{x \to 1+} f(x)=\lim_{x \to 1+} (x-1)^2=0$

$\quad \lim_{x \to 1-} f(x)=\lim_{x \to 1-} (-x^2+ax+b)=-1+a+b$

$\quad f(1)=(1-1)^2=0$

$\quad$즉, $0=-1+a+b$이므로 $a+b=1$ ······ ㉡

㉠, ㉡을 연립하여 풀면 $a=-2$, $b=3$

$\therefore 2a+b=2 \times (-2)+3=-1$

025 답 6

함수 $f(x)g(x)$가 모든 실수 x에서 연속이면 $x=1$, $x=2$에서 연속이다.

(i) $x=1$에서 연속이면

$\quad \lim_{x \to 1+} f(x)g(x)=\lim_{x \to 1-} f(x)g(x)=f(1)g(1)$

$\quad \lim_{x \to 1+} f(x)g(x)=\lim_{x \to 1+} (x^2+ax+b)(x-1)=0$

$\quad \lim_{x \to 1-} f(x)g(x)=\lim_{x \to 1-} (x^2+ax+b)(x+1)=2+2a+2b$

$\quad f(1)g(1)=(1+a+b) \times (1+1)=2+2a+2b$

$\quad$즉, $0=2+2a+2b$이므로 $a+b=-1$ ······ ㉠

(ii) $x=2$에서 연속이면

$\quad \lim_{x \to 2+} f(x)g(x)=\lim_{x \to 2-} f(x)g(x)=f(2)g(2)$

$\quad \lim_{x \to 2+} f(x)g(x)=\lim_{x \to 2+} (x^2+ax+b)(-x+4)=8+4a+2b$

$\quad \lim_{x \to 2-} f(x)g(x)=\lim_{x \to 2-} (x^2+ax+b)(x-1)=4+2a+b$

$\quad f(2)g(2)=(4+2a+b) \times (-2+4)=8+4a+2b$

$\quad$즉, $8+4a+2b=4+2a+b$이므로 $2a+b=-4$ ······ ㉡

㉠, ㉡을 연립하여 풀면 $a=-3$, $b=2$

따라서 $f(x)=x^2-3x+2$이므로

$f(-1)=1+3+2=6$

026 답 ③

함수 $f(x)$가 $x=1$에서 불연속이고, 함수 $g(x)$는 모든 실수 x에서 연속이므로 합성함수 $g(f(x))$가 모든 실수 x에서 연속이면 $x=1$에서 연속이어야 한다.

$\therefore \lim_{x \to 1+} g(f(x))=\lim_{x \to 1-} g(f(x))=g(f(1))$

$f(x)=t$로 놓으면 $x \to 1+$일 때 $t \to 0+$이므로

$\lim_{x \to 1+} g(f(x))=\lim_{t \to 0+} g(t)=g(0)=2$

$x \to 1-$일 때 $t \to -2-$이므로

$\lim_{x \to 1-} g(f(x))=\lim_{t \to -2-} g(t)=g(-2)=4a-2b-6$

$g(f(1))=g(-1)=a-b+1$

즉, $2=4a-2b-6=a-b+1$이므로

$2a-b=4$, $a-b=1$

두 식을 연립하여 풀면 $a=3$, $b=2$ $\therefore ab=3 \times 2=6$

027 답 8

함수 $f(x)f(x-k)$가 $x=k$에서 연속이면

$\lim_{x \to k+} f(x)f(x-k)=\lim_{x \to k-} f(x)f(x-k)=f(k)f(0)$

(i) $k=0$일 때

$\quad \lim_{x \to k+} f(x)f(x-k)=\lim_{x \to 0+} \{f(x)\}^2=25$

$\quad \lim_{x \to k-} f(x)f(x-k)=\lim_{x \to 0-} \{f(x)\}^2=4$

$\quad \therefore \lim_{x \to k+} f(x)f(x-k) \neq \lim_{x \to k-} f(x)f(x-k)$

$\quad$따라서 함수 $f(x)f(x-k)$는 $x=k$에서 불연속이다.

(ii) $k>0$일 때

$\quad x-k=t$로 놓으면 $x \to k+$일 때 $t \to 0+$이므로

$\quad \lim_{x \to k+} f(x)f(x-k)=\lim_{x \to k+} f(x) \times \lim_{t \to 0+} f(t)$

$\qquad = \lim_{x \to k+} \left(-\dfrac{1}{2}x+5\right) \times \lim_{t \to 0+} \left(-\dfrac{1}{2}t+5\right)$

$\qquad = \left(-\dfrac{1}{2}k+5\right) \times 5$

$x \to k-$일 때 $t \to 0-$이므로
$$\lim_{x \to k-} f(x)f(x-k) = \lim_{x \to k-} f(x) \times \lim_{t \to 0-} f(t)$$
$$= \lim_{x \to k-}\left(-\frac{1}{2}x+5\right) \times \lim_{t \to 0-}(t+2)$$
$$= \left(-\frac{1}{2}k+5\right) \times 2$$
$$f(k)f(0) = \left(-\frac{1}{2}k+5\right) \times 5$$
즉, $\left(-\frac{1}{2}k+5\right) \times 5 = \left(-\frac{1}{2}k+5\right) \times 2$이므로 $k=10$

(iii) $k<0$일 때
$$\lim_{x \to k+} f(x)f(x-k) = \lim_{x \to k+} f(x) \times \lim_{t \to 0+} f(t)$$
$$= \lim_{x \to k+}(x+2) \times \lim_{t \to 0+}\left(-\frac{1}{2}t+5\right)$$
$$= (k+2) \times 5$$
$$\lim_{x \to k-} f(x)f(x-k) = \lim_{x \to k-} f(x) \times \lim_{t \to 0-} f(t)$$
$$= \lim_{x \to k-}(x+2) \times \lim_{t \to 0-}(t+2)$$
$$= (k+2) \times 2$$
$$f(k)f(0) = (k+2) \times 5$$
즉, $(k+2) \times 5 = (k+2) \times 2$이므로 $k=-2$
(i), (ii), (iii)에서 모든 상수 k의 값의 합은
$10 + (-2) = 8$

028 답 5

함수 $f(x)$가 모든 실수 x에서 연속이면 $x=2$에서 연속이므로
$$\lim_{x \to 2+} f(x) = \lim_{x \to 2-} f(x) = f(2)$$
$$\lim_{x \to 2+} f(x) = \lim_{x \to 2+}\{a(x-1)^2+b\} = a+b$$
$$\lim_{x \to 2-} f(x) = \lim_{x \to 2-} 4x = 8$$
$$f(2) = a(2-1)^2+b = a+b$$
$\therefore a+b=8$ ...... ㉠
한편 $f(x)=f(x+4)$이므로 $f(0)=f(4)$
$4 \times 0 = a(4-1)^2+b$ $\therefore 9a+b=0$ ...... ㉡
㉠, ㉡을 연립하여 풀면 $a=-1$, $b=9$
따라서 $f(x) = \begin{cases} 4x & (0 \le x < 2) \\ -(x-1)^2+9 & (2 \le x \le 4) \end{cases}$ 이므로
$f(19) = f(15) = f(11) = f(7) = f(3) = -(3-1)^2+9 = 5$

029 답 4

$x \ne 1$일 때, $f(x) = \dfrac{x^2+ax+a-5}{x-1}$
함수 $f(x)$가 모든 실수 x에서 연속이면 $x=1$에서 연속이므로
$$\lim_{x \to 1} f(x) = f(1) \qquad \therefore \lim_{x \to 1} \frac{x^2+ax+a-5}{x-1} = f(1) \quad \cdots\cdots ㉠$$
$x \to 1$일 때 (분모) $\to 0$이고 극한값이 존재하므로 (분자) $\to 0$이다.
즉, $\lim_{x \to 1}(x^2+ax+a-5)=0$이므로
$1+a+a-5=0$, $2a-4=0$ $\therefore a=2$
이를 ㉠의 좌변에 대입하면
$$\lim_{x \to 1} \frac{x^2+2x-3}{x-1} = \lim_{x \to 1} \frac{(x+3)(x-1)}{x-1} = \lim_{x \to 1}(x+3)=4$$
$\therefore f(1)=4$

030 답 4

$x \ne 3$일 때, $f(x) = \dfrac{a\sqrt{x+6}+b}{x-3}$
함수 $f(x)$가 $x \ge -6$인 모든 실수 x에서 연속이면 $x=3$에서 연속이므로
$$\lim_{x \to 3} f(x) = f(3) \qquad \therefore \lim_{x \to 3} \frac{a\sqrt{x+6}+b}{x-3} = -\frac{1}{3} \quad \cdots\cdots ㉠$$
$x \to 3$일 때 (분모) $\to 0$이고 극한값이 존재하므로 (분자) $\to 0$이다.
즉, $\lim_{x \to 3}(a\sqrt{x+6}+b)=0$이므로
$3a+b=0$ $\therefore b=-3a$ ...... ㉡
이를 ㉠의 좌변에 대입하면
$$\lim_{x \to 3} \frac{a\sqrt{x+6}-3a}{x-3} = \lim_{x \to 3} \frac{a(\sqrt{x+6}-3)(\sqrt{x+6}+3)}{(x-3)(\sqrt{x+6}+3)}$$
$$= \lim_{x \to 3} \frac{a(x-3)}{(x-3)(\sqrt{x+6}+3)}$$
$$= \lim_{x \to 3} \frac{a}{\sqrt{x+6}+3} = \frac{a}{6}$$
따라서 $\dfrac{a}{6} = -\dfrac{1}{3}$이므로 $a=-2$
이를 ㉡에 대입하면 $b=6$
$\therefore a+b = -2+6 = 4$

031 답 6

$x \ne -1$이고 $x \ne 2$일 때, $f(x) = \dfrac{2x^3+ax+b}{x^2-x-2}$
함수 $f(x)$가 모든 실수 x에서 연속이면 $x=-1$에서 연속이므로
$$\lim_{x \to -1} f(x) = f(-1) \qquad \therefore \lim_{x \to -1} \frac{2x^3+ax+b}{x^2-x-2} = f(-1) \quad \cdots\cdots ㉠$$
$x \to -1$일 때 (분모) $\to 0$이고 극한값이 존재하므로 (분자) $\to 0$이다.
즉, $\lim_{x \to -1}(2x^3+ax+b)=0$이므로
$-2-a+b=0$ $\therefore a-b=-2$ ...... ㉡
함수 $f(x)$가 모든 실수 x에서 연속이면 $x=2$에서 연속이므로
$$\lim_{x \to 2} f(x) = f(2)$$
$$\therefore \lim_{x \to 2} \frac{2x^3+ax+b}{x^2-x-2} = f(2) \quad \cdots\cdots ㉢$$
$x \to 2$일 때 (분모) $\to 0$이고 극한값이 존재하므로 (분자) $\to 0$이다.
즉, $\lim_{x \to 2}(2x^3+ax+b)=0$이므로
$16+2a+b=0$ $\therefore 2a+b=-16$ ...... ㉣
㉡, ㉣을 연립하여 풀면 $a=-6$, $b=-4$ ...... ㉤
㉤을 ㉠의 좌변에 대입하면
$$\lim_{x \to -1} \frac{2x^3-6x-4}{x^2-x-2} = \lim_{x \to -1} \frac{2(x+1)^2(x-2)}{(x+1)(x-2)}$$
$$= \lim_{x \to -1} 2(x+1)=0$$
$\therefore f(-1)=0$
㉤을 ㉢의 좌변에 대입하면
$$\lim_{x \to 2} \frac{2x^3-6x-4}{x^2-x-2} = \lim_{x \to 2} \frac{2(x+1)^2(x-2)}{(x+1)(x-2)}$$
$$= \lim_{x \to 2} 2(x+1)=6$$
$\therefore f(2)=6$
$\therefore f(-1)+f(2) = 0+6 = 6$

032 답 8

㈎에서 $x \neq 1$일 때, $g(x) = \dfrac{f(x) - x^2}{x - 1}$

㈏에서 $\displaystyle\lim_{x \to \infty} g(x) = \lim_{x \to \infty} \dfrac{f(x) - x^2}{x - 1} = 2$이므로 $f(x) - x^2$은 최고차항의 계수가 2인 일차함수이다.

즉, $f(x) - x^2 = 2x + a$ (a는 상수)라 하면

$f(x) = x^2 + 2x + a$ ...... ㉠

함수 $g(x)$가 모든 실수 x에서 연속이면 $x = 1$에서 연속이므로

$\displaystyle\lim_{x \to 1} g(x) = g(1)$ ∴ $\displaystyle\lim_{x \to 1} \dfrac{2x + a}{x - 1} = g(1)$ ...... ㉡

$x \to 1$일 때 (분모) → 0이고 극한값이 존재하므로 (분자) → 0이다.

즉, $\displaystyle\lim_{x \to 1}(2x + a) = 0$이므로 $2 + a = 0$ ∴ $a = -2$

$a = -2$를 ㉡의 좌변에 대입하면

$\displaystyle\lim_{x \to 1} \dfrac{2x - 2}{x - 1} = \lim_{x \to 1} \dfrac{2(x - 1)}{x - 1} = 2$ ∴ $g(1) = 2$

$a = -2$를 ㉠에 대입하면 $f(x) = x^2 + 2x - 2$이므로

$f(2) = 4 + 4 - 2 = 6$

∴ $f(2) + g(1) = 6 + 2 = 8$

033 답 ㄱ, ㄴ

ㄱ. $f(x) + g(x) = x^2 - 2x + 2$이므로 이 함수는 모든 실수 x에서 연속이다.

ㄴ. $f(x)g(x) = x^3 - x^2 - 6x$이므로 이 함수는 모든 실수 x에서 연속이다.

ㄷ. $\dfrac{g(x)}{f(x)} = \dfrac{x^2 - 3x}{x + 2}$이므로 이 함수는 $x = -2$에서 정의되지 않으므로 $x = -2$에서 불연속이다.

ㄹ. $\dfrac{1}{g(x) - 4} = \dfrac{1}{x^2 - 3x - 4}$

이 함수는 $x^2 - 3x - 4 = (x + 1)(x - 4) = 0$, 즉 $x = -1$, $x = 4$에서 정의되지 않으므로 $x = -1$, $x = 4$에서 불연속이다.

따라서 보기의 함수 중 모든 실수 x에서 연속인 것은 ㄱ, ㄴ이다.

034 답 ⑤

$\dfrac{f(x)}{f(x) + g(x)} = \dfrac{x^2 - x - 5}{x^2 - x - 5 + (-3x)} = \dfrac{x^2 - x - 5}{x^2 - 4x - 5}$

이 함수는 $x^2 - 4x - 5 = (x + 1)(x - 5) = 0$, 즉 $x = -1$, $x = 5$에서 정의되지 않으므로 $x = -1$, $x = 5$에서 불연속이다.

따라서 함수 $\dfrac{f(x)}{f(x) + g(x)}$가 연속인 구간은 $(-\infty, -1)$, $(-1, 5)$, $(5, \infty)$이다.

035 답 7

함수 $\dfrac{f(x)}{g(x)}$가 모든 실수 x에서 연속이면 모든 실수 x에서

$g(x) = x^2 + ax + 4 > 0$

이차방정식 $x^2 + ax + 4 = 0$의 판별식을 D라 하면

$D = a^2 - 16 < 0$, $(a + 4)(a - 4) < 0$

∴ $-4 < a < 4$

따라서 정수 a는 -3, -2, -1, 0, 1, 2, 3의 7개이다.

036 답 ㄱ, ㄷ

두 함수 $f(x)$, $g(x)$가 각각 $x = a$에서 연속이므로

$\displaystyle\lim_{x \to a} f(x) = f(a)$, $\displaystyle\lim_{x \to a} g(x) = g(a)$

ㄱ. $\displaystyle\lim_{x \to a}\{3f(x) - g(x)\} = 3\lim_{x \to a} f(x) - \lim_{x \to a} g(x) = 3f(a) - g(a)$

즉, 함수 $3f(x) - g(x)$는 $x = a$에서 연속이다.

ㄴ. $g(a) = 0$이면 함수 $\dfrac{f(x)}{g(x)}$는 $x = a$에서 정의되지 않으므로 $x = a$에서 불연속이다.

ㄷ. $\displaystyle\lim_{x \to a}\{g(x)\}^2 = \lim_{x \to a} g(x) \times \lim_{x \to a} g(x) = \{g(a)\}^2$

즉, $\{g(x)\}^2$은 $x = a$에서 연속이다.

ㄹ. $f(a) + g(a) = 0$이면 함수 $\dfrac{f(x)}{f(x) + g(x)}$는 $x = a$에서 정의되지 않으므로 $x = a$에서 불연속이다.

따라서 보기의 함수 중 $x = a$에서 항상 연속인 것은 ㄱ, ㄷ이다.

037 답 ㄷ

ㄱ. [반례] $f(x) = \begin{cases} 1 & (x \geq a) \\ -1 & (x < a) \end{cases}$이면 함수 $\{f(x)\}^2$은 $x = a$에서 연속이지만 함수 $f(x)$는 $x = a$에서 불연속이다.

ㄴ. [반례] $f(x) = \begin{cases} 1 & (x \geq a) \\ 0 & (x < a) \end{cases}$, $g(x) = \begin{cases} 0 & (x \geq a) \\ 1 & (x < a) \end{cases}$이면 함수 $f(x) + g(x)$는 $x = a$에서 연속이지만 두 함수 $f(x)$, $g(x)$는 모두 $x = a$에서 불연속이다.

ㄷ. $h(x) = f(x) - g(x)$라 하면 $g(x) = f(x) - h(x)$

이때 두 함수 $f(x)$, $h(x)$가 $x = a$에서 연속이므로 함수 $g(x)$도 $x = a$에서 연속이다.

ㄹ. [반례] $f(x) = 0$, $g(x) = \begin{cases} 1 & (x \geq a) \\ -1 & (x < a) \end{cases}$이면 두 함수 $f(x)$, $\dfrac{f(x)}{g(x)}$는 $x = a$에서 연속이지만 함수 $g(x)$는 $x = a$에서 불연속이다.

따라서 보기 중 옳은 것은 ㄷ이다.

038 답 ㄱ, ㅁ

함수 $f(x) = \dfrac{x + 2}{2x - 4} = \dfrac{2}{x - 2} + \dfrac{1}{2}$의 그래프는 오른쪽 그림과 같다.

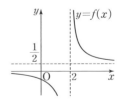

ㄱ, ㅁ. 닫힌구간 $[-1, 0]$, $[3, 4]$에서 연속이므로 최대·최소 정리에 의하여 각 구간에서 반드시 최댓값과 최솟값을 갖는다.

ㄴ. 반열린구간 $[0, 1)$에서 최댓값은 $-\dfrac{1}{2}$, 최솟값은 없다.

ㄷ. 반열린구간 $[1, 3)$에서 최댓값과 최솟값은 없다.

ㄹ. 닫힌구간 $[2, 3]$에서 최댓값은 없고, 최솟값은 $\dfrac{5}{2}$이다.

따라서 보기 중 최댓값과 최솟값이 모두 존재하는 구간은 ㄱ, ㅁ이다.

039 답 ③

두 함수 $f(x)=\dfrac{3x+5}{x+2}=-\dfrac{1}{x+2}+3$, $g(x)=\sqrt{-x+4}$는 닫힌구간 $[-1, 3]$에서 연속이므로 최대·최소 정리에 의하여 주어진 구간에서 반드시 최댓값과 최솟값을 갖는다.

닫힌구간 $[-1, 3]$에서 두 함수 $y=f(x)$, $y=g(x)$의 그래프는 다음 그림과 같다.

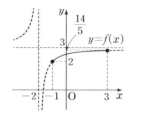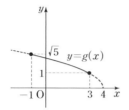

따라서 $M=f(3)=\dfrac{14}{5}$, $m=g(3)=1$이므로

$$M+m=\dfrac{19}{5}$$

040 답 -3

$t=-s$로 놓으면 $t \to -\infty$일 때 $s \to \infty$이므로

$$
\begin{aligned}
f(x) &= \lim_{t \to -\infty} \frac{1+xt}{1-t}(x-2) = \lim_{s \to \infty} \frac{1-xs}{1+s}(x-2) \\
&= \lim_{s \to \infty} \frac{\frac{1}{s}-x}{\frac{1}{s}+1}(x-2) \\
&= -x(x-2) = -x^2+2x
\end{aligned}
$$

함수 $f(x)$는 닫힌구간 $[0, 3]$에서 연속이므로 최대·최소 정리에 의하여 주어진 구간에서 반드시 최댓값과 최솟값을 갖는다.

닫힌구간 $[0, 3]$에서 함수 $y=f(x)$의 그래프는 오른쪽 그림과 같다.

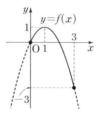

즉, 함수 $f(x)$는 $x=1$일 때 최댓값 1, $x=3$일 때 최솟값 -3을 가지므로 구하는 곱은 $1 \times (-3) = -3$

041 답 ④

$f(x)=x^3-8x-10$이라 하면 함수 $f(x)$는 모든 실수 x에서 연속이고

$f(0)=-10$, $f(1)=-17$, $f(2)=-18$, $f(3)=-7$, $f(4)=22$, $f(5)=75$

따라서 $f(3)f(4)<0$이므로 사잇값의 정리에 의하여 주어진 방정식은 열린구간 $(3, 4)$에서 실근을 갖는다.

042 답 14

$f(x)=x^2+4x+a$라 하면 함수 $f(x)$는 닫힌구간 $[-1, 2]$에서 연속이고

$f(-1)=a-3$, $f(2)=a+12$

이때 사잇값의 정리에 의하여 방정식 $f(x)=0$이 열린구간 $(-1, 2)$에서 적어도 하나의 실근을 가지려면 $f(-1)f(2)<0$이어야 한다.

즉, $(a-3)(a+12)<0$이므로 $-12<a<3$

따라서 정수 a는 -11, -10, -9, $\cdots$, 2의 14개이다.

043 답 ③

ㄱ. $f(x)=x^3-3x^2+3$이라 하면 함수 $f(x)$는 모든 실수 x에서 연속이고

$f(2)=-1$, $f(3)=3$

즉, $f(2)f(3)<0$이므로 사잇값의 정리에 의하여 방정식 $f(x)=0$은 열린구간 $(2, 3)$에서 적어도 하나의 실근을 갖는다.

ㄴ. $f(x)=\dfrac{4}{2x-1}-1$이라 하면 함수 $f(x)$는 $x \neq \dfrac{1}{2}$인 모든 실수 x에서 연속이고

$f(2)=\dfrac{1}{3}$, $f(3)=-\dfrac{1}{5}$

즉, $f(2)f(3)<0$이므로 사잇값의 정리에 의하여 방정식 $f(x)=0$은 열린구간 $(2, 3)$에서 적어도 하나의 실근을 갖는다.

ㄷ. $f(x)=\sqrt{x}-\dfrac{3}{x}-1$이라 하면 함수 $f(x)$는 $x>0$인 모든 실수 x에서 연속이고

$f(2)=\sqrt{2}-\dfrac{5}{2}<0$, $f(3)=\sqrt{3}-2<0$

즉, $f(2)f(3)>0$이므로 방정식 $f(x)=0$은 열린구간 $(2, 3)$에서 실근을 갖는지 알 수 없다.

따라서 열린구간 $(2, 3)$에서 적어도 하나의 실근을 갖는다고 할 수 있는 방정식은 ㄱ, ㄴ이다.

044 답 2개

$g(x)=f(x)-x$라 하면 함수 $g(x)$는 닫힌구간 $[-1, 2]$에서 연속이고

$g(-1)=f(-1)-(-1)=-2+1=-1$

$g(0)=f(0)-0=2$

$g(1)=f(1)-1=-3-1=-4$

$g(2)=f(2)-2=-2-2=-4$

$\therefore g(-1)g(0)<0$, $g(0)g(1)<0$

사잇값의 정리에 의하여 방정식 $g(x)=0$, 즉 $f(x)=x$는 열린구간 $(-1, 0)$, $(0, 1)$에서 각각 적어도 하나의 실근을 갖는다.

따라서 방정식 $f(x)=x$는 열린구간 $(-1, 2)$에서 적어도 2개의 실근을 갖는다.

045 답 4개

$f(1)f(2)<0$, $f(4)f(5)<0$이므로 사잇값의 정리에 의하여 방정식 $f(x)=0$은 열린구간 $(1, 2)$, $(4, 5)$에서 각각 적어도 하나의 실근을 갖는다.

이때 모든 실수 x에 대하여 $f(x)=f(-x)$이므로

$f(-1)f(-2)<0$, $f(-4)f(-5)<0$

사잇값의 정리에 의하여 방정식 $f(x)=0$은 열린구간 $(-2, -1)$, $(-5, -4)$에서 각각 적어도 하나의 실근을 갖는다.

따라서 방정식 $f(x)=0$은 적어도 4개의 실근을 갖는다.

046 답 3

$g(x)=f(x)-x-1$이라 하면 함수 $g(x)$는 닫힌구간 $[-2, 1]$에서 연속이고

$g(-2)=f(-2)+2-1=1+1=2$

$g(-1)=f(-1)+1-1=-1$

$g(0)=f(0)-1=3-1=2$

$g(1)=f(1)-1-1=1-2=-1$

$\therefore g(-2)g(-1)<0$, $g(-1)g(0)<0$, $g(0)g(1)<0$

사잇값의 정리에 의하여 방정식 $g(x)=0$, 즉 $f(x)=x-1$은 열린구간 $(-2, -1)$, $(-1, 0)$, $(0, 1)$에서 각각 적어도 하나의 실근을 갖는다.

따라서 방정식 $f(x)=x+1$은 열린구간 $(-2, 1)$에서 적어도 3개의 실근을 갖는다.

$\therefore n=3$

047 답 3개

$\lim\limits_{x \to 0}\dfrac{f(x)}{x}=4$에서 $x \to 0$일 때 (분모) $\to 0$이고 극한값이 존재하므로 (분자) $\to 0$이다.

즉, $\lim\limits_{x \to 0}f(x)=0$이므로 $f(0)=0$

$\lim\limits_{x \to 2}\dfrac{f(x)}{x-2}=2$에서 $x \to 2$일 때 (분모) $\to 0$이고 극한값이 존재하므로 (분자) $\to 0$이다.

즉, $\lim\limits_{x \to 2}f(x)=0$이므로 $f(2)=0$

$f(0)=0$, $f(2)=0$이므로

$f(x)=x(x-2)g(x)$ ($g(x)$는 다항함수)라 하자.

$\lim\limits_{x \to 0}\dfrac{f(x)}{x}=\lim\limits_{x \to 0}\dfrac{x(x-2)g(x)}{x}=\lim\limits_{x \to 0}(x-2)g(x)=4$

$\therefore g(0)=-2$

$\lim\limits_{x \to 2}\dfrac{f(x)}{x-2}=\lim\limits_{x \to 2}\dfrac{x(x-2)g(x)}{x-2}=\lim\limits_{x \to 2}xg(x)=2$

$\therefore g(2)=1$

즉, 함수 $g(x)$는 모든 실수 x에서 연속이고, $g(0)g(2)=-2<0$이므로 사잇값의 정리에 의하여 방정식 $g(x)=0$은 열린구간 $(0, 2)$에서 적어도 하나의 실근을 갖는다.

따라서 방정식 $f(x)=0$은 열린구간 $(0, 2)$에서 적어도 하나의 실근을 갖고 $f(0)=0$, $f(2)=0$이므로 방정식 $f(x)=0$은 닫힌구간 $[0, 2]$에서 적어도 3개의 실근을 갖는다.

048 답 ㄱ, ㄷ

ㄱ. $f(x)=\begin{cases} x^2 & (x \geq 0) \\ -x^2 & (x<0) \end{cases}$이므로 함수 $f(x)$가 모든 실수 x에서 연속이면 $x=0$에서 연속이어야 한다.

$f(0)=0$이고,

$\lim\limits_{x \to 0+}f(x)=\lim\limits_{x \to 0+}x^2=0$, $\lim\limits_{x \to 0-}f(x)=\lim\limits_{x \to 0-}(-x^2)=0$이므로

$\lim\limits_{x \to 0}f(x)=f(0)$

즉, 함수 $f(x)$는 $x=0$에서 연속이므로 모든 실수 x에서 연속이다.

ㄴ. 함수 $f(x)$는 $x=2$에서 정의되지 않으므로 $x=2$에서 불연속이다.

ㄷ. 함수 $f(x)$가 모든 실수 x에서 연속이면 $x=1$에서 연속이어야 한다.

$f(1)=0$이고,

$\lim\limits_{x \to 1+}f(x)=\lim\limits_{x \to 1+}\sqrt{x-1}=0$,

$\lim\limits_{x \to 1-}f(x)=\lim\limits_{x \to 1-}(x-1)=0$이므로

$\lim\limits_{x \to 1}f(x)=f(1)$

즉, 함수 $f(x)$는 $x=1$에서 연속이므로 모든 실수 x에서 연속이다.

ㄹ. 함수 $f(x)$가 모든 실수 x에서 연속이면 $x=2$에서 연속이어야 한다.

$f(2)=2$이고,

$\lim\limits_{x \to 2}f(x)=\lim\limits_{x \to 2}\dfrac{x^3-8}{x-2}=\lim\limits_{x \to 2}\dfrac{(x-2)(x^2+2x+4)}{x-2}$

$=\lim\limits_{x \to 2}(x^2+2x+4)=12$

이므로 $\lim\limits_{x \to 2}f(x) \neq f(2)$

즉, 함수 $f(x)$는 $x=2$에서 불연속이다.

따라서 보기 중 모든 실수 x에서 연속인 함수는 ㄱ, ㄷ이다.

049 답 ㄴ

ㄱ. $\lim\limits_{x \to 0+}\{f(x)+g(x)\}=1+0=1$

$\lim\limits_{x \to 0-}\{f(x)+g(x)\}=-1+0=-1$

$\therefore \lim\limits_{x \to 0+}\{f(x)+g(x)\} \neq \lim\limits_{x \to 0-}\{f(x)+g(x)\}$

즉, $\lim\limits_{x \to 0}\{f(x)+g(x)\}$의 값이 존재하지 않으므로 함수 $f(x)+g(x)$는 $x=0$에서 불연속이다.

ㄴ. $f(0)g(0)=0 \times 1=0$이고,

$\lim\limits_{x \to 0+}f(x)g(x)=1 \times 0=0$, $\lim\limits_{x \to 0-}f(x)g(x)=-1 \times 0=0$이므로

$\lim\limits_{x \to 0}f(x)g(x)=f(0)g(0)$

즉, 함수 $f(x)g(x)$는 $x=0$에서 연속이다.

ㄷ. $f(g(0))=f(1)=0$

$g(x)=t$로 놓으면 $x \to 0$일 때 $t \to 0-$이므로

$\lim\limits_{x \to 0}f(g(x))=\lim\limits_{t \to 0-}f(t)=-1$

$\therefore \lim\limits_{x \to 0}f(g(x)) \neq f(g(0))$

즉, 함수 $f(g(x))$는 $x=0$에서 불연속이다.

ㄹ. $g(f(0))=g(0)=1$

$f(x)=s$로 놓으면 $x \to 0+$일 때 $s \to 1-$이므로

$\lim\limits_{x \to 0+}g(f(x))=\lim\limits_{s \to 1-}g(s)=-1$

$x \to 0-$일 때 $s \to -1+$이므로

$\lim\limits_{x \to 0-}g(f(x))=\lim\limits_{s \to -1+}g(s)=-1$

$\therefore \lim\limits_{x \to 0}g(f(x))=-1$

$\therefore \lim\limits_{x \to 0}g(f(x)) \neq g(f(0))$

즉, 함수 $g(f(x))$는 $x=0$에서 불연속이다.

따라서 보기의 함수 중 $x=0$에서 연속인 것은 ㄴ이다.

050 답 5

함수 $f(x)$가 모든 실수 x에서 연속이면 $x=-1$, $x=1$에서 연속이다.

(i) $x=-1$에서 연속이면
$$\lim_{x \to -1+} f(x) = \lim_{x \to -1-} f(x) = f(-1)$$
$$\lim_{x \to -1+} f(x) = \lim_{x \to -1+} (3x+3) = 0$$
$$\lim_{x \to -1-} f(x) = \lim_{x \to -1-} (x+b) = -1+b$$
$$f(-1) = 0$$
즉, $0=-1+b$이므로 $b=1$

(ii) $x=1$에서 연속이면
$$\lim_{x \to 1+} f(x) = \lim_{x \to 1-} f(x) = f(1)$$
$$\lim_{x \to 1+} f(x) = \lim_{x \to 1+} (x^2+a) = 1+a$$
$$\lim_{x \to 1-} f(x) = \lim_{x \to 1-} (3x+3) = 6$$
$$f(1) = 1+a$$
즉, $1+a=6$이므로 $a=5$

(i), (ii)에서 $f(x) = \begin{cases} x^2+5 & (x \geq 1) \\ 3x+3 & (-1 \leq x < 1) \\ x+1 & (x < -1) \end{cases}$ 이므로

$f(-2)+f(1)=(-2+1)+(1+5)=5$

051 답 ③

함수 $f(x)$가 $x=-2$에서 연속이면 $\lim\limits_{x \to -2} f(x) = f(-2)$

$$\therefore \lim_{x \to -2} \frac{2x+4}{\sqrt{x^2-a}+b} = -1 \qquad \cdots\cdots \text{㉠}$$

$x \to -2$일 때 (분자) $\to 0$이고 0이 아닌 극한값이 존재하므로 (분모) $\to 0$이다.

즉, $\lim\limits_{x \to -2} (\sqrt{x^2-a}+b)=0$이므로

$\sqrt{4-a}+b=0 \qquad \therefore b=-\sqrt{4-a} \qquad \cdots\cdots \text{㉡}$

이를 ㉠의 좌변에 대입하면

$$\lim_{x \to -2} \frac{2x+4}{\sqrt{x^2-a}-\sqrt{4-a}}$$
$$= \lim_{x \to -2} \frac{(2x+4)(\sqrt{x^2-a}+\sqrt{4-a})}{(\sqrt{x^2-a}-\sqrt{4-a})(\sqrt{x^2-a}+\sqrt{4-a})}$$
$$= \lim_{x \to -2} \frac{(2x+4)(\sqrt{x^2-a}+\sqrt{4-a})}{x^2-4}$$
$$= \lim_{x \to -2} \frac{2(x+2)(\sqrt{x^2-a}+\sqrt{4-a})}{(x+2)(x-2)}$$
$$= \lim_{x \to -2} \frac{2(\sqrt{x^2-a}+\sqrt{4-a})}{x-2} = -\sqrt{4-a}$$

즉, $-\sqrt{4-a}=-1$이므로 $a=3$

이를 ㉡에 대입하면 $b=-1$

$\therefore a-b=3-(-1)=4$

052 답 2

함수 $f(x)f(x-1)$이 $x=1$에서 연속이면
$$\lim_{x \to 1+} f(x)f(x-1) = \lim_{x \to 1-} f(x)f(x-1) = f(1)f(0)$$

$x-1=t$로 놓으면 $x \to 1+$일 때 $t \to 0+$이므로
$$\lim_{x \to 1+} f(x)f(x-1) = \lim_{x \to 1+} f(x) \times \lim_{x \to 1+} f(x-1)$$
$$= \lim_{x \to 1+} f(x) \times \lim_{t \to 0+} f(t)$$
$$= \lim_{x \to 1+} (-x+a) \times \lim_{t \to 0+} (-t+a)$$
$$= (-1+a) \times a = a^2-a$$

$x \to 1-$일 때 $t \to 0-$이므로
$$\lim_{x \to 1-} f(x)f(x-1) = \lim_{x \to 1-} f(x) \times \lim_{x \to 1-} f(x-1)$$
$$= \lim_{x \to 1-} f(x) \times \lim_{t \to 0-} f(t)$$
$$= \lim_{x \to 1-} (-x+a) \times \lim_{t \to 0-} (t+2)$$
$$= (-1+a) \times 2 = 2a-2$$

$f(1)f(0) = (-1+a)(0+2) = 2a-2$

즉, $a^2-a=2a-2$이므로 $a^2-3a+2=0$

$(a-1)(a-2)=0 \qquad \therefore a=1$ 또는 $a=2$

따라서 모든 상수 a의 값의 곱은 $1 \times 2 = 2$

053 답 18

㈎에서 $x \neq -1$일 때, $f(x) = \dfrac{3x^5+ax+b}{x+1}$

함수 $f(x)$가 모든 실수 x에서 연속이면 $x=-1$에서 연속이므로
$$\lim_{x \to -1} f(x) = f(-1)$$
$$\therefore \lim_{x \to -1} \frac{3x^5+ax+b}{x+1} = f(-1)$$

$x \to -1$일 때 (분모) $\to 0$이고 극한값이 존재하므로 (분자) $\to 0$이다.

즉, $\lim\limits_{x \to -1} (3x^5+ax+b)=0$이므로

$-3-a+b=0 \qquad \therefore a-b=-3 \qquad \cdots\cdots \text{㉠}$

한편 함수 $f(x)$가 모든 실수 x에서 연속이면 $x=1$에서 연속이므로 ㈏에서
$$\lim_{x \to 1} f(x) = f(1) = 6$$
$$\therefore f(1) = \frac{3+a+b}{2} = 6$$

$3+a+b=12 \qquad \therefore a+b=9 \qquad \cdots\cdots \text{㉡}$

㉠, ㉡을 연립하여 풀면 $a=3$, $b=6$
$$\therefore f(-1) = \lim_{x \to -1} \frac{3x^5+3x+6}{x+1}$$
$$= \lim_{x \to -1} \frac{3(x+1)(x^4-x^3+x^2-x+2)}{x+1}$$
$$= \lim_{x \to -1} 3(x^4-x^3+x^2-x+2) = 18$$

054 답 -1

$x \neq a$일 때, $f(x) = \dfrac{x^2+2x+1}{x-a}$

함수 $f(x)$가 모든 실수 x에서 연속이면 $x=a$에서 연속이므로
$$\lim_{x \to a} f(x) = f(a)$$
$$\therefore \lim_{x \to a} \frac{x^2+2x+1}{x-a} = f(a) \qquad \cdots\cdots \text{㉠}$$

$x \to a$일 때 (분모) $\to 0$이고 극한값이 존재하므로 (분자) $\to 0$이다.

즉, $\lim_{x \to a}(x^2+2x+1)=0$이므로

$a^2+2a+1=0,\ (a+1)^2=0$ $\therefore a=-1$

이를 ㉠에 대입하면

$$f(a)=f(-1)=\lim_{x \to -1}\frac{x^2+2x+1}{x+1}=\lim_{x \to -1}\frac{(x+1)^2}{x+1}$$
$$=\lim_{x \to -1}(x+1)=0$$

$\therefore a+f(a)=-1+0=-1$

055 답 ㄷ

ㄱ. [반례] $f(x)=\begin{cases} 1 & (x \geq a) \\ -1 & (x < a) \end{cases}$, $g(x)=\begin{cases} -1 & (x \geq a) \\ 1 & (x < a) \end{cases}$이면 두 함수 $f(x)$, $g(x)$는 $x=a$에서 불연속이지만 함수 $f(x)+g(x)$는 $x=a$에서 연속이다.

ㄴ. [반례] $f(x)=0$, $g(x)=\begin{cases} 1 & (x \geq a) \\ -1 & (x < a) \end{cases}$이면 두 함수 $f(x)$, $f(x)g(x)$는 $x=a$에서 연속이지만 함수 $g(x)$는 $x=a$에서 불연속이다.

ㄷ. 두 함수 $f(x)+g(x)$, $f(x)-g(x)$가 $x=a$에서 연속이므로

$\lim_{x \to a}\{f(x)+g(x)\}=f(a)+g(a)$,

$\lim_{x \to a}\{f(x)-g(x)\}=f(a)-g(a)$

$\therefore \lim_{x \to a}f(x)=\lim_{x \to a}\frac{1}{2}[\{f(x)+g(x)\}+\{f(x)-g(x)\}]$

$\qquad =\frac{1}{2}[\lim_{x \to a}\{f(x)+g(x)\}+\lim_{x \to a}\{f(x)-g(x)\}]$

$\qquad =\frac{1}{2}[\{f(a)+g(a)\}+\{f(a)-g(a)\}]$

$\qquad =f(a)$

즉, 함수 $f(x)$는 $x=a$에서 연속이다.

ㄹ. [반례] $f(x)=\begin{cases} 1 & (x \geq a) \\ -1 & (x < a) \end{cases}$이면 함수 $|f(x)|$는 $x=a$에서 연속이지만 함수 $f(x)$는 $x=a$에서 불연속이다.

따라서 보기 중 옳은 것은 ㄷ이다.

056 답 ③

함수 $f(x)=\dfrac{2}{x-1}$의 그래프는 오른쪽 그림과 같다.

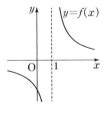

①, ④, ⑤ 닫힌구간 $[-1, 0]$, $[2, 3]$, $[3, 4]$에서 연속이므로 최대·최소 정리에 의하여 각 구간에서 반드시 최댓값과 최솟값을 갖는다.

② 반열린구간 $[0, 1)$에서 최댓값이 -2이다.

③ 반열린구간 $(1, 2]$에서 최댓값은 없다.

057 답 5

함수 $f(x)$가 닫힌구간 $[-1, 2]$에서 연속이므로 $x=1$에서 연속이다.

즉, $\lim_{x \to 1}f(x)=f(1)$이므로 $\lim_{x \to 1}\dfrac{x^2-ax+b}{x-1}=1+c$ ······ ㉠

$x \to 1$일 때 (분모) $\to 0$이고 극한값이 존재하므로 (분자) $\to 0$이다.

즉, $\lim_{x \to 1}(x^2-ax+b)=0$이므로

$1-a+b=0$ $\therefore b=a-1$

이를 ㉠의 좌변에 대입하면

$$\lim_{x \to 1}\frac{x^2-ax+a-1}{x-1}=\lim_{x \to 1}\frac{(x-1)(x-a+1)}{x-1}$$
$$=\lim_{x \to 1}(x-a+1)=2-a$$

즉, $2-a=1+c$이므로 $a=1-c$

$\therefore f(x)=\begin{cases} x+c & (-1 \leq x < 1) \\ x^2+c & (1 \leq x \leq 2) \end{cases}$

함수 $f(x)$가 닫힌구간 $[-1, 2]$에서 연속이므로 최대·최소 정리에 의하여 이 구간에서 반드시 최댓값과 최솟값을 갖는다.

닫힌구간 $[-1, 2]$에서 함수 $f(x)$의 최댓값은 $f(2)=4+c$, 최솟값은 $f(-1)=-1+c$이므로 구하는 차는

$4+c-(-1+c)=5$

058 답 ⑤

$g(x)=f(x)-3x$라 하면 함수 $g(x)$는 닫힌구간 $[0, 2]$에서 연속이고

$g(0)=f(0)-0=k+2$, $g(2)=f(2)-6=(k-3)-6=k-9$

이때 사잇값의 정리에 의하여 방정식 $g(x)=0$이 열린구간 $(0, 2)$에서 실근을 가지려면 $g(0)g(2)<0$이어야 하므로

$(k+2)(k-9)<0$ $\therefore -2<k<9$

따라서 정수 k는 $-1, 0, 1, \cdots, 8$의 10개이다.

059 답 ㄱ, ㄴ

ㄱ. 사잇값의 정리에 의하여 A 지점에서 휴게소까지 갈 때 속력이 70 km/h인 순간이 적어도 2번 존재한다.

ㄴ. 사잇값의 정리에 의하여 A 지점에서 휴게소까지 갈 때 속력이 50 km/h인 순간이 적어도 2번, 휴게소에서 B 지점까지 갈 때 속력이 50 km/h인 순간이 적어도 2번 존재한다.
즉, 속력이 50 km/h인 순간이 적어도 4번 존재한다.

ㄷ. 최고 속력이 빠르다고 해서 평균 속력이 빠르다고 말할 수 없다.

따라서 보기 중 옳은 것은 ㄱ, ㄴ이다.

060 답 2

$g(x)=x^2f(x)-3x+1$이라 하면 함수 $g(x)$는 닫힌구간 $[-2, 1]$에서 연속이고

$g(-2)=4f(-2)+6+1=4 \times (-2)+7=-1$

$g(-1)=f(-1)+3+1=-4+4=0$

$g(0)=1$

$g(1)=f(1)-3+1=0-2=-2$

이때 $g(0)g(1)<0$이므로 사잇값의 정리에 의하여 방정식 $g(x)=0$은 열린구간 $(0, 1)$에서 적어도 하나의 실근을 갖고, $g(-1)=0$이므로 방정식 $g(x)=0$, 즉 $x^2f(x)=3x-1$은 열린구간 $(-2, 1)$에서 적어도 2개의 실근을 갖는다.

$\therefore n=2$

001 답 5

함수 $f(x)=x^2-3x$에서 x의 값이 2에서 a까지 변할 때의 평균변화율은

$$\frac{\Delta y}{\Delta x}=\frac{f(a)-f(2)}{a-2}=\frac{(a^2-3a)-(4-6)}{a-2}$$
$$=\frac{a^2-3a+2}{a-2}=\frac{(a-2)(a-1)}{a-2}$$
$$=a-1$$

따라서 $a-1=4$이므로
$a=5$

002 답 0

함수 $f(x)=-x^2+x+2$에서 x의 값이 -1에서 1까지 변할 때의 평균변화율은

$$\frac{\Delta y}{\Delta x}=\frac{f(1)-f(-1)}{1-(-1)}=\frac{2-0}{2}=1 \quad \cdots\cdots \text{㉠}$$

함수 $f(x)$의 $x=a$에서의 미분계수 $f'(a)$는

$$f'(a)=\lim_{h\to 0}\frac{f(a+h)-f(a)}{h}$$
$$=\lim_{h\to 0}\frac{\{-(a+h)^2+(a+h)+2\}-(-a^2+a+2)}{h}$$
$$=\lim_{h\to 0}\frac{-h^2+(-2a+1)h}{h}$$
$$=\lim_{h\to 0}(-h-2a+1)$$
$$=-2a+1 \quad \cdots\cdots \text{㉡}$$

㉠, ㉡에서
$1=-2a+1 \quad \therefore a=0$

003 답 ㄴ, ㄷ

ㄱ. 원점 및 두 점 $(a, f(a))$, $(b, f(b))$가 직선 $y=x$ 위의 점이므로 원점과 점 $(a, f(a))$를 지나는 직선의 기울기와 원점과 점 $(b, f(b))$를 지나는 직선의 기울기는 모두 1이다.

$$\therefore \frac{f(a)}{a}=\frac{f(b)}{b}=1$$

ㄴ. 점 $(a, f(a))$에서의 접선의 기울기가 점 $(b, f(b))$에서의 접선의 기울기보다 크므로
$$f'(a)>f'(b)$$

ㄷ. 점 $(b, f(b))$에서의 접선의 기울기가 두 점 $(a, f(a))$, $(b, f(b))$를 지나는 직선의 기울기보다 작으므로
$$f'(b)<\frac{f(b)-f(a)}{b-a}$$

따라서 보기 중 옳은 것은 ㄴ, ㄷ이다.

004 답 ⑤

$$\lim_{h\to 0}\frac{f(1+3h)-f(1)}{h}=\lim_{h\to 0}\frac{f(1+3h)-f(1)}{3h}\times 3$$
$$=3f'(1)$$
$$=3\times 3=9$$

005 답 3

$$\lim_{x\to 1}\frac{xf(1)-f(x)}{x^2-1}=\lim_{x\to 1}\frac{xf(1)-f(1)+f(1)-f(x)}{x^2-1}$$
$$=\lim_{x\to 1}\frac{(x-1)f(1)}{(x+1)(x-1)}-\lim_{x\to 1}\frac{f(x)-f(1)}{(x+1)(x-1)}$$
$$=\lim_{x\to 1}\frac{f(1)}{x+1}-\lim_{x\to 1}\left\{\frac{f(x)-f(1)}{x-1}\times\frac{1}{x+1}\right\}$$
$$=\frac{1}{2}f(1)-\frac{1}{2}f'(1)$$
$$=\frac{1}{2}\times 4-\frac{1}{2}\times(-2)=3$$

006 답 ③

$f(x+y)=f(x)+f(y)+xy$의 양변에 $x=0$, $y=0$을 대입하면
$f(0)=f(0)+f(0)+0 \quad \therefore f(0)=0 \quad \cdots\cdots \text{㉠}$

$$\therefore f'(1)=\lim_{h\to 0}\frac{f(1+h)-f(1)}{h}=\lim_{h\to 0}\frac{f(1)+f(h)+h-f(1)}{h}$$
$$=\lim_{h\to 0}\frac{f(h)}{h}+1=\lim_{h\to 0}\frac{f(h)-f(0)}{h}+1 \ (\because \text{㉠})$$
$$=f'(0)+1=1+1=2$$

007 답 ㄱ, ㄴ, ㄹ

ㄱ. $f(x)=\sqrt{x^2}=|x|$이고 $\lim_{x\to 0}f(x)=f(0)=0$이므로 함수 $f(x)$는 $x=0$에서 연속이다.

$$\lim_{h\to 0+}\frac{f(h)-f(0)}{h}=\lim_{h\to 0+}\frac{h-0}{h}=1$$
$$\lim_{h\to 0-}\frac{f(h)-f(0)}{h}=\lim_{h\to 0-}\frac{-h-0}{h}=-1$$

즉, 함수 $f(x)$는 $x=0$에서 미분가능하지 않다.

ㄴ. $\lim_{x\to 0}f(x)=f(0)=3$이므로 함수 $f(x)$는 $x=0$에서 연속이다.

$$\lim_{h\to 0+}\frac{f(h)-f(0)}{h}=\lim_{h\to 0+}\frac{(h^2-2h+3)-3}{h}$$
$$=\lim_{h\to 0+}(h-2)=-2$$
$$\lim_{h\to 0-}\frac{f(h)-f(0)}{h}=\lim_{h\to 0-}\frac{(h^2+2h+3)-3}{h}$$
$$=\lim_{h\to 0-}(h+2)=2$$

즉, 함수 $f(x)$는 $x=0$에서 미분가능하지 않다.

ㄷ. $\lim_{x\to 0}f(x)=f(0)=0$이므로 함수 $f(x)$는 $x=0$에서 연속이다.

$$\lim_{h\to 0+}\frac{f(h)-f(0)}{h}=\lim_{h\to 0+}\frac{h^2-0}{h}=\lim_{h\to 0+}h=0$$
$$\lim_{h\to 0-}\frac{f(h)-f(0)}{h}=\lim_{h\to 0-}\frac{-h^2-0}{h}=\lim_{h\to 0-}(-h)=0$$

즉, 함수 $f(x)$는 $x=0$에서 미분가능하다.

ㄹ. $\lim_{x\to 0}f(x)=f(0)=0$이므로 함수 $f(x)$는 $x=0$에서 연속이다.

$$\lim_{h\to 0+}\frac{f(h)-f(0)}{h}=\lim_{h\to 0+}\frac{2h-0}{h}=2$$
$$\lim_{h\to 0-}\frac{f(h)-f(0)}{h}=\lim_{h\to 0-}\frac{-2h-0}{h}=-2$$

즉, 함수 $f(x)$는 $x=0$에서 미분가능하지 않다.

따라서 보기의 함수 중 $x=0$에서 연속이지만 미분가능하지 않은 것은 ㄱ, ㄴ, ㄹ이다.

008 탑 ③

① 점 $(0, f(0))$에서의 접선의 기울기가 0보다 크므로 $f'(0)>0$

② $\lim\limits_{x\to 1+} f(x)=\lim\limits_{x\to 1-} f(x)$이므로 $\lim\limits_{x\to 1} f(x)$의 값이 존재한다.

③ 미분가능하면서 접선의 기울기가 0인 점이 존재하지 않으므로 $f'(x)=0$인 점도 존재하지 않는다.

④ 불연속인 x의 값은 1, 3의 2개이다.

⑤ 미분가능하지 않은 x의 값은 1, 2, 3의 3개이다.

009 탑 ②

함수 $f(x)=x^2-x+2$에서 x의 값이 a에서 $a+1$까지 변할 때의 평균변화율은

$$\frac{\Delta y}{\Delta x}=\frac{f(a+1)-f(a)}{(a+1)-a}$$
$$=\{(a+1)^2-(a+1)+2\}-(a^2-a+2)=2a$$

따라서 $2a=4$이므로 $a=2$

010 탑 5

함수 $f(x)=x^2+4x-3$에서 x의 값이 -1에서 2까지 변할 때의 평균변화율은

$$\frac{\Delta y}{\Delta x}=\frac{f(2)-f(-1)}{2-(-1)}=\frac{9-(-6)}{3}=5$$

011 탑 ①

함수 $f(x)=x^3-ax+1$에서 x의 값이 -2에서 3까지 변할 때의 평균변화율은

$$\frac{\Delta y}{\Delta x}=\frac{f(3)-f(-2)}{3-(-2)}=\frac{(27-3a+1)-(-8+2a+1)}{5}$$
$$=\frac{35-5a}{5}=7-a$$

따라서 $7-a=10$이므로 $a=-3$

012 탑 $-\dfrac{1}{8}$

$$f^1(x)=f(x)=\frac{x}{x-1}$$

$$f^2(x)=(f\circ f^1)(x)=f(f(x))=\frac{\dfrac{x}{x-1}}{\dfrac{x}{x-1}-1}=x$$

$$\vdots$$

$$\therefore g(x)=f^{2021}(x)=f^{2\times 1010+1}(x)=f(x)=\frac{x}{x-1}$$

따라서 함수 $g(x)$에서 x의 값이 3에서 5까지 변할 때의 평균변화율은

$$\frac{\Delta y}{\Delta x}=\frac{g(5)-g(3)}{5-3}=\frac{\dfrac{5}{4}-\dfrac{3}{2}}{2}=-\frac{1}{8}$$

013 탑 ④

함수 $f(x)=x^2-4x+1$에서 x의 값이 0에서 a까지 변할 때의 평균변화율은

$$\frac{\Delta y}{\Delta x}=\frac{f(a)-f(0)}{a-0}=\frac{(a^2-4a+1)-1}{a}$$
$$=\frac{a^2-4a}{a}=a-4 \qquad\cdots\cdots \text{㉠}$$

함수 $f(x)$의 $x=3$에서의 미분계수 $f'(3)$은

$$f'(3)=\lim_{h\to 0}\frac{f(3+h)-f(3)}{h}$$
$$=\lim_{h\to 0}\frac{\{(3+h)^2-4(3+h)+1\}-(-2)}{h}$$
$$=\lim_{h\to 0}\frac{h^2+2h}{h}=\lim_{h\to 0}(h+2)=2 \qquad\cdots\cdots \text{㉡}$$

㉠, ㉡에서 $a-4=2$ $\quad\therefore a=6$

014 탑 $\dfrac{1}{2}$

함수 $f(x)$의 $x=1$에서의 미분계수 $f'(1)$은 x의 값이 1에서 $1+h$까지 변할 때의 평균변화율에 대하여 $h\to 0$일 때의 평균변화율의 극한값과 같으므로

$$f'(1)=\lim_{h\to 0}\frac{\sqrt{4+h}-\sqrt{4-h}}{h}$$
$$=\lim_{h\to 0}\frac{(\sqrt{4+h}-\sqrt{4-h})(\sqrt{4+h}+\sqrt{4-h})}{h(\sqrt{4+h}+\sqrt{4-h})}$$
$$=\lim_{h\to 0}\frac{2h}{h(\sqrt{4+h}+\sqrt{4-h})}=\lim_{h\to 0}\frac{2}{\sqrt{4+h}+\sqrt{4-h}}=\frac{1}{2}$$

015 탑 80

함수 $s(t)=24t-0.8t^2$에서 t의 값이 5에서 15까지 변할 때의 평균변화율은

$$a=\frac{s(15)-s(5)}{15-5}=\frac{180-100}{10}=8 \qquad\cdots\cdots \text{㉠}$$

함수 $s(t)$의 $t=b$에서의 순간변화율은

$$s'(b)=\lim_{h\to 0}\frac{s(b+h)-s(b)}{h}$$
$$=\lim_{h\to 0}\frac{\{24(b+h)-0.8(b+h)^2\}-(24b-0.8b^2)}{h}$$
$$=\lim_{h\to 0}\frac{24h-1.6bh-0.8h^2}{h}$$
$$=\lim_{h\to 0}(24-1.6b-0.8h)=24-1.6b \qquad\cdots\cdots \text{㉡}$$

㉠, ㉡에서 $8=24-1.6b$ $\quad\therefore b=10$

$\therefore ab=8\times 10=80$

016 탑 ④

ㄱ. 두 점 $(a, f(a))$, $(b, f(b))$를 지나는 직선의 기울기가 직선 $y=2x$의 기울기보다 작으므로

$$\frac{f(b)-f(a)}{b-a}<2$$

$\therefore f(b)-f(a)<2(b-a)$ $(\because b-a>0)$

ㄴ. 두 점 $(a, f(a))$, $(b, f(b))$를 지나는 직선의 기울기가 점 $(a, f(a))$에서의 접선의 기울기보다 작으므로

$$\frac{f(b)-f(a)}{b-a}<f'(a)$$

$\therefore f(b)-f(a)<(b-a)f'(a)$ $(\because b-a>0)$

ㄷ. 두 점 $(0, 0)$, $(b, f(b))$를 지나는 직선의 기울기가 점 $(b, f(b))$에서의 접선의 기울기보다 크므로

$$\frac{f(b)}{b}>f'(b) \qquad\therefore f(b)>bf'(b) \ (\because b>0)$$

따라서 보기 중 옳은 것은 ㄴ, ㄷ이다.

017 답 $b<x<c$

$f'(k)$는 곡선 $y=f(x)$ 위의 점 $(k, f(k))$에서의 접선의 기울기이고, $g'(k)$는 곡선 $y=g(x)$ 위의 점 $(k, g(k))$에서의 접선의 기울기이다.

부등식 $f'(x)g'(x)>0$의 해는

$f'(x)>0$, $g'(x)>0$ 또는 $f'(x)<0$, $g'(x)<0$

(i) $f'(x)>0$, $g'(x)>0$일 때

$f'(x)>0$인 구간은 $x>c$이고, $g'(x)>0$인 구간은 $x<b$이므로 공통부분이 없다.

(ii) $f'(x)<0$, $g'(x)<0$일 때

$f'(x)<0$인 구간은 $x<c$이고, $g'(x)<0$인 구간은 $x>b$이므로 공통부분은 $b<x<c$

따라서 구하는 부등식의 해는 $b<x<c$

018 답 ㄴ

$\dfrac{f(x)-f(1)}{x-1}$은 두 점 $(1, f(1))$, $(x, f(x))$를 지나는 직선의 기울기와 같고, $f'(1)$은 곡선 $y=f(x)$ 위의 점 $(1, f(1))$에서의 접선의 기울기와 같다.

ㄱ. 오른쪽 그림에서 두 점 $(1, f(1))$, $(x, f(x))$를 지나는 직선의 기울기가 점 $(1, f(1))$에서의 접선의 기울기보다 크므로 $\dfrac{f(x)-f(1)}{x-1}>f'(1)$이 항상 성립한다.

ㄴ. 오른쪽 그림에서 두 점 $(1, f(1))$, $(x, f(x))$를 지나는 직선의 기울기가 점 $(1, f(1))$에서의 접선의 기울기보다 작으므로 $\dfrac{f(x)-f(1)}{x-1}<f'(1)$이 항상 성립한다.

ㄷ. 오른쪽 그림에서 두 점 $(1, f(1))$, $(x, f(x))$를 지나는 직선의 기울기가 점 $(1, f(1))$에서의 접선의 기울기보다 크므로 $\dfrac{f(x)-f(1)}{x-1}>f'(1)$인 경우가 있다.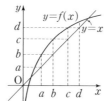

따라서 보기의 함수의 그래프 중 조건을 항상 만족시키는 것은 ㄴ이다.

019 답 ③

$(f \circ g)(x)=x$이므로 $g(x)$는 $f(x)$의 역함수이다.

함수 $g(x)$에서 x의 값이 b에서 c까지 변할 때의 평균변화율은

$\dfrac{\Delta y}{\Delta x}=\dfrac{g(c)-g(b)}{c-b}=\dfrac{f^{-1}(c)-f^{-1}(b)}{c-b}$

오른쪽 그림에서 $f(b)=c$이므로

$f^{-1}(c)=b$

또 $f(a)=b$이므로

$f^{-1}(b)=a$

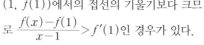

따라서 구하는 평균변화율은

$\dfrac{f^{-1}(c)-f^{-1}(b)}{c-b}=\dfrac{b-a}{c-b}=\dfrac{a-b}{b-c}$

020 답 ㄱ, ㄴ, ㄷ

ㄱ. $\dfrac{f(a)}{a}$는 원점과 점 $(a, f(a))$를 지나는 직선의 기울기이므로 1보다 작거나 같다.

$\therefore \dfrac{f(a)}{a}\leq 1$

ㄴ. $a>1$이면 점 $(a, f(a))$에서의 접선의 기울기는 1보다 작으므로

$f'(a)<1$

ㄷ. $f(a)<af'(a)$에서

$\dfrac{f(a)}{a}<f'(a)$ $(\because a>0)$

이때 원점과 점 $(a, f(a))$를 지나는 직선의 기울기 $\dfrac{f(a)}{a}$가 점 $(a, f(a))$에서의 접선의 기울기 $f'(a)$보다 작은 a의 값의 범위는

$0<a<1$

따라서 보기 중 옳은 것은 ㄱ, ㄴ, ㄷ이다.

021 답 ㄱ, ㄷ

$f'(a)$, $f'(b)$, $f'(c)$는 각각 곡선 $y=f(x)$ 위의 점 $(a, f(a))$, $(b, f(b))$, $(c, f(c))$에서의 접선의 기울기이므로

$f'(a)>0$, $f'(b)<0$, $f'(c)>0$

ㄱ. $f'(a)+f'(c)>0$

ㄴ. $f'(a)f'(b)f'(c)<0$

ㄷ. $\dfrac{f(b)}{b}$는 원점과 점 $(b, f(b))$를 지나는 직선의 기울기이고,

$\dfrac{f(c)}{c}$는 원점과 점 $(c, f(c))$를 지나는 직선의 기울기이므로

$\dfrac{f(b)}{b}>\dfrac{f(c)}{c}$

ㄹ. 두 점 $(0, f(0))$, 점 $(c, f(c))$를 지나는 직선의 기울기는 0보다 작고, $f'(a)>0$이므로

$\dfrac{f(c)-f(0)}{c}<f'(a)$

따라서 보기 중 옳은 것은 ㄱ, ㄷ이다.

022 답 ②

$\displaystyle\lim_{h \to 0}\dfrac{f(2+5h)-f(2)}{2h}=\lim_{h \to 0}\dfrac{f(2+5h)-f(2)}{5h}\times\dfrac{5}{2}$

$\qquad\qquad\qquad\qquad =\dfrac{5}{2}f'(2)$

$\qquad\qquad\qquad\qquad =\dfrac{5}{2}\times 4=10$

023 답 ④

$\displaystyle\lim_{h \to 0}\dfrac{f(a)-f(a-2h)}{3h}=\lim_{h \to 0}\dfrac{f(a-2h)-f(a)}{-3h}$

$\qquad\qquad\qquad\qquad =\lim_{h \to 0}\dfrac{f(a-2h)-f(a)}{-2h}\times\dfrac{2}{3}$

$\qquad\qquad\qquad\qquad =\dfrac{2}{3}f'(a)$

024 답 6

곡선 $y=f(x)$ 위의 점 $(2, f(2))$에서의 접선의 기울기가 3이므로

$f'(2)=3$

$\therefore \displaystyle\lim_{h \to 0} \frac{f(2+h)-f(2-5h)}{3h}$

$=\displaystyle\lim_{h \to 0} \frac{f(2+h)-f(2)+f(2)-f(2-5h)}{3h}$

$=\displaystyle\lim_{h \to 0} \frac{f(2+h)-f(2)}{h} \times \frac{1}{3} - \lim_{h \to 0} \frac{f(2-5h)-f(2)}{-5h} \times \left(-\frac{5}{3}\right)$

$=\dfrac{1}{3}f'(2)+\dfrac{5}{3}f'(2)=2f'(2)=2 \times 3 = 6$

025 답 ②

$\displaystyle\lim_{h \to 0} \frac{f(1+2h)-3}{h}=4$에서 $h \to 0$일 때 (분모) $\to 0$이고 극한값이

존재하므로 (분자) $\to 0$이다.

즉, $\displaystyle\lim_{h \to 0}\{f(1+2h)-3\}=0$이므로

$f(1)-3=0 \qquad \therefore f(1)=3 \qquad \cdots\cdots \ \bigcirc$

$\therefore \displaystyle\lim_{h \to 0} \frac{f(1+2h)-3}{h}=\lim_{h \to 0} \frac{f(1+2h)-f(1)}{h} \ (\because \ \bigcirc)$

$\qquad\qquad\qquad = \displaystyle\lim_{h \to 0} \frac{f(1+2h)-f(1)}{2h} \times 2$

$\qquad\qquad\qquad = 2f'(1)$

따라서 $2f'(1)=-4$이므로 $f'(1)=-2$

026 답 ①

$\dfrac{1}{t}=h$로 놓으면 $t \to \infty$일 때 $h \to 0$이므로

$\displaystyle\lim_{t \to \infty} t\left\{f\left(1+\frac{2}{t}\right)-f\left(1+\frac{1}{t}\right)\right\}$

$=\displaystyle\lim_{h \to 0} \frac{1}{h}\{f(1+2h)-f(1+h)\}$

$=\displaystyle\lim_{h \to 0} \frac{f(1+2h)-f(1+h)}{h}$

$=\displaystyle\lim_{h \to 0} \frac{f(1+2h)-f(1)+f(1)-f(1+h)}{h}$

$=\displaystyle\lim_{h \to 0} \frac{f(1+2h)-f(1)}{2h} \times 2 - \lim_{h \to 0} \frac{f(1+h)-f(1)}{h}$

$=2f'(1)-f'(1)=f'(1)=3$

027 답 4

$\displaystyle\lim_{h \to 0} \frac{f(a-2h)-f(a)-g(h)}{h}$

$=\displaystyle\lim_{h \to 0} \frac{f(a-2h)-f(a)}{-2h} \times (-2) - \lim_{h \to 0} \frac{g(h)}{h}$

$=-2f'(a)-\displaystyle\lim_{h \to 0} \frac{g(h)}{h}$

$=-2 \times (-2)-\displaystyle\lim_{h \to 0} \frac{g(h)}{h}$

$=4-\displaystyle\lim_{h \to 0} \frac{g(h)}{h}$

따라서 $4-\displaystyle\lim_{h \to 0} \frac{g(h)}{h}=0$이므로 $\displaystyle\lim_{h \to 0} \frac{g(h)}{h}=4$

028 답 8

$\displaystyle\lim_{x \to 2} \frac{x^2 f(2)-4f(x)}{x-2}$

$=\displaystyle\lim_{x \to 2} \frac{x^2 f(2)-4f(2)+4f(2)-4f(x)}{x-2}$

$=\displaystyle\lim_{x \to 2} \frac{(x^2-4)f(2)}{x-2} - \lim_{x \to 2} \frac{4\{f(x)-f(2)\}}{x-2}$

$=\displaystyle\lim_{x \to 2} \frac{(x-2)(x+2)f(2)}{x-2} - 4\lim_{x \to 2} \frac{f(x)-f(2)}{x-2}$

$=4f(2)-4f'(2)$

$=4 \times (-1)-4 \times (-3)=8$

029 답 ⑤

$\displaystyle\lim_{x \to 1} \frac{f(x^3)-f(1)}{x^2-1}$

$=\displaystyle\lim_{x \to 1} \left\{ \frac{f(x^3)-f(1)}{x^3-1} \times \frac{x^3-1}{x^2-1} \right\}$

$=\displaystyle\lim_{x \to 1} \frac{f(x^3)-f(1)}{x^3-1} \times \lim_{x \to 1} \frac{(x-1)(x^2+x+1)}{(x-1)(x+1)}$

$=f'(1) \times \dfrac{3}{2}=2 \times \dfrac{3}{2}=3$

030 답 ③

$\displaystyle\lim_{h \to 0} \frac{f(1+h)-f(1-3h)}{2h}$

$=\displaystyle\lim_{h \to 0} \frac{f(1+h)-f(1)+f(1)-f(1-3h)}{2h}$

$=\displaystyle\lim_{h \to 0} \frac{f(1+h)-f(1)}{h} \times \frac{1}{2} - \lim_{h \to 0} \frac{f(1-3h)-f(1)}{-3h} \times \left(-\frac{3}{2}\right)$

$=\dfrac{1}{2}f'(1)+\dfrac{3}{2}f'(1)=2f'(1)$

즉, $2f'(1)=-6$이므로 $f'(1)=-3$

$\therefore \displaystyle\lim_{x \to 1} \frac{f(x)-f(1)}{x^3-1}=\lim_{x \to 1} \frac{f(x)-f(1)}{(x-1)(x^2+x+1)}$

$\qquad\qquad\qquad = \displaystyle\lim_{x \to 1} \left\{ \frac{f(x)-f(1)}{x-1} \times \frac{1}{x^2+x+1} \right\}$

$\qquad\qquad\qquad = \displaystyle\lim_{x \to 1} \frac{f(x)-f(1)}{x-1} \times \lim_{x \to 1} \frac{1}{x^2+x+1}$

$\qquad\qquad\qquad = f'(1) \times \dfrac{1}{3}=(-3) \times \dfrac{1}{3}=-1$

031 답 ③

$\displaystyle\lim_{x \to 3} \frac{f(x)-2}{x^2-9}=1$에서 $x \to 3$일 때 (분모) $\to 0$이고 극한값이 존재

하므로 (분자) $\to 0$이다.

즉, $\displaystyle\lim_{x \to 3}\{f(x)-2\}=0$이므로 $f(3)=2 \qquad \cdots\cdots \ \bigcirc$

$\therefore \displaystyle\lim_{x \to 3} \frac{f(x)-2}{x^2-9}=\lim_{x \to 3} \frac{f(x)-f(3)}{x^2-9} \ (\because \ \bigcirc)$

$\qquad\qquad\qquad = \displaystyle\lim_{x \to 3} \left\{ \frac{f(x)-f(3)}{x-3} \times \frac{1}{x+3} \right\}$

$\qquad\qquad\qquad = \displaystyle\lim_{x \to 3} \frac{f(x)-f(3)}{x-3} \times \lim_{x \to 3} \frac{1}{x+3} = \frac{1}{6}f'(3)$

즉, $\dfrac{1}{6}f'(3)=1$이므로 $f'(3)=6$

$\therefore f(3)+f'(3)=2+6=8$

032 답 -4

$$\lim_{x \to 1} \frac{f(x)-3x}{x-1} = \lim_{x \to 1} \frac{f(x)-f(1)+f(1)-3x}{x-1}$$
$$= \lim_{x \to 1} \frac{f(x)-f(1)-3x+3}{x-1} \ (\because f(1)=3)$$
$$= \lim_{x \to 1} \frac{f(x)-f(1)}{x-1} - \lim_{x \to 1} \frac{3(x-1)}{x-1}$$
$$= f'(1)-3 = -1-3 = -4$$

033 답 $\dfrac{3}{4}$

$$\lim_{x \to 1} \frac{\sqrt{f(x)}-\sqrt{f(1)}}{x^2-1}$$
$$= \lim_{x \to 1} \frac{\{\sqrt{f(x)}-\sqrt{f(1)}\}\{\sqrt{f(x)}+\sqrt{f(1)}\}}{(x-1)(x+1)\{\sqrt{f(x)}+\sqrt{f(1)}\}}$$
$$= \lim_{x \to 1} \frac{f(x)-f(1)}{x-1} \times \lim_{x \to 1} \frac{1}{(x+1)\{\sqrt{f(x)}+\sqrt{f(1)}\}}$$
$$= f'(1) \times \frac{1}{4\sqrt{f(1)}} = 6 \times \frac{1}{8} = \frac{3}{4}$$

034 답 $\dfrac{1}{2}$

$\lim\limits_{x \to 0} \dfrac{f(x)}{x} = 2$에서 $x \to 0$일 때 (분모) $\to 0$이고 극한값이 존재하므로 (분자) $\to 0$이다.

즉, $\lim\limits_{x \to 0} f(x)=0$이므로 $f(0)=0$ $\quad$ ...... ㉠

$$\therefore \lim_{x \to 0} \frac{f(x)}{x} = \lim_{x \to 0} \frac{f(x)-f(0)}{x} = f'(0)=2 \ (\because ㉠)$$

$x-1=t$로 놓으면 $x \to 1$일 때 $t \to 0$이므로

$$\lim_{x \to 1} \frac{f(x-1)+g(x)}{x^2-1}$$
$$= \lim_{t \to 0} \frac{f(t)+g(t+1)}{(t+1)^2-1}$$
$$= \lim_{t \to 0} \frac{f(t)}{t(t+2)} + \lim_{t \to 0} \frac{g(t+1)}{t(t+2)}$$
$$= \lim_{t \to 0} \left\{ \frac{f(t)-f(0)}{t} \times \frac{1}{t+2} \right\} + \lim_{t \to 0} \left\{ \frac{g(t+1)-g(1)}{t} \times \frac{1}{t+2} \right\}$$
$$(\because f(0)=0, \ g(1)=0)$$
$$= \frac{1}{2}f'(0) + \frac{1}{2}g'(1) = \frac{1}{2} \times 2 + \frac{1}{2} \times (-1) = \frac{1}{2}$$

035 답 ⑤

$f(x+y)=f(x)+f(y)+3xy-1$의 양변에 $x=0$, $y=0$을 대입하면

$f(0)=f(0)+f(0)-1$ $\quad \therefore f(0)=1$ $\quad$ ...... ㉠

$$\therefore f'(2) = \lim_{h \to 0} \frac{f(2+h)-f(2)}{h}$$
$$= \lim_{h \to 0} \frac{f(2)+f(h)+6h-1-f(2)}{h}$$
$$= \lim_{h \to 0} \frac{f(h)-1}{h} + 6$$
$$= \lim_{h \to 0} \frac{f(h)-f(0)}{h} + 6 \ (\because ㉠)$$
$$= f'(0)+6$$
$$= 3+6 = 9$$

036 답 4

$f(x+y)=f(x)+f(y)-2xy+1$의 양변에 $x=0$, $y=0$을 대입하면

$f(0)=f(0)+f(0)+1$ $\quad \therefore f(0)=-1$ $\quad$ ...... ㉠

$$\therefore f'(1) = \lim_{h \to 0} \frac{f(1+h)-f(1)}{h}$$
$$= \lim_{h \to 0} \frac{f(1)+f(h)-2h+1-f(1)}{h}$$
$$= \lim_{h \to 0} \frac{f(h)+1}{h} - 2$$
$$= \lim_{h \to 0} \frac{f(h)-f(0)}{h} - 2 \ (\because ㉠)$$
$$= f'(0)-2$$

따라서 $f'(0)-2=2$이므로 $f'(0)=4$

037 답 ④

$f(x+y)=f(x)+f(y)+xy$의 양변에 $x=0$, $y=0$을 대입하면

$f(0)=f(0)+f(0)+0$ $\quad \therefore f(0)=0$ $\quad$ ...... ㉠

$$\therefore f'(1) = \lim_{h \to 0} \frac{f(1+h)-f(1)}{h}$$
$$= \lim_{h \to 0} \frac{f(1)+f(h)+h-f(1)}{h}$$
$$= \lim_{h \to 0} \frac{f(h)}{h} + 1$$
$$= \lim_{h \to 0} \frac{f(h)-f(0)}{h} + 1 \ (\because ㉠)$$
$$= f'(0)+1$$

즉, $f'(0)+1=3$이므로 $f'(0)=2$

$$\therefore f'(15) = \lim_{h \to 0} \frac{f(15+h)-f(15)}{h}$$
$$= \lim_{h \to 0} \frac{f(15)+f(h)+15h-f(15)}{h}$$
$$= \lim_{h \to 0} \frac{f(h)}{h} + 15$$
$$= \lim_{h \to 0} \frac{f(h)-f(0)}{h} + 15 \ (\because ㉠)$$
$$= f'(0)+15$$
$$= 2+15 = 17$$

038 답 ③

$f(x+y)=2f(x)f(y)$의 양변에 $x=0$, $y=0$을 대입하면

$f(0)=2f(0)f(0)$ $\quad \therefore f(0)=\dfrac{1}{2} \ (\because f(0)>0)$ $\quad$ ...... ㉠

$$\therefore f'(1) = \lim_{h \to 0} \frac{f(1+h)-f(1)}{h} = \lim_{h \to 0} \frac{2f(1)f(h)-f(1)}{h}$$
$$= 2f(1) \times \lim_{h \to 0} \frac{f(h)-\frac{1}{2}}{h}$$
$$= 2f(1) \times \lim_{h \to 0} \frac{f(h)-f(0)}{h} \ (\because ㉠)$$
$$= 2f(1)f'(0)$$
$$= 2f(1) \times 2 = 4f(1)$$

따라서 $f'(1)=4f(1)$이므로 $\dfrac{f'(1)}{f(1)}=4$

039 답 2

$f(3x)=3f(x)$이므로

$$f'(3)=\lim_{h\to0}\frac{f(3+h)-f(3)}{h}$$

$$=\lim_{h\to0}\frac{f\left(3\left(1+\frac{h}{3}\right)\right)-f(3\times1)}{h}$$

$$=\lim_{h\to0}\frac{3f\left(1+\frac{h}{3}\right)-3f(1)}{h}$$

$$=\lim_{h\to0}\frac{f\left(1+\frac{h}{3}\right)-f(1)}{\frac{h}{3}}$$

$$=f'(1)=2$$

040 답 ③

① $\lim_{x\to1}f(x)=f(1)=0$이므로 함수 $f(x)$는 $x=1$에서 연속이다.

$$f'(1)=\lim_{h\to0}\frac{f(1+h)-f(1)}{h}=\lim_{h\to0}\frac{h-0}{h}=1$$

즉, 함수 $f(x)$는 $x=1$에서 미분가능하다.

② $\lim_{x\to1}f(x)=f(1)=0$이므로 함수 $f(x)$는 $x=1$에서 연속이다.

$$f'(1)=\lim_{h\to0}\frac{f(1+h)-f(1)}{h}=\lim_{h\to0}\frac{(1+h)h-0}{h}$$

$$=\lim_{h\to0}(1+h)=1$$

즉, 함수 $f(x)$는 $x=1$에서 미분가능하다.

③ $\lim_{x\to1}f(x)=f(1)=0$이므로 함수 $f(x)$는 $x=1$에서 연속이다.

$$\lim_{h\to0+}\frac{f(1+h)-f(1)}{h}=\lim_{h\to0+}\frac{\{(1+h)^2-(1+h)\}-0}{h}$$

$$=\lim_{h\to0+}(1+h)=1$$

$$\lim_{h\to0-}\frac{f(1+h)-f(1)}{h}=\lim_{h\to0-}\frac{\{-(1+h)^2+(1+h)\}-0}{h}$$

$$=\lim_{h\to0-}(-1-h)=-1$$

즉, 함수 $f(x)$는 $x=1$에서 미분가능하지 않다.

④ 함수 $f(x)$는 $x=1$에서 정의되지 않으므로 $x=1$에서 불연속이고 미분가능하지 않다.

⑤ $\lim_{x\to1}f(x)=f(1)=1$이므로 함수 $f(x)$는 $x=1$에서 연속이다.

$$\lim_{h\to0+}\frac{f(1+h)-f(1)}{h}=\lim_{h\to0+}\frac{(1+h)^2-1}{h}$$

$$=\lim_{h\to0+}(h+2)=2$$

$$\lim_{h\to0-}\frac{f(1+h)-f(1)}{h}=\lim_{h\to0-}\frac{\{2(1+h)-1\}-1}{h}=2$$

즉, 함수 $f(x)$는 $x=1$에서 미분가능하다.

041 답 ㄱ

ㄱ. $\lim_{x\to2}f(x)=f(2)=0$이므로 함수 $f(x)$는 $x=2$에서 연속이다.

ㄴ. $xf(x)=g(x)$라 하면

$$g(x)=\begin{cases} x(x-2) & (x\geq2) \\ -x(x-2) & (x<2) \end{cases}$$

$$\lim_{h\to0+}\frac{g(2+h)-g(2)}{h}=\lim_{h\to0+}\frac{(2+h)h-0}{h}$$

$$=\lim_{h\to0+}(2+h)=2$$

$$\lim_{h\to0-}\frac{g(2+h)-g(2)}{h}=\lim_{h\to0-}\frac{-(2+h)h-0}{h}$$

$$=\lim_{h\to0-}(-2-h)=-2$$

즉, 함수 $xf(x)$는 $x=2$에서 미분가능하지 않다.

ㄷ. $x(x-2)f(x)=k(x)$라 하면

$$k(x)=\begin{cases} x(x-2)^2 & (x\geq2) \\ -x(x-2)^2 & (x<2) \end{cases}$$

$\lim_{x\to2}k(x)=k(2)=0$이므로 함수 $x(x-2)f(x)$는 $x=2$에서 연속이다.

$$\lim_{h\to0+}\frac{k(2+h)-k(2)}{h}=\lim_{h\to0+}\frac{(2+h)h^2-0}{h}$$

$$=\lim_{h\to0+}(2+h)h=0$$

$$\lim_{h\to0-}\frac{k(2+h)-k(2)}{h}=\lim_{h\to0-}\frac{-(2+h)h^2-0}{h}$$

$$=\lim_{h\to0-}\{-(2+h)h\}=0$$

즉, 함수 $x(x-2)f(x)$는 $x=2$에서 미분가능하다.

따라서 보기 중 옳은 것은 ㄱ이다.

042 답 ㄱ

ㄱ. $f(1)+g(1)=(-1)+1=0$이고,

$\lim_{x\to1+}\{f(x)+g(x)\}=(-1)+1=0$,

$\lim_{x\to1-}\{f(x)+g(x)\}=1+(-1)=0$이므로

$\lim_{x\to1}\{f(x)+g(x)\}=f(1)+g(1)$

즉, 함수 $f(x)+g(x)$는 $x=1$에서 연속이다.

ㄴ. $\lim_{x\to-1+}\{f(x)-g(x)\}=(-1)+0=-1$

$\lim_{x\to-1-}\{f(x)-g(x)\}=1+0=1$

$\therefore \lim_{x\to-1+}\{f(x)-g(x)\}\neq\lim_{x\to-1-}\{f(x)-g(x)\}$

즉, $\lim_{x\to-1}\{f(x)-g(x)\}$의 값이 존재하지 않으므로 함수 $f(x)-g(x)$는 $x=-1$에서 불연속이다.

ㄷ. $f(x)g(x)=k(x)$라 하고 구간 $(-1, 1)$에서 함수 $k(x)$를 구하면

$$k(x)=\begin{cases} -x^2 & (0<x<1) \\ 0 & (x=0) \\ x(x+1) & (-1<x<0) \end{cases}$$

$$\lim_{h\to0+}\frac{k(h)-k(0)}{h}=\lim_{h\to0+}\frac{-h^2-0}{h}$$

$$=\lim_{h\to0+}(-h)=0$$

$$\lim_{h\to0-}\frac{k(h)-k(0)}{h}=\lim_{h\to0-}\frac{h(h+1)-0}{h}$$

$$=\lim_{h\to0-}(h+1)=1$$

즉, 함수 $f(x)g(x)$는 $x=0$에서 미분가능하지 않다.

따라서 보기 중 옳은 것은 ㄱ이다.

043 답 ②

ㄱ. $x+f(x)=k(x)$라 하면

$$k(x)=\begin{cases} 2x-1 & (x\geq 1) \\ 1 & (x<1) \end{cases}$$

$$\lim_{h\to 0+}\frac{k(1+h)-k(1)}{h}=\lim_{h\to 0+}\frac{\{2(1+h)-1\}-1}{h}$$
$$=\lim_{h\to 0+}\frac{2h}{h}=2$$

$$\lim_{h\to 0-}\frac{k(1+h)-k(1)}{h}=\lim_{h\to 0-}\frac{1-1}{h}=0$$

즉, 함수 $x+f(x)$는 $x=1$에서 미분가능하지 않다.

ㄴ. $f(x)g(x)=l(x)$라 하면

$$l(x)=\begin{cases} -x(x-1) & (x\geq 1) \\ -(x-1)(2x-1) & (x<1) \end{cases}$$

$$\lim_{h\to 0+}\frac{l(1+h)-l(1)}{h}=\lim_{h\to 0+}\frac{-(1+h)h-0}{h}$$
$$=\lim_{h\to 0+}(-h-1)=-1$$

$$\lim_{h\to 0-}\frac{l(1+h)-l(1)}{h}=\lim_{h\to 0-}\frac{-h(2h+1)-0}{h}$$
$$=\lim_{h\to 0-}(-2h-1)=-1$$

즉, 함수 $f(x)g(x)$는 $x=1$에서 미분가능하다.

ㄷ. $f(x)-g(x)=\begin{cases} 2x-1 & (x\geq 1) \\ -3x+2 & (x<1) \end{cases}$ 이므로

$|f(x)-g(x)|=m(x)$라 하면

$$m(x)=\begin{cases} 2x-1 & (x\geq 1) \\ |-3x+2| & (x<1) \end{cases}$$

$$\lim_{h\to 0+}\frac{m(1+h)-m(1)}{h}=\lim_{h\to 0+}\frac{\{2(1+h)-1\}-1}{h}$$
$$=\lim_{h\to 0+}\frac{2h}{h}=2$$

$$\lim_{h\to 0-}\frac{m(1+h)-m(1)}{h}=\lim_{h\to 0-}\frac{\{3(1+h)-2\}-1}{h}$$
$$=\lim_{h\to 0-}\frac{3h}{h}=3$$

즉, 함수 $|f(x)-g(x)|$는 $x=1$에서 미분가능하지 않다.

따라서 보기의 함수 중 $x=1$에서 미분가능한 것은 ㄴ이다.

044 답 ⑤

① $\lim_{x\to 1}\frac{f(x)-f(1)}{x-1}=f'(1)$이고, 점 $(1, f(1))$에서의 접선의 기울기가 0보다 작으므로 $f'(1)<0$이다.

② $\lim_{x\to 3+}f(x)=\lim_{x\to 3-}f(x)$이므로 $\lim_{x\to 3}f(x)$의 값이 존재한다.

③ 미분가능하면서 접선의 기울기가 0인 x의 값은 -1의 1개이다.

④ 불연속인 x의 값은 0, 3의 2개이다.

⑤ 미분가능하지 않은 x의 값은 0, 2, 3의 3개이다.

045 답 ②

불연속인 x의 값은 1, 4의 2개이므로 $m=2$

미분가능하지 않은 x의 값은 1, 2, 3, 4, 5의 5개이므로 $n=5$

$\therefore m+n=2+5=7$

046 답 (가) $(x+h)^2$ (나) $2xh$ (다) $2x$

$$f'(x)=\lim_{h\to 0}\frac{f(x+h)-f(x)}{h}$$
$$=\lim_{h\to 0}\frac{\{\boxed{(가) (x+h)^2}+3(x+h)\}-(x^2+3x)}{h}$$
$$=\lim_{h\to 0}\frac{\boxed{(나) 2xh}+h^2+3h}{h}=\lim_{h\to 0}(2x+h+3)$$
$$=\boxed{(다) 2x}+3$$

047 답 ④

$f(x+y)=f(x)+f(y)+3xy$의 양변에 $x=0$, $y=0$을 대입하면

$f(0)=f(0)+f(0)+0$ $\therefore f(0)=0$ …… ㉠

$$\therefore f'(x)=\lim_{h\to 0}\frac{f(x+h)-f(x)}{h}$$
$$=\lim_{h\to 0}\frac{f(x)+f(h)+3xh-f(x)}{h}$$
$$=\lim_{h\to 0}\frac{f(h)}{h}+3x=\lim_{h\to 0}\frac{f(h)-f(0)}{h}+3x \ (\because ㉠)$$
$$=f'(0)+3x=3x+1$$

048 답 ②

$f'(x)=3x^2-8x+3$이므로

$f'(2)=12-16+3=-1$

049 답 ③

$$f'(x)=(2x^2+1)'(x^3+x^2-1)+(2x^2+1)(x^3+x^2-1)'$$
$$=4x(x^3+x^2-1)+(2x^2+1)(3x^2+2x)$$

$\therefore f'(1)=4\times 1+3\times 5=19$

050 답 1

$f(x)=x^4+ax^2+b$라 하면 곡선 $y=f(x)$가 점 $(1, -2)$를 지나므로 $f(1)=-2$에서

$1+a+b=-2$ $\therefore a+b=-3$ …… ㉠

$f'(x)=4x^3+2ax$이고 점 $(1, -2)$에서의 접선의 기울기가 2이므로 $f'(1)=2$에서

$4+2a=2$ $\therefore a=-1$

이를 ㉠에 대입하면 $-1+b=-3$ $\therefore b=-2$

$\therefore a-b=-1-(-2)=1$

051 답 ②

$$\lim_{h\to 0}\frac{f(1+h)-f(1-h)}{h}$$
$$=\lim_{h\to 0}\frac{f(1+h)-f(1)+f(1)-f(1-h)}{h}$$
$$=\lim_{h\to 0}\frac{f(1+h)-f(1)}{h}-\lim_{h\to 0}\frac{f(1-h)-f(1)}{-h}\times(-1)$$
$$=f'(1)+f'(1)=2f'(1)$$

$f'(x)=3x^2-4x+3$이므로

$f'(1)=3-4+3=2$

따라서 구하는 극한값은

$2f'(1)=2\times 2=4$

052 답 ①

$\lim\limits_{x \to 1} \dfrac{f(x+1)-3}{x^2-1}=4$에서 $x \to 1$일 때 (분모) $\to 0$이고 극한값이

존재하므로 (분자) $\to 0$이다.

즉, $\lim\limits_{x \to 1}\{f(x+1)-3\}=0$이므로 $f(2)=3$

$x+1=t$로 놓으면 $x \to 1$일 때 $t \to 2$이므로

$$\begin{aligned}\lim_{x \to 1} \frac{f(x+1)-3}{x^2-1}&=\lim_{x \to 1}\frac{f(x+1)-3}{(x+1)(x-1)}\\&=\lim_{t \to 2}\frac{f(t)-3}{t(t-2)}\\&=\lim_{t \to 2}\left\{\frac{f(t)-f(2)}{t-2}\times \frac{1}{t}\right\}\\&=\frac{1}{2}f'(2)\end{aligned}$$

즉, $\dfrac{1}{2}f'(2)=4$이므로 $f'(2)=8$

한편 $f(x)=x^3+ax+b$에서 $f'(x)=3x^2+a$

$f(2)=3$에서 $8+2a+b=3$

$\therefore 2a+b=-5$ ...... ㉠

$f'(2)=8$에서 $12+a=8$ $\therefore a=-4$

이를 ㉠에 대입하면

$-8+b=-5$ $\therefore b=3$

$\therefore ab=-4\times 3=-12$

053 답 ⑤

$f(x)=x^9+x^2+x$라 하면 $f(1)=3$이므로

$\lim\limits_{x \to 1}\dfrac{x^9+x^2+x-3}{x-1}=\lim\limits_{x \to 1}\dfrac{f(x)-f(1)}{x-1}=f'(1)$

$f'(x)=9x^8+2x+1$이므로

$f'(1)=9+2+1=12$

054 답 4

$f(x)=ax^2+bx+c$ (a, b, c는 상수, $a \neq 0$)라 하면

$f'(x)=2ax+b$

$f(x)$와 $f'(x)$를 주어진 식에 대입하면

$ax^2+bx+c+x(2ax+b)=3x^2+4x-3$

$\therefore 3ax^2+2bx+c=3x^2+4x-3$

이 등식이 모든 실수 x에 대하여 성립하므로

$3a=3$, $2b=4$, $c=-3$

$\therefore a=1$, $b=2$, $c=-3$

따라서 $f'(x)=2x+2$이므로

$f'(1)=2+2=4$

055 답 ①

함수 $f(x)$가 $x=1$에서 미분가능하면 $x=1$에서 연속이고 미분계수 $f'(1)$이 존재한다.

(i) $x=1$에서 연속이므로 $\lim\limits_{x \to 1}f(x)=f(1)$에서

$b+1=a+2$ $\therefore a-b=-1$ ...... ㉠

(ii) 미분계수 $f'(1)$이 존재하므로

$$\begin{aligned}&\lim_{h \to 0+}\frac{f(1+h)-f(1)}{h}\\&=\lim_{h \to 0+}\frac{\{a(1+h)^2+2(1+h)\}-(a+2)}{h}\\&=\lim_{h \to 0+}\frac{(2a+2)h+ah^2}{h}\\&=\lim_{h \to 0+}(2a+2+ah)=2a+2\end{aligned}$$

$$\begin{aligned}&\lim_{h \to 0-}\frac{f(1+h)-f(1)}{h}\\&=\lim_{h \to 0-}\frac{\{b(1+h)+1\}-(b+1)}{h}\\&=\lim_{h \to 0-}\frac{bh}{h}=\lim_{h \to 0-}b=b\end{aligned}$$

따라서 $2a+2=b$이므로 $2a-b=-2$ ...... ㉡

㉠, ㉡을 연립하여 풀면 $a=-1$, $b=0$

$\therefore a^2+b^2=1+0=1$

다른 풀이 $g(x)=ax^2+2x$, $h(x)=bx+1$이라 하면

$g'(x)=2ax+2$, $h'(x)=b$

(i) $x=1$에서 연속이므로 $g(1)=h(1)$에서

$a+2=b+1$ $\therefore a-b=-1$ ...... ㉠

(ii) $x=1$에서 미분계수가 존재하므로 $g'(1)=h'(1)$에서

$2a+2=b$ $\therefore 2a-b=-2$ ...... ㉡

㉠, ㉡을 연립하여 풀면 $a=-1$, $b=0$

$\therefore a^2+b^2=1+0=1$

056 답 6

다항식 $x^{10}+x^5+1$을 $(x+1)^2$으로 나누었을 때의 몫을 $Q(x)$, 나머지 $R(x)$를 $ax+b$ (a, b는 상수)라 하면

$x^{10}+x^5+1=(x+1)^2Q(x)+ax+b$ ...... ㉠

양변에 $x=-1$을 대입하면

$1-1+1=-a+b$ $\therefore a-b=-1$ ...... ㉡

㉠의 양변을 x에 대하여 미분하면

$10x^9+5x^4=2(x+1)Q(x)+(x+1)^2Q'(x)+a$

양변에 $x=-1$을 대입하면

$-10+5=a$ $\therefore a=-5$

이를 ㉡에 대입하면

$-5-b=-1$ $\therefore b=-4$

따라서 $R(x)=-5x-4$이므로

$R(-2)=10-4=6$

057 답 (가) $x+h$ (나) h (다) $3x^2$

$$\begin{aligned}f'(x)&=\lim_{h \to 0}\frac{f(x+h)-f(x)}{h}\\&=\lim_{h \to 0}\frac{(\boxed{\text{(가)}\ x+h})^3-x^3}{h}\\&=\lim_{h \to 0}\frac{\boxed{\text{(나)}\ h}\{(x+h)^2+x(x+h)+x^2\}}{h}\\&=\lim_{h \to 0}\{(x+h)^2+x(x+h)+x^2\}\\&=\boxed{\text{(다)}\ 3x^2}\end{aligned}$$

058 답 ㄱ, ㄴ

ㄱ. $\lim\limits_{h \to 0} \dfrac{f(x+2h)-f(x)}{2h} = f'(x)$

ㄴ. $\lim\limits_{h \to 0} \dfrac{f(x)-f(x-h)}{h} = \lim\limits_{h \to 0} \dfrac{f(x-h)-f(x)}{-h}$
$\qquad\qquad\qquad\qquad\qquad\quad = f'(x)$

ㄷ. $\lim\limits_{h \to 0} \dfrac{f(x+h)-f(x-h)}{3h}$

$\quad = \lim\limits_{h \to 0} \dfrac{f(x+h)-f(x)+f(x)-f(x-h)}{3h}$

$\quad = \lim\limits_{h \to 0} \dfrac{f(x+h)-f(x)}{h} \times \dfrac{1}{3} - \lim\limits_{h \to 0} \dfrac{f(x-h)-f(x)}{-h} \times \left(-\dfrac{1}{3}\right)$

$\quad = \dfrac{1}{3}f'(x) + \dfrac{1}{3}f'(x)$

$\quad = \dfrac{2}{3}f'(x)$

따라서 보기 중 $f'(x)$와 같은 것은 ㄱ, ㄴ이다.

059 답 ⑤

$f(x+y)=f(x)+f(y)+6xy-1$의 양변에 $x=0$, $y=0$을 대입하면

$f(0)=f(0)+f(0)-1$

$\therefore f(0)=1$ ······ ㉠

$\therefore f'(x) = \lim\limits_{h \to 0} \dfrac{f(x+h)-f(x)}{h}$

$\qquad = \lim\limits_{h \to 0} \dfrac{f(x)+f(h)+6xh-1-f(x)}{h}$

$\qquad = \lim\limits_{h \to 0} \dfrac{f(h)-1}{h} + 6x$

$\qquad = \lim\limits_{h \to 0} \dfrac{f(h)-f(0)}{h} + 6x \ (\because ㉠)$

$\qquad = f'(0) + 6x$

$\qquad = 6x+2$

060 답 $f'(x)=-4x-5$

$f(x+y)=f(x)+f(y)-4xy$의 양변에 $x=0$, $y=0$을 대입하면

$f(0)=f(0)+f(0)-0$

$\therefore f(0)=0$ ······ ㉠

$f'(x) = \lim\limits_{h \to 0} \dfrac{f(x+h)-f(x)}{h}$

$\qquad = \lim\limits_{h \to 0} \dfrac{f(x)+f(h)-4xh-f(x)}{h}$

$\qquad = \lim\limits_{h \to 0} \dfrac{f(h)}{h} - 4x$

$\qquad = \lim\limits_{h \to 0} \dfrac{f(h)-f(0)}{h} - 4x \ (\because ㉠)$

$\qquad = f'(0) - 4x$

이때 $f'(-1)=-1$이므로

$f'(0)+4=-1$ $\therefore f'(0)=-5$

$\therefore f'(x)=-4x-5$

061 답 4

$f'(x)=-1+2x-3x^2+\cdots+10x^9$이므로

$f'(0)=-1$

$f'(1)=-1+2-3+\cdots+10=5$

$\therefore f'(0)+f'(1)=-1+5=4$

062 답 -2

$f'(x)=3x^2+2ax-(a+1)$

$f'(2)=5$에서

$12+4a-a-1=5$, $3a=-6$ $\therefore a=-2$

063 답 ②

$f(2)=2$에서 $4a+2b+c=2$ ······ ㉠

$f'(x)=2ax+b$이므로

$f'(1)=2$에서 $2a+b=2$ ······ ㉡

$f'(2)=8$에서 $4a+b=8$ ······ ㉢

㉡, ㉢을 연립하여 풀면 $a=3$, $b=-4$

이를 ㉠에 대입하면

$12-8+c=2$ $\therefore c=-2$

$\therefore abc=3\times(-4)\times(-2)=24$

064 답 ⑤

$f'(x)=6x^2-8x-f'(1)$이므로 $x=1$을 양변에 대입하면

$f'(1)=6-8-f'(1)$

$2f'(1)=-2$ $\therefore f'(1)=-1$

따라서 $f'(x)=6x^2-8x+1$이므로

$f'(2)=24-16+1=9$

065 답 4

$f(x)=(1+x-x^2)(1-x+x^2)$에서

$f(2)=-1\times3=-3$

$f'(x)=(1+x-x^2)'(1-x+x^2)+(1+x-x^2)(1-x+x^2)'$

$\qquad = (1-2x)(1-x+x^2)+(1+x-x^2)(-1+2x)$

$\therefore f'(2)=-3\times3+(-1)\times3=-12$

$\therefore \dfrac{f'(2)}{f(2)} = \dfrac{-12}{-3} = 4$

066 답 -6

$f'(x)=(x^2+3x)'(x+1)(x-2)+(x^2+3x)(x+1)'(x-2)$
$\qquad\qquad\qquad\qquad\qquad\qquad +(x^2+3x)(x+1)(x-2)'$

$\qquad = (2x+3)(x+1)(x-2)+(x^2+3x)(x-2)$
$\qquad\qquad\qquad\qquad\qquad\qquad +(x^2+3x)(x+1)$

$\therefore f'(1)=5\times2\times(-1)+4\times(-1)+4\times2=-6$

067 답 ⑤

$f'(x)=(x^3+1)'(x^2+k)+(x^3+1)(x^2+k)'$
$\qquad =3x^2(x^2+k)+(x^3+1)\times 2x$

$f'(-1)=9$에서

$3(1+k)=9,\ 1+k=3 \qquad \therefore k=2$

068 답 ④

$g'(x)=(x^3+x+1)'f(x)+(x^3+x+1)f'(x)$
$\qquad =(3x^2+1)f(x)+(x^3+x+1)f'(x)$

$\therefore g'(1)=4f(1)+3f'(1)$
$\qquad\quad =4\times 4+3\times 1=19$

069 답 ②

$f'(x)=\{(3x-2)^3\}'(x^2+x)^2+(3x-2)^3\{(x^2+x)^2\}'$
$\qquad =9(3x-2)^2(x^2+x)^2+(3x-2)^3\times 2(x^2+x)(2x+1)$

$\therefore f'(1)=9\times 1\times 4+1\times 2\times 2\times 3=48$

070 답 28

함수 $y=f(x)$의 그래프가 x축과 만나는 세 점의 x좌표가 각각 a, b, c이고 함수 $f(x)$는 최고차항의 계수가 1인 삼차함수이므로

$f(x)=(x-a)(x-b)(x-c)$

$\therefore f'(x)=(x-b)(x-c)+(x-a)(x-c)+(x-a)(x-b)$

이때 함수 $y=f(x)$의 그래프 위의 점 A에서의 접선의 기울기는 $f'(a)$와 같으므로

$f'(a)=(a-b)(a-c)=(b-a)(c-a)$
$\qquad\quad =\overline{AB}\times\overline{AC}=4\times(4+3)=28$

071 답 ⑤

$f(x)=-x^3+2ax^2+bx-1$이라 하면 곡선 $y=f(x)$가 점 $(-1,2)$를 지나므로 $f(-1)=2$에서

$1+2a-b-1=2$

$\therefore 2a-b=2 \qquad\qquad \cdots\cdots$ ㉠

$f'(x)=-3x^2+4ax+b$이고 점 $(-1,2)$에서의 접선의 기울기가 3이므로 $f'(-1)=3$에서

$-3-4a+b=3$

$\therefore 4a-b=-6 \qquad\qquad \cdots\cdots$ ㉡

㉠, ㉡을 연립하여 풀면

$a=-4,\ b=-10$

$\therefore a-b=-4-(-10)=6$

072 답 ②

$f'(x)=3x^2-2$이고, 점 $(a,f(a))$에서의 접선의 기울기가 10이므로 $f'(a)=10$에서

$3a^2-2=10,\ 3a^2=12$

$a^2=4 \qquad \therefore a=2\ (\because a>0)$

073 답 2

$f(x)=(x-a)(x-b)(x-c)$라 하면 곡선 $y=f(x)$가 점 $(2,4)$를 지나므로 $f(2)=4$에서

$(2-a)(2-b)(2-c)=4 \qquad\qquad \cdots\cdots$ ㉠

$f'(x)=(x-b)(x-c)+(x-a)(x-c)+(x-a)(x-b)$이고 점 $(2,4)$에서의 접선의 기울기가 8이므로 $f'(2)=8$에서

$(2-b)(2-c)+(2-a)(2-c)+(2-a)(2-b)=8 \quad \cdots\cdots$ ㉡

$\therefore \dfrac{1}{2-a}+\dfrac{1}{2-b}+\dfrac{1}{2-c}$

$=\dfrac{(2-b)(2-c)+(2-a)(2-c)+(2-a)(2-b)}{(2-a)(2-b)(2-c)}$

$=\dfrac{8}{4}\ (\because$ ㉠, ㉡$)$

$=2$

074 답 3

$f(x)=(x-k)^2$에서 $f'(x)=2(x-k)$

$h(x)=f(x)g(x)$라 하면

$h'(x)=f'(x)g(x)+f(x)g'(x)$

$x=1$인 점에서의 접선의 기울기가 -16이므로 $h'(1)=-16$에서

$f'(1)g(1)+f(1)g'(1)=-16$

$2(1-k)-3(1-k)^2=-16$

$3k^2-4k-15=0,\ (3k+5)(k-3)=0$

$\therefore k=3\ (\because k>0)$

075 답 21

$\displaystyle\lim_{h\to 0}\dfrac{f(1+2h)-f(1-h)}{h}$

$=\displaystyle\lim_{h\to 0}\dfrac{f(1+2h)-f(1)+f(1)-f(1-h)}{h}$

$=\displaystyle\lim_{h\to 0}\dfrac{f(1+2h)-f(1)}{2h}\times 2-\lim_{h\to 0}\dfrac{f(1-h)-f(1)}{-h}\times(-1)$

$=2f'(1)+f'(1)=3f'(1)$

$f'(x)=3x^2+4$이므로

$f'(1)=3+4=7$

따라서 구하는 극한값은

$3f'(1)=3\times 7=21$

076 답 4

$f(1)=-1$이므로

$\displaystyle\lim_{h\to 0}\dfrac{f(1-2h)+1}{h}=\lim_{h\to 0}\dfrac{f(1-2h)-f(1)}{h}$

$\qquad\qquad\qquad\qquad =\lim_{h\to 0}\dfrac{f(1-2h)-f(1)}{-2h}\times(-2)$

$\qquad\qquad\qquad\qquad =-2f'(1)$

$f'(x)=-3x^2+2x-1$이므로

$f'(1)=-3+2-1=-2$

따라서 구하는 극한값은

$-2f'(1)=-2\times(-2)=4$

077 답 ⑤

$$\lim_{x \to 1} \frac{f(x)-f(1)}{x^3-1} = \lim_{x \to 1}\left\{ \frac{f(x)-f(1)}{x-1} \times \frac{1}{x^2+x+1}\right\}$$
$$= \frac{1}{3}f'(1)$$

$f'(x)=3x^2+3$이므로 $f'(1)=3+3=6$

따라서 구하는 극한값은

$$\frac{1}{3}f'(1)=\frac{1}{3} \times 6 = 2$$

078 답 -5

$2x-1=t$로 놓으면 $x \to 1$일 때 $t \to 1$이므로

$$\lim_{x \to 1} \frac{f(x)-f(2x-1)}{x-1}$$
$$=\lim_{x \to 1} \frac{f(x)-f(1)+f(1)-f(2x-1)}{x-1}$$
$$=\lim_{x \to 1} \frac{f(x)-f(1)}{x-1} - \lim_{x \to 1} \frac{f(2x-1)-f(1)}{x-1}$$
$$=\lim_{x \to 1} \frac{f(x)-f(1)}{x-1} - \lim_{t \to 1} \frac{f(t)-f(1)}{\left(\frac{t}{2}+\frac{1}{2}\right)-1}$$
$$=\lim_{x \to 1} \frac{f(x)-f(1)}{x-1} - \lim_{t \to 1} \frac{f(t)-f(1)}{\frac{1}{2}(t-1)}$$
$$=\lim_{x \to 1} \frac{f(x)-f(1)}{x-1} - 2\lim_{t \to 1} \frac{f(t)-f(1)}{t-1}$$
$$=f'(1)-2f'(1)$$
$$=-f'(1)$$

$f'(x)=8x^3-3$이므로 $f'(1)=8-3=5$

따라서 구하는 극한값은

$-f'(1)=-5$

079 답 ②

$f(1)=g(1)=1$이므로

$$\lim_{h \to 0} \frac{f(1+2h)-g(1-3h)}{h}$$
$$=\lim_{h \to 0} \frac{f(1+2h)-f(1)+g(1)-g(1-3h)}{h}$$
$$=\lim_{h \to 0} \frac{f(1+2h)-f(1)}{2h} \times 2 - \lim_{h \to 0} \frac{g(1-3h)-g(1)}{-3h} \times (-3)$$
$$=2f'(1)+3g'(1)$$

$f'(x)=5x^4+3x^2$, $g'(x)=4x^3-2x$이므로

$f'(1)=5+3=8$, $g'(1)=4-2=2$

따라서 구하는 극한값은

$2f'(1)+3g'(1)=2 \times 8+3 \times 2=22$

080 답 8

$\lim\limits_{x \to 2} \dfrac{f(x)-3}{x-2}=1$에서 $x \to 2$일 때 (분모) $\to 0$이고 극한값이 존재

하므로 (분자) $\to 0$이다.

즉, $\lim\limits_{x \to 2}\{f(x)-3\}=0$이므로 $f(2)=3$

$$\therefore \lim_{x \to 2} \frac{f(x)-3}{x-2}=\lim_{x \to 2} \frac{f(x)-f(2)}{x-2}=f'(2)=1$$

$\lim\limits_{x \to 2} \dfrac{g(x)+1}{x-2}=3$에서 $x \to 2$일 때 (분모) $\to 0$이고 극한값이 존재

하므로 (분자) $\to 0$이다.

즉, $\lim\limits_{x \to 2}\{g(x)+1\}=0$이므로 $g(2)=-1$

$$\therefore \lim_{x \to 2} \frac{g(x)+1}{x-2}=\lim_{x \to 2} \frac{g(x)-g(2)}{x-2}=g'(2)=3$$

$h'(x)=f'(x)g(x)+f(x)g'(x)$이므로

$h'(2)=f'(2)g(2)+f(2)g'(2)$
$=1 \times (-1)+3 \times 3=8$

081 답 -47

$f(x)+g(x)=2x^3-x+1$에서

$f(1)+g(1)=2-1+1=2$

이때 $f(1)=5$이므로 $g(1)=-3$

$f(x)+g(x)=2x^3-x+1$에서

$f'(x)+g'(x)=6x^2-1$

$\therefore f'(1)+g'(1)=6-1=5$

이때 $f'(1)=9$이므로 $g'(1)=-4$

$$\therefore \lim_{h \to 0} \frac{f(1+h)g(1+h)-f(1)g(1)}{h}$$
$$=\{f(1)g(1)\}'$$
$$=f'(1)g(1)+f(1)g'(1)$$
$$=9 \times (-3)+5 \times (-4)=-47$$

082 답 ③

$\lim\limits_{x \to -2} \dfrac{f(x+1)+1}{x^2-4}=2$에서 $x \to -2$일 때 (분모) $\to 0$이고 극한

값이 존재하므로 (분자) $\to 0$이다.

즉, $\lim\limits_{x \to -2}\{f(x+1)+1\}=0$이므로 $f(-1)=-1$

$x+1=t$로 놓으면 $x \to -2$일 때 $t \to -1$이므로

$$\lim_{x \to -2} \frac{f(x+1)+1}{x^2-4}=\lim_{x \to -2} \frac{f(x+1)+1}{(x+2)(x-2)}$$
$$=\lim_{t \to -1} \frac{f(t)+1}{(t+1)(t-3)}$$
$$=\lim_{t \to -1}\left\{\frac{f(t)-f(-1)}{t-(-1)} \times \frac{1}{t-3}\right\}$$
$$=-\frac{1}{4}f'(-1)$$

즉, $-\dfrac{1}{4}f'(-1)=2$이므로 $f'(-1)=-8$

한편 $f(x)=x^4+ax+b$에서 $f'(x)=4x^3+a$

$f(-1)=-1$에서 $1-a+b=-1$

$\therefore a-b=2$ ······ ㉠

$f'(-1)=-8$에서

$-4+a=-8$ $\therefore a=-4$

이를 ㉠에 대입하면

$-4-b=2$ $\therefore b=-6$

따라서 $f(x)=x^4-4x-6$이고, $f'(x)=4x^3-4$이므로

$f(2)+f'(2)=(16-8-6)+(32-4)=30$

083 답 ②

$$\lim_{h \to 0} \frac{f(1+2h)-f(1-h)}{h}$$

$$=\lim_{h \to 0} \frac{f(1+2h)-f(1)+f(1)-f(1-h)}{h}$$

$$=\lim_{h \to 0} \frac{f(1+2h)-f(1)}{2h} \times 2 -\lim_{h \to 0} \frac{f(1-h)-f(1)}{-h} \times (-1)$$

$$=2f'(1)+f'(1)=3f'(1)$$

즉, $3f'(1)=6$이므로 $f'(1)=2$

$f(x)=2x^3-x^2+ax+3$에서 $f'(x)=6x^2-2x+a$

$f'(1)=2$에서 $4+a=2$

$\therefore a=-2$

084 답 4

㈎에서 $f(x)=2x^3+ax^2+bx+c$ (a, b, c는 상수)라 하면

$f'(x)=6x^2+2ax+b$

㈏에서 $x \to 0$일 때 (분모) $\to 0$이고 극한값이 존재하므로 (분자) $\to 0$이다.

즉, $\lim_{x \to 0} f'(x)=0$이므로 $f'(0)=0$ $\therefore b=0$

$$\lim_{x \to 0} \frac{f'(x)}{x}=\lim_{x \to 0} \frac{6x^2+2ax}{x}=\lim_{x \to 0}(6x+2a)=2a$$

즉, $2a=2$이므로 $a=1$

따라서 $f'(x)=6x^2+2x$이므로

$f'(-1)=6-2=4$

085 답 -6

㈎에서 $f(x)-x^3=-3x^2+ax+b$ (a, b는 상수)라 하면

$f(x)=x^3-3x^2+ax+b$

$\therefore f'(x)=3x^2-6x+a$

㈏에서 $x \to 2$일 때 (분모) $\to 0$이고 극한값이 존재하므로 (분자) $\to 0$이다.

즉, $\lim_{x \to 2}\{f(x)+5\}=0$이므로 $f(2)=-5$

$8-12+2a+b=-5$ $\therefore 2a+b=-1$ …… ㉠

또 $\lim_{x \to 2} \frac{f(x)+5}{x-2}=\lim_{x \to 2} \frac{f(x)-f(2)}{x-2}=f'(2)=-2$이므로

$a=-2$

이를 ㉠에 대입하면

$-4+b=-1$ $\therefore b=3$

따라서 $f(x)=x^3-3x^2-2x+3$이고, $f'(x)=3x^2-6x-2$이므로

$f(1)+f'(1)=(1-3-2+3)+(3-6-2)=-6$

086 답 $\frac{4}{3}$

$\lim_{x \to 0} \frac{f(x)}{x}=1$에서 $x \to 0$일 때 (분모) $\to 0$이고 극한값이 존재하므로 (분자) $\to 0$이다.

즉, $\lim_{x \to 0} f(x)=0$이므로 $f(0)=0$

$\therefore \lim_{x \to 0} \frac{f(x)}{x}=\lim_{x \to 0} \frac{f(x)-f(0)}{x-0}=f'(0)=1$

$\lim_{x \to 2} \frac{f(x)-2}{x-2}=5$에서 $x \to 2$일 때 (분모) $\to 0$이고 극한값이 존재하므로 (분자) $\to 0$이다.

즉, $\lim_{x \to 2}\{f(x)-2\}=0$이므로 $f(2)=2$

$\therefore \lim_{x \to 2} \frac{f(x)-2}{x-2}=\lim_{x \to 2} \frac{f(x)-f(2)}{x-2}=f'(2)=5$

한편 $f(x)=ax^3+bx^2+cx+d$ (a, b, c, d는 상수, $a \neq 0$)라 하면

$f'(x)=3ax^2+2bx+c$

$f(0)=0$에서 $d=0$

$f'(0)=1$에서 $c=1$

$f(2)=2$에서 $8a+4b+2c+d=2$

$\therefore 2a+b=0$ …… ㉠

$f'(2)=5$에서 $12a+4b+c=5$

$\therefore 3a+b=1$ …… ㉡

㉠, ㉡을 연립하여 풀면 $a=1$, $b=-2$

$\therefore f'(x)=3x^2-4x+1$

따라서 방정식 $f'(x)=0$, 즉 $3x^2-4x+1=0$의 모든 근의 합은 이차방정식의 근과 계수의 관계에 의하여 $\frac{4}{3}$이다.

087 답 ①

$f(x)=x^{10}-x^3+3x$라 하면 $f(-1)=-1$이므로

$$\lim_{x \to -1} \frac{x^{10}-x^3+3x+1}{x+1}=\lim_{x \to -1} \frac{f(x)-f(-1)}{x-(-1)}$$

$$=f'(-1)$$

$f'(x)=10x^9-3x^2+3$이므로

$f'(-1)=-10-3+3=-10$

088 답 18

$f(x)=x^n+2x$라 하면 $f(1)=3$이므로

$$\lim_{x \to 1} \frac{x^n+2x-3}{x^2-1}=\lim_{x \to 1} \frac{f(x)-f(1)}{x^2-1}$$

$$=\lim_{x \to 1}\left\{\frac{f(x)-f(1)}{x-1} \times \frac{1}{x+1}\right\}=\frac{1}{2}f'(1)$$

즉, $\frac{1}{2}f'(1)=10$이므로 $f'(1)=20$

$f'(x)=nx^{n-1}+2$이므로 $f'(1)=n+2$

따라서 $n+2=20$이므로 $n=18$

089 답 ③

$f(x)=ax^2+bx+c$ (a, b, c는 상수, $a \neq 0$)라 하면

$f'(x)=2ax+b$

$f(x)$와 $f'(x)$를 주어진 식에 대입하면

$x(2ax+b)-2(ax^2+bx+c)=x+2$

$\therefore -bx-2c=x+2$

이 등식이 모든 실수 x에 대하여 성립하므로

$-b=1$, $-2c=2$ $\therefore b=-1$, $c=-1$

$f(1)=2$에서 $a+b+c=2$

$a-1-1=2$ $\therefore a=4$

따라서 $f'(x)=8x-1$이므로

$f'(2)=16-1=15$

090 답 ⑤

$f(x)$를 n차함수라 하면 $f'(x)$는 $(n-1)$차함수이다.

$\{f'(x)\}^2=4f(x)+1$에서 $n=1$이면 좌변은 상수함수이고, 우변은 일차함수가 되어 등식이 성립하지 않는다. 즉, $n \geq 2$이다.

좌변의 차수는 $2(n-1)$, 우변의 차수는 n이므로

$2(n-1)=n$ $\therefore n=2$

$f(x)=ax^2+bx+c$ $(a, b, c$는 상수, $a \neq 0)$라 하면

$f'(x)=2ax+b$

$f(x)$와 $f'(x)$를 주어진 식에 대입하면

$(2ax+b)^2=4(ax^2+bx+c)+1$

$\therefore 4a^2x^2+4abx+b^2=4ax^2+4bx+4c+1$

이 등식이 모든 실수 x에 대하여 성립하므로

$4a^2=4a$, $4ab=4b$, $b^2=4c+1$ $\cdots\cdots$ ㉠

$\therefore a=1$ $(\because a \neq 0)$

한편 $f'(1)=5$에서 $2a+b=5$, $2+b=5$ $\therefore b=3$

이를 ㉠에 대입하면 $9=4c+1$ $\therefore c=2$

따라서 $f(x)=x^2+3x+2$이므로 $f(3)=9+9+2=20$

091 답 9

$f(x)f'(x)+g(x)g'(x)=5x$에서 $f(x)$, $g(x)$는 모두 일차함수이거나 하나는 일차함수이고 하나는 상수함수이다.

$f(0)=g(0)=0$이므로 $f(x)=ax$, $g(x)=bx$ $(a, b$는 상수)라 하면

$f'(x)=a$, $g'(x)=b$

$f(x)+g(x)=x$에서

$ax+bx=x$ $\therefore a+b=1$ $\cdots\cdots$ ㉠

$f(x)f'(x)+g(x)g'(x)=5x$에서

$a^2x+b^2x=5x$ $\therefore a^2+b^2=5$ $\cdots\cdots$ ㉡

㉠에서 $b=1-a$를 ㉡에 대입하면 $a^2+(1-a)^2=5$

$a^2-a-2=0$, $(a+1)(a-2)=0$ $\therefore a=-1$ $(\because f(3)<0)$

이를 ㉠에 대입하면 $-1+b=1$ $\therefore b=2$

따라서 $f(x)=-x$, $g(x)=2x$이므로

$g(3)-f(3)=6-(-3)=9$

092 답 8

함수 $f(x)$가 $x=-1$에서 미분가능하면 $x=-1$에서 연속이고 미분계수 $f'(-1)$이 존재한다.

(i) $x=-1$에서 연속이므로 $\lim\limits_{x \to -1} f(x)=f(-1)$에서

$-4=-a+b$ $\therefore a-b=4$ $\cdots\cdots$ ㉠

(ii) 미분계수 $f'(-1)$이 존재하므로

$\lim\limits_{h \to 0+} \dfrac{f(-1+h)-f(-1)}{h}$

$=\lim\limits_{h \to 0+} \dfrac{\{a(-1+h)+b\}-(-a+b)}{h}=\lim\limits_{h \to 0+} \dfrac{ah}{h}=a$

$\lim\limits_{h \to 0-} \dfrac{f(-1+h)-f(-1)}{h}$

$=\lim\limits_{h \to 0-} \dfrac{\{(-1+h)^3+3(-1+h)\}-(-4)}{h}$

$=\lim\limits_{h \to 0-} \dfrac{h^3-3h^2+6h}{h}=\lim\limits_{h \to 0-}(h^2-3h+6)=6$

$\therefore a=6$

$a=6$을 ㉠에 대입하면 $6-b=4$ $\therefore b=2$

$\therefore a+b=6+2=8$

다른 풀이 $g(x)=ax+b$, $h(x)=x^3+3x$라 하면

$g'(x)=a$, $h'(x)=3x^2+3$

(i) $x=-1$에서 연속이므로 $g(-1)=h(-1)$에서

$-a+b=-4$ $\therefore a-b=4$ $\cdots\cdots$ ㉠

(ii) $x=-1$에서 미분계수가 존재하므로 $g'(-1)=h'(-1)$에서

$a=6$

$a=6$을 ㉠에 대입하면 $6-b=4$ $\therefore b=2$

$\therefore a+b=6+2=8$

093 답 -9

$g(x)=\begin{cases} -x^3-3x^2+9x+m & (x \geq a) \\ x^3+3x^2-9x & (x<a) \end{cases}$

함수 $g(x)$가 $x=a$에서 미분가능하므로 $x=a$에서 연속이고 미분계수 $g'(a)$가 존재한다.

(i) $x=a$에서 연속이므로 $\lim\limits_{x \to a} g(x)=g(a)$에서

$a^3+3a^2-9a=-a^3-3a^2+9a+m$

$\therefore m=2a^3+6a^2-18a$ $\cdots\cdots$ ㉠

(ii) 미분계수 $g'(a)$가 존재하므로

$\lim\limits_{h \to 0+} \dfrac{g(a+h)-g(a)}{h}$

$=\lim\limits_{h \to 0+} \dfrac{\{-(a+h)^3-3(a+h)^2+9(a+h)+m\}-(-a^3-3a^2+9a+m)}{h}$

$=\lim\limits_{h \to 0+} \dfrac{-h^3-(3a+3)h^2-(3a^2+6a-9)h}{h}$

$=\lim\limits_{h \to 0+}\{-h^2-(3a+3)h-(3a^2+6a-9)\}$

$=-3a^2-6a+9$

$\lim\limits_{h \to 0-} \dfrac{g(a+h)-g(a)}{h}$

$=\lim\limits_{h \to 0-} \dfrac{\{(a+h)^3+3(a+h)^2-9(a+h)\}-(a^3+3a^2-9a)}{h}$

$=\lim\limits_{h \to 0-} \dfrac{h^3+(3a+3)h^2+(3a^2+6a-9)h}{h}$

$=\lim\limits_{h \to 0-}\{h^2+(3a+3)h+(3a^2+6a-9)\}$

$=3a^2+6a-9$

즉, $-3a^2-6a+9=3a^2+6a-9$이므로

$a^2+2a-3=0$, $(a+3)(a-1)=0$ $\therefore a=1$ $(\because a>0)$

$a=1$을 ㉠에 대입하면 $m=-10$

$\therefore a+m=1+(-10)=-9$

다른 풀이 $h(x)=-x^3-3x^2+9x+m$, $k(x)=x^3+3x^2-9x$라 하면 $h'(x)=-3x^2-6x+9$, $k'(x)=3x^2+6x-9$

(i) $x=a$에서 연속이므로 $h(a)=k(a)$에서

$-a^3-3a^2+9a+m=a^3+3a^2-9a$

$\therefore m=2a^3+6a^2-18a$ $\cdots\cdots$ ㉠

(ii) $x=a$에서 미분계수가 존재하므로 $h'(a)=k'(a)$에서

$-3a^2-6a+9=3a^2+6a-9$, $a^2+2a-3=0$

$(a+3)(a-1)=0$ $\therefore a=1$ $(\because a>0)$

$a=1$을 ㉠에 대입하면 $m=-10$

$\therefore a+m=1+(-10)=-9$

094 답 ③

미분계수 $f'(1)$이 존재하므로

$$\lim_{h \to 0+} \frac{f(1+h)-f(1)}{h} = \lim_{h \to 0+} \frac{h(1+h-2a)-0}{h}$$
$$= \lim_{h \to 0+} (1+h-2a)$$
$$= 1-2a$$

$$\lim_{h \to 0-} \frac{f(1+h)-f(1)}{h} = \lim_{h \to 0-} \frac{-h(1+h-2a)-0}{h}$$
$$= \lim_{h \to 0-} \{-(1+h-2a)\}$$
$$= -1+2a$$

따라서 $1-2a=-1+2a$이므로 $a=\dfrac{1}{2}$

095 답 -6

$0 \le x < 1$에서 $[x]=0$, $1 \le x < 2$에서 $[x]=1$이므로

$$f(x) = \begin{cases} 0 & (0 \le x < 1) \\ x^3 + ax + b & (1 \le x < 2) \end{cases}$$

함수 $f(x)$가 $x=1$에서 미분가능하면 $x=1$에서 연속이고 미분계수 $f'(1)$이 존재한다.

(i) $x=1$에서 연속이므로 $\lim\limits_{x \to 1} f(x) = f(1)$에서

   $0 = 1 + a + b$ $\therefore a + b = -1$ ······ ㉠

(ii) 미분계수 $f'(1)$이 존재하므로

$$\lim_{h \to 0+} \frac{f(1+h)-f(1)}{h}$$
$$= \lim_{h \to 0+} \frac{\{(1+h)^3 + a(1+h) + b\} - (1+a+b)}{h}$$
$$= \lim_{h \to 0+} (h^2 + 3h + a + 3)$$
$$= a + 3$$

$$\lim_{h \to 0-} \frac{f(1+h)-f(1)}{h} = \lim_{h \to 0-} \frac{0-0}{h} = 0$$

즉, $a+3=0$이므로 $a=-3$

$a=-3$을 ㉠에 대입하면 $-3+b=-1$ $\therefore b=2$

$\therefore ab = -3 \times 2 = -6$

096 답 ⑤

다항식 $x^8 + x^4 + x^3 + 2$를 $x^2(x-1)$로 나누었을 때의 몫을 $Q(x)$, 나머지를 $R(x)=ax^2+bx+c$ (a, b, c는 상수)라 하면

$x^8 + x^4 + x^3 + 2 = x^2(x-1)Q(x) + ax^2 + bx + c$ ······ ㉠

㉠의 양변에 $x=0$을 대입하면

$2 = c$

㉠의 양변에 $x=1$을 대입하면

$5 = a + b + 2$ $\therefore a + b = 3$ ······ ㉡

㉠의 양변을 x에 대하여 미분하면

$8x^7 + 4x^3 + 3x^2 = x(3x-2)Q(x) + x^2(x-1)Q'(x) + 2ax + b$

양변에 $x=0$을 대입하면 $0 = b$

이를 ㉡에 대입하면 $a=3$

따라서 $R(x) = 3x^2 + 2$이므로

$R(3) = 27 + 2 = 29$

097 답 1

다항식 $x^7 - ax^3 + bx + 2$를 $(x-1)^2$으로 나누었을 때의 몫을 $Q(x)$라 하면 나머지가 0이므로

$x^7 - ax^3 + bx + 2 = (x-1)^2 Q(x)$ ······ ㉠

양변에 $x=1$을 대입하면

$1 - a + b + 2 = 0$

$\therefore a - b = 3$ ······ ㉡

㉠의 양변을 x에 대하여 미분하면

$7x^6 - 3ax^2 + b = 2(x-1)Q(x) + (x-1)^2 Q'(x)$

양변에 $x=1$을 대입하면

$7 - 3a + b = 0$

$\therefore 3a - b = 7$ ······ ㉢

㉡, ㉢을 연립하여 풀면 $a=2$, $b=-1$

$\therefore a + b = 2 + (-1) = 1$

098 답 -9

다항식 $x^6 + 2x^3 + ax + b$를 $(x+1)^2$으로 나누었을 때의 몫을 $Q(x)$라 하면 나머지가 $3x-4$이므로

$x^6 + 2x^3 + ax + b = (x+1)^2 Q(x) + 3x - 4$ ······ ㉠

양변에 $x=-1$을 대입하면

$-1 - a + b = -7$

$\therefore a - b = 6$ ······ ㉡

㉠의 양변을 x에 대하여 미분하면

$6x^5 + 6x^2 + a = 2(x+1)Q(x) + (x+1)^2 Q'(x) + 3$

양변에 $x=-1$을 대입하면

$a = 3$

이를 ㉡에 대입하면

$3 - b = 6$ $\therefore b = -3$

$\therefore ab = 3 \times (-3) = -9$

099 답 2

$\lim\limits_{x \to -2} \dfrac{f(x)+3}{x+2} = 1$에서 $x \to -2$일 때 (분모) $\to 0$이고 극한값이 존재하므로 (분자) $\to 0$이다.

즉, $\lim\limits_{x \to -2} \{f(x)+3\} = 0$이므로 $f(-2) = -3$ ······ ㉠

$\therefore \lim\limits_{x \to -2} \dfrac{f(x)+3}{x+2} = \lim\limits_{x \to -2} \dfrac{f(x)-f(-2)}{x-(-2)}$
$$= f'(-2) = 1$$ ······ ㉡

다항식 $f(x)$를 $(x+2)^2$으로 나누었을 때의 몫을 $Q(x)$라 하면 나머지가 $ax+b$이므로

$f(x) = (x+2)^2 Q(x) + ax + b$ ······ ㉢

㉠에서 $f(-2)=-3$이므로

$-2a + b = -3$ ······ ㉣

㉢의 양변을 x에 대하여 미분하면

$f'(x) = 2(x+2)Q(x) + (x+2)^2 Q'(x) + a$

㉡에서 $f'(-2)=1$이므로 $a=1$

이를 ㉣에 대입하면

$-2 + b = -3$ $\therefore b = -1$

$\therefore a - b = 1 - (-1) = 2$

100 답 ③

함수 $f(x)=2x^2-3x+1$에 대하여 x의 값이 a에서 b까지 변할 때의 평균변화율은

$$\frac{\Delta y}{\Delta x}=\frac{f(b)-f(a)}{b-a}=\frac{(2b^2-3b+1)-(2a^2-3a+1)}{b-a}$$

$$=\frac{2(b-a)(b+a)-3(b-a)}{b-a}=2(a+b)-3$$

따라서 $2(a+b)-3=-1$이므로 $a+b=1$

101 답 1

함수 $f(x)=x^2-5x+4$에 대하여 x의 값이 a에서 $a+2$까지 변할 때의 평균변화율은

$$\frac{\Delta y}{\Delta x}=\frac{f(a+2)-f(a)}{(a+2)-a}$$

$$=\frac{\{(a+2)^2-5(a+2)+4\}-(a^2-5a+4)}{2}$$

$$=\frac{4a-6}{2}=2a-3 \qquad \cdots\cdots \text{㉠}$$

함수 $f(x)$의 $x=2$에서의 미분계수 $f'(2)$는

$$f'(2)=\lim_{h\to 0}\frac{f(2+h)-f(2)}{h}$$

$$=\lim_{h\to 0}\frac{\{(2+h)^2-5(2+h)+4\}-(-2)}{h}$$

$$=\lim_{h\to 0}\frac{h^2-h}{h}=\lim_{h\to 0}(h-1)=-1 \qquad \cdots\cdots \text{㉡}$$

㉠, ㉡에서 $2a-3=-1$ $\therefore a=1$

102 답 ⑤

$\dfrac{f(b)-f(a)}{b-a}$는 두 점 $(a,\,f(a))$, $(b,\,f(b))$를 이은 직선의 기울기이고, $f'(a)$는 함수 $y=f(x)$의 그래프 위의 점 $(a,\,f(a))$에서의 접선의 기울기, $f'(b)$는 함수 $y=f(x)$의 그래프 위의 점 $(b,\,f(b))$에서의 접선의 기울기이다.

$$\therefore f'(b)<\frac{f(b)-f(a)}{b-a}<f'(a)$$

103 답 ④

① $\lim\limits_{h\to 0}\dfrac{f(1+2h)-f(1)}{h}=\lim\limits_{h\to 0}\dfrac{f(1+2h)-f(1)}{2h}\times 2$

$\qquad\qquad\qquad\qquad\qquad =2f'(1)=2\times 3=6$

② $\lim\limits_{h\to 0}\dfrac{f(1-3h)-f(1)}{3h}=\lim\limits_{h\to 0}\dfrac{f(1-3h)-f(1)}{-3h}\times(-1)$

$\qquad\qquad\qquad\qquad\qquad =-f'(1)=-3$

③ $\lim\limits_{h\to 0}\dfrac{f(1+2h)-f(1-h)}{h}$

$\quad=\lim\limits_{h\to 0}\dfrac{f(1+2h)-f(1)+f(1)-f(1-h)}{h}$

$\quad=\lim\limits_{h\to 0}\dfrac{f(1+2h)-f(1)}{2h}\times 2-\lim\limits_{h\to 0}\dfrac{f(1-h)-f(1)}{-h}\times(-1)$

$\quad=2f'(1)+f'(1)=3f'(1)=3\times 3=9$

④ $\lim\limits_{x\to 1}\dfrac{3f(x)-3f(1)}{x^2-1}=\lim\limits_{x\to 1}\dfrac{3\{f(x)-f(1)\}}{(x-1)(x+1)}$

$\qquad\qquad\qquad\qquad =\lim\limits_{x\to 1}\left\{\dfrac{f(x)-f(1)}{x-1}\times\dfrac{3}{x+1}\right\}$

$\qquad\qquad\qquad\qquad =\dfrac{3}{2}f'(1)=\dfrac{3}{2}\times 3=\dfrac{9}{2}$

⑤ $\lim\limits_{x\to 1}\dfrac{x^2f(1)-f(x)}{x-1}$

$\quad=\lim\limits_{x\to 1}\dfrac{x^2f(1)-f(1)+f(1)-f(x)}{x-1}$

$\quad=\lim\limits_{x\to 1}\dfrac{(x^2-1)f(1)}{x-1}-\lim\limits_{x\to 1}\dfrac{f(x)-f(1)}{x-1}$

$\quad=\lim\limits_{x\to 1}\dfrac{(x-1)(x+1)f(1)}{x-1}-\lim\limits_{x\to 1}\dfrac{f(x)-f(1)}{x-1}$

$\quad=2f(1)-f'(1)=2\times 2-3=1$

104 답 1

$\lim\limits_{h\to 0}\dfrac{f(2+3h)-f(2-4h)}{2h}$

$=\lim\limits_{h\to 0}\dfrac{f(2+3h)-f(2)+f(2)-f(2-4h)}{2h}$

$=\lim\limits_{h\to 0}\dfrac{f(2+3h)-f(2)}{3h}\times\dfrac{3}{2}-\lim\limits_{h\to 0}\dfrac{f(2-4h)-f(2)}{-4h}\times(-2)$

$=\dfrac{3}{2}f'(2)+2f'(2)=\dfrac{7}{2}f'(2)$

즉, $\dfrac{7}{2}f'(2)=14$이므로 $f'(2)=4$

$\therefore \lim\limits_{x\to 2}\dfrac{f(x)-f(2)}{x^2-4}=\lim\limits_{x\to 2}\dfrac{f(x)-f(2)}{(x-2)(x+2)}$

$\qquad\qquad\qquad\qquad =\lim\limits_{x\to 2}\dfrac{f(x)-f(2)}{x-2}\times\lim\limits_{x\to 2}\dfrac{1}{x+2}$

$\qquad\qquad\qquad\qquad =f'(2)\times\dfrac{1}{4}=4\times\dfrac{1}{4}=1$

105 답 3

$f(x+y)=f(x)+f(y)+xy$의 양변에 $x=0$, $y=0$을 대입하면

$f(0)=f(0)+f(0)+0$ $\therefore f(0)=0$ $\cdots\cdots$ ㉠

$\therefore f'(2)=\lim\limits_{h\to 0}\dfrac{f(2+h)-f(2)}{h}=\lim\limits_{h\to 0}\dfrac{f(2)+f(h)+2h-f(2)}{h}$

$\qquad=\lim\limits_{h\to 0}\dfrac{f(h)}{h}+2=\lim\limits_{h\to 0}\dfrac{f(h)-f(0)}{h}+2$ $(\because$ ㉠$)$

$\qquad=f'(0)+2$

즉, $f'(0)+2=4$이므로 $f'(0)=2$

$\therefore f'(1)=\lim\limits_{h\to 0}\dfrac{f(1+h)-f(1)}{h}=\lim\limits_{h\to 0}\dfrac{f(1)+f(h)+h-f(1)}{h}$

$\qquad=\lim\limits_{h\to 0}\dfrac{f(h)}{h}+1=\lim\limits_{h\to 0}\dfrac{f(h)-f(0)}{h}+1$ $(\because$ ㉠$)$

$\qquad=f'(0)+1=2+1=3$

106 답 ㄱ, ㄴ

ㄱ. $0\le x<1$에서 $[x]=0$, $1\le x<2$에서 $[x]=1$이므로

$$f(x)=\begin{cases} 0 & (0\le x<1) \\ x-1 & (1\le x<2) \end{cases}$$

$\lim\limits_{x\to 1}f(x)=f(1)=0$이므로 함수 $f(x)$는 $x=1$에서 연속이다.

$\lim\limits_{h\to 0+}\dfrac{f(1+h)-f(1)}{h}=\lim\limits_{h\to 0+}\dfrac{(1+h-1)-0}{h}=1$

$\lim\limits_{h\to 0-}\dfrac{f(1+h)-f(1)}{h}=\lim\limits_{h\to 0-}\dfrac{0-0}{h}=0$

즉, 함수 $f(x)$는 $x=1$에서 미분가능하지 않다.

ㄴ. $f(x)=\begin{cases} 0 & (x\geq 1) \\ -2x+2 & (x<1) \end{cases}$

$\lim\limits_{x\to 1} f(x)=f(1)=0$이므로 함수 $f(x)$는 $x=1$에서 연속이다.

$\lim\limits_{h\to 0+}\dfrac{f(1+h)-f(1)}{h}=\lim\limits_{h\to 0+}\dfrac{0-0}{h}=0$

$\lim\limits_{h\to 0-}\dfrac{f(1+h)-f(1)}{h}=\lim\limits_{h\to 0-}\dfrac{\{-2(1+h)+2\}-0}{h}=-2$

즉, 함수 $f(x)$는 $x=1$에서 미분가능하지 않다.

ㄷ. $\lim\limits_{x\to 1} f(x)=f(1)=1$이므로 함수 $f(x)$는 $x=1$에서 연속이다.

$\lim\limits_{h\to 0+}\dfrac{f(1+h)-f(1)}{h}=\lim\limits_{h\to 0+}\dfrac{(1+h)^3-1}{h}$
$\qquad\qquad\qquad\qquad\quad=\lim\limits_{h\to 0+}(h^2+3h+3)=3$

$\lim\limits_{h\to 0-}\dfrac{f(1+h)-f(1)}{h}=\lim\limits_{h\to 0-}\dfrac{\{3(1+h)-2\}-1}{h}=3$

즉, 함수 $f(x)$는 $x=1$에서 미분가능하다.

따라서 보기의 함수 중 $x=1$에서 연속이지만 미분가능하지 않은 것은 ㄱ, ㄴ이다.

107 답 ㄱ, ㄷ

ㄱ. $\lim\limits_{x\to 1+} f(x)f(-x)=0\times(-1)=0$

$\lim\limits_{x\to 1-} f(x)f(-x)=0\times(-1)=0$

$\therefore \lim\limits_{x\to 1} f(x)f(-x)=0$

ㄴ. $f(-1)f(1)=0\times 1=0$이고,

$\lim\limits_{x\to -1+} f(x)f(-x)=(-1)\times 0=0$,

$\lim\limits_{x\to -1-} f(x)f(-x)=(-1)\times 0=0$이므로

$\lim\limits_{x\to -1} f(x)f(-x)=f(-1)f(1)$

즉, 함수 $f(x)f(-x)$는 $x=-1$에서 연속이다.

ㄷ. $f(x)f(-x)=g(x)$라 하고 구간 $(-1, 1)$에서 함수 $g(x)$를 구하면

$g(x)=\begin{cases} x^2-x & (0<x<1) \\ 0 & (x=0) \\ x^2+x & (-1<x<0) \end{cases}$

$\lim\limits_{h\to 0+}\dfrac{g(h)-g(0)}{h}=\lim\limits_{h\to 0+}\dfrac{(h^2-h)-0}{h}$
$\qquad\qquad\qquad\qquad=\lim\limits_{h\to 0+}(h-1)=-1$

$\lim\limits_{h\to 0-}\dfrac{g(h)-g(0)}{h}=\lim\limits_{h\to 0-}\dfrac{(h^2+h)-0}{h}$
$\qquad\qquad\qquad\qquad=\lim\limits_{h\to 0-}(h+1)=1$

즉, 함수 $f(x)f(-x)$는 $x=0$에서 미분가능하지 않다.

따라서 보기 중 옳은 것은 ㄱ, ㄷ이다.

108 답 ③

$f(x-y)=f(x)+f(y)-xy$의 양변에 $x=0$, $y=0$을 대입하면

$f(0)=f(0)+f(0)-0$ $\quad\therefore f(0)=0$ $\quad\cdots\cdots$ ㉠

$f(x-y)=f(x)+f(y)-xy$의 양변에 y 대신 $-y$를 대입하면

$f(x+y)=f(x)+f(-y)+xy$

$\therefore f'(x)=\lim\limits_{h\to 0}\dfrac{f(x+h)-f(x)}{h}$
$\qquad\quad=\lim\limits_{h\to 0}\dfrac{f(x)+f(-h)+xh-f(x)}{h}$
$\qquad\quad=\lim\limits_{h\to 0}\dfrac{f(-h)}{-h}\times(-1)+x$
$\qquad\quad=\lim\limits_{h\to 0}\dfrac{f(-h)-f(0)}{-h}\times(-1)+x \ (\because ㉠)$
$\qquad\quad=-f'(0)+x=x$

109 답 ④

$f(x)=ax^2+bx+c\,(a, b, c$는 상수, $a\neq 0)$라 하면

$f(0)=2$에서 $c=2$

$f(1)=8$에서 $a+b+c=8$

$a+b+2=8$ $\quad\therefore a+b=6$ $\quad\cdots\cdots$ ㉠

$f'(x)=2ax+b$이므로

$f'(-1)=0$에서 $-2a+b=0$ $\quad\cdots\cdots$ ㉡

㉠, ㉡을 연립하여 풀면 $a=2$, $b=4$

따라서 $f(x)=2x^2+4x+2$이므로 $f(-2)=8-8+2=2$

110 답 27

함수 $y=f(x)$의 그래프가 점 $(2, 3)$을 지나므로 $f(2)=3$

또 $x=2$인 점에서의 접선의 기울기는 $f'(2)$와 같고, 이 접선은 두 점 $(-1, 0)$, $(2, 3)$을 지나므로

$f'(2)=\dfrac{3-0}{2-(-1)}=1$

$g(x)=(x^2+2x+1)f(x)$에서

$g'(x)=(x^2+2x+1)'f(x)+(x^2+2x+1)f'(x)$
$\qquad\ =(2x+2)f(x)+(x^2+2x+1)f'(x)$

$\therefore g'(2)=6f(2)+9f'(2)=6\times 3+9\times 1=27$

111 답 5

$f(x)=2x^2+ax+b$라 하면 $f'(x)=4x+a$

곡선 $y=f(x)$ 위의 점 $(1, 1)$에서의 접선의 기울기와 수직인 직선의 기울기가 $-\dfrac{1}{2}$이므로 곡선 $y=f(x)$ 위의 점 $(1, 1)$에서의 접선의 기울기는 2이다.

$f(1)=1$에서 $2+a+b=1$ $\quad\therefore a+b=-1$ $\quad\cdots\cdots$ ㉠

$f'(1)=2$에서 $4+a=2$ $\quad\therefore a=-2$

이를 ㉠에 대입하면 $-2+b=-1$ $\quad\therefore b=1$

$\therefore a^2+b^2=(-2)^2+1^2=5$

112 답 ③

$\lim\limits_{x\to 2}\dfrac{\{f(x)\}^2-\{f(2)\}^2}{x-2}=\lim\limits_{x\to 2}\dfrac{\{f(x)-f(2)\}\{f(x)+f(2)\}}{x-2}$
$\qquad\qquad\qquad\qquad\quad=\lim\limits_{x\to 2}\dfrac{f(x)-f(2)}{x-2}\times\lim\limits_{x\to 2}\{f(x)+f(2)\}$
$\qquad\qquad\qquad\qquad\quad=f'(2)\times 2f(2)=2f'(2)f(2)$

$f(x)=x^4-2x^3-1$에서 $f(2)=16-16-1=-1$

$f'(x)=4x^3-6x^2$이므로 $f'(2)=32-24=8$

따라서 구하는 극한값은 $2f'(2)f(2)=2\times 8\times(-1)=-16$

113 답 ⑤

$\lim\limits_{x \to 3} \dfrac{f(x)-2}{x-3}=1$에서 $x \to 3$일 때 (분모) $\to 0$이고 극한값이 존재하므로 (분자) $\to 0$이다.

즉, $\lim\limits_{x \to 3}\{f(x)-2\}=0$이므로 $f(3)=2$

$\therefore \lim\limits_{x \to 3} \dfrac{f(x)-2}{x-3}=\lim\limits_{x \to 3} \dfrac{f(x)-f(3)}{x-3}=f'(3)=1$

$\lim\limits_{x \to 3} \dfrac{g(x)+3}{x-3}=7$에서 $x \to 3$일 때 (분모) $\to 0$이고 극한값이 존재하므로 (분자) $\to 0$이다.

즉, $\lim\limits_{x \to 3}\{g(x)+3\}=0$이므로 $g(3)=-3$

$\therefore \lim\limits_{x \to 3} \dfrac{g(x)+3}{x-3}=\lim\limits_{x \to 3} \dfrac{g(x)-g(3)}{x-3}=g'(3)=7$

$h'(x)=f'(x)g(x)+f(x)g'(x)$이므로

$h'(3)=f'(3)g(3)+f(3)g'(3)=1\times(-3)+2\times7=11$

따라서 곡선 $y=h(x)$ 위의 $x=3$인 점에서의 접선의 기울기는 11이다.

114 답 11

$h(x)=f(x)g(x)$라 하면

$\lim\limits_{x \to 1} \dfrac{f(x)g(x)-f(1)g(1)}{x^2-1}=\lim\limits_{x \to 1} \dfrac{h(x)-h(1)}{x^2-1}$

$=\lim\limits_{x \to 1}\left\{\dfrac{h(x)-h(1)}{x-1}\times\dfrac{1}{x+1}\right\}$

$=\dfrac{1}{2}h'(1)$

$f(x)=-x^2+3x+2$에서 $f'(x)=-2x+3$이므로

$f(1)=4$, $f'(1)=1$

$g(x)=2x^3-x^2+2x-5$에서 $g'(x)=6x^2-2x+2$이므로

$g(1)=-2$, $g'(1)=6$

따라서 구하는 극한값은

$\dfrac{1}{2}h'(1)=\dfrac{1}{2}\{f'(1)g(1)+f(1)g'(1)\}=\dfrac{1}{2}(-2+24)=11$

115 답 14

$\lim\limits_{x \to 1} \dfrac{f(x)-f(1)}{x^2-1}=\lim\limits_{x \to 1}\left\{\dfrac{f(x)-f(1)}{x-1}\times\dfrac{1}{x+1}\right\}=\dfrac{1}{2}f'(1)$

즉, $\dfrac{1}{2}f'(1)=\dfrac{5}{2}$이므로 $f'(1)=5$

$f(x)=x^3+ax^2+b$에서 $f'(x)=3x^2+2ax$

$f(-1)=2$에서 $-1+a+b=2$ $\therefore a+b=3$ ...... ㉠

$f'(1)=5$에서 $3+2a=5$ $\therefore a=1$

이를 ㉠에 대입하면 $1+b=3$ $\therefore b=2$

따라서 $f(x)=x^3+x^2+2$이므로 $f(2)=8+4+2=14$

116 답 ③

$f(x)=x^{3n}-x^{2n}+x^n$이라 하면 $f(1)=1$이므로

$\lim\limits_{x \to 1} \dfrac{x^{3n}-x^{2n}+x^n-1}{x-1}=\lim\limits_{x \to 1} \dfrac{f(x)-f(1)}{x-1}=f'(1)=12$

$f'(x)=3nx^{3n-1}-2nx^{2n-1}+nx^{n-1}$이므로

$f'(1)=3n-2n+n=2n$

따라서 $2n=12$이므로 $n=6$

117 답 5

$f(x)=ax^2+bx+c$ (a, b, c는 상수, $a \neq 0$)라 하면

$f'(x)=2ax+b$

$f(x)$와 $f'(x)$를 주어진 식에 대입하면

$x(2ax+b)=ax^2+bx+c-2x^2+1$

$\therefore 2ax^2+bx=(a-2)x^2+bx+c+1$

이 등식이 모든 실수 x에 대하여 성립하므로

$2a=a-2$, $0=c+1$

$\therefore a=-2$, $c=-1$

$f(1)=4$에서 $a+b+c=4$

$-2+b-1=4$ $\therefore b=7$

따라서 $f(x)=-2x^2+7x-1$이므로

$f(2)=-8+14-1=5$

118 답 2

함수 $f(x)$가 $x=a$에서 미분가능하면 $x=a$에서 연속이고 미분계수 $f'(a)$가 존재한다.

(i) $x=a$에서 연속이므로 $\lim\limits_{x \to a}f(x)=f(a)$에서

$a^2-2a=2a+b$ $\therefore b=a^2-4a$ ...... ㉠

(ii) 미분계수 $f'(a)$가 존재하므로

$\lim\limits_{h \to 0+} \dfrac{f(a+h)-f(a)}{h}$

$=\lim\limits_{h \to 0+} \dfrac{\{2(a+h)+b\}-(2a+b)}{h}$

$=\lim\limits_{h \to 0+} \dfrac{2h}{h}=2$

$\lim\limits_{h \to 0-} \dfrac{f(a+h)-f(a)}{h}$

$=\lim\limits_{h \to 0-} \dfrac{\{(a+h)^2-2(a+h)\}-(a^2-2a)}{h}$

$=\lim\limits_{h \to 0-} \dfrac{h^2+(2a-2)h}{h}$

$=\lim\limits_{h \to 0-}(h+2a-2)=2a-2$

즉, $2a-2=2$이므로 $2a=4$ $\therefore a=2$

$a=2$를 ㉠에 대입하면 $b=4-8=-4$

따라서 $f(x)=\begin{cases} 2x-4 & (x \geq 2) \\ x^2-2x & (x<2) \end{cases}$이므로 $f(3)=6-4=2$

119 답 2

다항식 x^3-3x^2+b를 $(x-a)^2$으로 나누었을 때의 몫을 $Q(x)$라 하면 나머지가 0이므로

$x^3-3x^2+b=(x-a)^2Q(x)$ ...... ㉠

양변에 $x=a$를 대입하면

$a^3-3a^2+b=0$ ...... ㉡

㉠의 양변을 x에 대하여 미분하면

$3x^2-6x=2(x-a)Q(x)+(x-a)^2Q'(x)$

양변에 $x=a$를 대입하면

$3a^2-6a=0$, $3a(a-2)=0$ $\therefore a=2$ ($\because a \neq 0$)

이를 ㉡에 대입하면 $8-12+b=0$ $\therefore b=4$

$\therefore \dfrac{b}{a}=\dfrac{4}{2}=2$

도함수의 활용 (1) | 60~69쪽

001 답 ③
$f(x)=-x^3+ax+3$이라 하면 $f'(x)=-3x^2+a$
곡선 $y=f(x)$가 점 $(1, 4)$를 지나므로 $f(1)=4$에서
$-1+a+3=4$ ∴ $a=2$
점 $(1, 4)$에서의 접선의 기울기는 $f'(1)=-1$이므로 접선의 방정식은
$y-4=-(x-1)$ ∴ $y=-x+5$
따라서 $b=-1$, $c=5$이므로
$abc=2\times(-1)\times5=-10$

002 답 **6**
$f(x)=x^3+2x+1$이라 하면 $f'(x)=3x^2+2$
점 $(-1, -2)$에서의 접선의 기울기는 $f'(-1)=5$이므로 이 점에서의 접선에 수직인 직선의 기울기는
$-\dfrac{1}{f'(-1)}=-\dfrac{1}{5}$
즉, 직선의 방정식은
$y+2=-\dfrac{1}{5}(x+1)$ ∴ $x+5y+11=0$
따라서 $a=1$, $b=5$이므로
$a+b=1+5=6$

003 답 **5**
$f(x)=-x^2-x+4$라 하면 $f'(x)=-2x-1$
접점의 좌표를 $(t, -t^2-t+4)$라 하면 접선의 기울기는 3이므로
$f'(t)=3$에서
$-2t-1=3$, $-2t=4$ ∴ $t=-2$
즉, 접점의 좌표는 $(-2, 2)$이므로 접선의 방정식
$y-2=3(x+2)$
∴ $y=3x+8$
따라서 $a=3$, $b=8$이므로
$b-a=8-3=5$

004 답 ④
$f(x)=x^3+3$이라 하면 $f'(x)=3x^2$
접점의 좌표를 (t, t^3+3)이라 하면 이 점에서의 접선의 기울기는
$f'(t)=3t^2$이므로 접선의 방정식은
$y-(t^3+3)=3t^2(x-t)$
∴ $y=3t^2x-2t^3+3$ …… ㉠
이 직선이 점 $(0, 1)$을 지나므로
$1=-2t^3+3$, $t^3-1=0$
$(t-1)(t^2+t+1)=0$ ∴ $t=1$ (∵ t는 실수)
이를 ㉠에 대입하면 접선의 방정식은
$y=3x+1$
따라서 $a=3$, $b=1$이므로
$a+2b=3+2=5$

005 답 ③
$f(x)=x^3+a$, $g(x)=bx^2-6$이라 하면
$f'(x)=3x^2$, $g'(x)=2bx$
(i) $x=2$인 점에서 두 곡선이 만나므로 $f(2)=g(2)$에서
$8+a=4b-6$
∴ $a-4b=-14$ …… ㉠
(ii) $x=2$인 점에서의 두 곡선의 접선의 기울기가 같으므로
$f'(2)=g'(2)$에서
$12=4b$ ∴ $b=3$
$b=3$을 ㉠에 대입하면
$a-12=-14$ ∴ $a=-2$
∴ $a+b=-2+3=1$

006 답 $\dfrac{3\sqrt{2}}{2}$
곡선 $y=-x^2+x+2$에 접하고 직선 $y=x+5$와 기울기가 같은 접선의 좌표를 $(t, -t^2+t+2)$라 하면 구하는 거리의 최솟값은 이 점과 직선 $y=x+5$ 사이의 거리와 같다.
$f(x)=-x^2+x+2$라 하면 $f'(x)=-2x+1$
접선의 기울기가 1이므로 $f'(t)=1$에서
$-2t+1=1$ ∴ $t=0$
따라서 접점의 좌표는 $(0, 2)$이므로 이 점과 직선 $y=x+5$, 즉
$x-y+5=0$ 사이의 거리는
$\dfrac{|0-2+5|}{\sqrt{1^2+(-1)^2}}=\dfrac{3\sqrt{2}}{2}$

007 답 $\sqrt{17}$
$f(x)=x^3-2x^2+1$이라 하면 $f'(x)=3x^2-4x$
점 $(2, 1)$에서의 접선의 기울기는 $f'(2)=4$
원의 중심이 x축 위에 있으므로 중심의 좌표를 $(a, 0)$이라 하면 두 점 $(2, 1)$, $(a, 0)$을 지나는 직선은 점 $(2, 1)$에서의 접선과 수직이다.
즉, $\dfrac{0-1}{a-2}=-\dfrac{1}{4}$이므로 $a-2=4$
∴ $a=6$
이때 원의 반지름의 길이는 두 점 $(2, 1)$, $(6, 0)$ 사이의 거리와 같으므로
$\sqrt{(6-2)^2+(-1)^2}=\sqrt{17}$

008 답 $\dfrac{2}{3}$
함수 $f(x)=x^3-4x^2+4x$는 닫힌구간 $[0, 2]$에서 연속이고 열린구간 $(0, 2)$에서 미분가능하며 $f(0)=f(2)=0$이므로 롤의 정리에 의하여 $f'(c)=0$인 c가 열린구간 $(0, 2)$에 적어도 하나 존재한다.
이때 $f'(x)=3x^2-8x+4$이므로
$f'(c)=3c^2-8c+4=0$
$(3c-2)(c-2)=0$
∴ $c=\dfrac{2}{3}$ (∵ $0<c<2$)

009 답 $\dfrac{\sqrt{3}}{3}$

함수 $f(x)=x^3+2x$는 닫힌구간 $[0,\,1]$에서 연속이고 열린구간 $(0,\,1)$에서 미분가능하므로 평균값 정리에 의하여 $\dfrac{f(1)-f(0)}{1-0}=f'(c)$인 c가 열린구간 $(0,\,1)$에 적어도 하나 존재한다.

이때 $f'(x)=3x^2+2$이므로

$\dfrac{3-0}{1-0}=3c^2+2,\ c^2=\dfrac{1}{3}$

$\therefore c=\dfrac{\sqrt{3}}{3}\ (\because 0<c<1)$

010 답 ②

$f(x)=x^3+2x^2+ax+1$이라 하면 $f'(x)=3x^2+4x+a$

곡선 $y=f(x)$가 점 $(-1,\,3)$을 지나므로 $f(-1)=3$에서

$-1+2-a+1=3$ $\therefore a=-1$

점 $(-1,\,3)$에서의 접선의 기울기는 $f'(-1)=-2$이므로 접선의 방정식은

$y-3=-2(x+1)$ $\therefore y=-2x+1$

따라서 $b=-2,\ c=1$이므로

$a+b+c=-1+(-2)+1=-2$

011 답 -6

$f(x)=x^3+ax+b$라 하면 $f'(x)=3x^2+a$

곡선 $y=f(x)$가 점 $(1,\,2)$를 지나므로 $f(1)=2$에서

$1+a+b=2$ $\therefore a+b=1$ …… ㉠

점 $(1,\,2)$에서의 접선의 기울기는 1이므로 $f'(1)=1$에서

$3+a=1$ $\therefore a=-2$

이를 ㉠에 대입하면

$-2+b=1$ $\therefore b=3$

점 $(1,\,2)$에서의 접선의 방정식은

$y-2=x-1$ $\therefore y=x+1$ $\therefore c=1$

$\therefore abc=-2\times3\times1=-6$

012 답 1

$f(x)=x^2-3x+2$라 하면 $f'(x)=2x-3$

점 $(1,\,0)$에서의 접선의 기울기는 $f'(1)=-1$이므로 접선의 방정식은

$y=-(x-1)$ $\therefore y=-x+1$ …… ㉠

점 $(3,\,2)$에서의 접선의 기울기는 $f'(3)=3$이므로 접선의 방정식은

$y-2=3(x-3)$ $\therefore y=3x-7$ …… ㉡

㉠, ㉡을 연립하여 풀면

$x=2,\ y=-1$

따라서 교점의 좌표는 $(2,\,-1)$이므로

$a=2,\ b=-1$

$\therefore a+b=2+(-1)=1$

013 답 3

$f(x)=2x^3+ax+b$라 하면 $f'(x)=6x^2+a$

곡선 $y=f(x)$가 점 $(1,\,1)$을 지나므로 $f(1)=1$에서

$2+a+b=1$ $\therefore a+b=-1$ …… ㉠

점 $(1,\,1)$에서의 접선의 기울기는 $f'(1)=6+a$이므로 접선의 방정식은

$y-1=(6+a)(x-1)$

이 직선이 점 $(0,\,0)$을 지나므로

$-1=-(6+a)$ $\therefore a=-5$

이를 ㉠에 대입하면

$-5+b=-1$ $\therefore b=4$

$\therefore a+2b=-5+8=3$

014 답 ①

$\displaystyle\lim_{x\to1}\dfrac{f(x)-1}{x-1}=2$에서 $x\to1$일 때 (분모) $\to0$이고 극한값이 존재하므로 (분자) $\to0$이다.

즉, $\displaystyle\lim_{x\to1}\{f(x)-1\}=0$이므로 $f(1)=1$

$\therefore\displaystyle\lim_{x\to1}\dfrac{f(x)-1}{x-1}=\lim_{x\to1}\dfrac{f(x)-f(1)}{x-1}=f'(1)=2$

곡선 $y=f(x)$ 위의 점 $(1,\,1)$에서의 접선의 기울기는 2이므로 접선의 방정식은

$y-1=2(x-1)$ $\therefore y=2x-1$

따라서 $g(x)=2x-1$이므로 $g(-1)=-2-1=-3$

015 답 1

점 $(1,\,2)$는 곡선 $y=f(x)$ 위의 점이므로 $f(1)=2$

점 $(1,\,2)$에서의 접선의 기울기가 3이므로 $f'(1)=3$

$g(x)=(x^3-2x)f(x)$라 하면

$g'(x)=(3x^2-2)f(x)+(x^3-2x)f'(x)$

$\therefore g'(1)=f(1)-f'(1)=2-3=-1$

이때 $g(1)=-f(1)=-2$이므로 점 $(1,\,-2)$에서의 접선의 방정식은

$y+2=-(x-1)$ $\therefore y=-x-1$

따라서 $a=-1,\ b=-1$이므로 $ab=-1\times(-1)=1$

016 답 $\dfrac{9}{2}$

$f(x)=x^3-2x+1$이라 하면 $f'(x)=3x^2-2$

점 $\mathrm{A}(1,\,0)$에서의 접선의 기울기는 $f'(1)=1$이므로 접선의 방정식은

$y=x-1$

곡선 $y=x^3-2x+1$과 접선 $y=x-1$의 교점의 x좌표는

$x^3-2x+1=x-1$에서 $x^3-3x+2=0$

$(x+2)(x-1)^2=0$ $\therefore x=-2$ 또는 $x=1$

다시 만나는 점 B의 좌표는 $(-2,\,-3)$이므로 $\mathrm{H}(-2,\,0)$

따라서 삼각형 ABH의 넓이는

$\dfrac{1}{2}\times\overline{\mathrm{AH}}\times\overline{\mathrm{BH}}=\dfrac{1}{2}\times3\times3=\dfrac{9}{2}$

017 답 $-\dfrac{4}{3}$

$f(x)=-3x^3+3x^2+2$라 하면 $f'(x)=-9x^2+6x$
점 $(1, 2)$에서의 접선의 기울기는 $f'(1)=-3$이므로 이 점에서의
접선에 수직인 직선의 기울기는
$$-\dfrac{1}{f'(1)}=-\dfrac{1}{-3}=\dfrac{1}{3}$$
즉, 직선의 방정식은
$$y-2=\dfrac{1}{3}(x-1) \qquad \therefore y=\dfrac{1}{3}x+\dfrac{5}{3}$$
따라서 $m=\dfrac{1}{3}$, $n=\dfrac{5}{3}$이므로
$$m-n=\dfrac{1}{3}-\dfrac{5}{3}=-\dfrac{4}{3}$$

018 답 ④

$f(x)=x^3-3x^2+2x+4$라 하면 $f'(x)=3x^2-6x+2$
점 $\mathrm{P}(0, 4)$에서의 접선의 기울기는 $f'(0)=2$이므로 접선 l의 방
정식은
$$y-4=2(x-0) \qquad \therefore y=2x+4$$
직선 l에 수직인 직선의 기울기는 $-\dfrac{1}{f'(0)}=-\dfrac{1}{2}$이고 점 $\mathrm{P}(0, 4)$
를 지나므로 직선 m의 방정식은
$$y-4=-\dfrac{1}{2}(x-0) \qquad \therefore y=-\dfrac{1}{2}x+4$$
따라서 오른쪽 그림에서 두 직선 l, m
및 x축으로 둘러싸인 도형의 넓이는
$$\dfrac{1}{2}\times 10\times 4=20$$

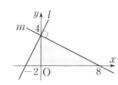

019 답 $\dfrac{1}{2}$

$g(x)=x^3+x^2$이라 하면 $g'(x)=3x^2+2x$
점 $\mathrm{P}(t, t^3+t^2)$에서의 접선의 기울기는 $g'(t)=3t^2+2t$이므로 이
점에서의 접선에 수직인 직선의 기울기는
$$-\dfrac{1}{g'(t)}=-\dfrac{1}{3t^2+2t}$$
따라서 직선의 방정식은
$$y-(t^3+t^2)=-\dfrac{1}{3t^2+2t}(x-t)$$
$$\therefore y=-\dfrac{1}{3t^2+2t}x+\dfrac{1}{3t+2}+t^3+t^2$$
$x=0$일 때 $y=\dfrac{1}{3t+2}+t^3+t^2$이므로
$$f(t)=\dfrac{1}{3t+2}+t^3+t^2$$
$$\therefore \lim_{t\to 0} f(t)=\lim_{t\to 0}\left(\dfrac{1}{3t+2}+t^3+t^2\right)=\dfrac{1}{2}$$

020 답 7

$f(x)=-x^2+3x+1$이라 하면 $f'(x)=-2x+3$
접점의 좌표를 $(t, -t^2+3t+1)$이라 하면 직선 $y=-\dfrac{1}{5}x+1$에
수직인 접선의 기울기는 5이므로 $f'(t)=5$에서
$$-2t+3=5 \qquad \therefore t=-1$$

즉, 접점의 좌표는 $(-1, -3)$이므로 접선의 방정식은
$$y+3=5(x+1) \qquad \therefore y=5x+2$$
따라서 $a=5$, $b=2$이므로 $a+b=5+2=7$

021 답 -1

$f(x)=-x^3+6x^2-10x+7$이라 하면
$$f'(x)=-3x^2+12x-10=-3(x-2)^2+2$$
즉, 접선의 기울기는 $x=2$에서 최댓값 2를 갖는다.
이때 접점의 좌표는 $(2, 3)$이고 접선의 기울기가 2이므로 접선의
방정식은
$$y-3=2(x-2) \qquad \therefore y=2x-1$$
따라서 구하는 y절편은 -1이다.

022 답 ②

$f(x)=x^3-x+2$라 하면 $f'(x)=3x^2-1$
접점의 좌표를 (t, t^3-t+2)라 하면 접선의 기울기가 2이므로
$f'(t)=2$에서
$$3t^2-1=2, \ t^2=1 \qquad \therefore t=-1 \ \text{또는} \ t=1$$
즉, 접점의 좌표는 $(-1, 2)$ 또는 $(1, 2)$이므로 접선의 방정식은
$$y-2=2(x+1) \ \text{또는} \ y-2=2(x-1)$$
$$\therefore y=2x+4 \ \text{또는} \ y=2x$$
이때 k는 양수이므로 $k=4$

023 답 $2\sqrt{2}$

$f(x)=x^3-4x+5$라 하면 $f'(x)=3x^2-4$
접점의 좌표를 (t, t^3-4t+5)라 하면 직선 $x+y+1=0$, 즉
$y=-x-1$에 평행한 접선의 기울기는 -1이므로 $f'(t)=-1$에서
$$3t^2-4=-1, \ t^2=1 \qquad \therefore t=-1 \ \text{또는} \ t=1$$
즉, 접점의 좌표는 $(-1, 8)$ 또는 $(1, 2)$이므로 접선의 방정식은
$$y-8=-(x+1) \ \text{또는} \ y-2=-(x-1)$$
$$\therefore x+y-7=0 \ \text{또는} \ x+y-3=0$$
따라서 두 접선 사이의 거리는 직선 $x+y-7=0$ 위의 점 $(0, 7)$
과 직선 $x+y-3=0$ 사이의 거리와 같으므로
$$\dfrac{|0+7-3|}{\sqrt{1^2+1^2}}=2\sqrt{2}$$

024 답 ④

$f(x)=x^3+2x+1$이라 하면 $f'(x)=3x^2+2$
접점의 좌표를 (t, t^3+2t+1)이라 하면 이 점에서의 접선의 기울
기는 $f'(t)=3t^2+2$이므로 접선의 방정식은
$$y-(t^3+2t+1)=(3t^2+2)(x-t)$$
$$\therefore y=(3t^2+2)x-2t^3+1 \qquad \cdots\cdots \ \text{㉠}$$
이 직선이 점 $(0, 3)$을 지나므로
$$3=-2t^3+1, \ t^3+1=0$$
$$(t+1)(t^2-t+1)=0 \qquad \therefore t=-1 \ (\because t\text{는 실수})$$
이를 ㉠에 대입하면 접선의 방정식은
$$y=5x+3$$
따라서 $a=5$, $b=3$이므로 $a-b=5-3=2$

025 답 -16

$f(x)=x^4+3$이라 하면 $f'(x)=4x^3$

접점의 좌표를 (t, t^4+3)이라 하면 이 점에서의 접선의 기울기는

$f'(t)=4t^3$이므로 접선의 방정식은

$y-(t^4+3)=4t^3(x-t)$

$\therefore y=4t^3x-3t^4+3$

이 직선이 점 $(0, 0)$을 지나므로

$0=-3t^4+3$, $t^4-1=0$

$(t+1)(t-1)(t^2+1)=0$

$\therefore t=-1$ 또는 $t=1$ ($\because t$는 실수)

따라서 두 접선의 기울기의 곱은

$f'(-1)f'(1)=-4\times4=-16$

026 답 ③

$f(x)=x^3-x$라 하면 $f'(x)=3x^2-1$

접점의 좌표를 (t, t^3-t)라 하면 이 점에서의 접선의 기울기는

$f'(t)=3t^2-1$이므로 접선의 방정식은

$y-(t^3-t)=(3t^2-1)(x-t)$

$\therefore y=(3t^2-1)x-2t^3$ $\cdots\cdots$ ㉠

이 직선이 점 $(0, 2)$를 지나므로

$2=-2t^3$, $t^3+1=0$

$(t+1)(t^2-t+1)=0$ $\therefore t=-1$ ($\because t$는 실수)

이를 ㉠에 대입하면 접선의 방정식은

$y=2x+2$

이 직선이 점 $(k, 4)$를 지나므로

$4=2k+2$, $2k=2$ $\therefore k=1$

027 답 ④

$f(x)=x^2+4$라 하면 $f'(x)=2x$

접점의 좌표를 (t, t^2+4)라 하면 이 점에서의 접선의 기울기는

$f'(t)=2t$이므로 접선의 방정식은

$y-(t^2+4)=2t(x-t)$

$\therefore y=2tx-t^2+4$

이 직선이 점 $(0, 0)$을 지나므로

$0=-t^2+4$, $t^2=4$ $\therefore t=-2$ 또는 $t=2$

따라서 두 접점의 좌표는 $(-2, 8)$, $(2, 8)$이므로 구하는 삼각형의 넓이는

$\frac{1}{2}\times4\times8=16$

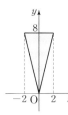

028 답 6

$f(x)=x^3-3x^2+2$라 하면 $f'(x)=3x^2-6x$

접점의 좌표를 (t, t^3-3t^2+2)라 하면 이 점에서의 접선의 기울기는 $f'(t)=3t^2-6t$이므로 접선의 방정식은

$y-(t^3-3t^2+2)=(3t^2-6t)(x-t)$

$\therefore y=(3t^2-6t)x-2t^3+3t^2+2$

이 직선이 점 $(3, 0)$을 지나므로

$0=9t^2-18t-2t^3+3t^2+2$

$\therefore t^3-6t^2+9t-1=0$ $\cdots\cdots$ ㉠

이때 x_1, x_2, x_3은 삼차방정식 ㉠의 세 실근이므로 근과 계수의 관계에 의하여

$x_1+x_2+x_3=6$

029 답 ⑤

$f(x)=\frac{1}{2}x^2+k$에서 $f'(x)=x$

수직인 두 접선의 접점의 좌표를 각각 $\left(\alpha, \frac{1}{2}\alpha^2+k\right)$, $\left(\beta, \frac{1}{2}\beta^2+k\right)$

라 하면 두 접선의 기울기는 각각

$f'(\alpha)=\alpha$, $f'(\beta)=\beta$

두 접선이 서로 수직이므로

$\alpha\beta=-1$ $\cdots\cdots$ ㉠

점 $\left(\alpha, \frac{1}{2}\alpha^2+k\right)$에서의 접선의 방정식은

$y-\left(\frac{1}{2}\alpha^2+k\right)=\alpha(x-\alpha)$

$\therefore y=\alpha x-\frac{1}{2}\alpha^2+k$

점 $\left(\beta, \frac{1}{2}\beta^2+k\right)$에서의 접선의 방정식은

$y-\left(\frac{1}{2}\beta^2+k\right)=\beta(x-\beta)$

$\therefore y=\beta x-\frac{1}{2}\beta^2+k$

두 접선의 교점의 x좌표는 $\alpha x-\frac{1}{2}\alpha^2+k=\beta x-\frac{1}{2}\beta^2+k$에서

$(\alpha-\beta)x=\frac{1}{2}(\alpha^2-\beta^2)$

$\therefore x=\frac{\alpha+\beta}{2}$

따라서 두 접선의 교점의 좌표는 $\left(\frac{\alpha+\beta}{2}, \frac{\alpha\beta}{2}+k\right)$이고, 이 점이 항상 x축 위에 있으려면

$\frac{\alpha\beta}{2}+k=0$, $-\frac{1}{2}+k=0$ ($\because$ ㉠)

$\therefore k=\frac{1}{2}$

030 답 9

$f(x)=-x^3+ax+3$, $g(x)=bx^2+2$라 하면

$f'(x)=-3x^2+a$, $g'(x)=2bx$

(i) $x=1$인 점에서 두 곡선이 만나므로 $f(1)=g(1)$에서

$2+a=b+2$ $\therefore a=b$ $\cdots\cdots$ ㉠

(ii) $x=1$인 점에서의 두 곡선의 접선의 기울기가 같으므로 $f'(1)=g'(1)$에서

$-3+a=2b$ $\therefore a-2b=3$ $\cdots\cdots$ ㉡

㉠, ㉡을 연립하여 풀면

$a=-3$, $b=-3$

$\therefore ab=-3\times(-3)=9$

031 답 ⑤

$f(x)=x^3+a$, $g(x)=-x^2+bx+c$라 하면

$f'(x)=3x^2$, $g'(x)=-2x+b$

(ⅰ) 두 곡선이 점 $(1, 2)$를 지나므로

$\qquad f(1)=2$에서 $1+a=2$ $\qquad \therefore a=1$

$\qquad g(1)=2$에서 $-1+b+c=2$ $\qquad \therefore b+c=3$ $\quad\cdots\cdots$ ㉠

(ⅱ) 점 $(1, 2)$에서의 두 곡선의 접선의 기울기가 같으므로

$\qquad f'(1)=g'(1)$에서

$\qquad\quad 3=-2+b$ $\qquad \therefore b=5$

$b=5$를 ㉠에 대입하면

$5+c=3$ $\qquad \therefore c=-2$

$\therefore a+b-c=1+5-(-2)=8$

032 답 -3

$f(x)=x^3+1$, $g(x)=3x^2-3$이라 하면

$f'(x)=3x^2$, $g'(x)=6x$

두 곡선이 $x=t$인 점에서 공통인 접선을 갖는다고 하면

(ⅰ) $x=t$인 점에서 두 곡선이 만나므로 $f(t)=g(t)$에서

$\qquad t^3+1=3t^2-3$, $t^3-3t^2+4=0$

$\qquad (t+1)(t-2)^2=0$

$\qquad \therefore t=-1$ 또는 $t=2$

(ⅱ) $x=t$인 점에서의 두 곡선의 접선의 기울기가 같으므로

$\qquad f'(t)=g'(t)$에서

$\qquad 3t^2=6t$, $3t(t-2)=0$

$\qquad \therefore t=0$ 또는 $t=2$

(ⅰ), (ⅱ)를 동시에 만족시키는 t의 값은 $t=2$

즉, 접점의 좌표는 $(2, 9)$이고, 접선의 기울기는 12이므로 공통인 접선의 방정식은

$y-9=12(x-2)$ $\qquad \therefore y=12x-15$

따라서 $a=12$, $b=-15$이므로

$a+b=12+(-15)=-3$

033 답 -1

$f(x)=x^3+ax$, $g(x)=x^2-1$이라 하면

$f'(x)=3x^2+a$, $g'(x)=2x$

두 곡선이 $x=t$인 점에서 공통인 접선을 갖는다고 하면

(ⅰ) $x=t$인 점에서 두 곡선이 만나므로 $f(t)=g(t)$에서

$\qquad t^3+at=t^2-1$ $\quad\cdots\cdots$ ㉠

(ⅱ) $x=t$인 점에서의 두 곡선의 접선의 기울기가 같으므로

$\qquad f'(t)=g'(t)$에서

$\qquad 3t^2+a=2t$ $\qquad \therefore a=2t-3t^2$ $\quad\cdots\cdots$ ㉡

㉡을 ㉠에 대입하면

$t^3+(2t-3t^2)t=t^2-1$

$2t^3-t^2-1=0$, $(t-1)(2t^2+t+1)=0$

$\therefore t=1$ ($\because t$는 실수)

이를 ㉡에 대입하면

$a=2-3=-1$

034 답 ②

곡선 $y=x^2+1$에 접하고 직선 $y=2x-3$과 기울기가 같은 접선의 접점의 좌표를 (t, t^2+1)이라 하면 구하는 거리의 최솟값은 이 점과 직선 $y=2x-3$ 사이의 거리와 같다.

$f(x)=x^2+1$이라 하면 $f'(x)=2x$

접선의 기울기가 2이므로 $f'(t)=2$에서

$2t=2$ $\qquad \therefore t=1$

따라서 접점의 좌표는 $(1, 2)$이므로 이 접점과 직선 $y=2x-3$,

즉 $2x-y-3=0$ 사이의 거리는

$$\frac{|2-2-3|}{\sqrt{2^2+(-1)^2}}=\frac{3\sqrt{5}}{5}$$

035 답 $\left(1, \dfrac{3}{4}\right)$

삼각형 PAB의 넓이가 최대가 될 때는 곡선 $y=-\dfrac{1}{4}x^2+1$ $(x>0)$의 접선 중에서 두 점 $A(0, 1)$, $B(2, 0)$을 지나는 직선과 평행한 접선의 접점이 P일 때이다.

$f(x)=-\dfrac{1}{4}x^2+1$이라 하면 $f'(x)=-\dfrac{1}{2}x$

두 점 $A(0, 1)$, $B(2, 0)$을 지나는 직선의 기울기는 $\dfrac{0-1}{2-0}=-\dfrac{1}{2}$

이므로 접점의 좌표를 $\left(t, -\dfrac{1}{4}t^2+1\right)$이라 하면

$f'(t)=-\dfrac{1}{2}$에서 $-\dfrac{1}{2}t=-\dfrac{1}{2}$ $\qquad \therefore t=1$

따라서 점 P의 좌표는 $\left(1, \dfrac{3}{4}\right)$이다.

036 답 4

$f(x)=-x^3+5x-3$이라 하면 $f'(x)=-3x^2+5$

점 $P(1, 1)$에서의 접선의 기울기는 $f'(1)=2$이므로 접선의 방정식은

$y-1=2(x-1)$ $\qquad \therefore y=2x-1$

즉, 점 R의 좌표는 $(0, -1)$이다.

곡선 $y=-x^3+5x-3$과 접선 $y=2x-1$의 교점의 x좌표는

$-x^3+5x-3=2x-1$에서

$x^3-3x+2=0$, $(x+2)(x-1)^2=0$

$\therefore x=-2$ 또는 $x=1$

즉, 점 Q의 좌표는 $(-2, -5)$이다.

한편 삼각형 ARQ의 넓이가 최대가 될 때는 곡선 $y=-x^3+5x-3$의 접선 중에서 직선 QR와 평행한 접선의 접점이 A일 때이다.

점 A의 좌표를 $(t, -t^3+5t-3)$이라 하면 $f'(t)=2$에서

$-3t^2+5=2$, $t^2=1$

$\therefore t=-1$ ($\because -2<t<1$)

즉, 점 A의 좌표는 $(-1, -7)$이다.

점 $A(-1, -7)$과 직선 $y=2x-1$, 즉 $2x-y-1=0$ 사이의 거리는 $\dfrac{|-2+7-1|}{\sqrt{2^2+(-1)^2}}=\dfrac{4\sqrt{5}}{5}$이고, $\overline{QR}=\sqrt{2^2+4^2}=2\sqrt{5}$이므로 삼각형 ARQ의 넓이의 최댓값은

$$\frac{1}{2}\times2\sqrt{5}\times\frac{4\sqrt{5}}{5}=4$$

037 답 $\dfrac{\sqrt{26}}{5}$

$f(x)=x^3+x^2-2$라 하면 $f'(x)=3x^2+2x$

점 $(1, 0)$에서의 접선의 기울기는 $f'(1)=5$

원의 중심이 y축 위에 있으므로 중심의 좌표를 $(0, a)$라 하면 두 점 $(1, 0)$, $(0, a)$를 지나는 직선은 점 $(1, 0)$에서의 접선과 수직이다.

즉, $\dfrac{a-0}{0-1}=-\dfrac{1}{5}$이므로 $5a=1$ $\therefore a=\dfrac{1}{5}$

이때 원의 반지름의 길이는 두 점 $(1, 0)$, $\left(0, \dfrac{1}{5}\right)$ 사이의 거리와 같으므로

$\sqrt{(-1)^2+\left(\dfrac{1}{5}\right)^2}=\dfrac{\sqrt{26}}{5}$

038 답 $\dfrac{17}{8}$

$f(x)=x^3-4x$라 하면 $f'(x)=3x^2-4$

원점에서의 접선 l의 기울기는 $f'(0)=-4$

따라서 원점을 지나고 직선 l과 수직인 직선의 방정식은

$y=\dfrac{1}{4}x$

원의 중심이 곡선 위에 있으므로 중심의 좌표를 (a, a^3-4a)라 하면 직선 $y=\dfrac{1}{4}x$가 이 점을 지나므로

$a^3-4a=\dfrac{1}{4}a$, $4a^3-17a=0$, $a(4a^2-17)=0$

$\therefore a=-\dfrac{\sqrt{17}}{2}$ 또는 $a=\dfrac{\sqrt{17}}{2}$ $(\because a\neq0)$

즉, 원의 중심을 C라 하면

$C\left(-\dfrac{\sqrt{17}}{2}, -\dfrac{\sqrt{17}}{8}\right)$ 또는 $C\left(\dfrac{\sqrt{17}}{2}, \dfrac{\sqrt{17}}{8}\right)$

구하는 원의 반지름의 길이는 원점과 점 C 사이의 거리이므로

$\sqrt{\left(\dfrac{\sqrt{17}}{2}\right)^2+\left(\dfrac{\sqrt{17}}{8}\right)^2}=\dfrac{17}{8}$

039 답 ③

$f(x)=\dfrac{1}{2}x^2$이라 하면 $f'(x)=x$

원과 곡선의 접점을 $P\left(t, \dfrac{1}{2}t^2\right)$이라 하면 점 P에서의 접선의 기울기는 $f'(t)=t$이므로 접선의 방정식은

$y-\dfrac{1}{2}t^2=t(x-t)$ $\therefore y=tx-\dfrac{1}{2}t^2$ ...... ㉠

원의 중심을 C라 하면 직선 CP와 접선 ㉠이 서로 수직이고, 직선 CP의 기울기는

$\dfrac{\dfrac{1}{2}t^2-3}{t}$이므로

$\dfrac{\dfrac{1}{2}t^2-3}{t}\times t=-1$, $t^2=4$

$\therefore t=-2$ 또는 $t=2$

이때 기울기가 양수이므로 $t=2$

이를 ㉠에 대입하면 $y=2x-2$

040 답 $-\dfrac{1}{3}$

함수 $f(x)=x^3+2x^2+x-2$는 닫힌구간 $[-1, 0]$에서 연속이고 열린구간 $(-1, 0)$에서 미분가능하며 $f(-1)=f(0)=-2$이므로 롤의 정리에 의하여 $f'(c)=0$인 c가 열린구간 $(-1, 0)$에 적어도 하나 존재한다.

이때 $f'(x)=3x^2+4x+1$이므로

$f'(c)=3c^2+4c+1=0$

$(c+1)(3c+1)=0$

$\therefore c=-\dfrac{1}{3}$ $(\because -1<c<0)$

041 답 3

함수 $f(x)=x^4-8x^2+5$는 닫힌구간 $[-3, 3]$에서 연속이고 열린구간 $(-3, 3)$에서 미분가능하며 $f(-3)=f(3)=14$이므로 롤의 정리에 의하여 $f'(c)=0$인 c가 열린구간 $(-3, 3)$에 적어도 하나 존재한다.

이때 $f'(x)=4x^3-16x$이므로

$f'(c)=4c^3-16c=0$, $4c(c+2)(c-2)=0$

$\therefore c=-2$ 또는 $c=0$ 또는 $c=2$

따라서 상수 c는 3개이다.

042 답 $\dfrac{1}{2}$

함수 $f(x)=x^2-ax+1$은 닫힌구간 $[-1, 2]$에서 연속이고 열린구간 $(-1, 2)$에서 미분가능하다.

이때 롤의 정리를 만족시키면 $f(-1)=f(2)$이므로

$1+a+1=4-2a+1$ $\therefore a=1$

즉, $f(x)=x^2-x+1$에서 롤의 정리에 의하여 $f'(c)=0$인 c가 열린구간 $(-1, 2)$에 적어도 하나 존재한다.

$f'(x)=2x-1$이므로

$f'(c)=2c-1=0$ $\therefore c=\dfrac{1}{2}$

043 답 ②

롤의 정리에 의하여 닫힌구간 $[0, 1]$에서 연속이고 열린구간 $(0, 1)$에서 미분가능할 때, $f(0)=f(1)$이면 $f'(c)=0$인 c가 열린구간 $(0, 1)$에 적어도 하나 존재한다.

②의 함수는 열린구간 $(0, 1)$에서 미분가능하지 않은 점이 있으므로 롤의 정리가 성립하지 않는다.

044 답 5

$f(0)=f(10)$이므로 닫힌구간 $[0, 10]$에서 롤의 정리를 만족시키는 상수 c는 x축과 평행한 접선을 갖는 점의 x좌표이다.

이때 오른쪽 그림과 같이 x축과 평행한 접선을 5개 그을 수 있으므로 구하는 상수 c는 5개이다.

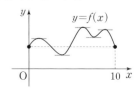

045 답 **1**

함수 $f(x)=x^3+x-1$은 닫힌구간 $[-1, 2]$에서 연속이고 열린구간 $(-1, 2)$에서 미분가능하므로 평균값 정리에 의하여

$\dfrac{f(2)-f(-1)}{2-(-1)}=f'(c)$인 c가 열린구간 $(-1, 2)$에 적어도 하나 존재한다.

이때 $f'(x)=3x^2+1$이므로

$\dfrac{9-(-3)}{2-(-1)}=3c^2+1$, $3c^2=3$, $c^2=1$

$\therefore c=1 \ (\because -1<c<2)$

046 답 ①

함수 $f(x)=-x^2+3x$는 닫힌구간 $[1, k]$에서 연속이고 열린구간 $(1, k)$에서 미분가능하므로 평균값 정리에 의하여

$\dfrac{f(k)-f(1)}{k-1}=f'(c)$인 c가 열린구간 $(1, k)$에 적어도 하나 존재한다.

이때 $f'(x)=-2x+3$이고, $c=2$이므로

$\dfrac{(-k^2+3k)-2}{k-1}=-1$, $k^2-4k+3=0$

$(k-1)(k-3)=0$

$\therefore k=3 \ (\because k>1)$

047 답 **5**

닫힌구간 $[a, b]$에서 평균값 정리를 만족시키는 상수 c는 두 점 $(a, f(a))$, $(b, f(b))$를 지나는 직선과 평행한 접선을 갖는 점의 x좌표이다.

이때 오른쪽 그림과 같이 두 점 $(a, f(a))$, $(b, f(b))$를 지나는 직선과 평행한 접선을 5개 그을 수 있으므로 구하는 상수 c는 5개이다.

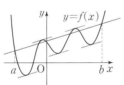

048 답 ③

함수 $f(x)$는 닫힌구간 $[a, b]$에서 연속이고 열린구간 (a, b)에서 미분가능하므로 평균값 정리에 의하여 $\dfrac{f(b)-f(a)}{b-a}=f'(c)$인 c가 열린구간 (a, b)에 적어도 하나 존재한다.

$f'(x)=2x-2$이므로 $\dfrac{f(b)-f(a)}{b-a}=2c-2$

$\therefore k=2c-2$

이때 a, $b \ (a<b)$는 구간 $[-3, 0]$에 속하는 임의의 실수이므로

$-3<c<0$ $\therefore -8<2c-2<-2$

따라서 $-8<k<-2$이므로 모든 정수 k의 값의 합은

$-7+(-6)+(-5)+(-4)+(-3)=-25$

049 답 **9**

함수 $f(x)$는 실수 전체의 집합에서 미분가능하므로 모든 실수에서 연속이다.

따라서 함수 $f(x)$는 닫힌구간 $[x-1, x+2]$에서 연속이고 열린구간 $(x-1, x+2)$에서 미분가능하므로 평균값 정리에 의하여

$\dfrac{f(x+2)-f(x-1)}{(x+2)-(x-1)}=f'(c)$인 c가 열린구간 $(x-1, x+2)$에 적어도 하나 존재한다.

이때 $x-1<c<x+2$에서 $x \to \infty$이면 $c \to \infty$이므로

$\displaystyle\lim_{x\to\infty}\{f(x-1)-f(x+2)\} = \lim_{x\to\infty}\dfrac{f(x+2)-f(x-1)}{(x+2)-(x-1)}\times(-3)$

$= \displaystyle\lim_{c\to\infty}f'(c)\times(-3)$

$=-3\times(-3)=9$

050 답 ⑤

함수 $f(x)$는 모든 실수 x에서 미분가능하므로 모든 실수 x에서 연속이다.

함수 $f(x)$는 닫힌구간 $[2, 3]$에서 연속이고 열린구간 $(2, 3)$에서 미분가능하므로 평균값 정리에 의하여 $\dfrac{f(3)-f(2)}{3-2}=f'(c)$인 c가 열린구간 $(2, 3)$에 적어도 하나 존재한다.

이때 (나)에서 $|f'(x)|\leq 2$이므로

$\left|\dfrac{f(3)-f(2)}{3-2}\right|\leq 2$

(가)에 의하여 $|4-f(2)|\leq 2$

$-2\leq 4-f(2)\leq 2$, $-6\leq -f(2)\leq -2$

$\therefore 2\leq f(2)\leq 6$

따라서 $f(2)$의 최댓값은 6, 최솟값은 2이므로 구하는 합은

$6+2=8$

051 답 **26**

$f(x)=-x^3+2x^2+x+5$라 하면 $f'(x)=-3x^2+4x+1$

곡선 $y=f(x)$가 점 $(3, a)$를 지나므로 $f(3)=a$에서

$-27+18+3+5=a$ $\therefore a=-1$

점 $(3, -1)$에서의 접선의 기울기는 $f'(3)=-14$이므로 접선의 방정식은

$y+1=-14(x-3)$ $\therefore y=-14x+41$

따라서 $m=-14$, $n=41$이므로

$a+m+n=-1+(-14)+41=26$

052 답 $y=9x-32$

$f(x)=x^3-6x^2+9x$라 하면 $f'(x)=3x^2-12x+9$

점 $(1, 4)$에서의 접선의 기울기는 $f'(1)=0$이므로 접선의 방정식은

$y-4=0\times(x-1)$ $\therefore y=4$

곡선 $y=x^3-6x^2+9x$와 접선 $y=4$의 교점의 x좌표는

$x^3-6x^2+9x=4$에서 $x^3-6x^2+9x-4=0$

$(x-1)^2(x-4)=0$ $\therefore x=1$ 또는 $x=4$

따라서 점 P의 좌표는 $(4, 4)$이고 이 점에서의 접선의 기울기는 $f'(4)=9$이므로 구하는 접선의 방정식은

$y-4=9(x-4)$ $\therefore y=9x-32$

053 답 $y=-3x+2$

(가)에서 $x \to 1$일 때 (분모) $\to 0$이고 극한값이 존재하므로
(분자) $\to 0$이다.

즉, $\lim\limits_{x \to 1}\{f(x)g(x)-3\}=0$이므로

$f(1)g(1)-3=0$ $\quad \therefore f(1)g(1)=3$

(나)에서 $f(1)=-3$이므로 $g(1)=-1$

$h(x)=f(x)g(x)$라 하면

$h'(x)=f'(x)g(x)+f(x)g'(x)$

$\therefore \lim\limits_{x \to 1}\dfrac{f(x)g(x)-3}{x-1}=\lim\limits_{x \to 1}\dfrac{h(x)-h(1)}{x-1}=h'(1)$

$\qquad\qquad = f'(1)g(1)+f(1)g'(1)$

$\qquad\qquad = 6-3g'(1)$

즉, $6-3g'(1)=15$이므로

$3g'(1)=-9$ $\quad \therefore g'(1)=-3$

따라서 곡선 $y=g(x)$ 위의 점 $(1, g(1))$, 즉 $(1, -1)$에서의 접선의 방정식은

$y+1=-3(x-1)$ $\quad \therefore y=-3x+2$

054 답 0

$f(x)=x^3+x+k$라 하면 $f'(x)=3x^2+1$

점 $(1, a)$에서의 접선의 기울기는 $f'(1)=4$이므로 이 점에서의 접선에 수직인 직선의 기울기는

$-\dfrac{1}{f'(1)}=-\dfrac{1}{4}$

즉, 직선의 방정식은

$y-a=-\dfrac{1}{4}(x-1)$ $\quad \therefore y=-\dfrac{1}{4}x+a+\dfrac{1}{4}$

이 직선의 y절편이 $\dfrac{5}{4}$이므로 $a+\dfrac{1}{4}=\dfrac{5}{4}$ $\quad \therefore a=1$

따라서 곡선 $y=f(x)$가 점 $(1, 1)$을 지나므로

$2+k=1$ $\quad \therefore k=-1$

$\therefore a+k=1+(-1)=0$

055 답 ①

두 점 $(-2, 3)$, $(0, 7)$을 지나는 직선의 기울기는

$\dfrac{7-3}{0-(-2)}=2$

$f(x)=3x^2-4x-2$라 하면 $f'(x)=6x-4$

접점의 좌표를 $(t, 3t^2-4t-2)$라 하면 접선의 기울기는 2이므로

$f'(t)=2$에서 $6t-4=2$ $\quad \therefore t=1$

즉, 접점의 좌표는 $(1, -3)$이므로 접선의 방정식은

$y+3=2(x-1)$ $\quad \therefore y=2x-5$

따라서 구하는 접선의 y절편은 -5이다.

056 답 8

$f(x)=-2x^3+7x+1$이라 하면 $f'(x)=-6x^2+7$

접점의 좌표를 $(t, -2t^3+7t+1)$이라 하면 x축의 양의 방향과 이루는 각의 크기가 $45°$인 접선의 기울기는 $\tan 45°=1$이므로

$f'(t)=1$에서

$-6t^2+7=1$, $t^2=1$ $\quad \therefore t=-1$ 또는 $t=1$

즉, 접점의 좌표는 $(-1, -4)$ 또는 $(1, 6)$이므로 접선의 방정식은

$y+4=x+1$ 또는 $y-6=x-1$

$\therefore y=x-3$ 또는 $y=x+5$

따라서 $A(0, -3)$, $B(0, 5)$ 또는 $A(0, 5)$, $B(0, -3)$이므로

$\overline{AB}=5-(-3)=8$

057 답 $\dfrac{1}{2}$

$f(x)=x^3-3x^2+2x$라 하면

$f'(x)=3x^2-6x+2=3(x-1)^2-1$

즉, 접선의 기울기는 $x=1$에서 최솟값 -1을 갖는다.

이때 접점의 좌표는 $(1, 0)$이고 접선의 기울기가 -1이므로 접선의 방정식은

$y=-(x-1)$ $\quad \therefore y=-x+1$

따라서 구하는 도형의 넓이는

$\dfrac{1}{2} \times 1 \times 1 = \dfrac{1}{2}$

058 답 6

$f(x)=x^2-2x$라 하면 $f'(x)=2x-2$

접점의 좌표를 (t, t^2-2t)라 하면 이 점에서의 접선의 기울기는 $f'(t)=2t-2$이므로 접선의 방정식은

$y-(t^2-2t)=(2t-2)(x-t)$

$\therefore y=(2t-2)x-t^2$ $\quad \cdots\cdots\ \ominus$

이 직선이 점 $(0, -4)$를 지나므로

$-4=-t^2$ $\quad \therefore t=-2$ 또는 $t=2$

이를 $\ominus$에 대입하면 접선의 방정식은

$y=-6x-4$ 또는 $y=2x-4$

이때 접선의 기울기가 양수이므로

$a=2$, $b=-4$

$\therefore a-b=2-(-4)=6$

059 답 2

$f(x)=-x^2+x+1$이라 하면 $f'(x)=-2x+1$

접점의 좌표를 $(t, -t^2+t+1)$이라 하면 이 점에서의 접선의 기울기는 $f'(t)=-2t+1$이므로 접선의 방정식은

$y-(-t^2+t+1)=(-2t+1)(x-t)$

$\therefore y=(-2t+1)x+t^2+1$

이 직선이 점 $(1, 2)$를 지나므로

$2=-2t+1+t^2+1$, $t^2-2t=0$, $t(t-2)=0$

$\therefore t=0$ 또는 $t=2$

따라서 두 접점의 좌표는 $(0, 1)$, $(2, -1)$이므로 구하는 삼각형 ABC의 넓이는

$3 \times 2 - \left(\dfrac{1}{2} \times 1 \times 1 + \dfrac{1}{2} \times 1 \times 3 + \dfrac{1}{2} \times 2 \times 2\right)$

$=2$

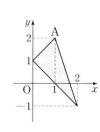

060 답 ④

$f(x)=x^3+a$, $g(x)=-x^2+bx+c$라 하면

$f'(x)=3x^2$, $g'(x)=-2x+b$

접점의 좌표를 $(t, 3t-1)$이라 하면

(i) 두 곡선이 점 $(t, 3t-1)$을 지나므로

$f(t)=3t-1$에서

$t^3+a=3t-1$ $\qquad$ ……㉠

$g(t)=3t-1$에서

$-t^2+bt+c=3t-1$ $\qquad$ ……㉡

(ii) 점 $(t, 3t-1)$에서의 두 곡선의 접선의 기울기가 3이므로

$f'(t)=3$에서 $3t^2=3$ $\quad \therefore t=1 \ (\because t>0)$

$g'(t)=3$에서 $-2t+b=3$

$t=1$을 대입하면

$-2+b=3$ $\quad \therefore b=5$

$t=1$을 ㉠에 대입하면

$1+a=2$ $\quad \therefore a=1$

$t=1$, $b=5$를 ㉡에 대입하면

$-1+5+c=2$ $\quad \therefore c=-2$

$\therefore a+b-c=1+5-(-2)=8$

061 답 $\dfrac{27}{8}$

삼각형 PAB의 넓이가 최대가 될 때는 곡선 $y=-x^2+4$의 접선 중에서 두 점 A$(2, 0)$, B$(-1, 3)$을 지나는 직선과 평행한 접선의 접점이 P일 때이다.

$f(x)=-x^2+4$라 하면 $f'(x)=-2x$

두 점 A$(2, 0)$, B$(-1, 3)$을 지나는 직선의 기울기는

$\dfrac{3-0}{-1-2}=-1$이므로 접점의 좌표를 $(t, -t^2+4)$라 하면

$f'(t)=-1$에서

$-2t=-1$ $\quad \therefore t=\dfrac{1}{2}$

즉, 접점의 좌표가 $\left(\dfrac{1}{2}, \dfrac{15}{4}\right)$이므로 접선의 방정식은

$y-\dfrac{15}{4}=-\left(x-\dfrac{1}{2}\right)$

$\therefore 4x+4y-17=0$

점 A$(2, 0)$과 직선 $4x+4y-17=0$ 사이의 거리는

$\dfrac{|8-17|}{\sqrt{4^2+4^2}}=\dfrac{9\sqrt{2}}{8}$이고, $\overline{AB}=\sqrt{(-3)^2+3^2}=3\sqrt{2}$이므로 삼각형

PAB의 넓이의 최댓값은

$\dfrac{1}{2}\times 3\sqrt{2}\times\dfrac{9\sqrt{2}}{8}=\dfrac{27}{8}$

062 답 -4

$f(x)=\dfrac{1}{2}x^2$이라 하면 $f'(x)=x$

접점의 좌표를 $\left(t, \dfrac{1}{2}t^2\right)$이라 하면 $f'(t)=t$이므로 접선의 방정식은

$y-\dfrac{1}{2}t^2=t(x-t)$

$\therefore y=tx-\dfrac{1}{2}t^2$

곡선과 원이 접할 때 원의 중심과 접점을 지나는 직선은 그 접점에서의 접선과 수직이므로 원의 중심 $(0, 3)$과 점 $\left(t, \dfrac{1}{2}t^2\right)$을 지나는 직선의 기울기는 $-\dfrac{1}{t}$이다.

즉, $\dfrac{\dfrac{1}{2}t^2-3}{t-0}=-\dfrac{1}{t}$이므로

$\dfrac{1}{2}t^2-3=-1$, $t^2=4$

$\therefore t=-2$ 또는 $t=2$

따라서 두 직선 l, m의 기울기의 곱은

$-2\times 2=-4$

063 답 ③

함수 $f(x)=x^2+ax+1$은 닫힌구간 $[1, 5]$에서 연속이고 열린구간 $(1, 5)$에서 미분가능하다.

이때 롤의 정리를 만족시키면 $f(1)=f(5)$이므로

$1+a+1=25+5a+1$

$\therefore a=-6$

따라서 $f(x)=x^2-6x+1$이므로

$f'(x)=2x-6$

$f'(c_1)=0$에서

$2c_1-6=0$ $\quad \therefore c_1=3$

함수 $f(x)=x^2-6x+1$은 닫힌구간 $[1, 6]$에서 연속이고 열린구간 $(1, 6)$에서 미분가능하므로

$\dfrac{f(6)-f(1)}{6-1}=f'(c_2)$에서

$\dfrac{1-(-4)}{6-1}=2c_2-6$ $\quad \therefore c_2=\dfrac{7}{2}$

$\therefore c_2-c_1=\dfrac{7}{2}-3=\dfrac{1}{2}$

064 답 7

$f(a)=f(b)$이므로 열린구간 (a, b)에서의 롤의 정리를 만족시키는 상수 c_1은 x축과 평행한 접선을 갖는 점의 x좌표이다.

이때 오른쪽 그림과 같이 x축과 평행한 접선을 3개 그을 수 있으므로 상수 c_1의 개수는 3이다.

$\therefore p=3$

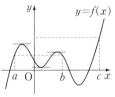

열린구간 (a, c)에서 평균값 정리를 만족시키는 상수 c_2는 두 점 $(a, f(a))$, $(c, f(c))$를 지나는 직선과 평행한 접선을 갖는 점의 x좌표이다.

이때 오른쪽 그림과 같이 두 점 $(a, f(a))$, $(c, f(c))$를 지나는 직선과 평행한 접선을 4개 그을 수 있으므로 상수 c_2의 개수는 4이다.

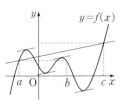

$\therefore q=4$

$\therefore p+q=3+4=7$

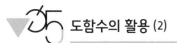

001 답 4

$f(x)=x^3-3x^2-9x+1$에서

$f'(x)=3x^2-6x-9=3(x+1)(x-3)$

$f'(x)=0$인 x의 값은 $x=-1$ 또는 $x=3$

함수 $f(x)$의 증가, 감소를 표로 나타내면 다음과 같다.

x	$\cdots$	-1	$\cdots$	3	$\cdots$
$f'(x)$	$+$	0	$-$	0	$+$
$f(x)$	↗	6	↘	-26	↗

따라서 함수 $f(x)$가 감소하는 구간은 $[-1,\ 3]$이므로

$a=-1$, $b=3$

$\therefore b-a=3-(-1)=4$

다른 풀이 $f(x)=x^3-3x^2-9x+1$에서

$f'(x)=3x^2-6x-9=3(x+1)(x-3)$

이때 $f'(x)\leq0$인 구간에서 함수 $f(x)$는 감소하므로

$3(x+1)(x-3)\leq0$ $\quad\therefore -1\leq x\leq3$

따라서 $a=-1$, $b=3$이므로

$b-a=3-(-1)=4$

002 답 ②

$f(x)=x^3+ax^2+ax-1$에서 $f'(x)=3x^2+2ax+a$

함수 $f(x)$가 실수 전체의 집합에서 증가하려면 모든 실수 x에 대하여 $f'(x)\geq0$이어야 한다.

이차방정식 $3x^2+2ax+a=0$의 판별식을 D라 하면

$\dfrac{D}{4}=a^2-3a\leq0$, $a(a-3)\leq0$ $\quad\therefore 0\leq a\leq3$

따라서 정수 a는 0, 1, 2, 3의 4개이다.

003 답 $\dfrac{4}{3}$

$f(x)=x^3-(a+2)x^2+ax-1$에서

$f'(x)=3x^2-2(a+2)x+a$

함수 $f(x)$가 구간 $[1,\ 2]$에서 감소하려면

$1\leq x\leq2$에서 $f'(x)\leq0$이어야 하므로

$f'(1)\leq0$, $f'(2)\leq0$

$f'(1)=3-2(a+2)+a\leq0$에서 $a\geq-1$ $\quad\cdots\cdots$ ㉠

$f'(2)=12-4(a+2)+a\leq0$에서 $a\geq\dfrac{4}{3}$ $\quad\cdots\cdots$ ㉡

㉠, ㉡을 동시에 만족시키는 a의 값의 범위는 $a\geq\dfrac{4}{3}$

따라서 a의 최솟값은 $\dfrac{4}{3}$이다.

004 답 ⑤

$f(x)=-x^3+6x^2+5$에서

$f'(x)=-3x^2+12x=-3x(x-4)$

$f'(x)=0$인 x의 값은 $x=0$ 또는 $x=4$

함수 $f(x)$의 증가, 감소를 표로 나타내면 다음과 같다.

x	$\cdots$	0	$\cdots$	4	$\cdots$
$f'(x)$	$-$	0	$+$	0	$-$
$f(x)$	↘	5 극소	↗	37 극대	↘

따라서 함수 $f(x)$의 극댓값은 $f(4)=37$, 극솟값은 $f(0)=5$이므로

$M=37$, $m=5$

$\therefore M+m=37+5=42$

005 답 -19

$f(x)=2x^3+ax^2+bx+1$에서

$f'(x)=6x^2+2ax+b$

함수 $f(x)$가 $x=-1$에서 극댓값 8을 가지므로

$f'(-1)=0$, $f(-1)=8$

$f'(-1)=0$에서 $6-2a+b=0$ $\quad\cdots\cdots$ ㉠

$f(-1)=8$에서 $-2+a-b+1=8$ $\quad\cdots\cdots$ ㉡

㉠, ㉡을 연립하여 풀면

$a=-3$, $b=-12$

즉, $f(x)=2x^3-3x^2-12x+1$이므로

$f'(x)=6x^2-6x-12=6(x+1)(x-2)$

$f'(x)=0$인 x의 값은 $x=-1$ 또는 $x=2$

함수 $f(x)$의 증가, 감소를 표로 나타내면 다음과 같다.

x	$\cdots$	-1	$\cdots$	2	$\cdots$
$f'(x)$	$+$	0	$-$	0	$+$
$f(x)$	↗	8 극대	↘	-19 극소	↗

따라서 함수 $f(x)$의 극솟값은 $f(2)=-19$

006 답 4

$y=f'(x)$의 그래프가 x축과 만나는 점의 x좌표가 -1, 1이므로 주어진 그래프에서 $f'(x)$의 부호를 조사하여 함수 $f(x)$의 증가, 감소를 표로 나타내면 다음과 같다.

x	$\cdots$	-1	$\cdots$	1	$\cdots$
$f'(x)$	$+$	0	$-$	0	$+$
$f(x)$	↗	극대	↘	극소	↗

$f(x)=x^3+ax^2+bx+c$에서

$f'(x)=3x^2+2ax+b$

주어진 그래프에서 $f'(-1)=0$, $f'(1)=0$이므로

$3-2a+b=0$, $3+2a+b=0$

두 식을 연립하여 풀면 $a=0$, $b=-3$

$\therefore f(x)=x^3-3x+c$

함수 $f(x)$는 $x=1$에서 극소이고 극솟값이 0이므로 $f(1)=0$에서

$1-3+c=0$ $\quad\therefore c=2$

따라서 $f(x)=x^3-3x+2$이므로 구하는 극댓값은

$f(-1)=-1+3+2=4$

007 답 ⑤

$y=f'(x)$의 그래프가 x축과 만나는 점의 x좌표가 -3, 1, 3이므로 주어진 그래프에서 $f'(x)$의 부호를 조사하여 함수 $f(x)$의 증가, 감소를 표로 나타내면 다음과 같다.

x	-4	$\cdots$	-3	$\cdots$	1	$\cdots$	3	$\cdots$	4
$f'(x)$		$+$	0	$-$	0	$+$	0	$-$	
$f(x)$		↗	극대	↘	극소	↗	극대	↘	

① 함수 $f(x)$는 $-1 \leq x \leq 1$에서 감소한다.
② 함수 $f(x)$는 $2 \leq x \leq 3$에서 증가하고, $x \geq 3$에서 감소한다.
③ 함수 $f(x)$는 $x=-3$에서 극대이다.
④ 함수 $f(x)$는 $x=1$에서 극소이다.
⑤ 함수 $f(x)$는 $x=-3$, $x=1$, $x=3$에서 극값을 갖는다.

008 답 ①

$y=f'(x)$의 그래프가 x축과 만나는 점의 x좌표가 -2, 0이므로 주어진 그래프에서 $f'(x)$의 부호를 조사하여 함수 $f(x)$의 증가, 감소를 표로 나타내면 다음과 같다.

x	$\cdots$	-2	$\cdots$	0	$\cdots$
$f'(x)$	$-$	0	$+$	0	$+$
$f(x)$	↘	극소	↗		↗

따라서 함수 $y=f(x)$의 그래프의 개형이 될 수 있는 것은 ①이다.

009 답 ①

$f(x)=-x^3+6x^2+15x+4$에서
$f'(x)=-3x^2+12x+15=-3(x+1)(x-5)$
$f'(x)=0$인 x의 값은 $x=-1$ 또는 $x=5$
함수 $f(x)$의 증가, 감소를 표로 나타내면 다음과 같다.

x	$\cdots$	-1	$\cdots$	5	$\cdots$
$f'(x)$	$-$	0	$+$	0	$-$
$f(x)$	↘	-4	↗	104	↘

따라서 함수 $f(x)$가 증가하는 구간은 $[-1, 5]$이므로
$a=-1$, $b=5$ $\therefore a+b=-1+5=4$

다른 풀이 $f(x)=-x^3+6x^2+15x+4$에서
$f'(x)=-3x^2+12x+15=-3(x+1)(x-5)$
이때 $f'(x) \geq 0$인 구간에서 함수 $f(x)$는 증가하므로
$-3(x+1)(x-5) \geq 0$ $\therefore -1 \leq x \leq 5$
따라서 $a=-1$, $b=5$이므로 $a+b=-1+5=4$

010 답 ③

$f(x)=x^4-2x^2-2$에서 $f'(x)=4x^3-4x=4x(x+1)(x-1)$
$f'(x)=0$인 x의 값은 $x=-1$ 또는 $x=0$ 또는 $x=1$
함수 $f(x)$의 증가, 감소를 표로 나타내면 다음과 같다.

x	$\cdots$	-1	$\cdots$	0	$\cdots$	1	$\cdots$
$f'(x)$	$-$	0	$+$	0	$-$	0	$+$
$f(x)$	↘	-3	↗	-2	↘	-3	↗

따라서 함수 $f(x)$는 구간 $(-\infty, -1]$, $[0, 1]$에서 감소하고, 구간 $[-1, 0]$, $[1, \infty)$에서 증가한다.

011 답 10

$f(x)=x^3+6x^2+ax-2$에서 $f'(x)=3x^2+12x+a$
함수 $f(x)$가 감소하는 x의 값의 범위가 $-3 \leq x \leq b$이므로 -3, b는 이차방정식 $3x^2+12x+a=0$의 두 근이다.
즉, 이차방정식의 근과 계수의 관계에 의하여
$-3+b=-4$, $-3 \times b=\dfrac{a}{3}$ $\therefore a=9$, $b=-1$
$\therefore a-b=9-(-1)=10$

012 답 39

$f(x)=-2x^3+ax^2+bx-1$에서 $f'(x)=-6x^2+2ax+b$
함수 $f(x)$가 구간 $(-\infty, -2]$, $[3, \infty)$에서 감소하고, 구간 $[-2, 3]$에서 증가하므로 -2, 3은 이차방정식 $-6x^2+2ax+b=0$의 두 근이다.
즉, 이차방정식의 근과 계수의 관계에 의하여
$-2+3=\dfrac{a}{3}$, $-2 \times 3=-\dfrac{b}{6}$ $\therefore a=3$, $b=36$
$\therefore a+b=3+36=39$

013 답 -3

$f(x)=-x^3+ax^2-3x+5$에서 $f'(x)=-3x^2+2ax-3$
함수 $f(x)$가 실수 전체의 집합에서 감소하려면 모든 실수 x에 대하여 $f'(x) \leq 0$이어야 한다.
이차방정식 $-3x^2+2ax-3=0$의 판별식을 D라 하면
$\dfrac{D}{4}=a^2-9 \leq 0$, $(a+3)(a-3) \leq 0$
$\therefore -3 \leq a \leq 3$
따라서 a의 최솟값은 -3이다.

014 답 ⑤

$f(x)=ax^3+x^2+4x$에서 $f'(x)=3ax^2+2x+4$
함수 $f(x)$가 구간 $(-\infty, \infty)$에서 증가하려면 모든 실수 x에 대하여 $f'(x) \geq 0$이어야 하므로
$a>0$ $\qquad \cdots\cdots$ ㉠
이차방정식 $3ax^2+2x+4=0$의 판별식을 D라 하면
$\dfrac{D}{4}=1-12a \leq 0$ $\therefore a \geq \dfrac{1}{12}$ $\qquad \cdots\cdots$ ㉡
㉠, ㉡을 동시에 만족시키는 a의 값의 범위는 $a \geq \dfrac{1}{12}$

015 답 3

$f(x)=-x^3+3ax^2+(a-4)x+1$에서
$f'(x)=-3x^2+6ax+a-4$
$x_1<x_2$인 임의의 두 실수 x_1, x_2에 대하여 $f(x_1)>f(x_2)$가 성립하려면 함수 $f(x)$가 실수 전체의 집합에서 감소해야 한다.
즉, 모든 실수 x에 대하여 $f'(x) \leq 0$이어야 한다.
이차방정식 $-3x^2+6ax+(a-4)=0$의 판별식을 D라 하면
$\dfrac{D}{4}=9a^2+3(a-4) \leq 0$, $3(3a+4)(a-1) \leq 0$
$\therefore -\dfrac{4}{3} \leq a \leq 1$
따라서 정수 a는 -1, 0, 1의 3개이다.

016 답 -8

$f(x)=\dfrac{2}{3}x^3+4x^2-kx-1$에서

$f'(x)=2x^2+8x-k$

함수 $f(x)$의 역함수가 존재하려면 일대일대응이어야 하고 $f(x)$의 최고차항의 계수가 양수이므로 함수 $f(x)$는 실수 전체의 집합에서 증가해야 한다.

즉, 모든 실수 x에 대하여 $f'(x)\geq0$이어야 한다.

이차방정식 $2x^2+8x-k=0$의 판별식을 D라 하면

$\dfrac{D}{4}=16+2k\leq0$

$\therefore k\leq-8$

따라서 k의 최댓값은 -8이다.

017 답 9

삼차함수 $f(x)$의 최고차항의 계수가 1이고 ㈎에서 $f(0)=2$이므로 $f(x)=x^3+ax^2+bx+2$ (a, b는 상수)라 하면

$f'(x)=3x^2+2ax+b$

㈏에서 모든 실수 x에 대하여 $f'(x)\geq f'(-1)$이므로 이차함수 $y=f'(x)$의 그래프의 축의 방정식은 $x=-1$이다.

$f'(x)=3x^2+2ax+b=3\left(x+\dfrac{a}{3}\right)^2-\dfrac{a^2}{3}+b$이므로

$-\dfrac{a}{3}=-1$ $\therefore a=3$

㈐에서 함수 $f(x)$가 실수 전체의 집합에서 증가하려면 모든 실수 x에 대하여 $f'(x)\geq0$이어야 한다.

이차방정식 $3x^2+2ax+b=0$의 판별식을 D라 하면

$\dfrac{D}{4}=a^2-3b\leq0$, $9-3b\leq0$

$3b\geq9$ $\therefore b\geq3$

따라서 $f(1)=b+6\geq9$이므로 $f(1)$의 최솟값은 9이다.

018 답 2

$f(x)=-x^3+ax^2+12x+1$에서

$f'(x)=-3x^2+2ax+12$

함수 $f(x)$가 구간 $[-1, 3]$에서 증가하려면 $-1\leq x\leq3$에서 $f'(x)\geq0$이어야 한다.

$\therefore f'(-1)\geq0$, $f'(3)\geq0$

$f'(-1)=-3-2a+12\geq0$에서 $a\leq\dfrac{9}{2}$ ······ ㉠

$f'(3)=-27+6a+12\geq0$에서 $a\geq\dfrac{5}{2}$ ······ ㉡

㉠, ㉡을 동시에 만족시키는 a의 값의 범위는

$\dfrac{5}{2}\leq a\leq\dfrac{9}{2}$

따라서 정수 a는 3, 4의 2개이다.

019 답 ③

$f(x)=x^3-x^2-ax+2$에서

$f'(x)=3x^2-2x-a$

함수 $f(x)$가 $0\leq x\leq1$에서 감소하려면 $0\leq x\leq1$에서 $f'(x)\leq0$이어야 한다.

$\therefore f'(0)\leq0$, $f'(1)\leq0$

$f'(0)=-a\leq0$에서 $a\geq0$ ······ ㉠

$f'(1)=3-2-a\leq0$에서 $a\geq1$ ······ ㉡

㉠, ㉡을 동시에 만족시키는 a의 값의 범위는 $a\geq1$

따라서 a의 최솟값은 1이다.

020 답 $0\leq a\leq6$

$f(x)=x^3-\dfrac{9}{2}x^2+ax+5$에서

$f'(x)=3x^2-9x+a$

함수 $f(x)$가 구간 $[1, 2]$에서 감소하려면 $1\leq x\leq2$에서 $f'(x)\leq0$이어야 하고, 구간 $[3, \infty)$에서 증가하려면 $x\geq3$에서 $f'(x)\geq0$이어야 한다.

$\therefore f'(1)\leq0$, $f'(2)\leq0$, $f'(3)\geq0$

$f'(1)=3-9+a\leq0$에서 $a\leq6$ ······ ㉠

$f'(2)=12-18+a\leq0$에서 $a\leq6$ ······ ㉡

$f'(3)=27-27+a\geq0$에서 $a\geq0$ ······ ㉢

㉠, ㉡, ㉢을 동시에 만족시키는 a의 값의 범위는

$0\leq a\leq6$

021 답 ⑤

$f(x)=x^3+3x^2-9x+1$에서

$f'(x)=3x^2+6x-9=3(x+3)(x-1)$

$f'(x)=0$인 x의 값은 $x=-3$ 또는 $x=1$

함수 $f(x)$의 증가, 감소를 표로 나타내면 다음과 같다.

x	$\cdots$	-3	$\cdots$	1	$\cdots$
$f'(x)$	$+$	0	$-$	0	$+$
$f(x)$	$\nearrow$	28 극대	$\searrow$	-4 극소	$\nearrow$

따라서 함수 $f(x)$의 극댓값은 $f(-3)=28$, 극솟값은 $f(1)=-4$이므로

$M=28$, $m=-4$ $\therefore M-m=28-(-4)=32$

022 답 -1

$f(x)=x^4-4x^3+16x+11$에서

$f'(x)=4x^3-12x^2+16=4(x+1)(x-2)^2$

$f'(x)=0$인 x의 값은 $x=-1$ 또는 $x=2$

함수 $f(x)$의 증가, 감소를 표로 나타내면 다음과 같다.

x	$\cdots$	-1	$\cdots$	2	$\cdots$
$f'(x)$	$-$	0	$+$	0	$+$
$f(x)$	$\searrow$	0 극소	$\nearrow$		$\nearrow$

따라서 함수 $f(x)$는 $x=-1$에서 극솟값 0을 가지므로

$a=-1$, $m=0$

$\therefore a+m=-1+0=-1$

023 답 28

$f(x)=-3x^4+4x^3+12x^2-3$에서

$f'(x)=-12x^3+12x^2+24x=-12x(x+1)(x-2)$

$f'(x)=0$인 x의 값은 $x=-1$ 또는 $x=0$ 또는 $x=2$

함수 $f(x)$의 증가, 감소를 표로 나타내면 다음과 같다.

x	$\cdots$	-1	$\cdots$	0	$\cdots$	2	$\cdots$
$f'(x)$	$+$	0	$-$	0	$+$	0	$-$
$f(x)$	↗	2 극대	↘	-3 극소	↗	29 극대	↘

따라서 함수 $f(x)$의 극댓값은 $f(-1)=2$, $f(2)=29$, 극솟값은 $f(0)=-3$이므로 모든 극값의 합은

$2+29+(-3)=28$

024 답 ④

$f(x)=x^3-6x^2+9x+1$에서

$f'(x)=3x^2-12x+9=3(x-1)(x-3)$

$f'(x)=0$인 x의 값은 $x=1$ 또는 $x=3$

함수 $f(x)$의 증가, 감소를 표로 나타내면 다음과 같다.

x	$\cdots$	1	$\cdots$	3	$\cdots$
$f'(x)$	$+$	0	$-$	0	$+$
$f(x)$	↗	5 극대	↘	1 극소	↗

따라서 A$(1, 5)$, B$(3, 1)$이므로 선분 AB의 길이는

$\overline{\text{AB}}=\sqrt{(3-1)^2+(1-5)^2}=2\sqrt{5}$

025 답 ③

$f(x)=-x^3+ax^2+bx+3$에서

$f'(x)=-3x^2+2ax+b$

함수 $f(x)$가 $x=1$에서 극솟값 -1을 가지므로

$f'(1)=0$, $f(1)=-1$

$f'(1)=0$에서 $-3+2a+b=0$ $\cdots\cdots$ ㉠

$f(1)=-1$에서 $-1+a+b+3=-1$ $\cdots\cdots$ ㉡

㉠, ㉡을 연립하여 풀면 $a=6$, $b=-9$

즉, $f(x)=-x^3+6x^2-9x+3$이므로

$f'(x)=-3x^2+12x-9=-3(x-1)(x-3)$

$f'(x)=0$인 x의 값은 $x=1$ 또는 $x=3$

함수 $f(x)$의 증가, 감소를 표로 나타내면 다음과 같다.

x	$\cdots$	1	$\cdots$	3	$\cdots$
$f'(x)$	$-$	0	$+$	0	$-$
$f(x)$	↘	-1 극소	↗	3 극대	↘

따라서 함수 $f(x)$의 극댓값은 $f(3)=3$

026 답 -22

$f(x)=2x^3+ax^2+bx+c$에서

$f'(x)=6x^2+2ax+b$

함수 $f(x)$가 $x=-2$에서 극댓값, $x=1$에서 극솟값을 가지므로

$f'(-2)=0$, $f'(1)=0$

$f'(-2)=0$에서 $24-4a+b=0$ $\cdots\cdots$ ㉠

$f'(1)=0$에서 $6+2a+b=0$ $\cdots\cdots$ ㉡

㉠, ㉡을 연립하여 풀면 $a=3$, $b=-12$

$f(-2)=5$에서 $-16+12+24+c=5$

$\therefore c=-15$

따라서 $f(x)=2x^3+3x^2-12x-15$이므로 구하는 극솟값은

$f(1)=2+3-12-15=-22$

027 답 1

$f(x)=2x^3+3ax^2-12a^2x+a^3$에서

$f'(x)=6x^2+6ax-12a^2=6(x+2a)(x-a)$

$f'(x)=0$인 x의 값은 $x=-2a$ 또는 $x=a$

$a>0$이므로 함수 $f(x)$의 증가, 감소를 표로 나타내면 다음과 같다.

x	$\cdots$	$-2a$	$\cdots$	a	$\cdots$
$f'(x)$	$+$	0	$-$	0	$+$
$f(x)$	↗	$21a^3$ 극대	↘	$-6a^3$ 극소	↗

따라서 함수 $f(x)$의 극댓값은 $f(-2a)=21a^3$, 극솟값은 $f(a)=-6a^3$이고 그 합이 15이므로

$21a^3+(-6a^3)=15$, $a^3=1$

$\therefore a=1$ ($\because a>0$)

028 답 -4

$f(x)=-2x^3+(a+2)x^2+6x+b$에서

$f'(x)=-6x^2+2(a+2)x+6$

함수 $f(x)$가 $x=\alpha$에서 극대이고 $x=\beta$에서 극소라 하면 α, β는 이차방정식 $-6x^2+2(a+2)x+6=0$의 두 근이다.

이때 극대인 점과 극소인 점이 원점에 대하여 대칭이므로

$\alpha=-\beta$ $\therefore \alpha+\beta=0$

이차방정식의 근과 계수의 관계에 의하여

$\alpha+\beta=\dfrac{2(a+2)}{6}=0$ $\therefore a=-2$

즉, $f(x)=-2x^3+6x+b$이므로

$f'(x)=-6x^2+6=-6(x+1)(x-1)$

$f'(x)=0$인 x의 값은 $x=-1$ 또는 $x=1$

함수 $f(x)$의 증가, 감소를 표로 나타내면 다음과 같다.

x	$\cdots$	-1	$\cdots$	1	$\cdots$
$f'(x)$	$-$	0	$+$	0	$-$
$f(x)$	↘	$b-4$ 극소	↗	$b+4$ 극대	↘

극대인 점과 극소인 점이 원점에 대하여 대칭이므로

$b-4=-(b+4)$ $\therefore b=0$

따라서 함수 $f(x)$의 극솟값은 $f(-1)=-4$

029 답 ③

$f(x)=x^3-3(a+1)x^2+3(a^2+2a)x$에서

$f'(x)=3x^2-6(a+1)x+3(a^2+2a)$

$\qquad =3(x-a)\{x-(a+2)\}$

$f'(x)=0$인 x의 값은 $x=a$ 또는 $x=a+2$

함수 $f(x)$의 증가, 감소를 표로 나타내면 다음과 같다.

x	$\cdots$	a	$\cdots$	$a+2$	$\cdots$
$f'(x)$	$+$	0	$-$	0	$+$
$f(x)$	$\nearrow$	극대	$\searrow$	극소	$\nearrow$

함수 $f(x)$의 극댓값이 2이므로 $f(a)=2$에서

$a^3-3(a+1)a^2+3(a^2+2a)a=2$

$a^3+3a^2-2=0$, $(a+1)(a^2+2a-2)=0$

$\therefore a=-1$ 또는 $a=-1\pm\sqrt{3}$

한편 $f(3)<0$이므로

$27-27(a+1)+9(a^2+2a)<0$

$a^2-a<0$, $a(a-1)<0$ $\quad\therefore 0<a<1$

$\therefore a=-1+\sqrt{3}$

따라서 $f(x)=x^3-3\sqrt{3}x^2+6x$이므로

$f(\sqrt{3})=3\sqrt{3}-9\sqrt{3}+6\sqrt{3}=0$

030 답 4

$f(x)=x^3+ax^2+bx+c$ $(a, b, c$는 상수)라 하면

$f'(x)=3x^2+2ax+b$

㈎에서 함수 $f(x)$는 $x=2$에서 극솟값을 가지므로

$f'(2)=0$

㈏에서 $f'(1-x)=f'(1+x)$의 양변에 $x=1$을 대입하면

$f'(0)=f'(2)$

$\therefore f'(0)=f'(2)=0$

$f'(0)=0$에서 $b=0$

$f'(2)=0$에서 $12+4a=0$, $4a=-12$ $\qquad\therefore a=-3$

즉, $f(x)=x^3-3x^2+c$이므로

$f'(x)=3x^2-6x=3x(x-2)$

$f'(x)=0$인 x의 값은 $x=0$ 또는 $x=2$

함수 $f(x)$의 증가, 감소를 표로 나타내면 다음과 같다.

x	$\cdots$	0	$\cdots$	2	$\cdots$
$f'(x)$	$+$	0	$-$	0	$+$
$f(x)$	$\nearrow$	c 극대	$\searrow$	$c-4$ 극소	$\nearrow$

따라서 함수 $f(x)$의 극댓값은 $f(0)=c$, 극솟값은 $f(2)=c-4$이므로 구하는 차는

$c-(c-4)=4$

031 답 ⑤

두 함수 $f(x)$, $g(x)$가 모두 삼차함수이고, $g(x)$의 최고차항의 계수가 2, $f(x)g(x)$의 최고차항의 계수가 1이므로 $f(x)$의 최고차항의 계수는 $\frac{1}{2}$이다.

함수 $g(x)$가 $x=1$에서 극솟값을 가지므로 $g(x)$는 $(x-1)^2$을 인수로 갖는다.

즉, $g(x)=2(x-1)^2(x-\alpha)$라 하면

$\alpha=0$ 또는 $\alpha=2$

(i) $\alpha=0$일 때

$\quad g(x)=2x(x-1)^2$에서

$\quad g'(x)=2(x-1)^2+4x(x-1)$

$\qquad =2(x-1)(3x-1)$

$\quad g'(x)=0$인 x의 값은 $x=\frac{1}{3}$ 또는 $x=1$

함수 $g(x)$의 증가, 감소를 표로 나타내면 다음과 같다.

x	$\cdots$	$\frac{1}{3}$	$\cdots$	1	$\cdots$
$g'(x)$	$+$	0	$-$	0	$+$
$g(x)$	$\nearrow$	$\frac{8}{27}$ 극대	$\searrow$	0 극소	$\nearrow$

즉, 함수 $g(x)$는 $x=1$에서 극솟값을 가지므로 주어진 조건을 만족시킨다.

(ii) $\alpha=2$일 때

$\quad g(x)=2(x-1)^2(x-2)$에서

$\quad g'(x)=4(x-1)(x-2)+2(x-1)^2$

$\qquad =2(x-1)(3x-5)$

$\quad g'(x)=0$인 x의 값은 $x=1$ 또는 $x=\frac{5}{3}$

함수 $g(x)$의 증가, 감소를 표로 나타내면 다음과 같다.

x	$\cdots$	1	$\cdots$	$\frac{5}{3}$	$\cdots$
$g'(x)$	$+$	0	$-$	0	$+$
$g(x)$	$\nearrow$	0 극대	$\searrow$	$-\frac{8}{27}$ 극소	$\nearrow$

즉, 함수 $g(x)$는 $x=1$에서 극댓값을 가지므로 주어진 조건을 만족시키지 않는다.

(i), (ii)에서 $g(x)=2x(x-1)^2$

$\therefore f(x)=\frac{1}{2}x(x-2)^2$

따라서 $f'(x)=\frac{1}{2}(x-2)^2+x(x-2)$이므로

$f'(4)=\frac{1}{2}\times(4-2)^2+4\times(4-2)=10$

032 답 $\frac{3}{2}$

$y=f'(x)$의 그래프가 x축과 만나는 점의 x좌표가 -2, 1이므로 주어진 그래프에서 $f'(x)$의 부호를 조사하여 함수 $f(x)$의 증가, 감소를 표로 나타내면 다음과 같다.

x	$\cdots$	-2	$\cdots$	1	$\cdots$
$f'(x)$	$+$	0	$-$	0	$+$
$f(x)$	$\nearrow$	극대	$\searrow$	극소	$\nearrow$

$f(x)=x^3+ax^2+bx+c$ $(a, b, c$는 상수)라 하면
$f'(x)=3x^2+2ax+b$
주어진 그래프에서 $f'(-2)=0$, $f'(1)=0$이므로
$12-4a+b=0$, $3+2a+b=0$
두 식을 연립하여 풀면 $a=\dfrac{3}{2}$, $b=-6$
$\therefore f(x)=x^3+\dfrac{3}{2}x^2-6x+c$
함수 $f(x)$의 극댓값이 15이므로 $f(-2)=15$에서
$-8+6+12+c=15$ $\therefore c=5$
따라서 $f(x)=x^3+\dfrac{3}{2}x^2-6x+5$이므로 구하는 극솟값은
$f(1)=1+\dfrac{3}{2}-6+5=\dfrac{3}{2}$

033 답 ③
$y=f'(x)$의 그래프가 x축과 만나는 점의 x좌표가 -1, 0이므로
주어진 그래프에서 $f'(x)$의 부호를 조사하여 함수 $f(x)$의 증가,
감소를 표로 나타내면 다음과 같다.

x	$\cdots$	-1	$\cdots$	0	$\cdots$
$f'(x)$	$-$	0	$+$	0	$-$
$f(x)$	$\searrow$	극소	$\nearrow$	극대	$\searrow$

$f(x)=ax^3+bx^2+cx+d$ $(a, b, c, d$는 상수, $a\neq0$)라 하면
$f'(x)=3ax^2+2bx+c$
주어진 그래프에서 $f'(-1)=0$, $f'(0)=0$이므로
$3a-2b+c=0$, $c=0$ $\therefore 3a-2b=0$ $\cdots\cdots$ ㉠
함수 $f(x)$의 극댓값이 1, 극솟값이 0이므로 $f(0)=1$, $f(-1)=0$
에서
$d=1$, $-a+b-c+d=0$ $\therefore a-b=1$ $\cdots\cdots$ ㉡
㉠, ㉡을 연립하여 풀면 $a=-2$, $b=-3$
따라서 $f(x)=-2x^3-3x^2+1$이므로
$f(-2)=16-12+1=5$

034 답 $\dfrac{32}{3}$
$y=f'(x)$의 그래프가 x축과 만나는 점의 x좌표가 -1, 3이므로
주어진 그래프에서 $f'(x)$의 부호를 조사하여 함수 $f(x)$의 증가,
감소를 표로 나타내면 다음과 같다.

x	$\cdots$	-1	$\cdots$	3	$\cdots$
$f'(x)$	$-$	0	$+$	0	$-$
$f(x)$	$\searrow$	극소	$\nearrow$	극대	$\searrow$

$f(x)=ax^3+bx^2+cx+d$ $(a, b, c, d$는 상수, $a\neq0$)라 하면
$f'(x)=3ax^2+2bx+c$
주어진 그래프에서 $f'(0)=3$이므로 $c=3$
즉, $f'(x)=3ax^2+2bx+3$이고 $f'(-1)=0$, $f'(3)=0$이므로
$3a-2b+3=0$, $27a+6b+3=0$
두 식을 연립하여 풀면 $a=-\dfrac{1}{3}$, $b=1$
$\therefore f(x)=-\dfrac{1}{3}x^3+x^2+3x+d$

따라서 함수 $f(x)$의 극댓값은 $f(3)=9+d$, 극솟값은
$f(-1)=-\dfrac{5}{3}+d$이므로 구하는 차는
$(9+d)-\left(-\dfrac{5}{3}+d\right)=\dfrac{32}{3}$

035 답 ②
주어진 그래프에서 $f'(x)$의 부호를 조사하여 함수 $f(x)$의 증가,
감소를 표로 나타내면 다음과 같다.

x	$\cdots$	-1	$\cdots$	1	$\cdots$	3	$\cdots$	5	$\cdots$
$f'(x)$	$-$	0	$+$	0	$+$	0	$-$	0	$+$
$f(x)$	$\searrow$	극소	$\nearrow$		$\nearrow$	극대	$\searrow$	극소	$\nearrow$

① 함수 $f(x)$는 구간 $(2, 3]$에서 증가하고, 구간 $[3, 4)$에서 감소
   한다.
② $f'(1)=0$이므로 함수 $f(x)$는 $x=1$에서 미분가능하다.
③ $f'(2)\neq0$이므로 함수 $f(x)$는 $x=2$에서 극값을 갖지 않는다.
④ 함수 $f(x)$는 $x=3$에서 극대이다.
⑤ 구간 $(-1, 5)$에서 함수 $f(x)$가 $x=3$에서 극값을 가지므로 극
   값은 1개이다.

036 답 ③
주어진 그래프에서 $f'(x)$의 부호를 조사하여 함수 $f(x)$의 증가,
감소를 표로 나타내면 다음과 같다.

x	$\cdots$	-1	$\cdots$	3	$\cdots$
$f'(x)$	$-$	0	$+$	0	$-$
$f(x)$	$\searrow$		$\nearrow$		$\searrow$

따라서 함수 $f(x)$는 구간 $[-1, 3]$에서 증가한다.

037 답 -1
다음 그림과 같이 함수 $y=f'(x)$의 그래프가 x축가 만나는 점의
x좌표를 차례대로 x_1, x_2, x_3, x_4, x_5라 하자.

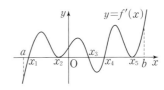

주어진 그래프에서 $f'(x)$의 부호를 조사하여 함수 $f(x)$의 증가,
감소를 표로 나타내면 다음과 같다.

x	a	$\cdots$	x_1	$\cdots$	x_2	$\cdots$	x_3	$\cdots$	x_4	$\cdots$	x_5	$\cdots$	b
$f'(x)$		$-$	0	$+$	0	$+$	0	$-$	0	$+$	0	$+$	
$f(x)$	$\searrow$		극소	$\nearrow$		$\nearrow$	극대	$\searrow$	극소	$\nearrow$		$\nearrow$	

따라서 함수 $f(x)$는 $x=x_3$에서 극대, $x=x_1$, $x=x_4$에서 극소이
므로
$m=1$, $n=2$
$\therefore m-n=1-2=-1$

038 답 ③

$h'(x)=f'(x)-g'(x)=0$인 x의 값은 두 함수 $y=f'(x)$, $y=g'(x)$의 그래프의 교점의 x좌표와 같으므로

$x=b$ 또는 $x=c$ 또는 $x=f$

주어진 그래프에서 $h'(x)$의 부호를 조사하여 함수 $h(x)$의 증가, 감소를 표로 나타내면 다음과 같다.

x	$\cdots$	b	$\cdots$	c	$\cdots$	f	$\cdots$
$h'(x)$	$+$	0	$-$	0	$+$	0	$-$
$h(x)$	↗	극대	↘	극소	↗	극대	↘

따라서 함수 $h(x)$는 $x=c$에서 극소이므로 구하는 x의 값은 c이다.

039 답 ③

주어진 그래프에서 $f'(x)$의 부호를 조사하여 함수 $f(x)$의 증가, 감소를 표로 나타내면 다음과 같다.

x	$\cdots$	-1	$\cdots$	3	$\cdots$
$f'(x)$	$+$	0	$+$	0	$-$
$f(x)$	↗		↗	극대	↘

따라서 함수 $y=f(x)$의 그래프의 개형이 될 수 있는 것은 ③이다.

040 답 ①

$f(x)=x^4-6x^2+5$라 하면

$f'(x)=4x^3-12x=4x(x+\sqrt{3})(x-\sqrt{3})$

$f'(x)=0$인 x의 값은 $x=-\sqrt{3}$ 또는 $x=0$ 또는 $x=\sqrt{3}$

함수 $f(x)$의 증가, 감소를 표로 나타내면 다음과 같다.

x	$\cdots$	$-\sqrt{3}$	$\cdots$	0	$\cdots$	$\sqrt{3}$	$\cdots$
$f'(x)$	$-$	0	$+$	0	$-$	0	$+$
$f(x)$	↘	-4 극소	↗	5 극대	↘	-4 극소	↗

따라서 함수 $y=f(x)$의 그래프의 개형이 될 수 있는 것은 ①이다.

041 답 ㄱ, ㄴ

$f(x)=x^3+ax^2+bx+c$에서 $f'(x)=3x^2+2ax+b$

함수 $f(x)$가 $x=\alpha$에서 극대, $x=\beta$에서 극소이므로

$f'(\alpha)=0$, $f'(\beta)=0$

따라서 이차방정식 $f'(x)=0$의 두 근은 α, β이고, $\alpha<0$, $\beta>0$, $|\beta|>|\alpha|$이므로 근과 계수의 관계에 의하여

$\alpha+\beta=-\dfrac{2a}{3}>0$, $\alpha\beta=\dfrac{b}{3}<0$

$\therefore a<0$, $b<0$

또 함수 $y=f(x)$의 그래프가 $x=0$일 때 y축의 양의 부분과 만나므로 $c>0$

ㄱ. $a<0$, $b<0$, $c>0$이므로 $abc>0$

ㄴ. $a<0$, $bc<0$이므로 $a+bc<0$

ㄷ. $\dfrac{|a|}{a}+\dfrac{|b|}{b}+\dfrac{|c|}{c}=\dfrac{-a}{a}+\dfrac{-b}{b}+\dfrac{c}{c}=-1-1+1=-1$

따라서 보기 중 옳은 것은 ㄱ, ㄴ이다.

042 답 20

$f(x)=-x^3+3x^2+9x+k$에서

$f'(x)=-3x^2+6x+9=-3(x+1)(x-3)$

$f'(x)=0$인 x의 값은 $x=-1$ 또는 $x=3$

함수 $f(x)$의 증가, 감소를 표로 나타내면 다음과 같다.

x	$\cdots$	-1	$\cdots$	3	$\cdots$
$f'(x)$	$-$	0	$+$	0	$-$
$f(x)$	↘	$k-5$ 극소	↗	$k+27$ 극대	↘

함수 $y=f(x)$의 그래프의 개형은 오른쪽 그림과 같다.

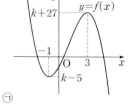

이때 함수 $g(x)=|f(x)|$가 $x=\alpha$, $x=\beta$ $(\alpha<\beta)$에서 극댓값을 가지려면

$k-5<0$, $k+27>0$

$\therefore -27<k<5$ $\qquad$ ...... ㉠

함수 $y=g(x)$의 그래프의 개형은 오른쪽 그림과 같으므로

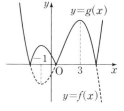

$\alpha=-1$, $\beta=3$

$g(\alpha)=|f(-1)|=|k-5|=-k+5$

$g(\beta)=|f(3)|=|k+27|=k+27$

$\therefore |g(\alpha)-g(\beta)|$
$=|(-k+5)-(k+27)|$
$=|-2k-22|$

이때 $|g(\alpha)-g(\beta)|>10$이므로

$|-2k-22|>10$

(i) $-2k-22>10$일 때

$-2k>32$ $\quad \therefore k<-16$ $\quad$ ...... ㉡

㉠, ㉡을 동시에 만족시키는 k의 값의 범위는

$-27<k<-16$

따라서 정수 k는 -26, -25, -24, $\cdots$, -17의 10개이다.

(ii) $-2k-22<-10$일 때

$-2k<12$ $\quad \therefore k>-6$ $\quad$ ...... ㉢

㉠, ㉢을 동시에 만족시키는 k의 값의 범위는

$-6<k<5$

따라서 정수 k는 -5, -4, -3, $\cdots$, 4의 10개이다.

(i), (ii)에서 구하는 정수 k의 개수는 $10+10=20$

043 답 ⑤

$f(x)=x^3+ax^2-(a-6)x+5$에서

$f'(x)=3x^2+2ax-(a-6)$

함수 $f(x)$가 극값을 갖지 않으려면 이차방정식 $f'(x)=0$이 중근 또는 허근을 가져야 한다.

이차방정식 $f'(x)=0$의 판별식을 D라 하면

$\dfrac{D}{4}=a^2+3(a-6)\leq0$

$a^2+3a-18\leq0$, $(a+6)(a-3)\leq0$

$\therefore -6\leq a\leq3$

따라서 정수 a는 -6, -5, -4, $\cdots$, 2, 3의 10개이다.

044 답 $-2<a<0$

$f(x)=x^3-ax^2+2ax+1$에서

$f'(x)=3x^2-2ax+2a$

함수 $f(x)$가 구간 $(-2, 2)$에서 극댓값과 극솟값을 모두 가지려면 이차방정식 $f'(x)=0$이 $-2<x<2$에서 서로 다른 두 실근을 갖는다.

(i) 이차방정식 $f'(x)=0$의 판별식을 D라 하면

$\dfrac{D}{4}=a^2-6a>0$, $a(a-6)>0$

$\therefore a<0$ 또는 $a>6$ ...... ㉠

(ii) $f'(-2)>0$에서 $12+4a+2a>0$

$6a>-12$ $\therefore a>-2$ ...... ㉡

(iii) $f'(2)>0$에서 $12-4a+2a>0$

$-2a>-12$ $\therefore a<6$ ...... ㉢

(iv) $y=f'(x)$의 그래프의 축의 방정식은 $x=\dfrac{a}{3}$이므로

$-2<\dfrac{a}{3}<2$ $\therefore -6<a<6$ ...... ㉣

㉠~㉣을 동시에 만족시키는 a의 값의 범위는

$-2<a<0$

045 답 $-\dfrac{9}{4}<a<0$ 또는 $a>0$

$f(x)=x^4-4x^3-2ax^2$에서

$f'(x)=4x^3-12x^2-4ax=4x(x^2-3x-a)$

함수 $f(x)$가 극댓값을 가지려면 삼차방정식 $f'(x)=0$이 서로 다른 세 실근을 가져야 하므로 이차방정식 $x^2-3x-a=0$이 0이 아닌 서로 다른 두 실근을 가져야 한다.

(i) $x=0$이 이차방정식 $x^2-3x-a=0$의 근이 아니어야 하므로

$a\neq0$ ...... ㉠

(ii) 이차방정식 $x^2-3x-a=0$의 판별식을 D라 하면

$D=9+4a>0$ $\therefore a>-\dfrac{9}{4}$ ...... ㉡

㉠, ㉡을 동시에 만족시키는 a의 값의 범위는

$-\dfrac{9}{4}<a<0$ 또는 $a>0$

046 답 -3

$f(x)=2x^3-3x^2-12x+5$에서

$f'(x)=6x^2-6x-12=6(x+1)(x-2)$

$f'(x)=0$인 x의 값은 $x=-1$ 또는 $x=2$

구간 $[-2, 3]$에서 함수 $f(x)$의 증가, 감소를 표로 나타내면 다음과 같다.

x	-2	$\cdots$	-1	$\cdots$	2	$\cdots$	3
$f'(x)$		$+$	0	$-$	0	$+$	
$f(x)$	1	$\nearrow$	12 극대	$\searrow$	-15 극소	$\nearrow$	-4

따라서 함수 $f(x)$의 최댓값은 $f(-1)=12$, 최솟값은 $f(2)=-15$이므로 $M=12$, $m=-15$

$\therefore M+m=12+(-15)=-3$

047 답 9

$f(x)=ax^3-3ax+b$에서

$f'(x)=3ax^2-3a=3a(x+1)(x-1)$

$f'(x)=0$인 x의 값은 $x=-1$ 또는 $x=1$

$a>0$이므로 구간 $[-2, 2]$에서 함수 $f(x)$의 증가, 감소를 표로 나타내면 다음과 같다.

x	-2	$\cdots$	-1	$\cdots$	1	$\cdots$	2
$f'(x)$		$+$	0	$-$	0	$+$	
$f(x)$	$-2a+b$	$\nearrow$	$2a+b$ 극대	$\searrow$	$-2a+b$ 극소	$\nearrow$	$2a+b$

따라서 함수 $f(x)$의 최댓값은 $f(-1)=f(2)=2a+b$, 최솟값은 $f(-2)=f(1)=-2a+b$이므로

$2a+b=10$, $-2a+b=6$

두 식을 연립하여 풀면 $a=1$, $b=8$

$\therefore a+b=1+8=9$

048 답 $8\sqrt{2}$

점 A의 좌표를 $(a, 6-a^2)$ $(0<a<\sqrt{6})$이라 하면

$\overline{AB}=2a$, $\overline{AD}=6-a^2$

직사각형 ABCD의 넓이를 $S(a)$라 하면

$S(a)=2a(6-a^2)=-2a^3+12a$

$\therefore S'(a)=-6a^2+12=-6(a+\sqrt{2})(a-\sqrt{2})$

$S'(a)=0$인 a의 값은 $a=\sqrt{2}$ $(\because 0<a<\sqrt{6})$

$0<a<\sqrt{6}$에서 함수 $S(a)$의 증가, 감소를 표로 나타내면 다음과 같다.

a	0	$\cdots$	$\sqrt{2}$	$\cdots$	$\sqrt{6}$
$S'(a)$		$+$	0	$-$	
$S(a)$		$\nearrow$	$8\sqrt{2}$ 극대	$\searrow$	

따라서 넓이 $S(a)$의 최댓값은 $S(\sqrt{2})=8\sqrt{2}$

049 답 $16\,\text{cm}^3$

잘라 내는 정사각형의 한 변의 길이를 $x\,\text{cm}$라 하면 상자의 밑면의 가로의 길이와 세로의 길이는 $(6-2x)\,\text{cm}$

이때 $x>0$, $6-2x>0$이어야 하므로 $0<x<3$

상자의 부피를 $V(x)\,\text{cm}^3$라 하면

$V(x)=x(6-2x)^2=4x^3-24x^2+36x$

$\therefore V'(x)=12x^2-48x+36=12(x-1)(x-3)$

$V'(x)=0$인 x의 값은 $x=1$ $(\because 0<x<3)$

$0<x<3$에서 함수 $V(x)$의 증가, 감소를 표로 나타내면 다음과 같다.

x	0	$\cdots$	1	$\cdots$	3
$V'(x)$		$+$	0	$-$	
$V(x)$		$\nearrow$	16 극대	$\searrow$	

따라서 부피 $V(x)$의 최댓값은 $V(1)=16\,(\text{cm}^3)$

050 답 ③

입장 수입을 $f(x)$백 원이라 하면

$$f(x)=xy=x\left(4800-10x-\frac{1}{3}x^2\right)=-\frac{1}{3}x^3-10x^2+4800x$$

$$\therefore\ f'(x)=-x^2-20x+4800=-(x+80)(x-60)$$

$f'(x)=0$인 x의 값은 $x=60$ $(\because\ x>0)$

$x>0$에서 함수 $f(x)$의 증가, 감소를 표로 나타내면 다음과 같다.

x	0	$\cdots$	60	$\cdots$
$f'(x)$		$+$	0	$-$
$f(x)$		↗	극대	↘

따라서 함수 $f(x)$는 $x=60$일 때 최대이므로 입장 수입이 최대가 되기 위한 입장료는 6000원이다.

051 답 ③

$f(x)=\frac{2}{3}x^3+(a-1)x^2+2x-5$에서

$$f'(x)=2x^2+2(a-1)x+2$$

함수 $f(x)$가 극값을 갖지 않으려면 이차방정식 $f'(x)=0$이 중근 또는 허근을 가져야 한다.

이차방정식 $f'(x)=0$의 판별식을 D라 하면

$$\frac{D}{4}=(a-1)^2-4\leq 0,\ a^2-2a-3\leq 0$$

$$(a+1)(a-3)\leq 0\qquad \therefore\ -1\leq a\leq 3$$

따라서 정수 a는 -1, 0, 1, 2, 3의 5개이다.

052 답 ④

$f(x)=x^3+ax^2+(a^2-4a)x+3$에서

$$f'(x)=3x^2+2ax+a^2-4a$$

함수 $f(x)$가 극값을 가지려면 이차방정식 $f'(x)=0$이 서로 다른 두 실근을 가져야 한다.

이차방정식 $f'(x)=0$의 판별식을 D라 하면

$$\frac{D}{4}=a^2-3(a^2-4a)>0,\ a^2-6a<0$$

$$a(a-6)<0\qquad \therefore\ 0<a<6$$

따라서 정수 a는 1, 2, 3, 4, 5이므로 구하는 합은

$$1+2+3+4+5=15$$

053 답 5

$f(x)=ax^3-6x^2+(a-1)x-2$에서

$$f'(x)=3ax^2-12x+(a-1)$$

함수 $f(x)$가 극값을 가지려면 이차방정식 $f'(x)=0$이 서로 다른 두 실근을 가져야 한다.

이차방정식 $f'(x)=0$의 판별식을 D라 하면

$$\frac{D}{4}=36-3a(a-1)>0,\ a^2-a-12<0$$

$$(a+3)(a-4)<0$$

$$\therefore\ -3<a<0\ \text{또는}\ 0<a<4\ (\because\ a\neq 0)$$

따라서 정수 a는 -2, -1, 1, 2, 3의 5개이다.

054 답 5

$f(x)=-\frac{1}{3}x^3-ax^2+(2a-3)x-1$에서

$$f'(x)=-x^2-2ax+2a-3$$

함수 $f(x)$가 극값을 가지려면 이차방정식 $f'(x)=0$이 서로 다른 두 실근을 가져야 한다.

이차방정식 $f'(x)=0$의 판별식을 D_1이라 하면

$$\frac{D_1}{4}=a^2+2a-3>0$$

$$(a+3)(a-1)>0$$

$$\therefore\ a<-3\ \text{또는}\ a>1\qquad \cdots\cdots\ \text{㉠}$$

$g(x)=\frac{4}{3}x^3-(a+2)x^2+(2a+1)x+1$에서

$$g'(x)=4x^2-2(a+2)x+2a+1$$

함수 $g(x)$가 극값을 갖지 않으려면 이차방정식 $g'(x)=0$이 중근 또는 허근을 가져야 한다.

이차방정식 $g'(x)=0$의 판별식을 D_2라 하면

$$\frac{D_2}{4}=(a+2)^2-4(2a+1)\leq 0$$

$$a^2-4a\leq 0,\ a(a-4)\leq 0$$

$$\therefore\ 0\leq a\leq 4\qquad \cdots\cdots\ \text{㉡}$$

㉠, ㉡을 동시에 만족시키는 a의 값의 범위는

$$1<a\leq 4$$

따라서 $\alpha=1$, $\beta=4$이므로

$$\alpha+\beta=1+4=5$$

055 답 -5

$f(x)=x^3-(a+2)x^2+3ax+3$에서

$$f'(x)=3x^2-2(a+2)x+3a$$

함수 $f(x)$가 구간 $(-1,\ 2)$에서 극댓값과 극솟값을 모두 가지려면 이차방정식 $f'(x)=0$이 $-1<x<2$에서 서로 다른 두 실근을 가져야 한다.

(i) 이차방정식 $f'(x)=0$의 판별식을 D라 하면

$$\frac{D}{4}=(a+2)^2-9a>0$$

$$a^2-5a+4>0,\ (a-1)(a-4)>0$$

$$\therefore\ a<1\ \text{또는}\ a>4\qquad \cdots\cdots\ \text{㉠}$$

(ii) $f'(-1)>0$에서

$$3+2(a+2)+3a>0\qquad \therefore\ a>-\frac{7}{5}\qquad \cdots\cdots\ \text{㉡}$$

(iii) $f'(2)>0$에서

$$12-4(a+2)+3a>0\qquad \therefore\ a<4\qquad \cdots\cdots\ \text{㉢}$$

(iv) $y=f'(x)$의 그래프의 축의 방정식은 $x=\frac{a+2}{3}$이므로

$$-1<\frac{a+2}{3}<2\qquad \therefore\ -5<a<4\qquad \cdots\cdots\ \text{㉣}$$

㉠~㉣을 동시에 만족시키는 a의 값의 범위는

$$-\frac{7}{5}<a<1$$

따라서 $\alpha=-\frac{7}{5}$, $\beta=1$이므로

$$5\alpha+2\beta=-7+2=-5$$

056 답 $a>1$

$f(x)=-x^3+(a+1)x^2-x+1$에서

$f'(x)=-3x^2+2(a+1)x-1$

함수 $f(x)$가 $x<1$에서 극솟값을, $x>1$에서 극댓값을 가지려면 이차방정식 $f'(x)=0$의 서로 다른 두 실근 중 한 근은 1보다 작고, 다른 한 근은 1보다 커야 하므로 $f'(1)>0$에서

$-3+2(a+1)-1>0$

$\therefore a>1$

057 답 $4<a<\dfrac{25}{6}$

$f(x)=\dfrac{1}{3}x^3-(a-2)x^2+4x$에서

$f'(x)=x^2-2(a-2)x+4$

함수 $y=f(x)$의 그래프에서 극대인 점과 극소인 점이 모두 두 직선 $x=-1$, $x=3$ 사이에 존재하려면 함수 $f(x)$가 구간 $(-1,\,3)$에서 극댓값과 극솟값을 모두 가져야 하므로 이차방정식 $f'(x)=0$이 $-1<x<3$에서 서로 다른 두 실근을 가져야 한다.

(i) 이차방정식 $f'(x)=0$의 판별식을 D라 하면

$\dfrac{D}{4}=(a-2)^2-4>0$, $a^2-4a>0$

$a(a-4)>0$ $\quad\therefore a<0$ 또는 $a>4$ $\quad$ …… ㉠

(ii) $f'(-1)>0$에서

$1+2(a-2)+4>0$ $\quad\therefore a>-\dfrac{1}{2}$ $\quad$ …… ㉡

(iii) $f'(3)>0$에서

$9-6(a-2)+4>0$ $\quad\therefore a<\dfrac{25}{6}$ $\quad$ …… ㉢

(iv) $y=f'(x)$의 그래프의 축의 방정식은 $x=a-2$이므로

$-1<a-2<3$ $\quad\therefore 1<a<5$ $\quad$ …… ㉣

㉠~㉣을 동시에 만족시키는 a의 값의 범위는

$4<a<\dfrac{25}{6}$

058 답 2

$f(x)=\dfrac{1}{3}x^3-ax^2+(a^2-1)x+3$에서

$f'(x)=x^2-2ax+a^2-1$

함수 $f(x)$가 구간 $(-1,\,2)$에서 극댓값, 구간 $(2,\,\infty)$에서 극솟값을 가지려면 이차방정식 $f'(x)=0$의 서로 다른 두 실근 중 한 근은 -1과 2 사이에 있고, 다른 한 근은 2보다 커야 한다.

(i) $f'(-1)>0$에서

$1+2a+a^2-1>0$, $a^2+2a>0$

$a(a+2)>0$

$\therefore a<-2$ 또는 $a>0$ $\quad$ …… ㉠

(ii) $f'(2)<0$에서

$4-4a+a^2-1<0$, $a^2-4a+3<0$

$(a-1)(a-3)<0$

$\therefore 1<a<3$ $\quad$ …… ㉡

㉠, ㉡을 동시에 만족시키는 a의 값의 범위는

$1<a<3$

따라서 정수 a의 값은 2이다.

059 답 $a<0$ 또는 $a>\dfrac{2}{3}$

$f(x)=x^4-4ax^3+3ax^2+1$에서

$f'(x)=4x^3-12ax^2+6ax$

$\qquad=2x(2x^2-6ax+3a)$

함수 $f(x)$가 극댓값과 극솟값을 모두 가지려면 삼차방정식 $f'(x)=0$이 서로 다른 세 실근을 가져야 하므로 이차방정식 $2x^2-6ax+3a=0$이 0이 아닌 서로 다른 두 실근을 가져야 한다.

(i) $x=0$이 이차방정식 $2x^2-6ax+3a=0$의 근이 아니어야 하므로

$a\neq0$ $\quad$ …… ㉠

(ii) 이차방정식 $2x^2-6ax+3a=0$의 판별식을 D라 하면

$\dfrac{D}{4}=9a^2-6a>0$, $3a(3a-2)>0$

$\therefore a<0$ 또는 $a>\dfrac{2}{3}$ $\quad$ …… ㉡

㉠, ㉡을 동시에 만족시키는 a의 값의 범위는

$a<0$ 또는 $a>\dfrac{2}{3}$

060 답 ①

$f(x)=-x^4+4x^3+2ax^2$에서

$f'(x)=-4x^3+12x^2+4ax$

$\qquad=-4x(x^2-3x-a)$

함수 $f(x)$가 극솟값을 가지려면 삼차방정식 $f'(x)=0$이 서로 다른 세 실근을 가져야 하므로 이차방정식 $x^2-3x-a=0$이 0이 아닌 서로 다른 두 실근을 가져야 한다.

(i) $x=0$이 이차방정식 $x^2-3x-a=0$의 근이 아니어야 하므로

$a\neq0$ $\quad$ …… ㉠

(ii) 이차방정식 $x^2-3x-a=0$의 판별식을 D라 하면

$D=9+4a>0$ $\quad\therefore a>-\dfrac{9}{4}$ $\quad$ …… ㉡

㉠, ㉡을 동시에 만족시키는 a의 값의 범위는

$-\dfrac{9}{4}<a<0$ 또는 $a>0$

따라서 자연수 a의 최솟값은 1이다.

061 답 $a=-2$ 또는 $a\geq\dfrac{1}{4}$

$f(x)=-x^4-2(a-1)x^2-4ax+1$에서

$f'(x)=-4x^3-4(a-1)x-4a$

$\qquad=-4(x+1)(x^2-x+a)$

함수 $f(x)$가 극솟값을 갖지 않으려면 삼차방정식 $f'(x)=0$이 중근 또는 허근을 가져야 하므로 이차방정식 $x^2-x+a=0$의 한 근이 -1이거나 중근 또는 허근을 가져야 한다.

(i) 이차방정식 $x^2-x+a=0$의 한 근이 -1인 경우

$1+1+a=0$ $\quad\therefore a=-2$

(ii) 이차방정식 $x^2-x+a=0$이 중근 또는 허근을 갖는 경우

이차방정식 $x^2-x+a=0$의 판별식을 D라 하면

$D=1-4a\leq0$ $\quad\therefore a\geq\dfrac{1}{4}$

(i), (ii)에서 $a=-2$ 또는 $a\geq\dfrac{1}{4}$

062 답 12

$f(x)=3x^4-4x^3-3(a+4)x^2+12ax$에서

$f'(x)=12x^3-12x^2-6(a+4)x+12a$

$\qquad =6(x-2)(2x^2+2x-a)$

함수 $f(x)$가 극값을 하나만 가지려면 삼차방정식 $f'(x)=0$이 중근 또는 허근을 가져야 하므로 이차방정식 $2x^2+2x-a=0$의 한 근이 2이거나 중근 또는 허근을 가져야 한다.

(ⅰ) 이차방정식 $2x^2+2x-a=0$의 한 근이 2인 경우

$\qquad 8+4-a=0 \qquad \therefore a=12$

(ⅱ) 이차방정식 $2x^2+2x-a=0$이 중근 또는 허근을 갖는 경우

이차방정식 $2x^2+2x-a=0$의 판별식을 D라 하면

$\qquad \dfrac{D}{4}=1+2a\leq 0 \qquad \therefore a\leq -\dfrac{1}{2}$

(ⅰ), (ⅱ)에서 $a\leq -\dfrac{1}{2}$ 또는 $a=12$

따라서 a의 최댓값은 12이다.

063 답 ⑤

$f(x)=-x^3+6x^2-9x+10$에서

$f'(x)=-3x^2+12x-9=-3(x-1)(x-3)$

$f'(x)=0$인 x의 값은 $x=1$ 또는 $x=3$

구간 $[0,\,5]$에서 함수 $f(x)$의 증가, 감소를 표로 나타내면 다음과 같다.

x	0	$\cdots$	1	$\cdots$	3	$\cdots$	5
$f'(x)$		$-$	0	$+$	0	$-$	
$f(x)$	10	$\searrow$	6 극소	$\nearrow$	10 극대	$\searrow$	-10

따라서 함수 $f(x)$의 최댓값은 $f(0)=f(3)=10$, 최솟값은 $f(5)=-10$이므로 $M=10$, $m=-10$

$\therefore M-m=10-(-10)=20$

064 답 -7

$f(x)=x^4-6x^2-8x+15$에서

$f'(x)=4x^3-12x-8=4(x+1)^2(x-2)$

$f'(x)=0$인 x의 값은 $x=-1$ 또는 $x=2$

함수 $f(x)$의 증가, 감소를 표로 나타내면 다음과 같다.

x	$\cdots$	-1	$\cdots$	2	$\cdots$
$f'(x)$	$-$	0	$-$	0	$+$
$f(x)$	$\searrow$	18	$\searrow$	-9 극소	$\nearrow$

따라서 함수 $f(x)$는 $x=2$에서 최솟값 -9를 가지므로

$a=2$, $m=-9$ $\qquad \therefore a+m=2+(-9)=-7$

065 답 $-\dfrac{2}{3}$

$f(x)=-\dfrac{2}{3}x^3+ax^2-a$에서

$f'(x)=-2x^2+2ax=-2x(x-a)$

$f'(x)=0$인 x의 값은 $x=0$ 또는 $x=a$

구간 $[0,\,2]$에서 함수 $f(x)$의 증가, 감소를 표로 나타내면 다음과 같다.

x	0	$\cdots$	a	$\cdots$	2
$f'(x)$		$+$	0	$-$	
$f(x)$	$-a$	$\nearrow$	$\dfrac{1}{3}a^3-a$ 극대	$\searrow$	$3a-\dfrac{16}{3}$

함수 $f(x)$는 $x=a$에서 최댓값 $\dfrac{1}{3}a^3-a$를 가지므로

$g(a)=\dfrac{1}{3}a^3-a$

$\therefore g'(a)=a^2-1=(a+1)(a-1)$

$g'(a)=0$인 a의 값은 $a=1$ $(\because 0<a<2)$

$0<a<2$에서 함수 $g(a)$의 증가, 감소를 표로 나타내면 다음과 같다.

a	0	$\cdots$	1	$\cdots$	2
$g'(a)$		$-$	0	$+$	
$g(a)$	0	$\searrow$	$-\dfrac{2}{3}$ 극소	$\nearrow$	$\dfrac{2}{3}$

따라서 함수 $g(a)$의 최솟값은 $g(1)=-\dfrac{2}{3}$

066 답 -17

$x+1=t$로 놓으면 $-1\leq x\leq 3$에서 $0\leq t\leq 4$

$g(t)=t^3-3t^2-9t+5$라 하면

$g'(t)=3t^2-6t-9=3(t+1)(t-3)$

$g'(t)=0$인 t의 값은 $t=3$ $(\because 0\leq t\leq 4)$

$0\leq t\leq 4$에서 함수 $g(t)$의 증가, 감소를 표로 나타내면 다음과 같다.

t	0	$\cdots$	3	$\cdots$	4
$g'(t)$		$-$	0	$+$	
$g(t)$	5	$\searrow$	-22 극소	$\nearrow$	-15

따라서 함수 $g(t)$의 최댓값은 $g(0)=5$, 최솟값은 $g(3)=-22$이므로 구하는 합은

$5+(-22)=-17$

067 답 ②

$f(x)=ax^4-2ax^2+b+1$에서

$f'(x)=4ax^3-4ax=4ax(x^2-1)$

$\qquad =4ax(x+1)(x-1)$

$f'(x)=0$인 x의 값은 $x=-1$ 또는 $x=0$ $(\because -2\leq x\leq 0)$

$a>0$이므로 구간 $[-2,\,0]$에서 함수 $f(x)$의 증가, 감소를 표로 나타내면 다음과 같다.

x	-2	$\cdots$	-1	$\cdots$	0
$f'(x)$		$-$	0	$+$	0
$f(x)$	$8a+b+1$	$\searrow$	$-a+b+1$ 극소	$\nearrow$	$b+1$

따라서 함수 $f(x)$의 최댓값은 $f(-2)=8a+b+1$, 최솟값은
$f(-1)=-a+b+1$이므로
$8a+b+1=11$, $-a+b+1=2$
두 식을 연립하여 풀면 $a=1$, $b=2$
$\therefore a+b=1+2=3$

068 답 -3

$f(x)=-2x^3+6x^2+a$에서
$f'(x)=-6x^2+12x=-6x(x-2)$
$f'(x)=0$인 x의 값은 $x=0$ 또는 $x=2$
구간 $[-1, 3]$에서 함수 $f(x)$의 증가, 감소를 표로 나타내면 다음과 같다.

x	-1	$\cdots$	0	$\cdots$	2	$\cdots$	3
$f'(x)$		$-$	0	$+$	0	$-$	
$f(x)$	$a+8$	$\searrow$	a 극소	$\nearrow$	$a+8$ 극대	$\searrow$	a

따라서 함수 $f(x)$의 최댓값은 $f(-1)=f(2)=a+8$, 최솟값은
$f(0)=f(3)=a$이다.
이때 함수 $f(x)$의 최댓값이 5이므로
$a+8=5$ $\therefore a=-3$
따라서 함수 $f(x)$의 최솟값은 -3이다.

069 답 ④

$f(x)=x^4-4x^3-2x^2+12x+a$에서
$f'(x)=4x^3-12x^2-4x+12$
$\quad\quad=4(x+1)(x-1)(x-3)$
$f'(x)=0$인 x의 값은 $x=1$ 또는 $x=3$ ($\because 0\leq x\leq 4$)
구간 $[0, 4]$에서 함수 $f(x)$의 증가, 감소를 표로 나타내면 다음과 같다.

x	0	$\cdots$	1	$\cdots$	3	$\cdots$	4
$f'(x)$		$+$	0	$-$	0	$+$	
$f(x)$	a	$\nearrow$	$a+7$ 극대	$\searrow$	$a-9$ 극소	$\nearrow$	$a+16$

따라서 함수 $f(x)$의 최댓값은 $f(4)=a+16$, 최솟값은
$f(3)=a-9$이고 그 합이 11이므로
$a+16+a-9=11$
$\therefore a=2$

070 답 $\dfrac{64\sqrt{3}}{9}$

직사각형의 꼭짓점 중 제1사분면에 있는 점을 P라 하고 점 P의 x 좌표를 a라 하면
$P(a, -a^2+4)$ (단, $0<a<2$)
직사각형의 넓이를 $S(a)$라 하면
$S(a)=2a\times2(-a^2+4)=-4a^3+16a$
$\therefore S'(a)=-12a^2+16=-4(3a^2-4)$
$S'(a)=0$인 a의 값은 $a=\dfrac{2\sqrt{3}}{3}$ ($\because 0<a<2$)

$0<a<2$에서 함수 $S(a)$의 증가, 감소를 표로 나타내면 다음과 같다.

a	0	$\cdots$	$\dfrac{2\sqrt{3}}{3}$	$\cdots$	2
$S'(a)$		$+$	0	$-$	
$S(a)$		$\nearrow$	$\dfrac{64\sqrt{3}}{9}$ 극대	$\searrow$	

따라서 직사각형의 넓이 $S(a)$의 최댓값은
$S\left(\dfrac{2\sqrt{3}}{3}\right)=\dfrac{64\sqrt{3}}{9}$

071 답 $\sqrt{5}$

점 P의 좌표를 (a, a^2)이라 하면
$\overline{AP}=\sqrt{(a-3)^2+a^4}=\sqrt{a^4+a^2-6a+9}$
$f(a)=a^4+a^2-6a+9$라 하면
$f'(a)=4a^3+2a-6=2(a-1)(2a^2+2a+3)$
$f'(a)=0$인 a의 값은 $a=1$ ($\because a$는 실수)
함수 $f(a)$의 증가, 감소를 표로 나타내면 다음과 같다.

a	$\cdots$	1	$\cdots$
$f'(a)$	$-$	0	$+$
$f(a)$	$\searrow$	5 극소	$\nearrow$

따라서 $f(a)$의 최솟값은 $f(1)=5$이므로 선분 AP의 길이의 최솟값은 $\sqrt{5}$이다.

072 답 8

$f(x)=x^2-6x+9$라 하면 $f'(x)=2x-6$
접점 P의 좌표는 (a, a^2-6a+9)이고 이 점에서의 접선의 기울기는 $f'(a)=2a-6$이므로 접선의 방정식은
$y-(a^2-6a+9)=(2a-6)(x-a)$
$\therefore y=2(a-3)x-a^2+9$
이때 $\overline{OA}=\dfrac{a+3}{2}$, $\overline{OB}=-a^2+9$이므로 삼각형 OAB의 넓이를 $S(a)$라 하면
$S(a)=\dfrac{1}{2}\times\dfrac{a+3}{2}\times(-a^2+9)$
$\quad\quad=-\dfrac{1}{4}(a^3+3a^2-9a-27)$
$\therefore S'(a)=-\dfrac{1}{4}(3a^2+6a-9)=-\dfrac{3}{4}(a+3)(a-1)$
$S'(a)=0$인 a의 값은 $a=1$ ($\because 0<a<3$)
$0<a<3$에서 함수 $S(a)$의 증가, 감소를 표로 나타내면 다음과 같다.

a	0	$\cdots$	1	$\cdots$	3
$S'(a)$		$+$	0	$-$	
$S(a)$		$\nearrow$	8 극대	$\searrow$	

따라서 삼각형 OAB의 넓이 $S(a)$의 최댓값은 $S(1)=8$

073 답 $\dfrac{50}{27}$

점 Q의 좌표를 $(a, 2)$라 하면 $\overline{OQ}=\overline{PQ}$에서

$a^2+4=(a-2)^2+(2-t)^2$ $\therefore a=\dfrac{1}{4}(2-t)^2$

삼각형 OPQ의 넓이를 $S(t)$라 하면

$S(t)=2\times2-\left\{\dfrac{1}{2}\times a\times2+\dfrac{1}{2}\times2\times t+\dfrac{1}{2}\times(2-a)\times(2-t)\right\}$

$\qquad=2-\dfrac{1}{2}at=2-\dfrac{1}{8}t(2-t)^2$

$\qquad=2-\dfrac{1}{8}(t^3-4t^2+4t)$

$\therefore S'(t)=-\dfrac{1}{8}(3t^2-8t+4)=-\dfrac{1}{8}(3t-2)(t-2)$

$S'(t)=0$인 t의 값은 $t=\dfrac{2}{3}$ 또는 $t=2$

$0\le t\le2$에서 함수 $S(t)$의 증가, 감소를 표로 나타내면 다음과 같다.

t	0	$\cdots$	$\dfrac{2}{3}$	$\cdots$	2
$S'(t)$		$-$	0	$+$	0
$S(t)$	2	$\searrow$	$\dfrac{50}{27}$ 극소	$\nearrow$	2

따라서 삼각형 OPQ의 넓이 $S(t)$의 최솟값은 $S\left(\dfrac{2}{3}\right)=\dfrac{50}{27}$

074 답 256

오른쪽 그림과 같이 잘라 내는 사각형의 긴 변의 길이를 x라 하면 상자의 밑면인 정삼각형의 한 변의 길이는

$24-2x$

이때 $x>0$, $24-2x>0$이어야 하므로

$0<x<12$

상자의 밑면인 정삼각형의 넓이는

$\dfrac{\sqrt{3}}{4}(24-2x)^2=\sqrt{3}(x-12)^2$

삼각기둥의 높이를 h라 하면

$h=x\tan30°=\dfrac{\sqrt{3}}{3}x$

상자의 부피를 $V(x)$라 하면

$V(x)=\sqrt{3}(x-12)^2\times\dfrac{\sqrt{3}}{3}x$

$\qquad=x(x-12)^2=x^3-24x^2+144x$

$\therefore V'(x)=3x^2-48x+144=3(x-4)(x-12)$

$V'(x)=0$인 x의 값은 $x=4$ ($\because 0<x<12$)

$0<x<12$에서 함수 $V(x)$의 증가, 감소를 표로 나타내면 다음과 같다.

x	0	$\cdots$	4	$\cdots$	12
$V'(x)$		$+$	0	$-$	
$V(x)$		$\nearrow$	256 극대	$\searrow$	

따라서 상자의 부피 $V(x)$의 최댓값은 $V(4)=256$

075 답 252π

원기둥의 밑면의 반지름의 길이를 r, 높이를 h라 하면

$r+h=9$ $\therefore h=9-r$

이때 $r>0$, $9-r>0$이어야 하므로

$0<r<9$

원기둥의 부피를 $V(r)$라 하면

$V(r)=\pi r^2h=\pi r^2(9-r)$

$\qquad=\pi(9r^2-r^3)$

$\therefore V'(r)=\pi(18r-3r^2)=-3\pi r(r-6)$

$V'(r)=0$인 r의 값은 $r=6$ ($\because 0<r<9$)

$0<r<9$에서 함수 $V(r)$의 증가, 감소를 표로 나타내면 다음과 같다.

r	0	$\cdots$	6	$\cdots$	9
$V'(r)$		$+$	0	$-$	
$V(r)$		$\nearrow$	108π 극대	$\searrow$	

따라서 원기둥의 부피는 $r=6$일 때 최댓값이 108π이다.

밑면의 반지름의 길이가 6인 반구의 부피는

$\dfrac{1}{2}\times\dfrac{4}{3}\pi\times6^3=144\pi$

따라서 구하는 전체 입체도형의 부피는

$108\pi+144\pi=252\pi$

076 답 ⑤

원뿔의 반지름의 길이를 r, 높이를 h라 하면

$r^2+h^2=144$

$\therefore r^2=144-h^2$ $\cdots\cdots$ ㉠

이때 $h>0$, $144-h^2>0$이므로

$0<h<12$

원뿔의 부피를 $V(h)$라 하면

$V(h)=\dfrac{1}{3}\pi r^2h=\dfrac{1}{3}\pi(144-h^2)h$

$\qquad=\dfrac{1}{3}\pi(-h^3+144h)$

$\therefore V'(h)=\dfrac{1}{3}\pi(-3h^2+144)$

$\qquad=-\pi(h+4\sqrt{3})(h-4\sqrt{3})$

$V'(h)=0$인 h의 값은 $h=4\sqrt{3}$ ($\because 0<h<12$)

$0<h<12$에서 함수 $V(h)$의 증가, 감소를 표로 나타내면 다음과 같다.

h	0	$\cdots$	$4\sqrt{3}$	$\cdots$	12
$V'(h)$		$+$	0	$-$	
$V(h)$		$\nearrow$	극대	$\searrow$	

원뿔의 부피 $V(h)$가 최대일 때, 원뿔의 높이는 $h=4\sqrt{3}$

이를 ㉠에 대입하면

$r^2=144-48=96$

$\therefore r=4\sqrt{6}$ ($\because r>0$)

$\therefore r:h=4\sqrt{6}:4\sqrt{3}=\sqrt{2}:1$

077 답 $\dfrac{4\sqrt{3}}{9}\pi$

오른쪽 그림과 같이 원기둥의 밑면의 반지름의
길이를 r, 높이를 $2x$라 하면

$r^2=1-x^2$

이때 $x>0$, $1-x^2>0$이므로

$0<x<1$

원기둥의 부피를 $V(x)$라 하면

$V(x)=\pi r^2\times 2x=\pi(1-x^2)\times 2x$

$\qquad =2\pi(-x^3+x)$

$\therefore V'(x)=2\pi(-3x^2+1)=-6\pi\left(x^2-\dfrac{1}{3}\right)$

$\qquad =-6\pi\left(x+\dfrac{\sqrt{3}}{3}\right)\left(x-\dfrac{\sqrt{3}}{3}\right)$

$V'(x)=0$인 x의 값은 $x=\dfrac{\sqrt{3}}{3}$ $(\because 0<x<1)$

$0<x<1$에서 함수 $V(x)$의 증가, 감소를 표로 나타내면 다음과 같다.

x	0	$\cdots$	$\dfrac{\sqrt{3}}{3}$	$\cdots$	1
$V'(x)$		$+$	0	$-$	
$V(x)$		$\nearrow$	$\dfrac{4\sqrt{3}}{9}\pi$ 극대	$\searrow$	

따라서 원기둥의 부피 $V(x)$의 최댓값은 $V\left(\dfrac{\sqrt{3}}{3}\right)=\dfrac{4\sqrt{3}}{9}\pi$

078 답 $16\sqrt{2}$

오른쪽 그림과 같이 직육면체의 밑면의 한
변의 길이를 x, 높이를 y라 하면 정사각뿔의
높이는 $\dfrac{\sqrt{3}}{2}\times 6=3\sqrt{2}$이므로

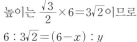

$6:3\sqrt{2}=(6-x):y$

$\therefore y=\dfrac{\sqrt{2}}{2}(6-x)$

이때 $x>0$, $\dfrac{\sqrt{2}}{2}(6-x)>0$이므로

$0<x<6$

직육면체의 부피를 $V(x)$라 하면

$V(x)=x^2y=\dfrac{\sqrt{2}}{2}x^2(6-x)$

$\qquad =\dfrac{\sqrt{2}}{2}(6x^2-x^3)$

$\therefore V'(x)=\dfrac{\sqrt{2}}{2}(12x-3x^2)=\dfrac{3\sqrt{2}}{2}x(4-x)$

$V'(x)=0$인 x의 값은 $x=4$ $(\because 0<x<6)$

$0<x<6$에서 함수 $V(x)$의 증가, 감소를 표로 나타내면 다음과 같다.

x	0	$\cdots$	4	$\cdots$	6
$V'(x)$		$+$	0	$-$	
$V(x)$		$\nearrow$	$16\sqrt{2}$ 극대	$\searrow$	

따라서 직육면체의 부피 $V(x)$의 최댓값은 $V(4)=16\sqrt{2}$

079 답 30 kg

제품 A를 x kg을 판매하여 얻은 이익을 $g(x)$원이라 하면

$g(x)=5000x-f(x)=-2x^3+90x^2-2000$ $(x>0)$

$\therefore g'(x)=-6x^2+180x=-6x(x-30)$

$g'(x)=0$인 x의 값은 $x=30$ $(\because x>0)$

$x>0$에서 함수 $g(x)$의 증가, 감소를 표로 나타내면 다음과 같다.

x	0	$\cdots$	30	$\cdots$
$g'(x)$		$+$	0	$-$
$g(x)$		$\nearrow$	극대	$\searrow$

따라서 함수 $g(x)$는 $x=30$일 때 최대이므로 이익을 최대로 하기
위해 하루에 생산해야 할 제품 A는 30 kg이다.

080 답 3시간

$f(t)=-t^3+3t^2+9t$ $(t>0)$라 하면

$f'(t)=-3t^2+6t+9=-3(t+1)(t-3)$

$f'(t)=0$인 t의 값은 $t=3$ $(\because t>0)$

$t>0$에서 함수 $f(t)$의 증가, 감소를 표로 나타내면 다음과 같다.

t	0	$\cdots$	3	$\cdots$
$f'(t)$		$+$	0	$-$
$f(t)$		$\nearrow$	극대	$\searrow$

따라서 함수 $f(t)$는 $t=3$일 때 최대이므로 약효가 최대가 되는 것
은 3시간 후이다.

081 답 ③

$f(x)=-x^3+6x^2-9x$에서

$f'(x)=-3x^2+12x-9=-3(x-1)(x-3)$

$f'(x)=0$인 x의 값은 $x=1$ 또는 $x=3$

함수 $f(x)$의 증가, 감소를 표로 나타내면 다음과 같다.

x	$\cdots$	1	$\cdots$	3	$\cdots$
$f'(x)$	$-$	0	$+$	0	$-$
$f(x)$	$\searrow$	-4	$\nearrow$	0	$\searrow$

따라서 함수 $f(x)$는 구간 $(-\infty, 1]$, $[3, \infty)$에서 감소하고, 구
간 $[1, 3]$에서 증가한다.

082 답 $a\geq\dfrac{1}{6}$

$f(x)=2ax^3-x^2+6ax+5$에서

$f'(x)=6ax^2-2x+6a$

$x_1<x_2$인 임의의 두 실수 x_1, x_2에 대하여 $f(x_1)<f(x_2)$가 성립하
려면 함수 $f(x)$가 실수 전체의 집합에서 증가해야 한다.

즉, 모든 실수 x에 대하여 $f'(x)\geq 0$이어야 하므로

$6a>0$ $\qquad \therefore a>0$ $\qquad$ ...... ㉠

이차방정식 $6ax^2-2x+6a=0$의 판별식을 D라 하면

$\dfrac{D}{4}=1-36a^2\leq 0$, $36a^2-1\geq 0$, $(6a+1)(6a-1)\geq 0$

$\therefore a\leq -\dfrac{1}{6}$ 또는 $a\geq\dfrac{1}{6}$ $\qquad$ ...... ㉡

㉠, ㉡을 동시에 만족시키는 a의 값의 범위는 $a\geq\dfrac{1}{6}$

083 답 3

$f(x)=2x^3+ax^2-4ax+1$에서

$f'(x)=6x^2+2ax-4a$

함수 $f(x)$가 구간 $[-2,\ 1]$에서 감소하려면

$-2\le x\le 1$에서 $f'(x)\le 0$이어야 한다.

$\therefore f'(-2)\le 0,\ f'(1)\le 0$

$f'(-2)=24-4a-4a\le 0$에서 $a\ge 3$ $\cdots\cdots$ ㉠

$f'(1)=6+2a-4a\le 0$에서 $a\ge 3$ $\cdots\cdots$ ㉡

㉠, ㉡을 동시에 만족시키는 a의 값의 범위는 $a\ge 3$

따라서 a의 최솟값은 3이다.

084 답 ①

$g(x)=x^2f(x)$라 하면 $g'(x)=2xf(x)+x^2f'(x)$

이때 $f(1)=3,\ f'(1)=0$이므로

$g'(1)=2f(1)+f'(1)=2\times 3+0=6$

085 답 ⑤

$f(x)=x^3+ax^2+bx+1$에서 $f'(x)=3x^2+2ax+b$

함수 $f(x)$가 감소하는 구간이 $[-1,\ 1]$이므로 $-1,\ 1$은 이차방정식 $3x^2+2ax+b=0$의 두 근이다.

즉, 이차방정식의 근과 계수의 관계에 의하여

$-1+1=-\dfrac{2}{3}a,\ -1\times 1=\dfrac{b}{3}$ $\therefore a=0,\ b=-3$

즉, $f(x)=x^3-3x+1$이므로 $f'(x)=3x^2-3=3(x+1)(x-1)$

$f'(x)=0$인 x의 값은 $x=-1$ 또는 $x=1$

함수 $f(x)$의 증가, 감소를 표로 나타내면 다음과 같다.

x	$\cdots$	-1	$\cdots$	1	$\cdots$
$f'(x)$	$+$	0	$-$	0	$+$
$f(x)$	↗	3 극대	↘	-1 극소	↗

따라서 함수 $f(x)$의 극댓값은 $f(-1)=3$, 극솟값은 $f(1)=-1$ 이므로

$M=3,\ m=-1$ $\therefore M+m=3+(-1)=2$

086 답 $-\dfrac{19}{2}$

$f(x)=x^3-\dfrac{3}{2}x^2-6x+a$에서

$f'(x)=3x^2-3x-6=3(x+1)(x-2)$

$f'(x)=0$인 x의 값은 $x=-1$ 또는 $x=2$

함수 $f(x)$의 증가, 감소를 표로 나타내면 다음과 같다.

x	$\cdots$	-1	$\cdots$	2	$\cdots$
$f'(x)$	$+$	0	$-$	0	$+$
$f(x)$	↗	$a+\dfrac{7}{2}$ 극대	↘	$a-10$ 극소	↗

함수 $f(x)$가 $x=-1$에서 극댓값 4를 가지므로 $f(-1)=4$에서

$a+\dfrac{7}{2}=4$ $\therefore a=\dfrac{1}{2}$

따라서 함수 $f(x)$의 극솟값은 $f(2)=a-10=\dfrac{1}{2}-10=-\dfrac{19}{2}$

087 답 ②

$f(x)=x^3-6x^2+9x+a$에서

$f'(x)=3x^2-12x+9=3(x-1)(x-3)$

$f'(x)=0$인 x의 값은 $x=1$ 또는 $x=3$

함수 $f(x)$의 증가, 감소를 표로 나타내면 다음과 같다.

x	$\cdots$	1	$\cdots$	3	$\cdots$
$f'(x)$	$+$	0	$-$	0	$+$
$f(x)$	↗	$a+4$ 극대	↘	a 극소	↗

함수 $f(x)$의 극댓값은 $f(1)=a+4$, 극솟값은 $f(3)=a$이다.

이때 극댓값과 극솟값의 절댓값이 같고 그 부호가 서로 다르므로

$a+4=-a$ $\therefore a=-2$

088 답 ㄱ, ㄹ

주어진 그래프에서 $f'(x)$의 부호를 조사하여 함수 $f(x)$의 증가, 감소를 표로 나타내면 다음과 같다.

x	$\cdots$	-1	$\cdots$	2	$\cdots$	4	$\cdots$
$f'(x)$	$-$	0	$+$	0	$-$	0	$+$
$f(x)$	↘	극소	↗	극대	↘	극소	↗

ㄱ. 함수 $f(x)$는 구간 $[-2,\ -1]$에서 감소한다.

ㄴ. 함수 $f(x)$는 구간 $[3,\ 4]$에서 감소한다.

ㄷ. 함수 $f(x)$는 $x=2$에서 극대이다.

ㄹ. 함수 $f(x)$는 $x=4$에서 극소이다.

따라서 보기 중 옳은 것은 ㄱ, ㄹ이다.

089 답 ①

주어진 그래프에서 $f'(x)$의 부호를 조사하여 함수 $f(x)$의 증가, 감소를 표로 나타내면 다음과 같다.

x	$\cdots$	-3	$\cdots$	-1	$\cdots$
$f'(x)$	$+$	0	$-$	0	$+$
$f(x)$	↗	극대	↘	극소	↗

따라서 함수 $y=f(x)$의 그래프의 개형이 될 수 있는 것은 ①이다.

090 답 15

함수 $y=f(x)$의 그래프가 x좌표가 $\alpha\ (\alpha\ne 0)$인 점에서 x축에 접한다고 하면 이 그래프는 원점을 지나므로

$f(x)=x(x-\alpha)^2$ $\cdots\cdots$ ㉠

$\therefore f'(x)=(x-\alpha)^2+2x(x-\alpha)=(x-\alpha)(3x-\alpha)$

$f'(x)=0$인 x의 값은 $x=\alpha$ 또는 $x=\dfrac{\alpha}{3}$

이때 함수 $y=f(x)$의 극솟값이 -4이므로 함수 $y=f(x)$의 그래프의 개형은 오른쪽 그림과 같다.

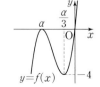

함수 $f(x)$는 $x=\dfrac{\alpha}{3}$일 때 극솟값 -4를 가지

므로 $f\left(\dfrac{\alpha}{3}\right)=-4$에서

$\dfrac{\alpha}{3}\left(\dfrac{\alpha}{3}-\alpha\right)^2=-4,\ \dfrac{4}{27}\alpha^3=-4$

$\alpha^3=-27$ $\therefore \alpha=-3\ (\because \alpha$는 실수$)$

이를 ㉠에 대입하면
$f(x)=x(x+3)^2=x^3+6x^2+9x$
따라서 $a=6$, $b=9$이므로 $a+b=6+9=15$

091 답 3

$f(x)=\dfrac{1}{4}x^4+\dfrac{a}{3}x^3+\dfrac{b}{2}x^2+cx+1$에서

$f'(x)=x^3+ax^2+bx+c$ ...... ㉠

㈏에서 $f'(1)=0$, $f'(\alpha)=0$, $f'(\beta)=0$
이므로 함수 $y=f'(x)$의 그래프의 개형
은 오른쪽 그림과 같다.

$\therefore \alpha<1<\beta$

이때 $f'(x)$의 최고차항의 계수는 1이므로

$f'(x)=(x-1)(x-\alpha)(x-\beta)$ ...... ㉡

㈎에서 $f'(-1)=6$이므로

$(-1-1)(-1-\alpha)(-1-\beta)=6$

$(1+\alpha)(1+\beta)=-3$, $1+\alpha+\beta+\alpha\beta=-3$

$\alpha+\beta=-4-\alpha\beta$ ...... ㉢

$(\alpha-\beta)^2=(\alpha+\beta)^2-4\alpha\beta$이고, ㈐에서 $\beta-\alpha=4$, 즉 $\alpha-\beta=-4$

이므로

$16=(-4-\alpha\beta)^2-4\alpha\beta$

$(\alpha\beta)^2+4\alpha\beta=0$, $\alpha\beta(\alpha\beta+4)=0$

$\therefore \alpha\beta=-4$ 또는 $\alpha\beta=0$

(i) $\alpha\beta=-4$일 때

㉢에 의하여 $\alpha+\beta=0$이고, $\beta-\alpha=4$이므로

$\alpha=-2$, $\beta=2$

(ii) $\alpha\beta=0$일 때

㉢에 의하여 $\alpha+\beta=-4$이고, $\beta-\alpha=4$이므로

$\alpha=-4$, $\beta=0$

이는 $\alpha<1<\beta$를 만족시키지 않는다.

(i), (ii)에서 $\alpha=-2$, $\beta=2$

이를 ㉡에 대입하면

$f'(x)=(x-1)(x+2)(x-2)=x^3-x^2-4x+4$

따라서 ㉠에서 $a=-1$, $b=-4$, $c=4$이므로

$a+b+2c=(-1)+(-4)+8=3$

092 답 ④

$f(x)=\dfrac{1}{3}x^3-ax^2+(2a+3)x+3$에서

$f'(x)=x^2-2ax+2a+3$

함수 $f(x)$가 극댓값과 극솟값을 모두 가지려면 이차방정식
$f'(x)=0$이 서로 다른 두 실근을 가져야 한다.

이차방정식 $f'(x)=0$의 판별식을 D라 하면

$\dfrac{D}{4}=a^2-(2a+3)>0$, $a^2-2a-3>0$

$(a+1)(a-3)>0$

$\therefore a<-1$ 또는 $a>3$

따라서 자연수 a의 최솟값은 4이다.

093 답 $-\dfrac{1}{5}<k<0$

$f(x)=\dfrac{1}{3}x^3-kx^2+3kx+7$에서

$f'(x)=x^2-2kx+3k$

함수 $f(x)$가 $-1<x<1$에서 극댓값과 극솟값을 모두 가지려면
이차방정식 $f'(x)=0$이 $-1<x<1$에서 서로 다른 두 실근을 가
져야 한다.

(i) 이차방정식 $f'(x)=0$의 판별식을 D라 하면

$\dfrac{D}{4}=k^2-3k>0$, $k(k-3)>0$

$\therefore k<0$ 또는 $k>3$ ...... ㉠

(ii) $f'(-1)>0$에서

$1+2k+3k>0$ $\therefore k>-\dfrac{1}{5}$ ...... ㉡

(iii) $f'(1)>0$에서

$1-2k+3k>0$ $\therefore k>-1$ ...... ㉢

(iv) $y=f'(x)$의 그래프의 축의 방정식은 $x=k$이므로

$-1<k<1$ ...... ㉣

㉠~㉣을 동시에 만족시키는 k의 값의 범위는

$-\dfrac{1}{5}<k<0$

094 답 $a=0$ 또는 $a\geq\dfrac{9}{4}$

$f(x)=x^4+4x^3+2ax^2+a$에서

$f'(x)=4x^3+12x^2+4ax=4x(x^2+3x+a)$

함수 $f(x)$가 극댓값을 갖지 않으려면 삼차방정식 $f'(x)=0$이 중
근 또는 허근을 가져야 하므로 이차방정식 $x^2+3x+a=0$의 한 근
이 0이거나 중근 또는 허근을 가져야 한다.

(i) 이차방정식 $x^2+3x+a=0$의 한 근이 0인 경우

$a=0$

(ii) 이차방정식 $x^2+3x+a=0$이 중근 또는 허근을 갖는 경우

이차방정식 $x^2+3x+a=0$의 판별식을 D라 하면

$D=9-4a\leq0$ $\therefore a\geq\dfrac{9}{4}$

(i), (ii)에서 $a=0$ 또는 $a\geq\dfrac{9}{4}$

095 답 ③

$f(x)=x^4-2x^2+3$에서

$f'(x)=4x^3-4x=4x(x+1)(x-1)$

$f'(x)=0$인 x의 값은 $x=-1$ 또는 $x=0$ 또는 $x=1$

구간 $[-1, 2]$에서 함수 $f(x)$의 증가, 감소를 표로 나타내면 다
음과 같다.

x	-1	$\cdots$	0	$\cdots$	1	$\cdots$	2
$f'(x)$	0	$+$	0	$-$	0	$+$	
$f(x)$	2	↗	3 극대	↘	2 극소	↗	11

따라서 함수 $f(x)$의 최댓값은 $f(2)=11$, 최솟값은
$f(-1)=f(1)=2$이므로 구하는 합은 $11+2=13$

096 답 -25

$f(x)=x^3+ax^2+bx+c$에서

$f'(x)=3x^2+2ax+b$

주어진 그래프에서 $f'(-1)=0$, $f'(3)=0$이므로

$3-2a+b=0$, $27+6a+b=0$

두 식을 연립하여 풀면 $a=-3$, $b=-9$

$\therefore f(x)=x^3-3x^2-9x+c$

주어진 그래프에서 $f'(x)$의 부호를 조사하여 구간 $[-2, 4]$에서 함수 $f(x)$의 증가, 감소를 표로 나타내면 다음과 같다.

x	-2	$\cdots$	-1	$\cdots$	3	$\cdots$	4
$f'(x)$		$+$	0	$-$	0	$+$	
$f(x)$	$c-2$	↗	$c+5$ 극대	↘	$c-27$ 극소	↗	$c-20$

함수 $f(x)$는 $x=-1$에서 극댓값 7을 가지므로 $f(-1)=7$에서

$c+5=7$ $\therefore c=2$

따라서 함수 $f(x)$의 최솟값은

$f(3)=c-27=2-27=-25$

097 답 12

$f(x)=ax^3-3ax^2+b$에서

$f'(x)=3ax^2-6ax=3ax(x-2)$

$f'(x)=0$인 x의 값은 $x=0$ 또는 $x=2$

$a>0$이므로 구간 $[0, 4]$에서 함수 $f(x)$의 증가, 감소를 표로 나타내면 다음과 같다.

x	0	$\cdots$	2	$\cdots$	4
$f'(x)$	0	$-$	0	$+$	
$f(x)$	b	↘	$-4a+b$ 극소	↗	$16a+b$

따라서 함수 $f(x)$의 최댓값은 $f(4)=16a+b$, 최솟값은

$f(2)=-4a+b$이므로

$16a+b=5$, $-4a+b=-15$

두 식을 연립하여 풀면 $a=1$, $b=-11$

$\therefore a-b=1-(-11)=12$

098 답 256

곡선 $y=-x^2+8x+20$과 x축의 교점의 x좌표는

$-x^2+8x+20=0$에서 $-(x+2)(x-10)=0$

$\therefore x=-2$ 또는 $x=10$

$\therefore A(-2, 0)$, $B(10, 0)$

점 C의 좌표를 $(a, -a^2+8a+20)(4<a<10)$이라 하고, 점 C에서 x축에 내린 수선의 발을 H라 하면 $H(a, 0)$이므로

$\overline{AB}=12$, $\overline{CD}=2(a-4)=2a-8$, $\overline{CH}=-a^2+8a+20$

사다리꼴 ABCD의 넓이를 $S(a)$라 하면

$S(a)=\dfrac{1}{2}(2a-8+12)(-a^2+8a+20)$

$\quad=-a^3+6a^2+36a+40$

$\therefore S'(a)=-3a^2+12a+36=-3(a+2)(a-6)$

$S'(a)=0$인 a의 값은 $a=6$ ($\because 4<a<10$)

$4<a<10$에서 함수 $S(a)$의 증가, 감소를 표로 나타내면 다음과 같다.

a	4	$\cdots$	6	$\cdots$	10
$S'(a)$		$+$	0	$-$	
$S(a)$		↗	256 극대	↘	

따라서 사다리꼴 ABCD의 넓이 $S(a)$의 최댓값은 $S(6)=256$

099 답 ③

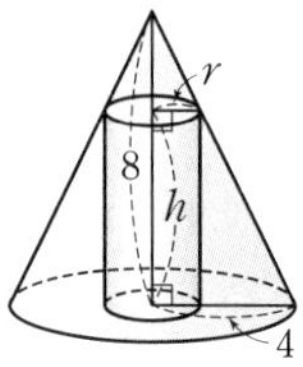

오른쪽 그림과 같이 원뿔에 내접하는 원기둥의 밑면의 반지름의 길이를 r, 높이를 h라 하면

$8:4=(8-h):r$ $\therefore h=8-2r$

이때 $r>0$, $8-2r>0$이므로

$0<r<4$

원뿔에 내접하는 원기둥의 부피를 $V(r)$라 하면

$V(r)=\pi r^2 h=\pi r^2(8-2r)=\pi(8r^2-2r^3)$

$\therefore V'(r)=\pi(16r-6r^2)=-2\pi r(3r-8)$

$V'(r)=0$인 r의 값은 $r=\dfrac{8}{3}$ ($\because 0<r<4$)

$0<r<4$에서 함수 $V(r)$의 증가, 감소를 표로 나타내면 다음과 같다.

r	0	$\cdots$	$\dfrac{8}{3}$	$\cdots$	4
$V'(r)$		$+$	0	$-$	
$V(r)$		↗	극대	↘	

따라서 함수 $V(r)$는 $r=\dfrac{8}{3}$일 때 최대이므로 부피가 최대인 원기둥의 밑면의 반지름의 길이는 $\dfrac{8}{3}$이다.

100 답 1450원

$1\,L$당 가격을 $10x$원 올렸을 경우 휘발유 $1\,L$의 가격은 $(1350+10x)$원이고, 이때 하루 판매량은 $(3000-x^2)\,L$이다.

이때 $x>0$, $3000-x^2>0$이므로 $0<x<10\sqrt{30}$

가격을 $10x$원 올렸을 경우 하루 판매 금액을 $f(x)$원이라 하면

$f(x)=(1350+10x)(3000-x^2)$

$\therefore f'(x)=10(3000-x^2)+(1350+10x)\times(-2x)$

$\quad=-30x^2-2700x+30000$

$\quad=-30(x+100)(x-10)$

$f'(x)=0$인 x의 값은 $x=10$ ($\because 0<x<10\sqrt{30}$)

$0<x<10\sqrt{30}$에서 함수 $f(x)$의 증가, 감소를 표로 나타내면 다음과 같다.

x	0	$\cdots$	10	$\cdots$	$10\sqrt{30}$
$f'(x)$		$+$	0	$-$	
$f(x)$		↗	극대	↘	

따라서 함수 $f(x)$는 $x=10$일 때 최대이므로 하루 판매 금액이 최대가 되려면 휘발유 가격을 $1350+10\times10=1450$(원)으로 정해야 한다.

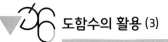

001 답 ③

$3x^4-4x^3-12x^2-k=0$에서 $3x^4-4x^3-12x^2=k$

$f(x)=3x^4-4x^3-12x^2$이라 하면

$f'(x)=12x^3-12x^2-24x=12x(x+1)(x-2)$

$f'(x)=0$인 x의 값은 $x=-1$ 또는 $x=0$ 또는 $x=2$

함수 $f(x)$의 증가, 감소를 표로 나타내면 다음과 같다.

x	$\cdots$	-1	$\cdots$	0	$\cdots$	2	$\cdots$
$f'(x)$	$-$	0	$+$	0	$-$	0	$+$
$f(x)$	$\searrow$	-5 극소	$\nearrow$	0 극대	$\searrow$	-32 극소	$\nearrow$

함수 $y=f(x)$의 그래프는 오른쪽 그림과 같고, 주어진 방정식이 서로 다른 세 실근을 가지려면 곡선 $y=f(x)$와 직선 $y=k$가 서로 다른 세 점에서 만나야 하므로

$k=-5$ 또는 $k=0$

따라서 모든 실수 k의 값의 합은

$-5+0=-5$

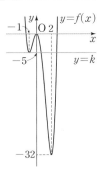

002 답 26

$x^3-3x^2-9x+k=0$에서 $x^3-3x^2-9x=-k$

$f(x)=x^3-3x^2-9x$라 하면

$f'(x)=3x^2-6x-9=3(x+1)(x-3)$

$f'(x)=0$인 x의 값은 $x=-1$ 또는 $x=3$

함수 $f(x)$의 증가, 감소를 표로 나타내면 다음과 같다.

x	$\cdots$	-1	$\cdots$	3	$\cdots$
$f'(x)$	$+$	0	$-$	0	$+$
$f(x)$	$\nearrow$	5 극대	$\searrow$	-27 극소	$\nearrow$

함수 $y=f(x)$의 그래프는 오른쪽 그림과 같으므로 곡선 $y=f(x)$와 직선 $y=-k$의 교점의 x좌표가 한 개는 음수이고 다른 두 개는 양수이려면

$-27<-k<0$ ∴ $0<k<27$

따라서 정수 k는 1, 2, 3, $\cdots$, 26의 26개이다.

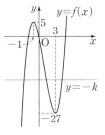

003 답 ②

$f(x)=x^3+6x^2+9x+k$라 하면

$f'(x)=3x^2+12x+9=3(x+3)(x+1)$

$f'(x)=0$인 x의 값은 $x=-3$ 또는 $x=-1$

삼차방정식 $f(x)=0$이 서로 다른 세 실근을 가지려면

$f(-3)f(-1)<0$이어야 하므로

$k(k-4)<0$ ∴ $0<k<4$

004 답 20

주어진 곡선과 직선이 서로 다른 두 점에서 만나려면 방정식

$2x^3+3x^2-10x=2x+k$, 즉 $2x^3+3x^2-12x-k=0$이 서로 다른 두 실근을 가져야 한다.

$f(x)=2x^3+3x^2-12x-k$라 하면

$f'(x)=6x^2+6x-12=6(x+2)(x-1)$

$f'(x)=0$인 x의 값은 $x=-2$ 또는 $x=1$

삼차방정식 $f(x)=0$이 서로 다른 두 실근을 가지려면

$f(-2)f(1)=0$이어야 하므로

$(20-k)(-7-k)=0$

∴ $k=20$ ($\because k>0$)

005 답 $-\dfrac{1}{27}<a<0$

$y=x^3+x^2$에서 $y'=3x^2+2x$

점 $(0, a)$에서 곡선 $y=x^3+x^2$에 그은 접선의 접점의 좌표를 (t, t^3+t^2)이라 하면 접선의 방정식은

$y-(t^3+t^2)=(3t^2+2t)(x-t)$

이 직선이 점 $(0, a)$를 지나므로

$a-(t^3+t^2)=(3t^2+2t)(-t)$

∴ $2t^3+t^2+a=0$ $\cdots\cdots$ ㉠

점 $(0, a)$에서 주어진 곡선에 서로 다른 세 개의 접선을 그을 수 있으려면 t에 대한 삼차방정식 ㉠이 서로 다른 세 실근을 가져야 한다.

$f(t)=2t^3+t^2+a$라 하면

$f'(t)=6t^2+2t=2t(3t+1)$

$f'(t)=0$인 t의 값은 $t=-\dfrac{1}{3}$ 또는 $t=0$

삼차방정식 $f(t)=0$이 서로 다른 세 실근을 가지려면

$f\left(-\dfrac{1}{3}\right)f(0)<0$이어야 하므로

$a\left(a+\dfrac{1}{27}\right)<0$

∴ $-\dfrac{1}{27}<a<0$

006 답 ⑤

$f(x)=x^4+3x^2-10x+k$라 하면

$f'(x)=4x^3+6x-10=2(x-1)(2x^2+2x+5)$

$f'(x)=0$인 x의 값은 $x=1$ ($\because$ x는 실수)

함수 $f(x)$의 증가, 감소를 표로 나타내면 다음과 같다.

x	$\cdots$	1	$\cdots$
$f'(x)$	$-$	0	$+$
$f(x)$	$\searrow$	$k-6$ 극소	$\nearrow$

함수 $f(x)$의 최솟값은 $f(1)=k-6$이므로 모든 실수 x에 대하여 $f(x)>0$이 성립하려면

$k-6>0$ ∴ $k>6$

따라서 정수 k의 최솟값은 7이다.

007 답 ②

$x^3-3x^2-9x+30>k$에서

$x^3-3x^2-9x+30-k>0$

$f(x)=x^3-3x^2-9x+30-k$라 하면

$f'(x)=3x^2-6x-9=3(x+1)(x-3)$

$f'(x)=0$인 x의 값은 $x=3$ $(\because x\geq0)$

$x\geq0$에서 함수 $f(x)$의 증가, 감소를 표로 나타내면 다음과 같다.

x	0	$\cdots$	3	$\cdots$
$f'(x)$		$-$	0	$+$
$f(x)$	$30-k$	$\searrow$	$3-k$ 극소	$\nearrow$

$x\geq0$에서 함수 $f(x)$의 최솟값은 $f(3)=3-k$이므로 $f(x)>0$이 성립하려면

$3-k>0$ $\therefore k<3$

따라서 정수 k의 최댓값은 2이다.

008 답 11

$f(x)=2x^3+9x^2-k$라 하면

$f'(x)=6x^2+18x=6x(x+3)$

$1<x<3$일 때 $f'(x)>0$이므로 함수 $f(x)$는 구간 $(1, 3)$에서 증가한다.

즉, $1<x<3$일 때 $f(x)>0$이 성립하려면 $f(1)\geq0$이어야 하므로

$11-k\geq0$ $\therefore k\leq11$

따라서 자연수 k는 1, 2, 3, $\cdots$, 11의 11개이다.

009 답 $\dfrac{19}{2}$

$\dfrac{3}{2}x^4+4x^3-3x^2-12x+k=0$에서

$\dfrac{3}{2}x^4+4x^3-3x^2-12x=-k$

$f(x)=\dfrac{3}{2}x^4+4x^3-3x^2-12x$라 하면

$f'(x)=6x^3+12x^2-6x-12=6(x+2)(x+1)(x-1)$

$f'(x)=0$인 x의 값은 $x=-2$ 또는 $x=-1$ 또는 $x=1$

함수 $f(x)$의 증가, 감소를 표로 나타내면 다음과 같다.

x	$\cdots$	-2	$\cdots$	-1	$\cdots$	1	$\cdots$
$f'(x)$	$-$	0	$+$	0	$-$	0	$+$
$f(x)$	$\searrow$	4 극소	$\nearrow$	$\dfrac{13}{2}$ 극대	$\searrow$	$-\dfrac{19}{2}$ 극소	$\nearrow$

함수 $y=f(x)$의 그래프는 오른쪽 그림과 같고, 주어진 방정식이 오직 한 실근만을 가지려면 곡선 $y=f(x)$와 직선 $y=-k$가 한 점에서 만나야 하므로

$-k=-\dfrac{19}{2}$ $\therefore k=\dfrac{19}{2}$

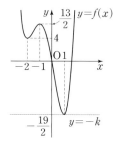

010 답 ③

$f(x)=x^4-2x^2-3$이라 하면

$f'(x)=4x^3-4x=4x(x+1)(x-1)$

$f'(x)=0$인 x의 값은 $x=-1$ 또는 $x=0$ 또는 $x=1$

함수 $f(x)$의 증가, 감소를 표로 나타내면 다음과 같다.

x	$\cdots$	-1	$\cdots$	0	$\cdots$	1	$\cdots$
$f'(x)$	$-$	0	$+$	0	$-$	0	$+$
$f(x)$	$\searrow$	-4 극소	$\nearrow$	-3 극대	$\searrow$	-4 극소	$\nearrow$

함수 $y=f(x)$의 그래프는 오른쪽 그림과 같고, x축과 서로 다른 두 점에서 만나므로 주어진 방정식의 서로 다른 실근의 개수는 2이다.

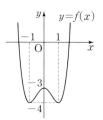

011 답 -4

$2f(x)-k=0$에서 $f(x)=\dfrac{k}{2}$

주어진 그래프에서 $f'(x)$의 부호를 조사하여 함수 $f(x)$의 증가, 감소를 표로 나타내면 다음과 같다.

x	$\cdots$	-1	$\cdots$	2	$\cdots$
$f'(x)$	$+$	0	$-$	0	$+$
$f(x)$	$\nearrow$	2 극대	$\searrow$	-4 극소	$\nearrow$

함수 $y=f(x)$의 그래프는 오른쪽 그림과 같고, 주어진 방정식이 서로 다른 두 실근을 가지려면 곡선 $y=f(x)$와 직선 $y=\dfrac{k}{2}$가 서로 다른 두 점에서 만나야 하므로

$\dfrac{k}{2}=2$ 또는 $\dfrac{k}{2}=-4$

$\therefore k=4$ 또는 $k=-8$

따라서 모든 실수 k의 값의 합은 $4+(-8)=-4$

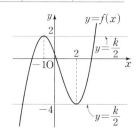

012 답 4

$x^3-6x^2+9x-k=0$에서

$x^3-6x^2+9x=k$

$g(x)=x^3-6x^2+9x$라 하면

$g'(x)=3x^2-12x+9=3(x-1)(x-3)$

$g'(x)=0$인 x의 값은 $x=1$ 또는 $x=3$

함수 $g(x)$의 증가, 감소를 표로 나타내면 다음과 같다.

x	$\cdots$	1	$\cdots$	3	$\cdots$
$g'(x)$	$+$	0	$-$	0	$+$
$g(x)$	$\nearrow$	4 극대	$\searrow$	0 극소	$\nearrow$

함수 $y=g(x)$의 그래프는 오른쪽 그림
과 같으므로 곡선 $y=g(x)$와 직선 $y=k$
의 교점은 $k<0$ 또는 $k>4$일 때 1개,
$k=0$ 또는 $k=4$일 때 2개, $0<k<4$일
때 3개이다.

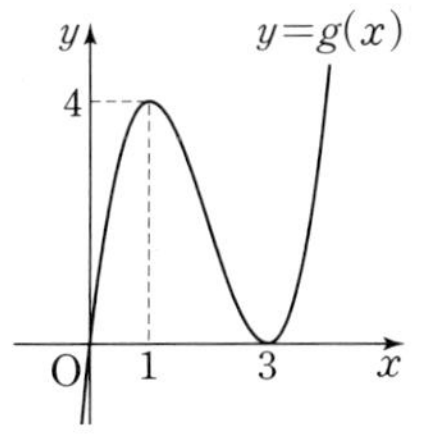

즉, 함수 $y=f(k)$의 그래프는 오른쪽 그
림과 같으므로 함수 $f(k)$는 $k=0$, $k=4$
에서 불연속이다.

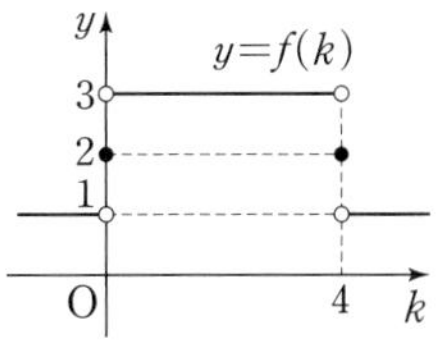

$\therefore a=0$ 또는 $a=4$

따라서 모든 실수 a의 값의 합은

$0+4=4$

013 답 $5<k<7$

$f(x)=3x^3-9x^2+5$에서

$f'(x)=9x^2-18x=9x(x-2)$

$f'(x)=0$인 x의 값은 $x=0$ 또는 $x=2$

x	$\cdots$	0	$\cdots$	2	$\cdots$
$f'(x)$	$+$	0	$-$	0	$+$
$f(x)$	↗	5 극대	↘	-7 극소	↗

함수 $y=|f(x)|$의 그래프는 오른쪽 그
림과 같고, 주어진 방정식이 서로 다른
네 실근을 가지려면 곡선 $y=|f(x)|$와
직선 $y=k$가 서로 다른 네 점에서 만나
야 하므로

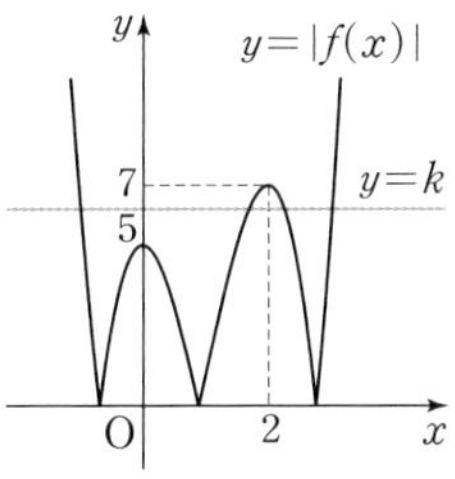

$5<k<7$

014 답 -1

(가)에서 함수 $f(x)$가 극댓값을 가지므로 반드시 극솟값도 갖는다.

(나)에서 함수 $y=|f(x)|$의 그래프와 직
선 $y=1$이 서로 다른 5개의 점에서 만나
려면 오른쪽 그림과 같아야 하므로 함수
$f(x)$의 극솟값이 -1이어야 한다.

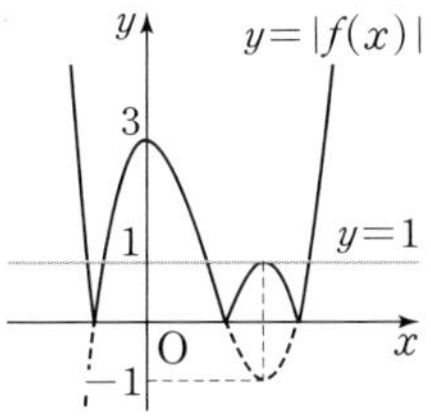

$f(x)=x^3+ax^2+bx+c$ (a, b, c는 상수)

라 하면 $f'(x)=3x^2+2ax+b$

(가)에서 $f(0)=3$, $f'(0)=0$이므로 $c=3$, $b=0$

$f(x)=x^3+ax^2+3$이므로

$f'(x)=3x^2+2ax=x(3x+2a)$

$f'(x)=0$인 x의 값은 $x=0$ 또는 $x=-\dfrac{2}{3}a$

함수 $f(x)$는 $x=-\dfrac{2}{3}a$에서 극솟값 -1을 가지므로

$f\left(-\dfrac{2}{3}a\right)=-1$에서 $-\dfrac{8}{27}a^3+\dfrac{4}{9}a^3+3=-1$

$\dfrac{4}{27}a^3=-4$, $a^3=-27$ $\therefore a=-3$ ($\because a$는 실수)

따라서 $f(x)=x^3-3x^2+3$이므로

$f(-1)=-1-3+3=-1$

015 답 -2

모든 실수 x에 대하여
$f(-x)=-f(x)$를 만족시키는 함수
$y=f(x)$의 그래프는 원점에 대하여
대칭이고, 최고차항의 계수가 -1이
므로 그래프의 개형은 오른쪽 그림과
같다.

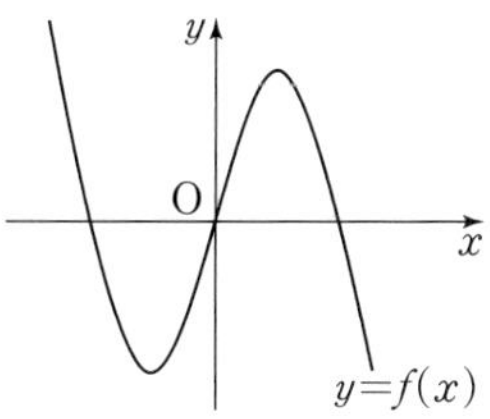

즉, 함수 $y=f(x)$의 그래프에서 극값을 가지는 두 점도 원점에 대
하여 대칭이다.

이때 방정식 $|f(x)|=2$가 서로 다른
네 실근을 가지려면 함수 $y=|f(x)|$
의 그래프와 직선 $y=2$가 서로 다른
4개의 점에서 만나야 하므로 오른쪽
그림과 같이 함수 $f(x)$의 극댓값이
2, 극솟값이 -2이어야 한다.

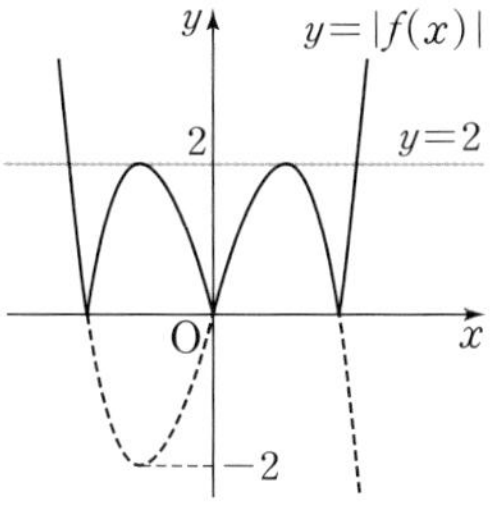

함수 $y=f(x)$의 그래프와 x축의 교
점 중 원점이 아닌 점의 x좌표를 각각 $-k$, $k(k>0)$라 하면

$f(x)=-x(x+k)(x-k)=-x^3+k^2x$

$f'(x)=-3x^2+k^2=-3\left(x^2-\dfrac{k^2}{3}\right)$

$\qquad=-3\left(x+\dfrac{k}{\sqrt{3}}\right)\left(x-\dfrac{k}{\sqrt{3}}\right)$

$f'(x)=0$인 x의 값은 $x=-\dfrac{k}{\sqrt{3}}$ 또는 $k=\dfrac{k}{\sqrt{3}}$

함수 $f(x)$는 $x=-\dfrac{k}{\sqrt{3}}$에서 극솟값 -2를 갖고, $x=\dfrac{k}{\sqrt{3}}$에서 극
댓값 2를 갖는다.

즉, $f\left(\dfrac{k}{\sqrt{3}}\right)=2$이므로 $-\left(\dfrac{k}{\sqrt{3}}\right)^3+k^2\times\dfrac{k}{\sqrt{3}}=2$

$k^3=3\sqrt{3}$ $\therefore k=\sqrt{3}$ ($\because k$는 실수)

따라서 $f(x)=-x^3+3x$이므로

$f(2)=-8+6=-2$

016 답 6

$2x^3-3x^2-12x-k=0$에서

$2x^3-3x^2-12x=k$

$f(x)=2x^3-3x^2-12x$라 하면

$f'(x)=6x^2-6x-12=6(x+1)(x-2)$

$f'(x)=0$인 x의 값은 $x=-1$ 또는 $x=2$

함수 $f(x)$의 증가, 감소를 표로 나타내면 다음과 같다.

x	$\cdots$	-1	$\cdots$	2	$\cdots$
$f'(x)$	$+$	0	$-$	0	$+$
$f(x)$	↗	7 극대	↘	-20 극소	↗

함수 $y=f(x)$의 그래프는 오른쪽 그림과
같으므로 곡선 $y=f(x)$와 직선 $y=k$의 교
점의 x좌표가 한 개는 양수이고 다른 두
개는 음수이려면

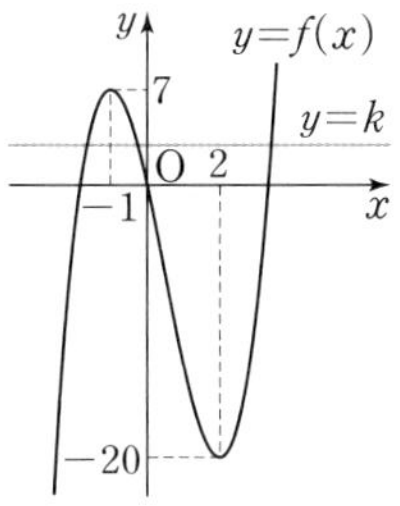

$0<k<7$

따라서 정수 k는 1, 2, 3, $\cdots$, 6의 6개이다.

017 답 -4

$x^3-3x+a=0$에서 $x^3-3x=-a$

$f(x)=x^3-3x$라 하면 $f'(x)=3x^2-3=3(x+1)(x-1)$

$f'(x)=0$인 x의 값은 $x=-1$ 또는 $x=1$

함수 $f(x)$의 증가, 감소를 표로 나타내면 다음과 같다.

x	$\cdots$	-1	$\cdots$	1	$\cdots$
$f'(x)$	$+$	0	$-$	0	$+$
$f(x)$	↗	2 극대	↘	-2 극소	↗

함수 $y=f(x)$의 그래프는 오른쪽 그림과 같으므로 곡선 $y=f(x)$와 직선 $y=-a$의 교점의 x좌표가 한 개는 음수이고 한 개는 양수이려면 $-a=2$ 또는 $-a=-2$

따라서 $a=-2$ 또는 $a=2$이므로 모든 실수 a의 값의 곱은 $-2\times2=-4$

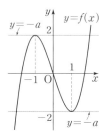

018 답 $0<k<9$

$4x^3-12x=x^4-2x^2+k$에서 $-x^4+4x^3+2x^2-12x=k$

$f(x)=-x^4+4x^3+2x^2-12x$라 하면

$f'(x)=-4x^3+12x^2+4x-12=-4(x+1)(x-1)(x-3)$

$f'(x)=0$인 x의 값은 $x=-1$ 또는 $x=1$ 또는 $x=3$

함수 $f(x)$의 증가, 감소를 표로 나타내면 다음과 같다.

x	$\cdots$	-1	$\cdots$	1	$\cdots$	3	$\cdots$
$f'(x)$	$+$	0	$-$	0	$+$	0	$-$
$f(x)$	↗	9 극대	↘	-7 극소	↗	9 극대	↘

함수 $y=f(x)$의 그래프는 오른쪽 그림과 같으므로 곡선 $y=f(x)$와 직선 $y=k$의 교점의 x좌표가 두 개는 음수이고 다른 두 개는 양수이려면 $0<k<9$

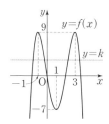

019 답 ②

$x^3-3x^2+3-k=0$에서 $x^3-3x^2+3=k$

$f(x)=x^3-3x^2+3$이라 하면 $f'(x)=3x^2-6x=3x(x-2)$

$f'(x)=0$인 x의 값은 $x=0$ 또는 $x=2$

함수 $f(x)$의 증가, 감소를 표로 나타내면 다음과 같다.

x	$\cdots$	0	$\cdots$	2	$\cdots$
$f'(x)$	$+$	0	$-$	0	$+$
$f(x)$	↗	3 극대	↘	-1 극소	↗

$f(1)=1-3+3=1$이고, 함수 $y=f(x)$의 그래프는 오른쪽 그림과 같으므로 곡선 $y=f(x)$와 직선 $y=k$의 교점의 x좌표가 두 개는 1보다 크고 한 개는 1보다 작으려면 $-1<k<1$

따라서 $\alpha=-1$, $\beta=1$이므로 $\alpha\beta=-1$

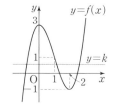

020 답 $-5<k<27$

$f(x)=x^3+3x^2-9x-k$라 하면

$f'(x)=3x^2+6x-9=3(x+3)(x-1)$

$f'(x)=0$인 x의 값은 $x=-3$ 또는 $x=1$

삼차방정식 $f(x)=0$이 서로 다른 세 실근을 가지려면

$f(-3)f(1)<0$이어야 하므로

$(27-k)(-5-k)<0$

$\therefore -5<k<27$

021 답 -7

$f(x)=2x^3-15x^2+24x+6+k$라 하면

$f'(x)=6x^2-30x+24=6(x-1)(x-4)$

$f'(x)=0$인 x의 값은 $x=1$ 또는 $x=4$

삼차방정식 $f(x)=0$이 서로 다른 두 실근을 가지려면

$f(1)f(4)=0$이어야 하므로

$(k+17)(k-10)=0$ $\therefore k=-17$ 또는 $k=10$

따라서 모든 실수 k의 값의 합은

$-17+10=-7$

022 답 $0<a<\dfrac{1}{4}$

$f(x)=x^3-3ax+a$에서 $f'(x)=3x^2-3a$

함수 $f(x)$가 극값을 가지려면 이차방정식 $f'(x)=0$이 서로 다른 두 실근을 가져야 하므로 $f'(x)=0$의 판별식을 D라 하면

$D=36a>0$ $\therefore a>0$ $\qquad\qquad$ …… ㉠

$f'(x)=3x^2-3a=3(x+\sqrt{a})(x-\sqrt{a})$

$f'(x)=0$인 x의 값은 $x=-\sqrt{a}$ 또는 $x=\sqrt{a}$

삼차방정식 $f(x)=0$이 오직 한 실근만을 가지려면

$f(-\sqrt{a})f(\sqrt{a})>0$이어야 하므로

$(2a\sqrt{a}+a)(-2a\sqrt{a}+a)>0$

$a^2-4a^3>0$, $a^2(1-4a)>0$

$a^2\neq0$이고 $1-4a>0$ $\therefore a<0$ 또는 $0<a<\dfrac{1}{4}$ …… ㉡

㉠, ㉡을 동시에 만족시키는 a의 값의 범위는

$0<a<\dfrac{1}{4}$

023 답 1

주어진 곡선과 직선이 서로 다른 두 점에서 만나려면 방정식

$-x^3+x^2=-x+k$, 즉 $x^3-x^2-x+k=0$이 서로 다른 두 실근을 가져야 한다.

$f(x)=x^3-x^2-x+k$라 하면

$f'(x)=3x^2-2x-1=(3x+1)(x-1)$

$f'(x)=0$인 x의 값은 $x=-\dfrac{1}{3}$ 또는 $x=1$

삼차방정식 $f(x)=0$이 서로 다른 두 실근을 가지려면

$f\left(-\dfrac{1}{3}\right)f(1)=0$이어야 하므로

$\left(k+\dfrac{5}{27}\right)(k-1)=0$ $\therefore k=1\ (\because k>0)$

024 답 ③

두 곡선 $y=f(x)$, $y=g(x)$가 오직 한 점에서 만나려면 방정식 $f(x)=g(x)$, 즉 $h(x)=0$이 한 실근만을 가져야 한다.

주어진 그래프에서 $h'(x)$의 부호를 조사하여 함수 $h(x)$의 증가, 감소를 표로 나타내면 다음과 같다.

x	$\cdots$	α	$\cdots$	β	$\cdots$
$h'(x)$	$-$	0	$+$	0	$-$
$h(x)$	$\searrow$	극소	$\nearrow$	극대	$\searrow$

삼차방정식 $h(x)=0$이 한 실근만을 가지려면
$h(\alpha)h(\beta)>0$

025 답 ④

두 곡선 $y=-x^4+2x-k$, $y=x^2+8x+k$가 오직 한 점에서 만나려면 방정식 $-x^4+2x-k=x^2+8x+k$, 즉 $x^4+x^2+6x=-2k$가 오직 하나의 실근을 가져야 한다.

$f(x)=x^4+x^2+6x$라 하면
$f'(x)=4x^3+2x+6=2(x+1)(2x^2-2x+3)$
$f'(x)=0$인 x의 값은 $x=-1$ ($\because 2x^2-2x+3>0$)

함수 $f(x)$의 증가, 감소를 표로 나타내면 다음과 같다.

x	$\cdots$	-1	$\cdots$
$f'(x)$	$-$	0	$+$
$f(x)$	$\searrow$	-4 극소	$\nearrow$

함수 $y=f(x)$의 그래프는 오른쪽 그림과 같고, 곡선 $y=f(x)$와 직선 $y=-2k$가 오직 한 점에서 만나려면
$-2k=-4$ $\therefore k=2$

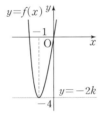

026 답 $3 \le k < 10$

두 점 $A(-5, 0)$, $B(2, 7)$을 지나는 직선의 방정식은
$y=x+5$

곡선 $y=x^3+3x^2-8x+k$가 선분 AB와 서로 다른 세 점에서 만나려면 방정식 $x^3+3x^2-8x+k=x+5$, 즉 $x^3+3x^2-9x-5=-k$가 $-5 \le x \le 2$에서 서로 다른 세 실근을 가져야 한다.

$f(x)=x^3+3x^2-9x-5$라 하면
$f'(x)=3x^2+6x-9=3(x+3)(x-1)$
$f'(x)=0$인 x의 값은 $x=-3$ 또는 $x=1$

$-5 \le x \le 2$에서 함수 $f(x)$의 증가, 감소를 표로 나타내면 다음과 같다.

x	-5	$\cdots$	-3	$\cdots$	1	$\cdots$	2
$f'(x)$		$+$	0	$-$	0	$+$	
$f(x)$	-10	$\nearrow$	22 극대	$\searrow$	-10 극소	$\nearrow$	-3

따라서 $-5 \le x \le 2$에서 함수 $y=f(x)$의 그래프는 오른쪽 그림과 같으므로 곡선 $y=f(x)$와 직선 $y=-k$가 서로 다른 세 점에서 만나려면
$-10<-k \le -3$
$\therefore 3 \le k < 10$

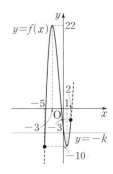

027 답 5

$y=x^3+2$에서 $y'=3x^2$

점 $(1, a)$에서 곡선 $y=x^3+2$에 그은 접선의 접점의 좌표를 (t, t^3+2)라 하면 접선의 방정식은
$y-(t^3+2)=3t^2(x-t)$
이 직선이 점 $(1, a)$를 지나므로
$a-(t^3+2)=3t^2(1-t)$
$\therefore 2t^3-3t^2+a-2=0$ $\cdots\cdots$ ㉠

점 $(1, a)$에서 주어진 곡선에 서로 다른 두 개의 접선을 그을 수 있으려면 t에 대한 삼차방정식 ㉠이 서로 다른 두 실근을 가져야 한다.

$f(t)=2t^3-3t^2+a-2$라 하면
$f'(t)=6t^2-6t=6t(t-1)$
$f'(t)=0$인 t의 값은 $t=0$ 또는 $t=1$

삼차방정식 $f(t)=0$이 서로 다른 두 실근을 가지려면
$f(0)f(1)=0$이어야 하므로
$(a-2)(a-3)=0$ $\therefore a=2$ 또는 $a=3$

따라서 모든 실수 a의 값의 합은
$2+3=5$

028 답 $a<-4$ 또는 $a>0$

$y=x^3+ax+1$에서 $y'=3x^2+a$

점 $(2, 1)$에서 곡선 $y=x^3+ax+1$에 그은 접선의 접점의 좌표를 (t, t^3+at+1)이라 하면 접선의 방정식은
$y-(t^3+at+1)=(3t^2+a)(x-t)$
이 직선이 점 $(2, 1)$을 지나므로
$1-(t^3+at+1)=(3t^2+a)(2-t)$
$\therefore t^3-3t^2-a=0$ $\cdots\cdots$ ㉠

점 $(2, 1)$에서 주어진 곡선에 오직 하나의 접선을 그을 수 있으려면 t에 대한 삼차방정식 ㉠이 한 실근만을 가져야 한다.

$f(t)=t^3-3t^2-a$라 하면
$f'(t)=3t^2-6t=3t(t-2)$
$f'(t)=0$인 t의 값은 $t=0$ 또는 $t=2$

삼차방정식 $f(t)=0$이 한 실근만을 가지려면 $f(0)f(2)>0$이어야 하므로
$-a(-a-4)>0$
$a(a+4)>0$ $\therefore a<-4$ 또는 $a>0$

029 답 ③

$f(x)=x^4-6x^2-8x+10+a$라 하면
$f'(x)=4x^3-12x-8=4(x+1)^2(x-2)$
$f'(x)=0$인 x의 값은 $x=-1$ 또는 $x=2$
함수 $f(x)$의 증가, 감소를 표로 나타내면 다음과 같다.

x	$\cdots$	-1	$\cdots$	2	$\cdots$
$f'(x)$	$-$	0	$-$	0	$+$
$f(x)$	$\searrow$	$a+13$	$\searrow$	$a-14$ 극소	$\nearrow$

함수 $f(x)$의 최솟값은 $f(2)=a-14$이므로 모든 실수 x에 대하여 $f(x)>0$이 성립하려면
$a-14>0$ $\quad\therefore a>14$
따라서 정수 a의 최솟값은 15이다.

030 답 -32

$3x^4+4x^3-12x^2\geq a$에서 $3x^4+4x^3-12x^2-a\geq 0$
$f(x)=3x^4+4x^3-12x^2-a$라 하면
$f'(x)=12x^3+12x^2-24x$
$\qquad=12x(x+2)(x-1)$
$f'(x)=0$인 x의 값은 $x=-2$ 또는 $x=0$ 또는 $x=1$
함수 $f(x)$의 증가, 감소를 표로 나타내면 다음과 같다.

x	$\cdots$	-2	$\cdots$	0	$\cdots$	1	$\cdots$
$f'(x)$	$-$	0	$+$	0	$-$	0	$+$
$f(x)$	$\searrow$	$-a-32$ 극소	$\nearrow$	$-a$ 극대	$\searrow$	$-a-5$ 극소	$\nearrow$

함수 $f(x)$의 최솟값은 $f(-2)=-a-32$이므로 구간 $(-\infty, \infty)$, 즉 모든 실수 x에 대하여 $f(x)\geq 0$이 성립하려면
$-a-32\geq 0$ $\quad\therefore a\leq -32$
따라서 a의 최댓값은 -32이다.

031 답 $k\leq -3$

$f(x)\leq g(x)$에서 $f(x)-g(x)\leq 0$
$h(x)=f(x)-g(x)$라 하면
$h(x)=(-3x^4+16x^3-14x^2-24)-(4x^2-k)$
$\qquad=-3x^4+16x^3-18x^2-24+k$
$\therefore h'(x)=-12x^3+48x^2-36x$
$\qquad\qquad=-12x(x-1)(x-3)$
$h'(x)=0$인 x의 값은 $x=0$ 또는 $x=1$ 또는 $x=3$
함수 $h(x)$의 증가, 감소를 표로 나타내면 다음과 같다.

x	$\cdots$	0	$\cdots$	1	$\cdots$	3	$\cdots$
$h'(x)$	$+$	0	$-$	0	$+$	0	$-$
$h(x)$	$\nearrow$	$k-24$ 극대	$\searrow$	$k-29$ 극소	$\nearrow$	$k+3$ 극대	$\searrow$

함수 $h(x)$의 최댓값은 $h(3)=k+3$이므로 모든 실수 x에 대하여 $h(x)=f(x)-g(x)\leq 0$이 성립하려면
$k+3\leq 0$ $\quad\therefore k\leq -3$

032 답 -6

함수 $y=f(x)$의 그래프가 함수 $y=g(x)$의 그래프보다 항상 위쪽에 있으려면 모든 실수 x에 대하여 $f(x)>g(x)$, 즉
$f(x)-g(x)>0$이어야 한다.
$h(x)=f(x)-g(x)$라 하면
$h(x)=(x^4+3x^2+4x)-(x^2-4x+a)$
$\qquad=x^4+2x^2+8x-a$
$\therefore h'(x)=4x^3+4x+8=4(x+1)(x^2-x+2)$
$h'(x)=0$인 x의 값은 $x=-1$ $(\because x$는 실수$)$
함수 $h(x)$의 증가, 감소를 표로 나타내면 다음과 같다.

x	$\cdots$	-1	$\cdots$
$h'(x)$	$-$	0	$+$
$h(x)$	$\searrow$	$-a-5$ 극소	$\nearrow$

함수 $h(x)$의 최솟값은 $h(-1)=-a-5$이므로 모든 실수 x에 대하여 $h(x)=f(x)-g(x)>0$이 성립하려면
$-a-5>0$ $\quad\therefore a<-5$
따라서 정수 a의 최댓값은 -6이다.

033 답 ②

$f(x)=2x^3-9x^2-24x+k$라 하면
$f'(x)=6x^2-18x-24=6(x+1)(x-4)$
$f'(x)=0$인 x의 값은 $x=-1$ $(\because x<0)$
$x<0$에서 함수 $f(x)$의 증가, 감소를 표로 나타내면 다음과 같다.

x	$\cdots$	-1	$\cdots$	0
$f'(x)$	$+$	0	$-$	
$f(x)$	$\nearrow$	$k+13$ 극대	$\searrow$	

$x<0$에서 함수 $f(x)$의 최댓값은 $f(-1)=k+13$이므로 $f(x)\leq 0$이 성립하려면
$k+13\leq 0$ $\quad\therefore k\leq -13$
따라서 k의 최댓값은 -13이다.

034 답 $k<-17$

$x^3-x^2+x+3>2x^2+x+k$에서 $x^3-3x^2+3-k>0$
$f(x)=x^3-3x^2+3-k$라 하면
$f'(x)=3x^2-6x=3x(x-2)$
$f'(x)=0$인 x의 값은 $x=0$ 또는 $x=2$
$x\geq -2$에서 함수 $f(x)$의 증가, 감소를 표로 나타내면 다음과 같다.

x	-2	$\cdots$	0	$\cdots$	2	$\cdots$
$f'(x)$		$+$	0	$-$	0	$+$
$f(x)$	$-k-17$	$\nearrow$	$-k+3$ 극대	$\searrow$	$-k-1$ 극소	$\nearrow$

$x\geq -2$에서 함수 $f(x)$의 최솟값은 $f(-2)=-k-17$이므로 $f(x)>0$이 성립하려면
$-k-17>0$ $\quad\therefore k<-17$

035 답 $k>2$

$f(x)>g(x)$에서 $f(x)-g(x)>0$
$h(x)=f(x)-g(x)$라 하면
$h(x)=(2x^3+x+k)-(3x^2+x+1)$
$\qquad =2x^3-3x^2+k-1$
$\therefore h'(x)=6x^2-6x=6x(x-1)$
$h'(x)=0$인 x의 값은 $x=1$ $(\because x>0)$
$x>0$에서 함수 $h(x)$의 증가, 감소를 표로 나타내면 다음과 같다.

x	0	$\cdots$	1	$\cdots$
$h'(x)$		$-$	0	$+$
$h(x)$		$\searrow$	$k-2$ 극소	$\nearrow$

$x>0$에서 함수 $h(x)$의 최솟값은 $h(1)=k-2$이므로
$h(x)=f(x)-g(x)>0$이 성립하려면
$k-2>0$ $\quad \therefore k>2$

036 답 5

$|x^4-4x^3-2x^2+12x+k|\leq 10$에서
$-10\leq x^4-4x^3-2x^2+12x+k\leq 10$
$f(x)=x^4-4x^3-2x^2+12x+k$라 하면
$f'(x)=4x^3-12x^2-4x+12=4(x+1)(x-1)(x-3)$
$f'(x)=0$인 x의 값은 $x=1$ 또는 $x=3$ $(\because 0\leq x\leq 3)$
$0\leq x\leq 3$에서 함수 $f(x)$의 증가, 감소를 표로 나타내면 다음과 같다.

x	0	$\cdots$	1	$\cdots$	3
$f'(x)$		$+$	0	$-$	0
$f(x)$	k	$\nearrow$	$k+7$ 극대	$\searrow$	$k-9$

$0\leq x\leq 3$에서 함수 $f(x)$의 최솟값은 $f(3)=k-9$, 최댓값은
$f(1)=k+7$이므로 $-10\leq f(x)\leq 10$이 성립하려면
$k-9\geq -10,\ k+7\leq 10$
$\therefore -1\leq k\leq 3$
따라서 정수 k는 -1, 0, 1, 2, 3의 5개이다.

037 답 $k\geq 8$

$x^3+16x<8x^2+k$에서 $x^3-8x^2+16x-k<0$
$f(x)=x^3-8x^2+16x-k$라 하면
$f'(x)=3x^2-16x+16=(3x-4)(x-4)$
$2<x<4$일 때 $f'(x)<0$이므로 함수 $f(x)$는 구간 $(2, 4)$에서 감소한다.
즉, $2<x<4$일 때 $f(x)<0$이 성립하려면 $f(2)\leq 0$이어야 하므로
$8-k\leq 0$ $\quad \therefore k\geq 8$

038 답 ③

$f(x)=x^3+5x-a(a-1)$이라 하면
$f'(x)=3x^2+5$
모든 실수 x에 대하여 $f'(x)>0$이므로 함수 $f(x)$는 구간 $(1, \infty)$에서 증가한다.

즉, $x>1$일 때 $f(x)>0$이 성립하려면 $f(1)\geq 0$이어야 하므로
$1+5-a(a-1)\geq 0,\ a^2-a-6\leq 0$
$(a+2)(a-3)\leq 0$ $\quad \therefore -2\leq a\leq 3$
따라서 $M=3$, $m=-2$이므로
$M+m=3+(-2)=1$

039 답 4

$x^n+n(n-3)>nx+1$에서 $x^n-nx+n(n-3)-1>0$
$f(x)=x^n-nx+n(n-3)-1$이라 하면
$f'(x)=nx^{n-1}-n=n(x^{n-1}-1)$
이때 $n\geq 2$이므로 $x>1$일 때 $f'(x)>0$이다.
따라서 함수 $f(x)$는 구간 $(1, \infty)$에서 증가한다.
즉, $x>1$일 때 $f(x)>0$이 성립하려면 $f(1)\geq 0$이어야 하므로
$1-n+n(n-3)-1\geq 0,\ n^2-4n\geq 0$
$n(n-4)\geq 0$ $\quad \therefore n\geq 4$ $(\because n\geq 2)$
따라서 자연수 n의 최솟값은 4이다.

040 답 2

$f(x)=x^3+ax^2+bx+c$ $(a, b, c$는 상수$)$라 하면
$f'(x)=3x^2+2ax+b$
㈎에서 $f(0)=f'(0)$이므로 $c=b$
$g(x)=f(x)-f'(x)$
$\qquad =(x^3+ax^2+bx+c)-(3x^2+2ax+b)$
$\qquad =x^3+(a-3)x^2+(b-2a)x$
$\therefore g'(x)=3x^2+2(a-3)x+(b-2a)$
이때 $g(0)=0$이고 ㈏에서 $x\geq -1$인 모든 실수 x에 대하여 $f(x)\geq f'(x)$, 즉 $g(x)\geq 0$이므로 함수 $y=g(x)$의 그래프의 개형은 오른쪽 그림과 같아야 한다.

즉, 함수 $g(x)$는 $x=0$에서 극소이므로
$g'(0)=0$에서
$b-2a=0$ $\quad \therefore b=2a$
$g(x)=x^3+(a-3)x^2$이고 ㈏에서 $g(-1)\geq 0$이므로
$-1+a-3\geq 0$ $\quad \therefore a\geq 4$
따라서 $g(1)=a-2$이고 $a\geq 4$이므로 $g(1)$의 최솟값은 2이다.

041 답 18

시각 t에서의 점 P의 속도를 v라 하면
$v=\dfrac{dx}{dt}=6t^2-6t-10$
점 P의 속도가 2이면
$6t^2-6t-10=2,\ t^2-t-2=0$
$(t+1)(t-2)=0$ $\quad \therefore t=2$ $(\because t>0)$
시각 t에서의 점 P의 가속도를 a라 하면
$a=\dfrac{dv}{dt}=12t-6$
따라서 $t=2$일 때 점 P의 가속도는
$12\times 2-6=18$

042 답 ④

시각 t에서의 점 P의 속도를 v라 하면

$$v = \frac{dx}{dt} = 3t^2 - 6t - 9$$

점 P가 운동 방향을 바꾸는 순간의 속도는 0이므로

$$3t^2 - 6t - 9 = 0, \quad t^2 - 2t - 3 = 0$$

$$(t+1)(t-3) = 0 \quad \therefore t = 3 \ (\because t > 0)$$

시각 t에서의 점 P의 가속도를 a라 하면

$$a = \frac{dv}{dt} = 6t - 6$$

따라서 $t = 3$일 때 점 P의 가속도는

$$6 \times 3 - 6 = 12$$

043 답 $-40\,\text{m/s}$

로켓이 지면에 떨어질 때의 높이는 0이므로

$$35 + 30t - 5t^2 = 0, \quad t^2 - 6t - 7 = 0$$

$$(t+1)(t-7) = 0 \quad \therefore t = 7 \ (\because t > 0)$$

로켓의 t초 후의 속도를 $v\,\text{m/s}$라 하면

$$v = \frac{dh}{dt} = 30 - 10t$$

따라서 $t = 7$일 때 로켓의 속도는

$$30 - 10 \times 7 = -40\,(\text{m/s})$$

044 답 ②

속도는 $x'(t)$이므로 위치 $x(t)$의 그래프에서 그 점에서의 접선의 기울기와 같다.

① $x'(a) = 0$이므로 $t = a$에서 점 P의 속도는 0이다.

② $x'(c) = 0$이므로 $t = c$에서 점 P의 속도는 0이다.

③ $x'(t) = 0$이고 그 좌우에서 $x'(t)$의 부호가 바뀔 때 점 P의 운동 방향이 바뀌므로 $0 < t < d$에서 운동 방향이 바뀌는 시각은 $t = a$ 또는 $t = c$이다.

④ $b < t < c$에서 $x'(t) < 0$이므로 점 P는 음의 방향으로 움직인다.

⑤ $0 < t < e$에서 $t = b$, $t = d$일 때 $x(t) = 0$이므로 점 P는 원점을 두 번 지난다.

045 답 $2\,\text{m/s}$

학생이 $2\,\text{m/s}$의 속도로 움직이므로 t초 동안 움직이는 거리는 $2t\,\text{m}$

그림자 끝이 t초 동안 움직이는 거리를 $x\,\text{m}$라 하면 오른쪽 그림에서 $\triangle\text{ABC} \infty \triangle\text{DEC}$이므로

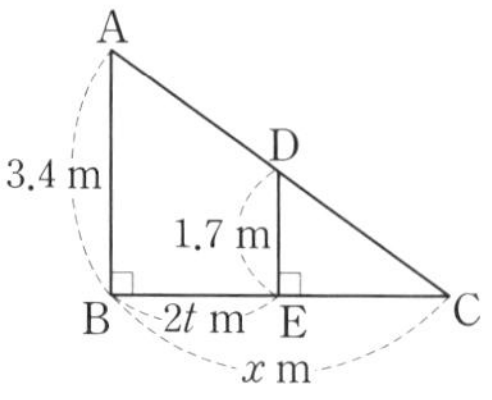

$$3.4 : x = 1.7 : (x - 2t)$$

$$1.7x = 3.4x - 6.8t$$

$$\therefore x = 4t$$

그림자의 길이를 $l\,\text{m}$라 하면 $l = \overline{\text{EC}}$이므로

$$l = 4t - 2t = 2t \quad \therefore \frac{dl}{dt} = 2$$

따라서 그림자의 길이의 변화율은 $2\,\text{m/s}$이다.

046 답 $13.5\pi\,\text{m}^2/\text{s}$

t초 후의 원의 반지름의 길이는 $1.5t\,\text{m}$이므로 원의 넓이를 $S\,\text{m}^2$라 하면

$$S = \pi(1.5t)^2 = 2.25\pi t^2$$

$$\therefore \frac{dS}{dt} = 4.5\pi t$$

따라서 $t = 3$에서 원의 넓이의 변화율은

$$4.5\pi \times 3 = 13.5\pi\,(\text{m}^2/\text{s})$$

047 답 $18\pi\,\text{cm}^3/\text{s}$

그릇에 담긴 물의 높이를 $h\,\text{cm}$, 수면의 반지름의 길이를 $r\,\text{cm}$라 하면

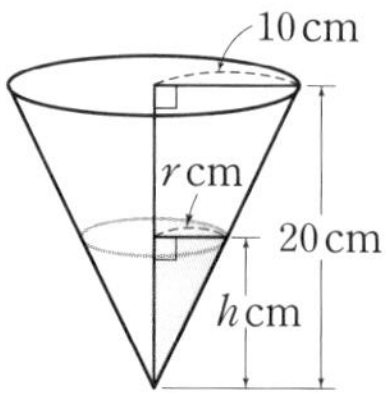

$$r : h = 10 : 20 \quad \therefore r = \frac{1}{2}h$$

이때 t초 동안 수면의 높이는 $2t\,\text{cm}$만큼 상승하므로 $h = 2t$

물의 부피를 $V\,\text{cm}^3$라 하면

$$V = \frac{\pi}{3} \times \left(\frac{1}{2}h\right)^2 \times h = \frac{\pi}{12}h^3$$

$$= \frac{\pi}{12} \times (2t)^3 = \frac{2}{3}\pi t^3$$

$$\therefore \frac{dV}{dt} = 2\pi t^2$$

따라서 $h = 6$일 때 $6 = 2t$에서 $t = 3$이므로 물의 부피의 변화율은

$$2\pi \times 3^2 = 18\pi\,(\text{cm}^3/\text{s})$$

048 답 ④

시각 t에서의 점 P의 속도를 v라 하면

$$v = \frac{dx}{dt} = 2t^2 - 2t$$

점 P의 속도가 4이면

$$2t^2 - 2t = 4, \quad t^2 - t - 2 = 0$$

$$(t+1)(t-2) = 0$$

$$\therefore t = 2 \ (\because t > 0)$$

시각 t에서의 점 P의 가속도를 a라 하면

$$a = \frac{dv}{dt} = 4t - 2$$

따라서 $t = 2$일 때 점 P의 가속도는

$$4 \times 2 - 2 = 6$$

049 답 -21

시각 t에서의 점 P의 속도를 v, 시각 t에서의 점 P의 가속도를 a라 하면

$$v = \frac{dx}{dt} = -3t^2 + 6t, \quad a = \frac{dv}{dt} = -6t + 6$$

$t = 3$에서의 점 P의 속도와 가속도는

$$v = -3 \times 3^2 + 6 \times 3 = -9, \quad a = -6 \times 3 + 6 = -12$$

따라서 구하는 합은

$$-9 + (-12) = -21$$

050 답 1

시각 t에서의 점 P의 속도를 v라 하면

$$v=\frac{dx}{dt}=-12t^2+24t=-12(t-1)^2+12$$

따라서 $t=1$일 때 점 P의 속도가 최대이다.

051 답 −4

시각 t에서의 점 P의 속도를 v라 하면

$$v=\frac{dx}{dt}=3t^2-6t+2$$

점 P의 속도가 −1이면

$$3t^2-6t+2=-1,\ t^2-2t+1=0$$

$$(t-1)^2=0 \qquad \therefore\ t=1$$

시각 $t=1$에서의 점 P의 위치가 −4이므로

$$1-3+2+k=-4 \qquad \therefore\ k=-4$$

052 답 −2

점 P가 원점을 지날 때는 $x=0$일 때이므로

$$t^3-4t^2+3t=0,\ t(t-1)(t-3)=0$$

$$\therefore\ t=1\ 또는\ t=3\ (\because\ t>0)$$

즉, 점 P가 출발 후 처음으로 다시 원점을 지나는 시각은 $t=1$이다.

시각 t에서의 점 P의 속도를 v, 가속도를 a라 하면

$$v=\frac{dx}{dt}=3t^2-8t+3,\ a=\frac{dv}{dt}=6t-8$$

따라서 $t=1$일 때 점 P의 가속도는

$$6\times1-8=-2$$

053 답 ⑤

두 점 P, Q의 속도를 각각 v_P, v_Q라 하면

$$v_P=\frac{dx_P}{dt}=t^2+9,\ v_Q=\frac{dx_Q}{dt}=6t$$

두 점 P, Q의 속도가 같아질 때는 $v_P=v_Q$이므로

$$t^2+9=6t,\ t^2-6t+9=0$$

$$(t-3)^2=0 \qquad \therefore\ t=3$$

$t=3$에서의 두 점 P, Q의 위치는

$$x_P=\frac{1}{3}\times3^3+9\times3-6=30,\ x_Q=3\times3^2-7=20$$

따라서 두 점 P, Q 사이의 거리는

$$30-20=10$$

054 답 ㄱ, ㄴ

시각 t에서의 점 P의 속도를 v라 하면

$$v=\frac{dx}{dt}=3t^2-18t+24$$

점 P의 속도가 0이면 $3t^2-18t+24=0$

$$t^2-6t+8=0,\ (t-2)(t-4)=0 \qquad \therefore\ t=2\ 또는\ t=4$$

$$\therefore\ \alpha=2,\ \beta=4$$

ㄱ. $\alpha+\beta=6$

ㄴ. 시각 t에서의 점 P의 가속도를 a라 하면

$$a=\frac{dv}{dt}=6t-18$$

$\quad$ $t=4$에서의 점 P의 가속도는 $6\times4-18=6$

ㄷ. $t=2$에서의 점 P의 위치는 $2^3-9\times2^2+24\times2+1=21$

$\quad$ $t=4$에서의 점 P의 위치는 $4^3-9\times4^2+24\times4+1=17$

$\quad$ 따라서 $t=2$에서의 점 P의 위치가 $t=4$에서의 점 P의 위치보다 원점에서 더 멀다.

따라서 보기 중 옳은 것은 ㄱ, ㄴ이다.

055 답 15

두 점 P, Q의 속도를 각각 v_P, v_Q라 하면

$$v_P=\frac{dx_P}{dt}=4t^3-24t^2+36t,\ v_Q=\frac{dx_Q}{dt}=m$$

두 점 P, Q의 속도가 같아지는 순간이 세 번 있으려면 $v_P=v_Q$를 만족시키는 양수 t가 세 개 존재해야 하므로 방정식 $4t^3-24t^2+36t=m$이 서로 다른 세 개의 양의 근을 가져야 한다.

$f(t)=4t^3-24t^2+36t$라 하면

$$f'(t)=12t^2-48t+36=12(t-1)(t-3)$$

$f'(t)=0$인 t의 값은 $t=1$ 또는 $t=3$

$t>0$에서 함수 $f(t)$의 증가, 감소를 표로 나타내면 다음과 같다.

t	0	$\cdots$	1	$\cdots$	3	$\cdots$
$f'(t)$		+	0	−	0	+
$f(t)$		↗	16 극대	↘	0 극소	↗

함수 $y=f(t)$의 그래프는 오른쪽 그림과 같으므로 곡선 $y=f(t)$와 직선 $y=m$의 교점의 x좌표가 세 개 모두 양수이려면

$$0<m<16$$

따라서 정수 m은 1, 2, 3, $\cdots$, 15의 15개이다.

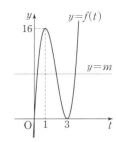

056 답 12

시각 t에서의 점 P의 속도를 v라 하면

$$v=\frac{dx}{dt}=6t^2-12t$$

점 P가 운동 방향을 바꾸는 순간의 속도는 0이므로

$$6t^2-12t=0,\ t(t-2)=0 \qquad \therefore\ t=2\ (\because\ t>0)$$

시각 t에서의 점 P의 가속도를 a라 하면

$$a=\frac{dv}{dt}=12t-12$$

따라서 $t=2$일 때 점 P의 가속도는

$$12\times2-12=12$$

057 답 ③

시각 t에서의 점 P의 속도를 v라 하면

$$v=\frac{dx}{dt}=3t^2-18t+15$$

점 P가 운동 방향을 바꾸는 순간의 속도는 0이므로

$$3t^2-18t+15=0,\ t^2-6t+5=0,\ (t-1)(t-5)=0$$

$$\therefore\ t=1\ 또는\ t=5$$

따라서 $\alpha=1$, $\beta=5$이므로 $\beta-\alpha=5-1=4$

058 답 $2<t<3$

두 점 P, Q의 속도를 각각 v_P, v_Q라 하면

$$v_P=\frac{dx_P}{dt}=2t-6, \quad v_Q=\frac{dx_Q}{dt}=4t-8$$

두 점 P, Q가 서로 반대 방향으로 움직이면 속도의 부호가 서로 반대이므로 $v_P v_Q<0$에서

$(2t-6)(4t-8)<0$, $8(t-2)(t-3)<0$

$\therefore 2<t<3$

059 답 64 m

제동을 건 지 t초 후의 열차의 속도를 v m/s라 하면

$$v=\frac{dx}{dt}=32-8t$$

열차가 정지할 때의 속도는 0이므로

$32-8t=0 \quad \therefore t=4$

따라서 4초 동안 열차가 움직인 거리는

$32\times4-4\times4^2=64(\text{m})$

060 답 ③

시각 t에서의 점 P의 속도를 v라 하면

$$v=\frac{dx}{dt}=3t^2+2mt+n$$

$t=1$일 때 점 P는 운동 방향을 바꾸므로

$3+2m+n=0$

$\therefore 2m+n=-3 \quad \cdots\cdots \text{㉠}$

$t=1$일 때 점 P의 위치는 4이므로

$1+m+n=4$

$\therefore m+n=3 \quad \cdots\cdots \text{㉡}$

㉠, ㉡을 연립하여 풀면 $m=-6$, $n=9$

$\therefore v=3t^2-12t+9$

점 P가 운동 방향을 바꾸는 순간의 속도는 0이므로

$3t^2-12t+9=0$

$t^2-4t+3=0$, $(t-1)(t-3)=0$

$\therefore t=1$ 또는 $t=3$

따라서 점 P가 $t=1$ 이외에 운동 방향을 바꾸는 시각은 $t=3$이다.

시각 t에서의 점 P의 가속도를 a라 하면

$$a=\frac{dv}{dt}=6t-12$$

따라서 $t=3$일 때 점 P의 가속도는

$6\times3-12=6$

061 답 ②

시각 t에서의 점 P의 속도를 v라 하면

$$v=\frac{dx}{dt}=3t^2-6t+a$$

점 P의 운동 방향이 바뀌지 않으려면 $v(t)\geq0$이어야 한다.

이차방정식 $3t^2-6t+a=0$의 판별식을 D라 하면

$\frac{D}{4}=9-3a\leq0$, $3a\geq9$

$\therefore a\geq3$

따라서 a의 최솟값은 3이다.

062 답 64

선분 AB의 중점 M의 좌표를 x라 하면

$$x=\frac{x_A+x_B}{2}=\frac{(t^3-8t^2+12t)+(t^3-10t^2+36t)}{2}$$

$$=t^3-9t^2+24t$$

시각 t에서의 점 M의 속도를 v라 하면

$$v=\frac{dx}{dt}=3t^2-18t+24$$

점 M이 운동 방향을 바꾸는 순간의 속도는 0이므로

$3t^2-18t+24=0$, $t^2-6t+8=0$

$(t-2)(t-4)=0 \quad \therefore t=2$ 또는 $t=4$

즉, 점 M이 두 번째로 운동 방향을 바꾸는 시각은 $t=4$이므로 그 때의 두 점 A, B의 좌표는 각각

$x_A=4^3-8\times4^2+12\times4=-16$

$x_B=4^3-10\times4^2+36\times4=48$

따라서 선분 AB의 길이는

$48-(-16)=64$

063 답 ①

물체가 지면에 떨어질 때의 높이는 0이므로

$25t-5t^2=0$, $t(t-5)=0 \quad \therefore t=5 (\because t>0)$

t초 후의 물체의 속도를 v m/s라 하면

$$v=\frac{dh}{dt}=25-10t$$

따라서 $t=5$일 때 물체의 속도는

$25-10\times5=-25(\text{m/s})$

064 답 47

t초 후의 물체의 속도를 v m/s라 하면

$$v=\frac{dh}{dt}=20-10t$$

물체가 최고 높이에 도달했을 때의 속도는 0이므로

$20-10t=0 \quad \therefore t=2$

$t=2$일 때 물체의 높이는

$25+20\times2-5\times2^2=45(\text{m})$

따라서 $a=2$, $b=45$이므로

$a+b=2+45=47$

065 답 25

물체가 최고 높이에 도달할 때까지 걸린 시간은 3초이고 그때의 높이가 85 m이므로

$40+3a+9b=85 \quad \therefore a+3b=15 \quad \cdots\cdots \text{㉠}$

t초 후의 물체의 속도를 v m/s라 하면

$$v=\frac{dh}{dt}=a+2bt$$

물체가 최고 높이에 도달했을 때의 속도는 0이므로

$a+6b=0 \quad \cdots\cdots \text{㉡}$

㉠, ㉡을 연립하여 풀면 $a=30$, $b=-5$

$\therefore a+b=30+(-5)=25$

066 답 $-10\,\mathrm{m/s}$

공이 경사면과 처음으로 충돌하는 순간의 공의
중심의 높이를 $x\,\mathrm{m}$라 하면 삼각형 OAB에서

$\sin 30° = \dfrac{0.5}{x} = \dfrac{1}{2}$ ∴ $x = 1$

즉, 이 공이 경사면과 처음으로 충돌하는 순간
의 높이는 $h = 1$일 때이므로

$6 - 5t^2 = 1$, $t^2 = 1$ ∴ $t = 1$ ($\because t > 0$)

t초 후의 공의 중심의 속도를 $v\,\mathrm{m/s}$라 하면

$v = \dfrac{dh}{dt} = -10t$

따라서 $t = 1$일 때 공의 속도는

$-10 \times 1 = -10\,(\mathrm{m/s})$

---

067 답 ㄱ, ㄴ, ㅁ

속도는 $x'(t)$이므로 위치 $x(t)$의 그래프에서 그 점에서의 접선의
기울기와 같다.

ㄱ. $x'(4) = 0$이므로 $t = 4$에서 점 P의 속도는 0이다.

ㄴ. $x'(1) > 0$, $x'(2) = 0$이므로 점 P의 $t = 1$에서의 속도는 $t = 2$에
  서의 속도보다 크다.

ㄷ. $x'(t) = 0$이고 그 좌우에서 $x'(t)$의 부호가 바뀔 때 점 P의 운
  동 방향이 바뀌므로 $0 < t < 6$에서 운동 방향이 바뀌는 시각은
  $t = 2$, $t = 4$이다.
  따라서 $t = 3$에서 점 P는 운동 방향을 바꾸지 않는다.

ㄹ. 출발한 후 점 P는 $t = 2$, $t = 4$에서 운동 방향을 두 번 바꾸므로
  출발할 때와 반대 방향으로 움직인 총시간은 $4 - 2 = 2$(초)이다.

ㅁ. $t = 2$에서의 점 P의 위치는 2이고, $t = 4$에서의 점 P의 위치는
  -1이므로 점 P의 위치의 변화량은 -3이다.

따라서 보기 중 옳은 것은 ㄱ, ㄴ, ㅁ이다.

---

068 답 ⑤

시각 t에서의 가속도는 $v'(t)$이므로 속도 $v(t)$의 그래프에서 그
점에서의 접선의 기울기와 같다.

① $v'(a) = 0$이므로 $t = a$에서 점 P의 가속도는 0이다.

② $v'(b) > 0$이므로 $t = b$에서 점 P의 가속도는 양의 값이다.

③ $v(b) < 0$, $v(d) > 0$이므로 $t = b$일 때와 $t = d$일 때 점 P의 운동
  방향은 서로 반대이다.

④ $c < t < d$에서 점 P의 속도는 증가한다.

⑤ $v(t) = 0$이고 그 좌우에서 $v(t)$의 부호가 바뀔 때 점 P의 운동
  방향이 바뀌므로 $0 < t < e$에서 운동 방향이 바뀌는 시각은
  $t = c$이다. 즉, 점 P는 $0 < t < e$에서 운동 방향을 한 번 바꾼다.

---

069 답 3번

$x'(t) = 0$이고 그 좌우에서 $x'(t)$의 부호가 바뀔 때 점 P의 운동
방향이 바뀌므로 $0 < t < e$에서 운동 방향이 바뀌는 시각은 $t = a$,
$t = c$, $t = d$이다.

따라서 점 P는 운동 방향을 3번 바꾼다.

---

070 답 $1\,\mathrm{m/s}$

사람이 $1.5\,\mathrm{m/s}$의 속도로 움직이므로
t초 동안 움직이는 거리는 $1.5t\,\mathrm{m}$

그림자 끝이 t초 동안 움직이는 거리를
$x\,\mathrm{m}$라 하면 오른쪽 그림에서
$\triangle ACB \backsim \triangle DCE$이므로

$4 : x = 1.6 : (x - 1.5t)$

$1.6x = 4x - 6t$ ∴ $x = 2.5t$

그림자의 길이를 $l\,\mathrm{m}$라 하면 $l = \overline{CE}$이므로

$l = 2.5t - 1.5t = t$ ∴ $\dfrac{dl}{dt} = 1$

따라서 그림자의 길이의 변화율은 $1\,\mathrm{m/s}$이다.

---

071 답 ④

선분 AB의 길이를 l이라 하면

$l = |t^3 + t^2 + t - (t^2 - 2t)| = t^3 + 3t$ ($\because t > 0$)

∴ $\dfrac{dl}{dt} = 3t^2 + 3$

따라서 $t = 2$에서 선분 AB의 길이의 변화율은

$3 \times 2^2 + 3 = 15$

---

072 답 $\dfrac{2\sqrt{2}}{3}$

t초 후의 두 점 A, B의 좌표는 각각 $(t, 0)$, $(0, 2t)$

두 점 A, B를 $1 : 2$로 내분하는 점 P의 좌표는

$\left(\dfrac{1 \times 0 + 2 \times t}{1 + 2},\ \dfrac{1 \times 2t + 2 \times 0}{1 + 2} \right)$ ∴ $\left(\dfrac{2t}{3},\ \dfrac{2t}{3} \right)$

선분 OP의 길이를 l이라 하면

$l = \sqrt{\left(\dfrac{2t}{3}\right)^2 + \left(\dfrac{2t}{3}\right)^2} = \dfrac{2\sqrt{2}}{3}t$ ($\because t > 0$)

따라서 선분 OP의 길이의 변화율은

$\dfrac{dl}{dt} = \dfrac{2\sqrt{2}}{3}$

---

073 답 44

$8 < t \leq 12$일 때 점 P는 $\overline{CD}$ 위를 움직이므로 $\overline{CP} = 2t - 16$이고,
점 Q는 $\overline{HE}$ 위를 움직이므로 $\overline{HQ} = t - 8$

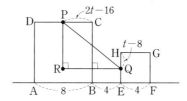

위의 그림에서

$\overline{PR} = 4 + (t - 8) = t - 4$, $\overline{RQ} = (2t - 16) + 4 = 2t - 12$

삼각형 PRQ에서

$\overline{PQ}^2 = (t - 4)^2 + (2t - 12)^2 = 5t^2 - 56t + 160$

∴ $\dfrac{d\,\overline{PQ}^2}{dt} = 10t - 56$

따라서 $t = 10$에서 $\overline{PQ}^2$의 변화율은

$10 \times 10 - 56 = 44$

074 답 3.2

t초 후의 풍선의 반지름의 길이는 $(1+0.2t)$ cm이므로 풍선의 겉넓이를 S cm²라 하면

$S=4\pi(1+0.2t)^2$

$\therefore \dfrac{dS}{dt}=4\pi\times2(1+0.2t)\times0.2=1.6\pi(1+0.2t)$

따라서 $t=5$에서 풍선의 겉넓이의 변화율은

$1.6\pi(1+0.2\times5)=3.2\pi\,(\text{cm}^2/\text{s})$ $\therefore a=3.2$

075 답 ①

t초 후의 직사각형의 가로의 길이는 $(10+2t)$ cm, 세로의 길이는 $(10-t)$ cm이므로 $0<t<10$

직사각형의 넓이를 S cm²라 하면

$S=(10+2t)(10-t)=-2t^2+10t+100$

$\therefore \dfrac{dS}{dt}=-4t+10$

직사각형의 넓이가 88 cm²가 되었을 때의 시각은

$-2t^2+10t+100=88,\ t^2-5t-6=0$

$(t+1)(t-6)=0$ $\therefore t=6\ (\because 0<t<10)$

따라서 $t=6$에서 직사각형의 넓이의 변화율은

$-4\times6+10=-14\,(\text{cm}^2/\text{s})$

076 답 76

점 P가 출발한 지 t초 후의 두 점 P, Q의 좌표는 각각 $(2t,\ 0),\ (0,\ 3(t-3))\ (t\geq3)$

정사각형 PQRS의 넓이를 S라 하면

$S=\overline{PQ}^2=(0-2t)^2+(3t-9)^2=13t^2-54t+81$

$\therefore \dfrac{dS}{dt}=26t-54$

따라서 $t=5$에서 정사각형 PQRS의 넓이의 변화율은

$26\times5-54=76$

077 답 $20\pi\,\text{cm}^2/\text{s}$

t초 후의 수면의 높이는 t cm이므로
수면의 반지름의 길이를 r cm라 하면

$r=\sqrt{20^2-(20-t)^2}=\sqrt{-t^2+40t}$

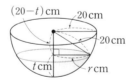

수면의 넓이를 S cm²라 하면

$S=\pi(-t^2+40t)$

$\therefore \dfrac{dS}{dt}=\pi(-2t+40)$

따라서 $t=10$에서 수면의 넓이의 변화율은

$\pi(-2\times10+40)=20\pi\,(\text{cm}^2/\text{s})$

078 답 $\dfrac{9}{2}\pi\,\text{m}^3/\text{s}$

그릇에 담긴 물의 높이를 h m, 수면의 반지름의 길이를 r m라 하면

$r:h=3:5$ $\therefore r=\dfrac{3}{5}h$

이때 t초 동안 수면의 높이는 $0.5t$ m만큼 상승하므로 $h=0.5t$

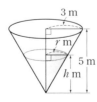

물의 부피를 V m³라 하면

$V=\dfrac{\pi}{3}\times\left(\dfrac{3}{5}h\right)^2\times h=\dfrac{3}{25}\pi h^3=\dfrac{3}{25}\pi\times(0.5t)^3=\dfrac{3}{200}\pi t^3$

$\therefore \dfrac{dV}{dt}=\dfrac{9}{200}\pi t^2$

물이 가득 차는 순간의 수면의 높이는 5 m이므로

$0.5t=5$ $\therefore t=10$

따라서 $t=10$에서 물의 부피의 변화율은

$\dfrac{9}{200}\pi\times10^2=\dfrac{9}{2}\pi\,(\text{m}^3/\text{s})$

079 답 ⑤

t초 후의 구의 반지름의 길이는 $(3+2t)$ cm이므로 구의 부피를 V cm³라 하면

$V=\dfrac{4}{3}\pi(3+2t)^3$

$\therefore \dfrac{dV}{dt}=\dfrac{4}{3}\pi\times3(3+2t)^2\times2=8\pi(3+2t)^2$

따라서 $t=3$에서 구의 부피의 변화율은

$8\pi(3+2\times3)^2=648\pi\,(\text{cm}^3/\text{s})$

080 답 $\dfrac{88}{3}\,\text{cm}^3/\text{s}$

t초 후의 정사각뿔의 밑면의 한 변의 길이는 $(2+t)$ cm, 높이는 $(3+2t)$ cm이므로 정사각뿔의 부피를 V cm³라 하면

$V=\dfrac{1}{3}(2+t)^2(3+2t)=\dfrac{1}{3}(2t^3+11t^2+20t+12)$

$\therefore \dfrac{dV}{dt}=\dfrac{1}{3}(6t^2+22t+20)$

따라서 $t=2$에서 정사각뿔의 부피의 변화율은

$\dfrac{1}{3}(6\times2^2+22\times2+20)=\dfrac{88}{3}\,(\text{cm}^3/\text{s})$

081 답 6

$3x^4+4x^3-24x^2-48x-k=0$에서

$3x^4+4x^3-24x^2-48x=k$

$f(x)=3x^4+4x^3-24x^2-48x$라 하면

$f'(x)=12x^3+12x^2-48x-48=12(x+2)(x+1)(x-2)$

$f'(x)=0$인 x의 값은 $x=-2$ 또는 $x=-1$ 또는 $x=2$

함수 $f(x)$의 증가, 감소를 표로 나타내면 다음과 같다.

x	$\cdots$	-2	$\cdots$	-1	$\cdots$	2	$\cdots$
$f'(x)$	$-$	0	$+$	0	$-$	0	$+$
$f(x)$	$\searrow$	16 극소	$\nearrow$	23 극대	$\searrow$	-112 극소	$\nearrow$

함수 $y=f(x)$의 그래프는 오른쪽 그림과 같고, 주어진 방정식이 서로 다른 네 실근을 가지려면 곡선 $y=f(x)$와 직선 $y=k$가 서로 다른 네 점에서 만나야 하므로

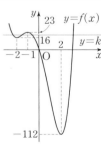

$16<k<23$

따라서 정수 k는 $17,\ 18,\ 19,\ 20,\ 21,\ 22$의 6개이다.

082 답 9

$f(x)=2x^3-9x^2+12x-2$에서

$f'(x)=6x^2-18x+12=6(x-1)(x-2)$

$f'(x)=0$인 x의 값은 $x=1$ 또는 $x=2$

함수 $f(x)$의 증가, 감소를 표로 나타내면 다음과 같다.

x	$\cdots$	1	$\cdots$	2	$\cdots$
$f'(x)$	+	0	−	0	+
$f(x)$	↗	3 극대	↘	2 극소	↗

함수 $y=|f(x)|$의 그래프는 오른쪽 그림 과 같고, 방정식 $|f(x)|=k$의 서로 다른 실근의 개수는 함수 $y=|f(x)|$의 그래프 와 직선 $y=k$의 교점의 개수와 같으므로 함수 $g(k)$는 $k=0$일 때 1, $0<k<2$ 또는 $k>3$일 때 2, $k=2$ 또는 $k=3$일 때 3, $2<k<3$일 때 4이다.

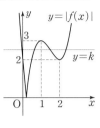

$\therefore g(0)+g(1)+g(2)+g(3)=1+2+3+3=9$

083 답 3

$(x+2)(x-1)^2-k=0$에서

$x^3-3x+2=k$

$f(x)=x^3-3x+2$라 하면

$f'(x)=3x^2-3=3(x+1)(x-1)$

$f'(x)=0$인 x의 값은 $x=-1$ 또는 $x=1$

함수 $f(x)$의 증가, 감소를 표로 나타내면 다음과 같다.

x	$\cdots$	-1	$\cdots$	1	$\cdots$
$f'(x)$	+	0	−	0	+
$f(x)$	↗	4 극대	↘	0 극소	↗

함수 $y=f(x)$의 그래프는 오른쪽 그림과 같으므로 곡선 $y=f(x)$와 직선 $y=k$의 교점의 x좌표가 한 개는 양수이고 다른 두 개는 음수이려면

$2<k<4$

따라서 정수 k의 값은 3이다.

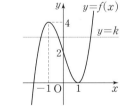

084 답 ③

$f(x)=2x^3-6x^2-18x-k$라 하면

$f'(x)=6x^2-12x-18=6(x+1)(x-3)$

$f'(x)=0$인 x의 값은 $x=-1$ 또는 $x=3$

삼차방정식 $f(x)=0$이 중근과 다른 한 실근을 가지려면

$f(-1)f(3)=0$이어야 하므로

$(10-k)(-54-k)=0$

$\therefore k=10 \; (\because k>0)$

085 답 $-17<k<15$

주어진 두 곡선이 서로 다른 세 점에서 만나려면 방정식

$x^3+2x^2-5x-12=-x^2+4x+k$, 즉 $x^3+3x^2-9x-12-k=0$

이 서로 다른 세 실근을 가져야 한다.

$f(x)=x^3+3x^2-9x-12-k$라 하면

$f'(x)=3x^2+6x-9=3(x+3)(x-1)$

$f'(x)=0$인 x의 값은 $x=-3$ 또는 $x=1$

삼차방정식 $f(x)=0$이 서로 다른 세 실근을 가지려면

$f(-3)f(1)<0$이어야 하므로

$(15-k)(-17-k)<0$

$\therefore -17<k<15$

086 답 ④

$y=x^3-6x^2-5x+10$에서 $y'=3x^2-12x-5$

점 $(0, n)$에서 곡선 $y=x^3-6x^2-5x+10$에 그은 접선의 접점의 좌표를 $(t, t^3-6t^2-5t+10)$이라 하면 접선의 방정식은

$y-(t^3-6t^2-5t+10)=(3t^2-12t-5)(x-t)$

$\therefore y=(3t^2-12t-5)x-2t^3+6t^2+10$

이 직선이 점 $(0, n)$을 지나므로

$n=-2t^3+6t^2+10$

$g(t)=-2t^3+6t^2+10$이라 하면

$g'(t)=-6t^2+12t=-6t(t-2)$

$g'(t)=0$인 t의 값은 $t=0$ 또는 $t=2$

함수 $g(t)$의 증가, 감소를 표로 나타내면 다음과 같다.

t	$\cdots$	0	$\cdots$	2	$\cdots$
$g'(t)$	−	0	+	0	−
$g(t)$	↘	10 극소	↗	18 극대	↘

함수 $y=g(t)$의 그래프는 오른쪽 그림과 같 고, $f(n)$의 값은 곡선 $y=g(t)$와 직선 $y=n$ 의 교점의 개수와 같으므로

$f(10)+f(15)=2+3=5$

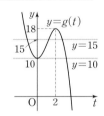

087 답 $6<a<8$

$f(x)=x^4-32x-a^2+14a$라 하면

$f'(x)=4x^3-32=4(x-2)(x^2+2x+4)$

$f'(x)=0$인 x의 값은 $x=2 \; (\because x$는 실수$)$

함수 $f(x)$의 증가, 감소를 표로 나타내면 다음과 같다.

x	$\cdots$	2	$\cdots$
$f'(x)$	−	0	+
$f(x)$	↘	$-a^2+14a-48$ 극소	↗

함수 $f(x)$의 최솟값은 $f(2)=-a^2+14a-48$이므로 모든 실수 x 에 대하여 $f(x)>0$이 성립하려면

$-a^2+14a-48>0$, $a^2-14a+48<0$

$(a-6)(a-8)<0$ $\therefore 6<a<8$

088 답 ②

$f(x)=x^3-3x+k^2+k$라 하면

$f'(x)=3x^2-3=3(x+1)(x-1)$

$f'(x)=0$인 x의 값은 $x=-1$ 또는 $x=1$

$-1\le x\le 2$에서 함수 $f(x)$의 증가, 감소를 표로 나타내면 다음과 같다.

x	-1	$\cdots$	1	$\cdots$	2
$f'(x)$	0	$-$	0	$+$	
$f(x)$	k^2+k+2	↘	k^2+k-2 극소	↗	k^2+k+2

$-1\le x\le 2$에서 함수 $f(x)$의 최솟값은 $f(1)=k^2+k-2$, 최댓값은 $f(-1)=f(2)=k^2+k+2$이므로 $0\le f(x)\le 4$가 성립하려면

$k^2+k-2\ge 0$, $k^2+k+2\le 4$

즉, $k^2+k-2=0$이므로 $(k+2)(k-1)=0$

$\therefore k=-2$ 또는 $k=1$

따라서 모든 실수 k의 값의 합은

$-2+1=-1$

089 답 7

구간 $[0, 2]$에서 함수 $y=f(x)$의 그래프가 함수 $y=g(x)$의 그래프보다 항상 위쪽에 있으려면 $f(x)>g(x)$, 즉 $f(x)-g(x)>0$이어야 한다.

$h(x)=f(x)-g(x)$라 하면

$h(x)=(x^4+2x^2-6x+a)-(-x^2+4x)$
$\quad\quad =x^4+3x^2-10x+a$

$\therefore h'(x)=4x^3+6x-10=2(x-1)(2x^2+2x+5)$

$h'(x)=0$인 x의 값은 $x=1$ ($\because x$는 실수)

구간 $[0, 2]$에서 함수 $h(x)$의 증가, 감소를 표로 나타내면 다음과 같다.

x	0	$\cdots$	1	$\cdots$	2
$h'(x)$		$-$	0	$+$	
$h(x)$	a	↘	$a-6$ 극소	↗	$a+8$

구간 $[0, 2]$에서 함수 $h(x)$의 최솟값은 $h(1)=a-6$이므로 $h(x)=f(x)-g(x)>0$이 성립하려면

$a-6>0$ $\quad\therefore a>6$

따라서 정수 a의 최솟값은 7이다.

090 답 −7

$f(x)=2x^3-6x^2-k+1$이라 하면

$f'(x)=6x^2-12x=6x(x-2)$

$f'(x)=0$인 x의 값은 $x=0$ 또는 $x=2$

$2<x<3$일 때, $f'(x)>0$이므로 함수 $f(x)$는 구간 $(2, 3)$에서 증가한다.

즉, $2<x<3$일 때 $f(x)>0$이 성립하려면 $f(2)\ge 0$이어야 하므로

$-k-7\ge 0$ $\quad\therefore k\le -7$

따라서 정수 k의 최댓값은 -7이다.

091 답 $-\dfrac{1}{4}$

$f(x)=x^3+3kx^2+1$이라 하면

$f'(x)=3x^2+6kx=3x(x+2k)$

$f'(x)=0$인 x의 값은 $x=0$ 또는 $x=-2k$

(ⅰ) $k>0$일 때

$x\ge k$에서 $f'(x)>0$이므로 함수 $f(x)$는 증가한다.

이때 $f(0)=1$이므로 $x\ge k$일 때 $f(x)\ge 0$, 즉 부등식 $x^3+3kx^2+1\ge 0$이 성립한다.

$\therefore k^3>0$

(ⅱ) $k=0$일 때

$x\ge 0$에서 $f'(x)>0$이므로 함수 $f(x)$는 증가한다.

이때 $f(0)=1$이므로 $x\ge k$일 때 $f(x)\ge 0$, 즉 부등식 $x^3+3kx^2+1\ge 0$이 성립한다.

$\therefore k^3=0$

(ⅲ) $k<0$일 때

$x\ge k$에서 함수 $f(x)$의 증가, 감소를 표로 나타내면 다음과 같다.

x	k	$\cdots$	0	$\cdots$	$-2k$	$\cdots$
$f'(x)$		$+$	0	$-$	0	$+$
$f(x)$	$4k^3+1$	↗	1 극대	↘	$4k^3+1$ 극소	↗

함수 $f(x)$의 최솟값은 $f(k)=f(-2k)=4k^3+1$이므로 $x\ge k$일 때 $f(x)\ge 0$이 성립하려면

$4k^3+1\ge 0$ $\quad\therefore k^3\ge -\dfrac{1}{4}$

그런데 $k<0$이므로 $-\dfrac{1}{4}\le k^3<0$

(ⅰ), (ⅱ), (ⅲ)에서 $k^3\ge -\dfrac{1}{4}$

따라서 k^3의 최솟값은 $-\dfrac{1}{4}$이다.

092 답 ③

시각 t에서의 점 P의 속도를 v라 하면

$v=\dfrac{dx}{dt}=-12t^2+24t+5$

점 P의 속도가 17이면

$-12t^2+24t+5=17$, $t^2-2t+1=0$

$(t-1)^2=0$ $\quad\therefore t=1$

시각 t에서의 점 P의 가속도를 a라 하면

$a=\dfrac{dv}{dt}=-24t+24$

따라서 $t=1$일 때 점 P의 가속도는

$-24\times 1+24=0$

093 답 6

두 점 P, Q의 속도를 각각 v_{P}, v_{Q}라 하면

$v_{\text{P}}=\dfrac{dx_{\text{P}}}{dt}=4t^3+2kt$, $v_{\text{Q}}=\dfrac{dx_{\text{Q}}}{dt}=8t$

두 점 P, Q의 가속도를 각각 a_P, a_Q라 하면
$$a_P=\frac{dv_P}{dt}=12t^2+2k, \quad a_Q=\frac{dv_Q}{dt}=8$$
두 점 P, Q의 가속도가 같아질 때는 $a_P=a_Q$이므로
$$12t^2+2k=8, \quad 12t^2=8-2k$$
$t>0$에서 $12t^2>0$이므로 두 점 P, Q의 가속도가 같게 되는 순간이 존재하려면
$$8-2k>0 \quad \therefore k<4$$
따라서 자연수 k는 1, 2, 3이므로 구하는 합은
$$1+2+3=6$$

094 답 ⑤

시각 t에서의 점 P의 속도를 v라 하면
$$v=\frac{dx}{dt}=3t^2-18t+15$$
점 P가 운동 방향을 바꾸는 순간의 속도는 0이므로
$$3t^2-18t+15=0$$
$$t^2-6t+5=0, \quad (t-1)(t-5)=0$$
$$\therefore t=1 \text{ 또는 } t=5$$
즉, $t=5$일 때 점 P가 두 번째로 운동 방향을 바꾼다.
시각 t에서의 점 P의 가속도를 a라 하면
$$a=\frac{dv}{dt}=6t-18$$
따라서 $t=5$일 때 점 P의 가속도는
$$6\times5-18=12$$

095 답 ②

시각 t에서의 점 P의 속도를 v라 하면
$$v=\frac{dx}{dt}=6t^2-18t+12$$
ㄱ. $t=0$일 때 점 P의 속도는 12이다.
ㄴ. 점 P가 운동 방향을 바꾸는 순간의 속도는 0이므로
$$6t^2-18t+12=0$$
$$t^2-3t+2=0, \quad (t-1)(t-2)=0$$
$$\therefore t=1 \text{ 또는 } t=2$$
따라서 점 P는 $t=1$, $t=2$에서 운동 방향을 바꾼다.
ㄷ. 시각 t에서의 점 P의 가속도를 a라 하면
$$a=\frac{dv}{dt}=12t-18$$
따라서 $t=2$일 때 점 P의 가속도는
$$12\times2-18=6$$
ㄹ. 점 P가 원점을 지나면 $x=0$이므로
$$2t^3-9t^2+12t=0, \quad t(2t^2-9t+12)=0$$
$t>0$이므로 해가 없다.
따라서 출발 후 점 P는 원점을 다시 지나지 않는다.
따라서 보기 중 옳은 것은 ㄱ, ㄴ이다.

096 답 $-15\,\text{m/s}$

물체가 지면에 떨어질 때의 높이는 0이므로
$$10+5t-5t^2=0, \quad t^2-t-2=0$$
$$(t+1)(t-2)=0 \quad \therefore t=2 \ (\because t>0)$$

물체의 t초 후의 속도를 $v\,\text{m/s}$라 하면
$$v=\frac{dh}{dt}=5-10t$$
따라서 $t=2$일 때 물체의 속도는
$$5-10\times2=-15(\text{m/s})$$

097 답 ②

속도는 $x'(t)$이므로 위치 $x(t)$의 그래프에서 그 점에서의 접선의 기울기와 같다.
ㄱ. $x'(a)=0$이므로 $t=a$에서 점 P의 속도는 0이다.
ㄴ. $x'(c)=0$이므로 $t=c$에서 점 P의 속도는 0이다.
ㄷ. $x'(t)=0$이고 그 좌우에서 $x'(t)$의 부호가 바뀔 때 점 P의 운동 방향이 바뀌므로 $0<t<e$에서 운동 방향이 바뀌는 시각은 $t=a$, $t=c$, $t=d$이다.
따라서 점 P는 운동 방향을 3번 바꾼다.
ㄹ. 출발 후 점 P는 $t=b$, $t=d$에서 원점을 지난다.
따라서 점 P는 출발 후 원점을 두 번 지난다.
따라서 보기 중 옳은 것은 ㄱ, ㄹ이다.

098 답 36

t초 후의 점 P의 좌표는 $(2t, 0)$이므로 점 Q의 좌표는
$$(2t, 8t^3-16t^2+4t+5)$$
선분 PQ의 길이를 l이라 하면
$$l=8t^3-16t^2+4t+5$$
$$\therefore \frac{dl}{dt}=24t^2-32t+4$$
따라서 $t=2$에서 선분 PQ의 길이의 변화율은
$$24\times2^2-32\times2+4=36$$

099 답 $1.2\,\text{m}^2/\text{s}$

t초 후의 정사각형의 한 변의 길이는
$$(5+0.1t)\,\text{m}$$
t초 후의 정사각형의 넓이를 $S\,\text{m}^2$라 하면
$$S=(5+0.1t)^2$$
$$\therefore \frac{dS}{dt}=2(5+0.1t)\times0.1=0.2(5+0.1t)$$
따라서 $t=10$에서 정사각형의 넓이의 변화율은
$$0.2(5+0.1\times10)=1.2(\text{m}^2/\text{s})$$

100 답 ④

t초 후의 밑면의 반지름의 길이는 $(2+2t)\,\text{cm}$, 높이는 $(4+t)\,\text{cm}$이므로 원기둥의 부피를 $V\,\text{cm}^3$라 하면
$$V=\pi(2+2t)^2(4+t)$$
$$=\pi(4t^3+24t^2+36t+16)$$
$$\therefore \frac{dV}{dt}=\pi(12t^2+48t+36)$$
따라서 $t=1$에서 원기둥의 부피의 변화율은
$$\pi(12+48+36)=96\pi(\text{cm}^3/\text{s})$$

001 답 ⑤

$f(x)=(x^3-2x^2+x+C)'=3x^2-4x+1$

$\therefore f(2)=12-8+1=5$

002 답 8

$f(x)=\int\left\{\dfrac{d}{dx}(x^3+3x^2-5x)\right\}dx$

$\qquad=x^3+3x^2-5x+C$

$f(1)=0$에서

$1+3-5+C=0 \qquad \therefore C=1$

따라서 $f(x)=x^3+3x^2-5x+1$이므로

$f(-1)=-1+3+5+1=8$

003 답 ③

$f(x)=\int\dfrac{x^3}{x+1}dx+\int\dfrac{1}{x+1}dx=\int\dfrac{x^3+1}{x+1}dx$

$\qquad=\int\dfrac{(x+1)(x^2-x+1)}{x+1}dx=\int(x^2-x+1)dx$

$\qquad=\dfrac{1}{3}x^3-\dfrac{1}{2}x^2+x+C$

$f(0)=1$에서 $C=1$

따라서 $f(x)=\dfrac{1}{3}x^3-\dfrac{1}{2}x^2+x+1$이므로

$f(2)=\dfrac{8}{3}-2+2+1=\dfrac{11}{3}$

004 답 ④

$f'(x)=3x^2-6$이므로

$f(x)=\int f'(x)dx=\int(3x^2-6)dx=x^3-6x+C$

$f(0)=8$에서 $C=8$

따라서 $f(x)=x^3-6x+8$이므로

$f(-1)=-1+6+8=13$

005 답 -10

$F(x)=xf(x)+2x^3$의 양변을 x에 대하여 미분하면

$f(x)=f(x)+xf'(x)+6x^2$

$xf'(x)=-6x^2$

$\therefore f'(x)=-6x$

$\therefore f(x)=\int f'(x)dx=\int(-6x)dx$

$\qquad=-3x^2+C$

$f(1)=-1$에서 $-3+C=-1$

$\therefore C=2$

따라서 $f(x)=-3x^2+2$이므로

$f(2)=-12+2=-10$

006 답 ⑤

$\dfrac{d}{dx}\{f(x)-g(x)\}=4x-4$에서

$\int\left[\dfrac{d}{dx}\{f(x)-g(x)\}\right]dx=\int(4x-4)dx$

$\therefore f(x)-g(x)=2x^2-4x+C_1$

$\dfrac{d}{dx}\{f(x)g(x)\}=6x^2+6x-5$에서

$\int\left[\dfrac{d}{dx}\{f(x)g(x)\}\right]dx=\int(6x^2+6x-5)dx$

$\therefore f(x)g(x)=2x^3+3x^2-5x+C_2$

$f(0)=4,\ g(0)=3$에서

$f(0)-g(0)=C_1=1,\ f(0)g(0)=C_2=12$

$\therefore f(x)-g(x)=2x^2-4x+1,$

$\quad f(x)g(x)=2x^3+3x^2-5x+12$

$\qquad\qquad\quad=(x+3)(2x^2-3x+4)$

$\therefore \begin{cases}f(x)=x+3\\g(x)=2x^2-3x+4\end{cases}$ 또는 $\begin{cases}f(x)=2x^2-3x+4\\g(x)=x+3\end{cases}$

이때 $f(0)=4,\ g(0)=3$이므로

$f(x)=2x^2-3x+4,\ g(x)=x+3$

$\therefore f(2)-g(1)=(8-6+4)-(1+3)=2$

007 답 2

$f'(x)=\begin{cases}2x-1 & (x\geq0)\\3x^2-1 & (x<0)\end{cases}$에서

(i) $x\geq0$일 때

$\qquad f(x)=\int f'(x)dx=\int(2x-1)dx$

$\qquad\qquad=x^2-x+C_1$

$\qquad f(1)=2$에서

$\qquad 1-1+C_1=2 \qquad \therefore C_1=2$

(ii) $x<0$일 때

$\qquad f(x)=\int f'(x)dx=\int(3x^2-1)dx$

$\qquad\qquad=x^3-x+C_2$

(i), (ii)에서 $f(x)=\begin{cases}x^2-x+2 & (x\geq0)\\x^3-x+C_2 & (x<0)\end{cases}$

함수 $f(x)$가 $x=0$에서 연속이므로

$\lim\limits_{x\to0+}f(x)=\lim\limits_{x\to0-}f(x)$에서

$\lim\limits_{x\to0+}(x^2-x+2)=\lim\limits_{x\to0-}(x^3-x+C_2)$

$\therefore C_2=2$

따라서 $f(x)=\begin{cases}x^2-x+2 & (x\geq0)\\x^3-x+2 & (x<0)\end{cases}$이므로

$f(-1)=-1+1+2=2$

008 답 ①

$f(x+y)=f(x)+f(y)$의 양변에 $x=0,\ y=0$을 대입하면

$f(0)=f(0)+f(0) \qquad \therefore f(0)=0$

도함수의 정의에 의하여 $f'(x)$는

$$f'(x) = \lim_{h \to 0} \frac{f(x+h) - f(x)}{h}$$
$$= \lim_{h \to 0} \frac{\{f(x) + f(h)\} - f(x)}{h} = \lim_{h \to 0} \frac{f(h)}{h}$$
$$= \lim_{h \to 0} \frac{f(h) - f(0)}{h} = f'(0) = 1$$

$$\therefore f(x) = \int f'(x) \, dx = \int 1 \, dx = x + C$$

그런데 $f(0) = 0$이므로 $C = 0$

따라서 $f(x) = x$이므로 $f(3) = 3$

009 답 ③

$$f(x) = \int f'(x) \, dx = \int (3x^2 - 12x) \, dx$$
$$= x^3 - 6x^2 + C$$

$f'(x) = 3x^2 - 12x = 3x(x-4)$이므로

$f'(x) = 0$인 x의 값은 $x = 0$ 또는 $x = 4$

함수 $f(x)$의 증가, 감소를 표로 나타내면 다음과 같다.

x	$\cdots$	0	$\cdots$	4	$\cdots$
$f'(x)$	$+$	0	$-$	0	$+$
$f(x)$	↗	극대	↘	극소	↗

함수 $f(x)$는 $x = 0$에서 극대이고 극댓값이 15이므로 $f(0) = 15$에서

$C = 15$

$$\therefore f(x) = x^3 - 6x^2 + 15$$

함수 $f(x)$는 $x = 4$에서 극소이므로 극솟값은

$f(4) = 64 - 96 + 15 = -17$

010 답 ③

$\int xf(x) \, dx = 2x^3 + 3x^2 + C$에서

$$xf(x) = (2x^3 + 3x^2 + C)'$$
$$= 6x^2 + 6x = x(6x+6)$$

$$\therefore f(x) = 6x + 6$$

$$\therefore f(1) + f(-1) = (6+6) + (-6+6) = 12$$

011 답 ③

① $(x^4 - 1)' = 4x^3$이므로 $4x^3$의 부정적분이다.

② $(x^4)' = 4x^3$이므로 $4x^3$의 부정적분이다.

③ $(2x^4)' = 8x^3$이므로 $4x^3$의 부정적분이 아니다.

④ $(x^4 + 1)' = 4x^3$이므로 $4x^3$의 부정적분이다.

⑤ $(x^4 + 2)' = 4x^3$이므로 $4x^3$의 부정적분이다.

012 답 8

$8x^3 - ax^2 + 1 = (bx^4 - 2x^3 + x + C)' = 4bx^3 - 6x^2 + 1$

따라서 $8 = 4b$, $-a = -6$이므로

$a = 6$, $b = 2$ $\quad \therefore a + b = 8$

013 답 3

$f(x) = F'(x) = (x^3 + ax^2)' = 3x^2 + 2ax$

$f(2) = -4$에서

$12 + 4a = -4$ $\quad \therefore a = -4$

따라서 $f(x) = 3x^2 - 8x$이므로

$f(3) = 27 - 24 = 3$

014 답 ③

$$\lim_{h \to 0} \frac{f(1+h) - f(1-2h)}{h}$$
$$= \lim_{h \to 0} \frac{\{f(1+h) - f(1)\} - \{f(1-2h) - f(1)\}}{h}$$
$$= \lim_{h \to 0} \frac{f(1+h) - f(1)}{h} + \lim_{h \to 0} \frac{f(1-2h) - f(1)}{-2h} \times 2$$
$$= f'(1) + 2f'(1)$$
$$= 3f'(1)$$

$f(x) = \int (x^2 + x) \, dx$에서

$f'(x) = x^2 + x$ $\quad \therefore f'(1) = 2$

따라서 구하는 값은

$3f'(1) = 3 \times 2 = 6$

015 답 ④

$f(x) = \int xg(x) \, dx$에서

$f'(x) = xg(x)$ $\qquad \cdots\cdots$ ㉠

$\dfrac{d}{dx}\{f(x) - g(x)\} = 6x^3 - 2x$에서

$f'(x) - g'(x) = 6x^3 - 2x$ $\qquad \cdots\cdots$ ㉡

㉠을 ㉡에 대입하면

$xg(x) - g'(x) = 6x^3 - 2x$ $\qquad \cdots\cdots$ ㉢

따라서 $g(x)$는 최고차항의 계수가 6인 이차함수이므로

$g(x) = 6x^2 + ax + b$ (a, b는 상수)라 하면

$g'(x) = 12x + a$

이를 ㉢에 대입하면

$x(6x^2 + ax + b) - (12x + a) = 6x^3 - 2x$

$6x^3 + ax^2 + (b-12)x - a = 6x^3 - 2x$

즉, $a = 0$, $b - 12 = -2$이므로

$a = 0$, $b = 10$

따라서 $g(x) = 6x^2 + 10$이므로

$g(1) = 6 + 10 = 16$

016 답 ④

$f(x) = \int \left\{ \dfrac{d}{dx}(-x^2 + 2x) \right\} dx = -x^2 + 2x + C$

$f(1) = 5$에서

$-1 + 2 + C = 5$ $\quad \therefore C = 4$

따라서 $f(x) = -x^2 + 2x + 4$이므로

$f(3) = -9 + 6 + 4 = 1$

017 답 ②

$f(x)=\dfrac{d}{dx}\left\{\displaystyle\int (2x^3-x^2+5)\,dx\right\}=2x^3-x^2+5$이므로

$f(-1)=-2-1+5=2$

018 답 18

$f(x)=\dfrac{d}{dx}\left\{\displaystyle\int (3x^2-2x)\,dx\right\}+\displaystyle\int \left\{\dfrac{d}{dx}(2x^2-x)\right\}dx$

$\qquad =(3x^2-2x)+(2x^2-x+C)$

$\qquad =5x^2-3x+C$

$f(0)=4$에서 $C=4$

따라서 $f(x)=5x^2-3x+4$이므로

$f(2)=20-6+4=18$

019 답 -1

$f(x)=\displaystyle\int \left\{\dfrac{d}{dx}(x^2-4x)\right\}dx$

$\qquad =x^2-4x+C=(x-2)^2+C-4$

이때 함수 $f(x)$의 최솟값이 -1이므로

$C-4=-1 \qquad \therefore C=3$

따라서 $f(x)=x^2-4x+3$이므로

$f(2)=4-8+3=-1$

020 답 ⑤

$f(x)=\displaystyle\int \left\{\dfrac{d}{dx}(x^3+ax)\right\}dx$

$\qquad =x^3+ax+C$

$\therefore f'(x)=3x^2+a$

$f(2)=4$에서

$8+2a+C=4 \qquad \cdots\cdots \ \bigcirc$

또 $f'(0)=-3$에서 $a=-3$

이를 $\bigcirc$에 대입하면

$8-6+C=4 \qquad \therefore C=2$

따라서 $f(x)=x^3-3x+2$, $f'(x)=3x^2-3$이므로

$f(-1)+f'(-1)=(-1+3+2)+(3-3)=4$

021 답 ㄷ

ㄱ. $\displaystyle\int \left\{\dfrac{d}{dx}f(x)\right\}dx=f(x)+C$, $\dfrac{d}{dx}\left\{\displaystyle\int f(x)\,dx\right\}=f(x)$이므로

$\qquad \displaystyle\int \left\{\dfrac{d}{dx}f(x)\right\}dx\ne \dfrac{d}{dx}\left\{\displaystyle\int f(x)\,dx\right\}$

ㄴ. $\dfrac{d}{dx}\left[\displaystyle\int \left\{\dfrac{d}{dx}f(x)\right\}dx\right]=\dfrac{d}{dx}\{f(x)+C\}=f'(x)$

ㄷ. $\dfrac{d}{dx}\left\{\displaystyle\int f(x)\,dx\right\}=f(x)$, $\displaystyle\int \left\{\dfrac{d}{dx}g(x)\right\}dx=g(x)+C$이므로

$\qquad f(x)=g(x)+C$

$\qquad$ 양변을 x에 대하여 미분하면 $f'(x)=g'(x)$

따라서 보기 중 옳은 것은 ㄷ이다.

022 답 ③

$\dfrac{d}{dx}\{x^2f(x)\}=2xf(x)+x^2f'(x)$이므로

$\displaystyle\int \{2xf(x)+x^2f'(x)\}\,dx=\displaystyle\int \left[\dfrac{d}{dx}\{x^2f(x)\}\right]dx$

$\qquad\qquad\qquad\qquad\qquad\quad =x^2f(x)+C$

$\therefore x^2f(x)+C=x^4-2x^3-6x^2+1$

양변에 $x=0$을 대입하면

$C=1$

즉, $x^2f(x)+1=x^4-2x^3-6x^2+1$이므로

$x^2f(x)=x^4-2x^3-6x^2$

$\therefore f(x)=x^2-2x-6$

따라서 방정식 $f(x)=0$의 모든 근의 곱은 이차방정식의 근과 계수의 관계에 의하여 -6이다.

023 답 -2

$f(x)=\displaystyle\int \dfrac{x^2}{x-2}\,dx-\displaystyle\int \dfrac{5x-6}{x-2}\,dx=\displaystyle\int \dfrac{x^2-5x+6}{x-2}\,dx$

$\qquad =\displaystyle\int \dfrac{(x-2)(x-3)}{x-2}\,dx=\displaystyle\int (x-3)\,dx$

$\qquad =\dfrac{1}{2}x^2-3x+C$

$f(-2)=10$에서

$2+6+C=10 \qquad \therefore C=2$

따라서 $f(x)=\dfrac{1}{2}x^2-3x+2$이므로

$f(4)=8-12+2=-2$

024 답 ④

$\displaystyle\int (2x^3-6x^2+3)\,dx=2\displaystyle\int x^3\,dx-6\displaystyle\int x^2\,dx+3\displaystyle\int dx$

$\qquad\qquad\qquad\qquad\qquad =\dfrac{1}{2}x^4-2x^3+3x+C$

025 답 2

$f(x)=\displaystyle\int (5x^4+4x^3+3x^2+2x+1)\,dx$

$\qquad =x^5+x^4+x^3+x^2+x+C$

$f(0)=-3$에서 $C=-3$

따라서 $f(x)=x^5+x^4+x^3+x^2+x-3$이므로

$f(1)=1+1+1+1+1-3=2$

026 답 ②

㈎에서 $f(x)=\displaystyle\int (2x-4)\,dx=x^2-4x+C$

㈏에서 모든 실수 x에 대하여 $x^2-4x+C\ge 0$이므로

이차방정식 $x^2-4x+C=0$의 판별식을 D라 하면

$\dfrac{D}{4}=4-C\le 0 \qquad \therefore C\ge 4$

이때 $f(0)=C$이므로 $f(0)$의 최솟값은 4이다.

027 답 ①

$f'(x)=3x^2-4x+1$이므로

$$f(x)=\int f'(x)\,dx=\int(3x^2-4x+1)\,dx$$
$$=x^3-2x^2+x+C$$

$f(1)=2$에서

$1-2+1+C=2 \qquad \therefore C=2$

따라서 $f(x)=x^3-2x^2+x+2$이므로

$f(-1)=-1-2-1+2=-2$

028 답 ②

$f'(x)=6x+8$이므로

$$f(x)=\int f'(x)\,dx=\int(6x+8)\,dx$$
$$=3x^2+8x+C_1$$

$f(0)=3$에서 $C_1=3$

$\therefore f(x)=3x^2+8x+3$

따라서 $f(x)$를 적분하면

$$\int f(x)\,dx=\int(3x^2+8x+3)\,dx$$
$$=x^3+4x^2+3x+C$$

029 답 6

$f'(x)=ax^2-2x+3$이므로

$$f(x)=\int f'(x)\,dx=\int(ax^2-2x+3)\,dx$$
$$=\frac{a}{3}x^3-x^2+3x+C$$

$f(0)=1$에서 $C=1$

$f(2)=19$에서

$\dfrac{8}{3}a-4+6+C=19,\ \dfrac{8}{3}a=16\ (\because C=1)$

$\therefore a=6$

030 답 ②

곡선 $y=f(x)$ 위의 임의의 점 $(x,\ f(x))$에서의 접선의 기울기가
$6x^2+2x+10$이므로

$f'(x)=6x^2+2x+10$

$$\therefore f(x)=\int f'(x)\,dx=\int(6x^2+2x+10)\,dx$$
$$=2x^3+x^2+10x+C$$

곡선 $y=f(x)$가 점 $(0,\ 3)$을 지나므로 $f(0)=3$에서

$C=3$

따라서 $f(x)=2x^3+x^2+10x+3$이므로

$f(-1)=-2+1-10+3=-8$

031 답 ④

$f'(x)=12x$이므로

$$f(x)=\int f'(x)\,dx=\int 12x\,dx=6x^2+C_1$$

$f(x)$의 한 부정적분이 $F(x)$이므로

$$F(x)=\int f(x)\,dx=\int(6x^2+C_1)\,dx$$
$$=2x^3+C_1x+C_2$$

$f(0)=F(0)$이므로

$C_1=C_2$

$f(1)=F(1)$이므로

$6+C_1=2+C_1+C_2$

$6+C_1=2+2C_1\ (\because C_1=C_2)$

$\therefore C_1=4,\ C_2=4$

따라서 $F(x)=2x^3+4x+4$이므로

$F(2)=16+8+4=28$

032 답 $-\dfrac{3}{2}$

$f'(x)=4x+a$이므로

$$f(x)=\int f'(x)\,dx=\int(4x+a)\,dx$$
$$=2x^2+ax+C$$

$f(2)=4$에서

$8+2a+C=4 \qquad \cdots\cdots \ \ominus$

방정식 $f(x)=0$, 즉 $2x^2+ax+C=0$의 모든 근의 곱이 -5이므로 이차방정식의 근과 계수의 관계에 의하여

$\dfrac{C}{2}=-5 \qquad \therefore C=-10$

이를 $\ominus$에 대입하면

$8+2a-10=4 \qquad \therefore a=3$

$\therefore f(x)=2x^2+3x-10$

따라서 방정식 $f(x)=0$, 즉 $2x^2+3x-10=0$의 모든 근의 합은
이차방정식의 근과 계수의 관계에 의하여 $-\dfrac{3}{2}$이다.

033 답 ⑤

$$\lim_{h\to 0}\frac{f(x+h)-f(x-h)}{h}$$
$$=\lim_{h\to 0}\frac{\{f(x+h)-f(x)\}-\{f(x-h)-f(x)\}}{h}$$
$$=\lim_{h\to 0}\frac{f(x+h)-f(x)}{h}+\lim_{h\to 0}\frac{f(x-h)-f(x)}{-h}$$
$$=f'(x)+f'(x)$$
$$=2f'(x)$$

즉, $2f'(x)=4x^2-6x+2$이므로

$f'(x)=2x^2-3x+1$

$$\therefore f(x)=\int f'(x)\,dx=\int(2x^2-3x+1)\,dx$$
$$=\frac{2}{3}x^3-\frac{3}{2}x^2+x+C$$

$f(0)=1$에서 $C=1$

따라서 $f(x)=\dfrac{2}{3}x^3-\dfrac{3}{2}x^2+x+1$이므로

$f(1)=\dfrac{2}{3}-\dfrac{3}{2}+1+1=\dfrac{7}{6}$

034 답 11

㈎에서 $f'(x)=3x^2+2x+a$이므로

$$f(x)=\int f'(x)\,dx=\int(3x^2+2x+a)\,dx$$
$$=x^3+x^2+ax+C$$

㈏에서 $x\to1$일 때 (분모)$\to0$이고 극한값이 존재하므로
(분자)$\to0$이다.

즉, $\lim_{x\to1}f(x)=0$이므로 $f(1)=0$

$1+1+a+C=0$ $\therefore a+C=-2$ …… ㉠

㈏의 좌변에서

$$\lim_{x\to1}\frac{f(x)}{x-1}=\lim_{x\to1}\frac{f(x)-f(1)}{x-1}=f'(1)$$

즉, $f'(1)=2a+4$이므로

$3+2+a=2a+4$ $\therefore a=1$

이를 ㉠에 대입하면

$1+C=-2$ $\therefore C=-3$

따라서 $f(x)=x^3+x^2+x-3$이므로

$f(2)=8+4+2-3=11$

035 답 ④

$F(x)=xf(x)-2x^3+x^2$의 양변을 x에 대하여 미분하면

$$f(x)=f(x)+xf'(x)-6x^2+2x$$
$$xf'(x)=6x^2-2x=x(6x-2)$$
$$\therefore f'(x)=6x-2$$
$$\therefore f(x)=\int f'(x)\,dx=\int(6x-2)\,dx$$
$$=3x^2-2x+C$$

$f(1)=-1$에서 $3-2+C=-1$ $\therefore C=-2$

따라서 $f(x)=3x^2-2x-2$이므로

$f(-1)=3+2-2=3$

036 답 −40

$F(x)=\int(x-1)f(x)\,dx+x^4-4x^3+4x^2$의 양변을 x에 대하여 미분하면

$$f(x)=(x-1)f(x)+4x^3-12x^2+8x$$
$$(x-2)f(x)=-4x^3+12x^2-8x=-4x(x-1)(x-2)$$
$$\therefore f(x)=-4x(x-1)=-4x^2+4x$$
$$\therefore F(x)=\int f(x)\,dx=\int(-4x^2+4x)\,dx$$
$$=-\frac{4}{3}x^3+2x^2+C$$

$F(0)=2$에서 $C=2$

따라서 $F(x)=-\dfrac{4}{3}x^3+2x^2+2$이므로

$f(3)+F(3)=(-36+12)+(-36+18+2)=-40$

037 답 9

$\int xf(x)\,dx=\{f(x)\}^2$의 양변을 x에 대하여 미분하면

$$xf(x)=2f(x)f'(x),\ f(x)\{x-2f'(x)\}=0$$
$$2f'(x)=x\ (\because f(x)\neq0)\quad \therefore f'(x)=\frac{1}{2}x$$

$$\therefore f(x)=\int f'(x)\,dx=\int\frac{1}{2}x\,dx=\frac{1}{4}x^2+C$$

$f(0)=1$에서 $C=1$

즉, $f(x)=\dfrac{1}{4}x^2+1$이므로

$$f(1)=\frac{1}{4}+1=\frac{5}{4}$$

따라서 $p=4$, $q=5$이므로 $p+q=9$

038 답 ④

$\dfrac{d}{dx}\{f(x)+g(x)\}=2x+2$에서

$$\int\left[\frac{d}{dx}\{f(x)+g(x)\}\right]dx=\int(2x+2)\,dx$$
$$\therefore f(x)+g(x)=x^2+2x+C_1$$

$\dfrac{d}{dx}\{f(x)g(x)\}=3x^2+6x+1$에서

$$\int\left[\frac{d}{dx}\{f(x)g(x)\}\right]dx=\int(3x^2+6x+1)\,dx$$
$$\therefore f(x)g(x)=x^3+3x^2+x+C_2$$

$f(1)=1$, $g(1)=3$에서

$f(1)+g(1)=1+2+C_1=4$, $f(1)g(1)=1+3+1+C_2=3$

$\therefore C_1=1$, $C_2=-2$

$\therefore f(x)+g(x)=x^2+2x+1$,

$\qquad f(x)g(x)=x^3+3x^2+x-2=(x+2)(x^2+x-1)$

$$\therefore \begin{cases}f(x)=x+2\\g(x)=x^2+x-1\end{cases}\text{또는}\begin{cases}f(x)=x^2+x-1\\g(x)=x+2\end{cases}$$

이때 $f(1)=1$, $g(1)=3$이므로

$f(x)=x^2+x-1$, $g(x)=x+2$

$\therefore f(2)-g(2)=(4+2-1)-(2+2)=1$

039 답 ②

$\dfrac{d}{dx}\{f(x)g(x)\}=3x^2$에서

$$\int\left[\frac{d}{dx}\{f(x)g(x)\}\right]dx=\int3x^2\,dx$$
$$\therefore f(x)g(x)=x^3+C$$

$f(1)=-1$, $g(1)=7$에서

$f(1)g(1)=1+C=-7$ $\therefore C=-8$

$\therefore f(x)g(x)=x^3-8=(x-2)(x^2+2x+4)$

이때 $f(1)=-1$, $g(1)=7$이므로

$f(x)=x-2$, $g(x)=x^2+2x+4$

$\therefore f(3)+g(-1)=(3-2)+(1-2+4)=4$

040 답 $F(x)=2x$

$$\frac{d}{dx}\{(x^2-1)F(x)\}=2xF(x)+(x^2-1)F'(x)$$
$$=(x^2-1)f(x)+2xF(x)$$

이므로 $(x^2-1)f(x)+2xF(x)=6x^2-2$에서

$$\frac{d}{dx}\{(x^2-1)F(x)\}=6x^2-2$$
$$\int\left[\frac{d}{dx}\{(x^2-1)F(x)\}\right]dx=\int(6x^2-2)\,dx$$
$$\therefore (x^2-1)F(x)=2x^3-2x+C$$

$F(0)=0$에서 $C=0$

따라서 $(x^2-1)F(x)=2x^3-2x=2x(x^2-1)$이므로

$F(x)=2x$

041 답 ①

$f'(x)=\begin{cases} -4x & (x \geq 1) \\ 4x^3-8x & (x<1) \end{cases}$에서

(i) $x \geq 1$일 때

$$f(x)=\int f'(x)\,dx=\int (-4x)\,dx$$
$$=-2x^2+C_1$$

(ii) $x<1$일 때

$$f(x)=\int f'(x)\,dx=\int (4x^3-8x)\,dx$$
$$=x^4-4x^2+C_2$$

$f(0)=3$에서 $C_2=3$

(i), (ii)에서 $f(x)=\begin{cases} -2x^2+C_1 & (x \geq 1) \\ x^4-4x^2+3 & (x<1) \end{cases}$

함수 $f(x)$가 미분가능하면 $x=1$에서 연속이므로

$\lim\limits_{x \to 1+} f(x)=\lim\limits_{x \to 1-} f(x)$에서

$\lim\limits_{x \to 1+} (-2x^2+C_1)=\lim\limits_{x \to 1-} (x^4-4x^2+3)$

$-2+C_1=1-4+3$ ∴ $C_1=2$

따라서 $f(x)=\begin{cases} -2x^2+2 & (x \geq 1) \\ x^4-4x^2+3 & (x<1) \end{cases}$이므로

$f(2)=-8+2=-6$

042 답 4

$f'(x)=-x+|x-1|=\begin{cases} -1 & (x \geq 1) \\ -2x+1 & (x<1) \end{cases}$에서

(i) $x \geq 1$일 때

$$f(x)=\int f'(x)\,dx=\int (-1)\,dx$$
$$=-x+C_1$$

$f(2)=3$에서

$-2+C_1=3$ ∴ $C_1=5$

(ii) $x<1$일 때

$$f(x)=\int f'(x)\,dx=\int (-2x+1)\,dx$$
$$=-x^2+x+C_2$$

(i), (ii)에서 $f(x)=\begin{cases} -x+5 & (x \geq 1) \\ -x^2+x+C_2 & (x<1) \end{cases}$

함수 $f(x)$가 $x=1$에서 연속이므로

$\lim\limits_{x \to 1+} f(x)=\lim\limits_{x \to 1-} f(x)$에서

$\lim\limits_{x \to 1+} (-x+5)=\lim\limits_{x \to 1-} (-x^2+x+C_2)$

$-1+5=-1+1+C_2$ ∴ $C_2=4$

따라서 $f(x)=\begin{cases} -x+5 & (x \geq 1) \\ -x^2+x+4 & (x<1) \end{cases}$이므로

$f(0)=4$

043 답 ④

주어진 그래프에서 $f'(x)=\begin{cases} -x+1 & (x \geq 0) \\ x+1 & (x<0) \end{cases}$

(i) $x \geq 0$일 때

$$f(x)=\int f'(x)\,dx=\int (-x+1)\,dx$$
$$=-\frac{1}{2}x^2+x+C_1$$

함수 $y=f(x)$의 그래프가 점 $(0, 2)$를 지나므로 $f(0)=2$에서

$C_1=2$

(ii) $x<0$일 때

$$f(x)=\int f'(x)\,dx=\int (x+1)\,dx$$
$$=\frac{1}{2}x^2+x+C_2$$

(i), (ii)에서 $f(x)=\begin{cases} -\frac{1}{2}x^2+x+2 & (x \geq 0) \\ \frac{1}{2}x^2+x+C_2 & (x<0) \end{cases}$

함수 $f(x)$가 미분가능하면 $x=0$에서 연속이므로

$\lim\limits_{x \to 0+} f(x)=\lim\limits_{x \to 0-} f(x)$에서

$\lim\limits_{x \to 0+} \left(-\frac{1}{2}x^2+x+2\right)=\lim\limits_{x \to 0-} \left(\frac{1}{2}x^2+x+C_2\right)$

∴ $C_2=2$

따라서 $f(x)=\begin{cases} -\frac{1}{2}x^2+x+2 & (x \geq 0) \\ \frac{1}{2}x^2+x+2 & (x<0) \end{cases}$이므로

$f(1)+f(-1)=\left(-\frac{1}{2}+1+2\right)+\left(\frac{1}{2}-1+2\right)=4$

044 답 2

$f'(x)=\begin{cases} 5-2x & (x>1) \\ 2x+a & (x<1) \end{cases}$에서

(i) $x>1$일 때

$$f(x)=\int f'(x)\,dx=\int (5-2x)\,dx$$
$$=5x-x^2+C_1$$

(ii) $x<1$일 때

$$f(x)=\int f'(x)\,dx=\int (2x+a)\,dx$$
$$=x^2+ax+C_2$$

(i), (ii)에서 $f(x)=\begin{cases} -x^2+5x+C_1 & (x>1) \\ x^2+ax+C_2 & (x<1) \end{cases}$

함수 $f(x)$가 $x=1$에서 연속이므로

$\lim\limits_{x \to 1+} f(x)=\lim\limits_{x \to 1-} f(x)$에서

$\lim\limits_{x \to 1+} (-x^2+5x+C_1)=\lim\limits_{x \to 1-} (x^2+ax+C_2)$

$-1+5+C_1=1+a+C_2$

∴ $C_1-C_2=a-3$ ...... ㉠

$f(3)-f(-3)=2$에서

$(-9+15+C_1)-(9-3a+C_2)=2$

∴ $C_1-C_2=-3a+5$ ...... ㉡

㉠, ㉡에서 $a-3=-3a+5$ ∴ $a=2$

045 답 ③

$f(x+y)=f(x)+f(y)+3xy(x+y)$의 양변에 $x=0$, $y=0$을 대입하면

$f(0)=f(0)+f(0)+0$　　∴ $f(0)=0$

도함수의 정의에 의하여

$f'(x)=\lim\limits_{h\to 0}\dfrac{f(x+h)-f(x)}{h}$

$=\lim\limits_{h\to 0}\dfrac{\{f(x)+f(h)+3xh(x+h)\}-f(x)}{h}$

$=\lim\limits_{h\to 0}\left\{\dfrac{f(h)}{h}+3x(x+h)\right\}=\lim\limits_{h\to 0}\dfrac{f(h)}{h}+3x^2$

$=\lim\limits_{h\to 0}\dfrac{f(h)-f(0)}{h}+3x^2=f'(0)+3x^2$

$f'(1)=4$에서

$4=f'(0)+3$　　∴ $f'(0)=1$

즉, $f'(x)=3x^2+1$이므로

$f(x)=\displaystyle\int f'(x)\,dx=\int (3x^2+1)\,dx=x^3+x+C$

그런데 $f(0)=0$이므로 $C=0$

따라서 $f(x)=x^3+x$이므로

$f(2)=8+2=10$

046 답 $f(x)=-2x-5$

$f(x+y)=f(x)+f(y)+5$의 양변에 $x=0$, $y=0$을 대입하면

$f(0)=f(0)+f(0)+5$　　∴ $f(0)=-5$

도함수의 정의에 의하여

$f'(x)=\lim\limits_{h\to 0}\dfrac{f(x+h)-f(x)}{h}$

$=\lim\limits_{h\to 0}\dfrac{\{f(x)+f(h)+5\}-f(x)}{h}$

$=\lim\limits_{h\to 0}\dfrac{f(h)+5}{h}=\lim\limits_{h\to 0}\dfrac{f(h)-f(0)}{h}=-2$

∴ $f(x)=\displaystyle\int f'(x)\,dx=\int (-2)\,dx=-2x+C$

그런데 $f(0)=-5$이므로 $C=-5$

∴ $f(x)=-2x-5$

047 답 -2

$f(x+y)=f(x)+f(y)-3$의 양변에 $x=0$, $y=0$을 대입하면

$f(0)=f(0)+f(0)-3$　　∴ $f(0)=3$

도함수의 정의에 의하여

$f'(x)=\lim\limits_{h\to 0}\dfrac{f(x+h)-f(x)}{h}$

$=\lim\limits_{h\to 0}\dfrac{\{f(x)+f(h)-3\}-f(x)}{h}$

$=\lim\limits_{h\to 0}\dfrac{f(h)-3}{h}=\lim\limits_{h\to 0}\dfrac{f(h)-f(0)}{h}=f'(0)$

$f'(0)=k$(k는 상수)로 놓으면 $f'(x)=k$이므로

$f(x)=\displaystyle\int f'(x)\,dx=\int k\,dx=kx+C$

그런데 $f(0)=3$이므로 $C=3$

∴ $f(x)=kx+3$

$f(3)=-3$에서

$3k+3=-3$　　∴ $k=-2$

∴ $f'(0)=k=-2$

048 답 ④

$f(x+y)=f(x)+f(y)+4xy$의 양변에 $x=0$, $y=0$을 대입하면

$f(0)=f(0)+f(0)+0$　　∴ $f(0)=0$

도함수의 정의에 의하여

$f'(x)=\lim\limits_{h\to 0}\dfrac{f(x+h)-f(x)}{h}$

$=\lim\limits_{h\to 0}\dfrac{\{f(x)+f(h)+4xh\}-f(x)}{h}$

$=\lim\limits_{h\to 0}\dfrac{f(h)+4xh}{h}=\lim\limits_{h\to 0}\dfrac{f(h)}{h}+4x$

$=\lim\limits_{h\to 0}\dfrac{f(h)-f(0)}{h}+4x$

$=f'(0)+4x$

$f'(0)=k$(k는 상수)로 놓으면 $f'(x)=4x+k$이므로

$F(x)=\displaystyle\int (x-1)f'(x)\,dx=\int (x-1)(4x+k)\,dx$

∴ $F'(x)=(x-1)(4x+k)$

이때 함수 $F(x)$의 극값이 존재하지 않으므로 이차방정식 $F'(x)=0$은 중근 또는 허근을 가져야 한다.

그런데 방정식 $F'(x)=0$의 한 근이 1이므로 방정식 $4x+k=0$의 근도 1이어야 한다.

즉, $4+k=0$에서 $k=-4$　　∴ $f'(0)=-4$

∴ $f(x)=\displaystyle\int f'(x)\,dx=\int (4x-4)\,dx$

$=2x^2-4x+C$

그런데 $f(0)=0$이므로 $C=0$

따라서 $f(x)=2x^2-4x$이므로

$f(5)=50-20=30$

049 답 6

$f(x)=\displaystyle\int f'(x)\,dx=\int (-6x^2+6x)\,dx$

$=-2x^3+3x^2+C$

$f'(x)=-6x^2+6x=-6x(x-1)$이므로

$f'(x)=0$인 x의 값은 $x=0$ 또는 $x=1$

함수 $f(x)$의 증가, 감소를 표로 나타내면 다음과 같다.

x	$\cdots$	0	$\cdots$	1	$\cdots$
$f'(x)$	$-$	0	$+$	0	$-$
$f(x)$	$\searrow$	극소	$\nearrow$	극대	$\searrow$

함수 $f(x)$는 $x=0$에서 극소이고 극솟값이 5이므로 $f(0)=5$에서 $C=5$

∴ $f(x)=-2x^3+3x^2+5$

함수 $f(x)$는 $x=1$에서 극대이므로 극댓값은

$f(1)=-2+3+5=6$

050 답 -3

$f(x)=\displaystyle\int f'(x)\,dx=\int (ax^2-a)\,dx$

$\qquad =\dfrac{a}{3}x^3-ax+C$

$f'(x)=a(x^2-1)=a(x+1)(x-1)$이므로

$f'(x)=0$인 x의 값은 $x=-1$ 또는 $x=1$

$a<0$이므로 함수 $f(x)$의 증가, 감소를 표로 나타내면 다음과 같다.

x	$\cdots$	-1	$\cdots$	1	$\cdots$
$f'(x)$	$-$	0	$+$	0	$-$
$f(x)$	$\searrow$	극소	$\nearrow$	극대	$\searrow$

함수 $f(x)$는 $x=1$에서 극대이고 극댓값이 3이므로 $f(1)=3$에서

$\dfrac{a}{3}-a+C=3$

$\therefore -\dfrac{2}{3}a+C=3 \qquad \cdots\cdots$ ㉠

함수 $f(x)$는 $x=-1$에서 극소이고 극솟값이 -1이므로

$f(-1)=-1$에서

$-\dfrac{a}{3}+a+C=-1$

$\therefore \dfrac{2}{3}a+C=-1 \qquad \cdots\cdots$ ㉡

㉠$-$㉡을 하면

$-\dfrac{4}{3}a=4 \qquad \therefore a=-3$

051 답 ⑤

$f'(x)=ax(x-2)\,(a>0)$라 하면 함수 $y=f'(x)$의 그래프가 점 $(1, -2)$를 지나므로 $f'(1)=-2$에서

$-a=-2 \qquad \therefore a=2$

$\therefore f'(x)=2x(x-2)=2x^2-4x$

$\therefore f(x)=\displaystyle\int f'(x)\,dx=\int (2x^2-4x)\,dx$

$\qquad =\dfrac{2}{3}x^3-2x^2+C$

주어진 그래프에서 $f'(x)$의 부호를 조사하여 함수 $f(x)$의 증가, 감소를 표로 나타내면 다음과 같다.

x	$\cdots$	0	$\cdots$	2	$\cdots$
$f'(x)$	$+$	0	$-$	0	$+$
$f(x)$	$\nearrow$	극대	$\searrow$	극소	$\nearrow$

함수 $f(x)$는 $x=0$에서 극대이고 극댓값이 6이므로 $f(0)=6$에서

$C=6$

$\therefore f(x)=\dfrac{2}{3}x^3-2x^2+6$

함수 $f(x)$는 $x=2$에서 극소이므로 극솟값은

$f(2)=\dfrac{16}{3}-8+6=\dfrac{10}{3}$

052 답 4

㈎에서 $f'(x)=0$인 x의 값이 $x=1$ 또는 $x=3$이므로

$f'(x)=a(x-1)(x-3)\,(a>0)$이라 하자.

$\therefore f(x)=\displaystyle\int f'(x)\,dx=\int a(x-1)(x-3)\,dx$

$\qquad =\displaystyle\int (ax^2-4ax+3a)\,dx$

$\qquad =\dfrac{a}{3}x^3-2ax^2+3ax+C$

$0\le x\le 3$에서 함수 $f(x)$의 증가, 감소를 표로 나타내면 다음과 같다.

x	0	$\cdots$	1	$\cdots$	3
$f'(x)$	$+$	$+$	0	$-$	0
$f(x)$		$\nearrow$	극대	$\searrow$	

$f(0)=C$

$f(1)=\dfrac{a}{3}-2a+3a+C=\dfrac{4}{3}a+C$

$f(3)=9a-18a+9a+C=C$

㈏에서 최댓값이 4, 최솟값이 0이므로

$\dfrac{4}{3}a+C=4,\ C=0$

$\therefore a=3$

따라서 $f(x)=x^3-6x^2+9x$이므로

$f(4)=64-96+36=4$

053 답 8

$f(x)=\displaystyle\int f'(x)\,dx=\int 3(x+1)(x-2)\,dx$

$\qquad =\displaystyle\int (3x^2-3x-6)\,dx$

$\qquad =x^3-\dfrac{3}{2}x^2-6x+C$

$f'(x)=3(x+1)(x-2)$이므로

$f'(x)=0$인 x의 값은 $x=-1$ 또는 $x=2$

함수 $f(x)$의 증가, 감소를 표로 나타내면 다음과 같다.

x	$\cdots$	-1	$\cdots$	2	$\cdots$
$f'(x)$	$+$	0	$-$	0	$+$
$f(x)$	$\nearrow$	극대	$\searrow$	극소	$\nearrow$

함수 $f(x)$는 $x=-1$에서 극대이고 극댓값은

$f(-1)=-1-\dfrac{3}{2}+6+C=\dfrac{7}{2}+C$

함수 $f(x)$는 $x=2$에서 극소이고 극솟값은

$f(2)=8-6-12+C=-10+C$

그런데 함수 $y=f(x)$의 그래프가 x축에 접하므로 극댓값 또는 극솟값이 0이어야 한다.

즉, $f(-1)f(2)=0$이므로

$\left(\dfrac{7}{2}+C\right)(-10+C)=0$

이때 $f(0)>0$이므로

$f(0)=C>0$

$\therefore C=10$

따라서 $f(x)=x^3-\dfrac{3}{2}x^2-6x+10$이므로

$f(-2)=-8-6+12+10=8$

054 답 ⑤

$\int (x+1)f(x)\,dx = x^3 + \dfrac{9}{2}x^2 + 6x + C$에서

$(x+1)f(x) = \left(x^3 + \dfrac{9}{2}x^2 + 6x + C\right)'$

$\qquad\qquad = 3x^2 + 9x + 6 = 3(x+1)(x+2)$

따라서 $f(x) = 3(x+2)$이므로

$f(3) = 3(3+2) = 15$

055 답 29

$f(x) = \int \left\{\dfrac{d}{dx}(x^4 + 5x)\right\} dx = x^4 + 5x + C$

$\therefore f'(x) = 4x^3 + 5$

$f(1) = f'(1)$에서

$1 + 5 + C = 4 + 5 \qquad \therefore C = 3$

따라서 $f(x) = x^4 + 5x + 3$이므로

$f(2) = 16 + 10 + 3 = 29$

056 답 ②

$f(x) = \int \dfrac{2x^2}{x-1}\,dx + \int \dfrac{3x}{x-1}\,dx - \int \dfrac{5}{x-1}\,dx$

$\qquad = \int \dfrac{2x^2 + 3x - 5}{x-1}\,dx = \int \dfrac{(2x+5)(x-1)}{x-1}\,dx$

$\qquad = \int (2x+5)\,dx = x^2 + 5x + C$

$f(1) = 4$에서

$1 + 5 + C = 4 \qquad \therefore C = -2$

따라서 $f(x) = x^2 + 5x - 2$이므로

$f(-1) = 1 - 5 - 2 = -6$

057 답 ④

$f(x) = \int \left(\sqrt{x} + \dfrac{1}{\sqrt{x}}\right)^2 dx - \int \left(\sqrt{x} - \dfrac{1}{\sqrt{x}}\right)^2 dx$

$\qquad = \int \left\{\left(\sqrt{x} + \dfrac{1}{\sqrt{x}}\right)^2 - \left(\sqrt{x} - \dfrac{1}{\sqrt{x}}\right)^2\right\} dx$

$\qquad = \int 4\,dx = 4x + C$

$f(1) = 2$에서

$4 + C = 2 \qquad \therefore C = -2$

따라서 $f(x) = 4x - 2$이므로

$f(3) = 12 - 2 = 10$

058 답 −4

$f'(x) = -2x + 4$이므로

$f(x) = \int f'(x)\,dx = \int (-2x+4)\,dx$

$\qquad = -x^2 + 4x + C$

$f(1) = 7$에서

$-1 + 4 + C = 7 \qquad \therefore C = 4$

$\therefore f(x) = -x^2 + 4x + 4$

따라서 방정식 $f(x) = 0$의 모든 근의 곱은 이차방정식의 근과 계수의 관계에 의하여 -4이다.

059 답 ②

$f'(x) = 12x^2 + 6x - 2$이므로

$f(x) = \int f'(x)\,dx = \int (12x^2 + 6x - 2)\,dx$

$\qquad = 4x^3 + 3x^2 - 2x + C_1$

$f(1) = 2$에서

$4 + 3 - 2 + C_1 = 2 \qquad \therefore C_1 = -3$

$\therefore f(x) = 4x^3 + 3x^2 - 2x - 3$

$\therefore F(x) = \int f(x)\,dx = \int (4x^3 + 3x^2 - 2x - 3)\,dx$

$\qquad = x^4 + x^3 - x^2 - 3x + C_2$

$F(1) = 3$에서

$1 + 1 - 1 - 3 + C_2 = 3 \qquad \therefore C_2 = 5$

따라서 $F(x) = x^4 + x^3 - x^2 - 3x + 5$이므로

$F(-1) = 1 - 1 - 1 + 3 + 5 = 7$

060 답 ③

$F(x) = xf(x) - 3x^4 + x^2$의 양변을 x에 대하여 미분하면

$f(x) = f(x) + xf'(x) - 12x^3 + 2x$

$xf'(x) = 12x^3 - 2x = x(12x^2 - 2)$

$\therefore f'(x) = 12x^2 - 2$

$\therefore f(x) = \int f'(x)\,dx = \int (12x^2 - 2)\,dx$

$\qquad = 4x^3 - 2x + C$

$f(1) = 5$에서

$4 - 2 + C = 5 \qquad \therefore C = 3$

따라서 $f(x) = 4x^3 - 2x + 3$이므로 $f(x)$의 상수항은 3이다.

061 답 9

$\dfrac{d}{dx}\{xf(x)\} = f(x) + xf'(x)$이므로 ㈎에서

$\dfrac{d}{dx}\{xf(x)\} = 4x^3 + 6x^2 - 8x + 1$

$\therefore xf(x) = x^4 + 2x^3 - 4x^2 + x + C_1$

양변에 $x = 0$을 대입하면 $0 = C_1$

즉, $xf(x) = x^4 + 2x^3 - 4x^2 + x$이므로

$f(x) = x^3 + 2x^2 - 4x + 1$

$\therefore f(0) = 1$

㈏에서

$f(x) + g(x) = \int \{f'(x) + g'(x)\}\,dx$

$\qquad\qquad = \int (6x + 2)\,dx$

$\qquad\qquad = 3x^2 + 2x + C_2$

이때 $f(0) = g(0) = 1$이므로

$f(0) + g(0) = 2 \qquad \therefore C_2 = 2$

$\therefore g(x) = 3x^2 + 2x + 2 - (x^3 + 2x^2 - 4x + 1)$

$\qquad\quad = -x^3 + x^2 + 6x + 1$

$\therefore g(2) = -8 + 4 + 12 + 1 = 9$

062 답 5

$f'(x)=\begin{cases}x+a & (x>2)\\ -2x & (x<2)\end{cases}$ 에서

(i) $x>2$일 때

$$f(x)=\int f'(x)\,dx=\int(x+a)\,dx$$
$$=\frac{1}{2}x^2+ax+C_1$$

$f(3)=\frac{5}{2}$에서

$$\frac{9}{2}+3a+C_1=\frac{5}{2} \qquad \therefore C_1=-3a-2$$

(ii) $x<2$일 때

$$f(x)=\int f'(x)\,dx=\int(-2x)\,dx$$
$$=-x^2+C_2$$

$f(0)=-1$에서 $C_2=-1$

(i), (ii)에서 $f(x)=\begin{cases}\dfrac{1}{2}x^2+ax-3a-2 & (x>2)\\ -x^2-1 & (x<2)\end{cases}$

함수 $f(x)$가 $x=2$에서 연속이므로

$\lim\limits_{x\to 2+}f(x)=\lim\limits_{x\to 2-}f(x)$에서

$$\lim_{x\to 2+}\left(\frac{1}{2}x^2+ax-3a-2\right)=\lim_{x\to 2-}(-x^2-1)=f(2)$$

$2+2a-3a-2=-4-1$

$$\therefore a=5$$

063 답 -7

$f'(x)=2x^2-6x$이므로

$$f(x)=\int f'(x)\,dx=\int(2x^2-6x)\,dx$$
$$=\frac{2}{3}x^3-3x^2+C$$

$f'(x)=2x^2-6x=2x(x-3)$이므로

$f'(x)=0$인 x의 값은 $x=0$ 또는 $x=3$

함수 $f(x)$의 증가, 감소를 표로 나타내면 다음과 같다.

x	$\cdots$	0	$\cdots$	3	$\cdots$
$f'(x)$	$+$	0	$-$	0	$+$
$f(x)$	↗	극대	↘	극소	↗

함수 $f(x)$는 $x=0$에서 극대이고 극댓값이 2이므로 $f(0)=2$에서

$C=2$

$$\therefore f(x)=\frac{2}{3}x^3-3x^2+2$$

따라서 함수 $f(x)$는 $x=3$에서 극소이므로 극솟값은

$$f(3)=18-27+2=-7$$

064 답 ①

주어진 그래프에서 $f'(x)=ax(x+3)\,(a<0)$이라 하면

$$f(x)=\int f'(x)\,dx=\int ax(x+3)\,dx$$
$$=\int(ax^2+3ax)\,dx=\frac{a}{3}x^3+\frac{3}{2}ax^2+C$$

주어진 그래프에서 $f'(x)$의 부호를 조사하여 함수 $f(x)$의 증가, 감소를 표로 나타내면 다음과 같다.

x	$\cdots$	-3	$\cdots$	0	$\cdots$
$f'(x)$	$-$	0	$+$	0	$-$
$f(x)$	↘	극소	↗	극대	↘

함수 $f(x)$는 $x=0$에서 극대이고 극댓값이 4이므로 $f(0)=4$에서

$C=4$

$$\therefore f(x)=\frac{a}{3}x^3+\frac{3}{2}ax^2+4$$

함수 $f(x)$는 $x=-3$에서 극소이고 극솟값이 -5이므로

$f(-3)=-5$에서

$$-9a+\frac{27}{2}a+4=-5$$

$$\therefore a=-2$$

따라서 $f(x)=-\frac{2}{3}x^3-3x^2+4$이므로

$$f(1)=-\frac{2}{3}-3+4=\frac{1}{3}$$

065 답 $\dfrac{32}{3}$

$f(x-y)=f(x)-f(y)+xy(x-y)$의 양변에 $x=0$, $y=0$을 대입하면

$f(0)=f(0)-f(0)+0$

$$\therefore f(0)=0$$

도함수의 정의에 의하여

$$f'(x)=\lim_{h\to 0}\frac{f(x+h)-f(x)}{h}$$
$$=\lim_{h\to 0}\frac{\{f(x)-f(-h)-xh(x+h)\}-f(x)}{h}$$
$$=\lim_{h\to 0}\frac{f(-h)}{-h}-x^2$$
$$=\lim_{h\to 0}\frac{f(-h)-f(0)}{-h}-x^2$$
$$=f'(0)-x^2$$
$$=4-x^2$$

$$\therefore f(x)=\int f'(x)\,dx=\int(4-x^2)\,dx$$
$$=-\frac{1}{3}x^3+4x+C$$

이때 $f(0)=0$이므로 $C=0$

$$\therefore f(x)=-\frac{1}{3}x^3+4x$$

$f'(x)=-x^2+4=-(x+2)(x-2)$이므로

$f'(x)=0$인 x의 값은 $x=-2$ 또는 $x=2$

함수 $f(x)$의 증가, 감소를 표로 나타내면 다음과 같다.

x	$\cdots$	-2	$\cdots$	2	$\cdots$
$f'(x)$	$-$	0	$+$	0	$-$
$f(x)$	↘	극소	↗	극대	↘

함수 $f(x)$는 $x=2$에서 극댓값을 갖고, $x=-2$에서 극솟값을 가지므로 극댓값과 극솟값의 차는

$$f(2)-f(-2)=\left(-\frac{8}{3}+8\right)-\left(\frac{8}{3}-8\right)=\frac{32}{3}$$

001 답 ④

$$\int_2^2 (x^4-3)\,dx + \int_0^2 (3x^2+6x)\,dx = 0 + \int_0^2 (3x^2+6x)\,dx$$
$$= \left[x^3+3x^2\right]_0^2$$
$$= (8+12)-0 = 20$$

002 답 ④

$$\int_0^5 (x+1)^2\,dx - \int_0^5 (x-1)^2\,dx = \int_0^5 \{(x+1)^2-(x-1)^2\}\,dx$$
$$= \int_0^5 4x\,dx$$
$$= \left[2x^2\right]_0^5 = 50$$

003 답 9

$$\int_3^8 f(x)\,dx = \int_3^2 f(x)\,dx + \int_2^8 f(x)\,dx$$
$$= -\int_2^3 f(x)\,dx + \left\{\int_2^6 f(x)\,dx + \int_6^8 f(x)\,dx\right\}$$
$$= -5+6+8 = 9$$

004 답 $\dfrac{46}{3}$

$$\int_{-1}^2 f(x)\,dx = \int_{-1}^1 (x^2+4)\,dx + \int_1^2 (-x^2+6x)\,dx$$
$$= \left[\frac{1}{3}x^3+4x\right]_{-1}^1 + \left[-\frac{1}{3}x^3+3x^2\right]_1^2$$
$$= \left(\frac{1}{3}+4\right)-\left(-\frac{1}{3}-4\right)+\left(-\frac{8}{3}+12\right)-\left(-\frac{1}{3}+3\right)$$
$$= \frac{46}{3}$$

005 답 ①

$$x|x-2| = \begin{cases} x^2-2x & (x \geq 2) \\ -x^2+2x & (x \leq 2) \end{cases} \text{이므로}$$
$$\int_1^3 x|x-2|\,dx = \int_1^2 (-x^2+2x)\,dx + \int_2^3 (x^2-2x)\,dx$$
$$= \left[-\frac{1}{3}x^3+x^2\right]_1^2 + \left[\frac{1}{3}x^3-x^2\right]_2^3$$
$$= \left(-\frac{8}{3}+4\right)-\left(-\frac{1}{3}+1\right)+(9-9)-\left(\frac{8}{3}-4\right)$$
$$= 2$$

006 답 4

$$\int_{-1}^1 (3x^5+5x^4-4x^3+x+1)\,dx = 2\int_0^1 (5x^4+1)\,dx$$
$$= 2\left[x^5+x\right]_0^1$$
$$= 2(1+1) = 4$$

007 답 -16

$g(x)=xf(x)$, $h(x)=x^3f(x)$라 하면
$$g(-x) = -xf(-x) = -xf(x) = -g(x)$$
$$h(-x) = -x^3f(-x) = -x^3f(x) = -h(x)$$
$$\therefore \int_{-2}^2 (3x^3+5x-2)f(x)\,dx$$
$$= 3\int_{-2}^2 x^3 f(x)\,dx + 5\int_{-2}^2 xf(x)\,dx - 2\int_{-2}^2 f(x)\,dx$$
$$= -2\int_{-2}^2 f(x)\,dx$$
$$= -4\int_0^2 f(x)\,dx$$
$$= -4 \times 4 = -16$$

008 답 4

모든 실수 x에 대하여 $f(x+3)=f(x)$이므로
$$\int_0^1 f(x)\,dx = \int_3^4 f(x)\,dx$$
$$\therefore \int_0^4 f(x)\,dx = \int_0^1 f(x)\,dx + \int_1^3 f(x)\,dx + \int_3^4 f(x)\,dx$$
$$= 2\int_0^1 f(x)\,dx + \int_1^3 f(x)\,dx$$
$$= 2\int_0^1 2x\,dx + \int_1^3 (3-x)\,dx$$
$$= 2\left[x^2\right]_0^1 + \left[3x-\frac{1}{2}x^2\right]_1^3$$
$$= 2+\left(9-\frac{9}{2}\right)-\left(3-\frac{1}{2}\right) = 4$$

009 답 $-\dfrac{5}{3}$

$\displaystyle\int_{-1}^1 f(t)\,dt = k\,(k\text{는 상수})$로 놓으면 $f(x)=x^2-2x+k$이므로
$$\int_{-1}^1 f(t)\,dt = \int_{-1}^1 (t^2-2t+k)\,dt$$
$$= 2\int_0^1 (t^2+k)\,dt$$
$$= 2\left[\frac{1}{3}t^3+kt\right]_0^1 = \frac{2}{3}+2k$$
즉, $\dfrac{2}{3}+2k=k$이므로 $k=-\dfrac{2}{3}$
따라서 $f(x)=x^2-2x-\dfrac{2}{3}$이므로
$$f(1) = 1-2-\frac{2}{3} = -\frac{5}{3}$$

010 답 5

$\displaystyle\int_1^x f(t)\,dt = -2x^2+ax+5$의 양변에 $x=1$을 대입하면
$$0 = -2+a+5 \qquad \therefore a=-3$$
$\displaystyle\int_1^x f(t)\,dt = -2x^2-3x+5$의 양변을 x에 대하여 미분하면
$$f(x) = -4x-3$$
$$\therefore f(-2) = 8-3 = 5$$

011 답 **4**

$\displaystyle\int_1^x (x-t)f(t)\,dt=2x^3-4x^2+2x$ 에서

$\displaystyle x\int_1^x f(t)\,dt-\int_1^x tf(t)\,dt=2x^3-4x^2+2x$

양변을 x에 대하여 미분하면

$\displaystyle\left\{\int_1^x f(t)\,dt+xf(x)\right\}-xf(x)=6x^2-8x+2$

$\displaystyle\therefore \int_1^x f(t)\,dt=6x^2-8x+2$

양변을 다시 x에 대하여 미분하면

$f(x)=12x-8 \qquad \therefore f(1)=12-8=4$

012 답 $\dfrac{29}{2}$

$f(x)=\displaystyle\int_{-2}^x (t^2-3t+2)\,dt$ 의 양변을 x에 대하여 미분하면

$f'(x)=x^2-3x+2=(x-1)(x-2)$

$f'(x)=0$인 x의 값은 $x=1$ 또는 $x=2$

함수 $f(x)$의 증가, 감소를 표로 나타내면 다음과 같다.

x	$\cdots$	1	$\cdots$	2	$\cdots$
$f'(x)$	+	0	−	0	+
$f(x)$	↗	극대	↘	극소	↗

함수 $f(x)$는 $x=1$에서 극대이므로 극댓값은

$f(1)=\displaystyle\int_{-2}^1 (t^2-3t+2)\,dt=\left[\frac{1}{3}t^3-\frac{3}{2}t^2+2t\right]_{-2}^1$

$=\left(\dfrac{1}{3}-\dfrac{3}{2}+2\right)-\left(-\dfrac{8}{3}-6-4\right)=\dfrac{27}{2}$

따라서 $\alpha=1$, $\beta=\dfrac{27}{2}$이므로

$\alpha+\beta=1+\dfrac{27}{2}=\dfrac{29}{2}$

013 답 **−4**

$f(x)=\displaystyle\int_1^x t(t-2)\,dt$ 의 양변을 x에 대하여 미분하면

$f'(x)=x(x-2)$

$f'(x)=0$인 x의 값은 $x=0$ 또는 $x=2$

$0\le x\le 4$에서 함수 $f(x)$의 증가, 감소를 표로 나타내면 다음과 같다.

x	0	$\cdots$	2	$\cdots$	4
$f'(x)$	0	−	0	+	
$f(x)$		↘	극소	↗	

$f(0)=\displaystyle\int_1^0 (t^2-2t)\,dt=\left[\frac{1}{3}t^3-t^2\right]_1^0=-\left(\dfrac{1}{3}-1\right)=\dfrac{2}{3}$

$f(2)=\displaystyle\int_1^2 (t^2-2t)\,dt=\left[\frac{1}{3}t^3-t^2\right]_1^2=\left(\dfrac{8}{3}-4\right)-\left(\dfrac{1}{3}-1\right)=-\dfrac{2}{3}$

$f(4)=\displaystyle\int_1^4 (t^2-2t)\,dt=\left[\frac{1}{3}t^3-t^2\right]_1^4=\left(\dfrac{64}{3}-16\right)-\left(\dfrac{1}{3}-1\right)=6$

따라서 $0\le x\le 4$에서 함수 $f(x)$의 최댓값은 6, 최솟값은 $-\dfrac{2}{3}$이므로 $M=6$, $m=-\dfrac{2}{3}$

$\therefore Mm=6\times\left(-\dfrac{2}{3}\right)=-4$

014 답 ①

함수 $f(x)$의 한 부정적분을 $F(x)$라 하면

$\displaystyle\lim_{x\to1}\frac{1}{x-1}\int_1^x f(t)\,dt=\lim_{x\to1}\frac{1}{x-1}\Big[F(t)\Big]_1^x$

$=\displaystyle\lim_{x\to1}\frac{F(x)-F(1)}{x-1}$

$=F'(1)=f(1)=1+2=3$

015 답 **−9**

$\displaystyle\int_{-2}^1 2(x+2)(x-1)\,dx+\int_3^3 (2x-1)^3\,dx$

$=\displaystyle\int_{-2}^1 2(x+2)(x-1)\,dx+0=\int_{-2}^1 (2x^2+2x-4)\,dx$

$=\left[\dfrac{2}{3}x^3+x^2-4x\right]_{-2}^1$

$=\left(\dfrac{2}{3}+1-4\right)-\left(-\dfrac{16}{3}+4+8\right)=-9$

016 답 ②

$\displaystyle\int_0^1 f'(x)\,dx=\Big[f(x)\Big]_0^1=f(1)-f(0)=-1-1=-2$

017 답 **10**

$\displaystyle\int_{-1}^0 (4x^3-3x^2+a)\,dx=\Big[x^4-x^3+ax\Big]_{-1}^0$

$=-(1+1-a)=a-2$

따라서 $a-2=8$이므로 $a=10$

018 답 ④

$\displaystyle\int_{-1}^a (x^2+2x)\,dx=\left[\frac{1}{3}x^3+x^2\right]_{-1}^a=\left(\dfrac{1}{3}a^3+a^2\right)-\left(-\dfrac{1}{3}+1\right)$

$=\dfrac{1}{3}a^3+a^2-\dfrac{2}{3}$

따라서 $\dfrac{1}{3}a^3+a^2-\dfrac{2}{3}=\dfrac{2}{3}$이므로

$a^3+3a^2-4=0$, $(a-1)(a+2)^2=0$

$\therefore a=1\ (\because a>-1)$

019 답 **−12**

$f(x)=ax+b\,(a,\ b$는 상수, $a\ne0)$라 하자.

㈎에서

$\displaystyle\int_0^1 (ax+b)\,dx=\left[\frac{a}{2}x^2+bx\right]_0^1=\dfrac{a}{2}+b$

즉, $\dfrac{a}{2}+b=3$이므로 $a+2b=6$ $\qquad\cdots\cdots$ ㉠

㈏에서

$\displaystyle\int_0^1 x(ax+b)\,dx=\int_0^1 (ax^2+bx)\,dx=\left[\frac{a}{3}x^3+\frac{b}{2}x^2\right]_0^1=\dfrac{a}{3}+\dfrac{b}{2}$

즉, $\dfrac{a}{3}+\dfrac{b}{2}=1$이므로 $2a+3b=6$ $\qquad\cdots\cdots$ ㉡

㉠, ㉡을 연립하여 풀면 $a=-6$, $b=6$

따라서 $f(x)=-6x+6$이므로

$f(3)=-18+6=-12$

020 답 $\dfrac{35}{9}$

$$\int_0^1 (5x^2-a)^2\,dx = \int_0^1 (25x^4-10ax^2+a^2)\,dx$$
$$= \left[5x^5-\dfrac{10}{3}ax^3+a^2x\right]_0^1$$
$$= a^2-\dfrac{10}{3}a+5 = \left(a-\dfrac{5}{3}\right)^2+\dfrac{20}{9}$$

따라서 $\int_0^1 (5x^2-a)^2\,dx$ 는 $a=\dfrac{5}{3}$ 일 때 최솟값이 $\dfrac{20}{9}$ 이므로

$m=\dfrac{5}{3}$, $n=\dfrac{20}{9}$ $\therefore m+n=\dfrac{35}{9}$

021 답 ⑤

함수 $f(x)=x^3$ 의 그래프를 x 축의 방향으로 a 만큼, y 축의 방향으로 $2b$ 만큼 평행이동한 그래프의 식은
$g(x)=(x-a)^3+2b$
$g(0)=0$ 에서
$(-a)^3+2b=0$ $\therefore 2b=a^3$
$\therefore g(x)=(x-a)^3+a^3=x^3-3ax^2+3a^2x$
$$\int_a^{3a} g(x)\,dx = \int_a^{3a} (x^3-3ax^2+3a^2x)\,dx$$
$$= \left[\dfrac{1}{4}x^4-ax^3+\dfrac{3}{2}a^2x^2\right]_a^{3a}$$
$$= 6a^4$$
$$\int_0^{2a} f(x)\,dx = \int_0^{2a} x^3\,dx = \left[\dfrac{1}{4}x^4\right]_0^{2a}=4a^4$$
$\int_a^{3a} g(x)\,dx - \int_0^{2a} f(x)\,dx = 64$ 에서
$6a^4-4a^4=64$, $2a^4=64$
$\therefore a^4=32$

[다른 풀이] 함수 $f(x)=x^3$ 의 그래프를 x 축의 방향으로 a 만큼, y 축의 방향으로 $2b$ 만큼 평행이동한 그래프의 식은
$g(x)=(x-a)^3+2b$
$g(0)=0$ 에서
$(-a)^3+2b=0$ $\therefore 2b=a^3$
한편 $g(x)=(x-a)^3+2b$ 의 그래프는 $y=x^3+2b$ 의 그래프를 x 축의 방향으로 a 만큼 평행이동한 것이므로
$$\int_a^{3a} g(x)\,dx = \int_a^{3a} \{(x-a)^3+2b\}\,dx = \int_0^{2a}(x^3+2b)\,dx$$
$$\therefore \int_a^{3a}g(x)\,dx - \int_0^{2a}f(x)\,dx = \int_0^{2a}(x^3+2b)\,dx - \int_0^{2a}x^3\,dx$$
$$= \int_0^{2a} 2b\,dx = \left[2bx\right]_0^{2a}=4ab$$
이때 $2b=a^3$ 이므로 $4ab=2a^4=64$ $\therefore a^4=32$

022 답 ⑤

$$\int_1^2 \left(4x^3+\dfrac{1}{x}\right)dx - \int_1^2 \left(\dfrac{1}{x}-4\right)dx$$
$$= \int_1^2 \left\{\left(4x^3+\dfrac{1}{x}\right)-\left(\dfrac{1}{x}-4\right)\right\}dx$$
$$= \int_1^2 (4x^3+4)\,dx = \left[x^4+4x\right]_1^2$$
$$= (16+8)-(1+4)=19$$

023 답 -16

$$\int_{-1}^3 \dfrac{4x^2}{x+2}\,dx + \int_3^{-1} \dfrac{16}{t+2}\,dt$$
$$= \int_{-1}^3 \dfrac{4x^2}{x+2}\,dx - \int_{-1}^3 \dfrac{16}{x+2}\,dx$$
$$= \int_{-1}^3 \dfrac{4x^2-16}{x+2}\,dx = \int_{-1}^3 \dfrac{4(x+2)(x-2)}{x+2}\,dx$$
$$= \int_{-1}^3 (4x-8)\,dx = \left[2x^2-8x\right]_{-1}^3$$
$$= (18-24)-(2+8)=-16$$

024 답 ③

$$\int_0^2 (3x^3+2x)\,dx + \int_0^2 (k+2x-3x^3)\,dx$$
$$= \int_0^2 \{(3x^3+2x)+(k+2x-3x^3)\}\,dx$$
$$= \int_0^2 (4x+k)\,dx = \left[2x^2+kx\right]_0^2 = 2k+8$$
따라서 $2k+8=16$ 이므로 $k=4$

025 답 ②

$$\int_1^k (8x+4)\,dx + 4\int_k^1 (1+x-x^3)\,dx$$
$$= \int_1^k (8x+4)\,dx - \int_1^k 4(1+x-x^3)\,dx$$
$$= \int_1^k \{(8x+4)-4(1+x-x^3)\}\,dx$$
$$= \int_1^k (4x^3+4x)\,dx = \left[x^4+2x^2\right]_1^k$$
$$= (k^4+2k^2)-(1+2)=k^4+2k^2-3$$
즉, $k^4+2k^2-3=0$ 이므로 $(k^2+3)(k+1)(k-1)=0$
$\therefore k=-1$ 또는 $k=1$ $(\because k$ 는 실수$)$
따라서 모든 실수 k 의 값의 곱은 $-1\times1=-1$

026 답 7

$$\int_{-2}^0 f(x)\,dx = \int_{-2}^5 f(x)\,dx + \int_5^0 f(x)\,dx$$
$$= \left\{\int_{-2}^4 f(x)\,dx + \int_4^5 f(x)\,dx\right\} - \int_0^5 f(x)\,dx$$
$$= 5+4-6=3$$
$$\therefore \int_{-2}^0 \{f(x)-2x\}\,dx = \int_{-2}^0 f(x)\,dx - \int_{-2}^0 2x\,dx$$
$$= 3-\left[x^2\right]_{-2}^0 = 3-(0-4)=7$$

027 답 ④

$$\int_0^2 f(x)\,dx - \int_{-3}^2 f(x)\,dx + \int_{-3}^3 f(x)\,dx$$
$$= \int_0^2 f(x)\,dx + \int_2^{-3} f(x)\,dx + \int_{-3}^3 f(x)\,dx$$
$$= \int_0^{-3} f(x)\,dx + \int_{-3}^3 f(x)\,dx$$
$$= \int_0^3 f(x)\,dx = \int_0^3 (x^2-x)\,dx$$
$$= \left[\dfrac{1}{3}x^3-\dfrac{1}{2}x^2\right]_0^3 = 9-\dfrac{9}{2}=\dfrac{9}{2}$$

028 답 ①

$\int_0^2 (2x+1)^2\,dx - \int_{-1}^2 (2x+1)^2\,dx + \int_{-1}^0 (2x-1)^2\,dx$

$= \int_0^2 (2x+1)^2\,dx + \int_2^{-1} (2x+1)^2\,dx + \int_{-1}^0 (2x-1)^2\,dx$

$= \int_0^{-1} (2x+1)^2\,dx + \int_{-1}^0 (2x-1)^2\,dx$

$= -\int_{-1}^0 (2x+1)^2\,dx + \int_{-1}^0 (2x-1)^2\,dx$

$= \int_{-1}^0 \{(2x-1)^2 - (2x+1)^2\}\,dx$

$= \int_{-1}^0 (-8x)\,dx = \left[-4x^2\right]_{-1}^0 = 4$

029 답 ②

$\int_{-2}^2 f(x)\,dx = \int_0^2 f(x)\,dx$에서

$\int_{-2}^0 f(x)\,dx + \int_0^2 f(x)\,dx = \int_0^2 f(x)\,dx$이므로

$\int_{-2}^0 f(x)\,dx = 0$ $\quad \therefore \int_0^2 f(x)\,dx = \int_{-2}^0 f(x)\,dx = 0$

$f(x) = ax^2 + bx + c$ (a, b, c는 상수, $a \neq 0$)라 하면

$f(0) = 1$에서 $c = 1$ $\quad \therefore f(x) = ax^2 + bx + 1$

$\int_0^2 f(x)\,dx = \int_0^2 (ax^2 + bx + 1)\,dx$

$\qquad = \left[\dfrac{a}{3}x^3 + \dfrac{b}{2}x^2 + x\right]_0^2 = \dfrac{8}{3}a + 2b + 2$

즉, $\dfrac{8}{3}a + 2b + 2 = 0$이므로 $4a + 3b = -3$ $\quad\cdots\cdots$ ㉠

$\int_{-2}^0 f(x)\,dx = \int_{-2}^0 (ax^2 + bx + 1)\,dx$

$\qquad = \left[\dfrac{a}{3}x^3 + \dfrac{b}{2}x^2 + x\right]_{-2}^0 = \dfrac{8}{3}a - 2b + 2$

즉, $\dfrac{8}{3}a - 2b + 2 = 0$이므로 $4a - 3b = -3$ $\quad\cdots\cdots$ ㉡

㉠, ㉡을 연립하여 풀면 $a = -\dfrac{3}{4}$, $b = 0$

따라서 $f(x) = -\dfrac{3}{4}x^2 + 1$이므로 $f(4) = -12 + 1 = -11$

030 답 6

(나)에서

$\int_n^{n+2} f(x)\,dx = \int_n^{n+1} 2x\,dx = \left[x^2\right]_n^{n+1} = 2n+1$

$\therefore \int_0^8 f(x)\,dx$

$\quad = \int_0^2 f(x)\,dx + \int_2^4 f(x)\,dx + \int_4^6 f(x)\,dx + \int_6^8 f(x)\,dx$

$\quad = 1 + 5 + 9 + 13 = 28$

(가)에서 $\int_0^1 f(x)\,dx = 1$이므로

$\int_0^7 f(x)\,dx$

$\quad = \int_0^1 f(x)\,dx + \int_1^3 f(x)\,dx + \int_3^5 f(x)\,dx + \int_5^7 f(x)\,dx$

$\quad = 1 + 3 + 7 + 11 = 22$

$\therefore \int_7^8 f(x)\,dx = \int_0^8 f(x)\,dx - \int_0^7 f(x)\,dx = 28 - 22 = 6$

031 답 ③

$\int_{-2}^2 f(x)\,dx = \int_{-2}^0 (2-4x)\,dx + \int_0^2 (3x^2+2)\,dx$

$\qquad = \left[2x - 2x^2\right]_{-2}^0 + \left[x^3 + 2x\right]_0^2$

$\qquad = -(-4-8) + (8+4) = 24$

032 답 $\dfrac{11}{2}$

$f(x) = \begin{cases} 1 & (x \geq 3) \\ -\dfrac{1}{2}x + \dfrac{5}{2} & (1 \leq x \leq 3) \\ x+1 & (x \leq 1) \end{cases}$ 이므로

$\int_{-2}^4 f(x)\,dx$

$= \int_{-2}^1 (x+1)\,dx + \int_1^3 \left(-\dfrac{1}{2}x + \dfrac{5}{2}\right)\,dx + \int_3^4 1\,dx$

$= \left[\dfrac{1}{2}x^2 + x\right]_{-2}^1 + \left[-\dfrac{1}{4}x^2 + \dfrac{5}{2}x\right]_1^3 + \left[x\right]_3^4$

$= \left(\dfrac{1}{2}+1\right) - (2-2) + \left(-\dfrac{9}{4}+\dfrac{15}{2}\right) - \left(-\dfrac{1}{4}+\dfrac{5}{2}\right) + 4 - 3 = \dfrac{11}{2}$

033 답 3

$k > 1$이므로

$\int_{-2}^k f(x)\,dx = \int_{-2}^{-1} (3x^2+3)\,dx + \int_{-1}^k (4-2x)\,dx$

$\qquad = \left[x^3 + 3x\right]_{-2}^{-1} + \left[4x - x^2\right]_{-1}^k$

$\qquad = (-1-3) - (-8-6) + (4k-k^2) - (-4-1)$

$\qquad = -k^2 + 4k + 15$

따라서 $-k^2 + 4k + 15 = 18$이므로

$k^2 - 4k + 3 = 0$, $(k-1)(k-3) = 0$

$\therefore k = 3$ ($\because k > 1$)

034 답 $\dfrac{4\sqrt{2}}{3}$

$g(a) = \int_{-a}^a f(x)\,dx$라 하자.

$g(a) = \int_{-a}^a f(x)\,dx$

$\qquad = \int_{-a}^0 (4x+1)\,dx + \int_0^a (-x^2+4x+1)\,dx$

$\qquad = \left[2x^2 + x\right]_{-a}^0 + \left[-\dfrac{1}{3}x^3 + 2x^2 + x\right]_0^a$

$\qquad = -(2a^2 - a) + \left(-\dfrac{1}{3}a^3 + 2a^2 + a\right) = -\dfrac{1}{3}a^3 + 2a$

$g'(a) = -a^2 + 2 = -(a+\sqrt{2})(a-\sqrt{2})$이므로

$g'(a) = 0$인 a의 값은 $a = \sqrt{2}$ ($\because a > 0$)

$a > 0$에서 함수 $g(a)$의 증가, 감소를 표로 나타내면 다음과 같다.

a	0	$\cdots$	$\sqrt{2}$	$\cdots$
$g'(a)$		$+$	0	$-$
$g(a)$		↗	극대	↘

함수 $g(a)$는 $a = \sqrt{2}$에서 최댓값을 가지므로 최댓값은

$g(\sqrt{2}) = -\dfrac{2\sqrt{2}}{3} + 2\sqrt{2} = \dfrac{4\sqrt{2}}{3}$

035 답 -4

$f(x)=2x^3-6x$에서

$f'(x)=6x^2-6=6(x+1)(x-1)$

$f'(x)=0$인 x의 값은 $x=-1$ 또는 $x=1$

함수 $f(x)$의 증가, 감소를 표로 나타내면 다음과 같다.

x	$\cdots$	-1	$\cdots$	1	$\cdots$
$f'(x)$	$+$	0	$-$	0	$+$
$f(x)$	↗	4	↘	-4	↗

따라서 함수 $y=f(x)$의 그래프는 오른쪽 그림과 같다.

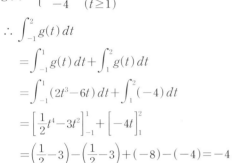

$-1 \le t \le 1$일 때 $g(t)=f(t)=2t^3-6t$이고,

$t \ge 1$일 때 $g(t)=f(1)=-4$이므로

$g(t)=\begin{cases} 2t^3-6t & (-1 \le t \le 1) \\ -4 & (t \ge 1) \end{cases}$

$\therefore \displaystyle\int_{-1}^{2} g(t)\,dt$

$=\displaystyle\int_{-1}^{1} g(t)\,dt + \int_{1}^{2} g(t)\,dt$

$=\displaystyle\int_{-1}^{1} (2t^3-6t)\,dt + \int_{1}^{2} (-4)\,dt$

$=\left[\dfrac{1}{2}t^4-3t^2 \right]_{-1}^{1} + \left[-4t \right]_{1}^{2}$

$=\left(\dfrac{1}{2}-3 \right) - \left(\dfrac{1}{2}-3 \right) + (-8) - (-4) = -4$

036 답 ①

$|x^2-x|=\begin{cases} x^2-x & (x \le 0 \text{ 또는 } x \ge 1) \\ -x^2+x & (0 \le x \le 1) \end{cases}$이므로

$\displaystyle\int_{0}^{2} |x^2-x|\,dx = \int_{0}^{1} (-x^2+x)\,dx + \int_{1}^{2} (x^2-x)\,dx$

$=\left[-\dfrac{1}{3}x^3+\dfrac{1}{2}x^2 \right]_{0}^{1} + \left[\dfrac{1}{3}x^3-\dfrac{1}{2}x^2 \right]_{1}^{2}$

$=\left(-\dfrac{1}{3}+\dfrac{1}{2} \right) + \left(\dfrac{8}{3}-2 \right) - \left(\dfrac{1}{3}-\dfrac{1}{2} \right) = 1$

037 답 $\dfrac{5}{2}$

$|x^2-4|=\begin{cases} x^2-4 & (x \le -2 \text{ 또는 } x \ge 2) \\ -x^2+4 & (-2 \le x \le 2) \end{cases}$이므로

$\displaystyle\int_{0}^{3} \dfrac{|x^2-4|}{x+2}\,dx$

$=\displaystyle\int_{0}^{2} \dfrac{-x^2+4}{x+2}\,dx + \int_{2}^{3} \dfrac{x^2-4}{x+2}\,dx$

$=\displaystyle\int_{0}^{2} \dfrac{-(x+2)(x-2)}{x+2}\,dx + \int_{2}^{3} \dfrac{(x+2)(x-2)}{x+2}\,dx$

$=\displaystyle\int_{0}^{2} (-x+2)\,dx + \int_{2}^{3} (x-2)\,dx$

$=\left[-\dfrac{1}{2}x^2+2x \right]_{0}^{2} + \left[\dfrac{1}{2}x^2-2x \right]_{2}^{3}$

$=(-2+4)-0+\left(\dfrac{9}{2}-6 \right) - (2-4) = \dfrac{5}{2}$

038 답 4

$|x-2|=\begin{cases} x-2 & (x \ge 2) \\ -x+2 & (x \le 2) \end{cases}$이고, $a>2$이므로

$\displaystyle\int_{1}^{a} |x-2|\,dx = \int_{1}^{2} (-x+2)\,dx + \int_{2}^{a} (x-2)\,dx$

$=\left[-\dfrac{1}{2}x^2+2x \right]_{1}^{2} + \left[\dfrac{1}{2}x^2-2x \right]_{2}^{a}$

$=(-2+4)-\left(-\dfrac{1}{2}+2 \right) + \left(\dfrac{1}{2}a^2-2a \right) - (2-4)$

$=\dfrac{1}{2}a^2-2a+\dfrac{5}{2}$

따라서 $\dfrac{1}{2}a^2-2a+\dfrac{5}{2}=\dfrac{5}{2}$이므로 $a^2-4a=0$

$a(a-4)=0$ $\quad \therefore a=4 \ (\because a>2)$

039 답 $\dfrac{\sqrt{2}}{2}$

$|x-a|=\begin{cases} x-a & (x \ge a) \\ -x+a & (x \le a) \end{cases}$이고, $0<a<1$이므로

$\displaystyle\int_{0}^{1} x|x-a|\,dx = \int_{0}^{a} x(-x+a)\,dx + \int_{a}^{1} x(x-a)\,dx$

$=\displaystyle\int_{0}^{a} (-x^2+ax)\,dx + \int_{a}^{1} (x^2-ax)\,dx$

$=\left[-\dfrac{1}{3}x^3+\dfrac{1}{2}ax^2 \right]_{0}^{a} + \left[\dfrac{1}{3}x^3-\dfrac{1}{2}ax^2 \right]_{a}^{1}$

$=\left(-\dfrac{1}{3}a^3+\dfrac{1}{2}a^3 \right) + \left(\dfrac{1}{3}-\dfrac{1}{2}a \right) - \left(\dfrac{1}{3}a^3-\dfrac{1}{2}a^3 \right)$

$=\dfrac{1}{3}a^3-\dfrac{1}{2}a+\dfrac{1}{3}$

$f(a)=\dfrac{1}{3}a^3-\dfrac{1}{2}a+\dfrac{1}{3}$이라 하면

$f'(a)=a^2-\dfrac{1}{2}=\left(a+\dfrac{\sqrt{2}}{2} \right)\left(a-\dfrac{\sqrt{2}}{2} \right)$

$f'(a)=0$인 a의 값은 $a=\dfrac{\sqrt{2}}{2} \ (\because 0<a<1)$

$0<a<1$에서 함수 $f(a)$의 증가, 감소를 표로 나타내면 다음과 같다.

a	0	$\cdots$	$\dfrac{\sqrt{2}}{2}$	$\cdots$	1
$f'(a)$		$-$	0	$+$	
$f(a)$		↘	극소	↗	

따라서 함수 $f(a)$는 $a=\dfrac{\sqrt{2}}{2}$일 때 최소이므로 구하는 a의 값은 $\dfrac{\sqrt{2}}{2}$이다.

040 답 $f(x)=x^2-2x+2$

$|t-x|=\begin{cases} -t+x & (0 \le t \le x) \\ t-x & (x \le t \le 2) \end{cases}$이므로

$f(x)=\displaystyle\int_{0}^{x} (-t+x)\,dt + \int_{x}^{2} (t-x)\,dt$

$=\left[-\dfrac{1}{2}t^2+xt \right]_{0}^{x} + \left[\dfrac{1}{2}t^2-xt \right]_{x}^{2}$

$=\left(-\dfrac{1}{2}x^2+x^2 \right) + (2-2x) - \left(\dfrac{1}{2}x^2-x^2 \right)$

$=x^2-2x+2$

041 답 **12**

$$\int_{-2}^{2}(x^5-2x^3+3x^2-1)\,dx=2\int_{0}^{2}(3x^2-1)\,dx$$
$$=2\Big[x^3-x\Big]_{0}^{2}=2(8-2)=12$$

042 답 ②

$$\int_{-a}^{a}(x^3+2x+3)\,dx=2\int_{0}^{a}3\,dx$$
$$=2\Big[3x\Big]_{0}^{a}=6a$$

따라서 $6a=12$이므로 $a=2$

043 답 $\dfrac{1}{2}$

$\displaystyle\int_{-1}^{1}f(x)\,dx=1$에서

$$\int_{-1}^{1}f(x)\,dx=\int_{-1}^{1}(x^2+ax+b)\,dx=2\int_{0}^{1}(x^2+b)\,dx$$
$$=2\Big[\frac{1}{3}x^3+bx\Big]_{0}^{1}=\frac{2}{3}+2b$$

즉, $\dfrac{2}{3}+2b=1$이므로 $b=\dfrac{1}{6}$

$\displaystyle\int_{-1}^{1}xf(x)\,dx=2$에서

$$\int_{-1}^{1}xf(x)\,dx=\int_{-1}^{1}(x^3+ax^2+bx)\,dx=2\int_{0}^{1}ax^2\,dx$$
$$=2\Big[\frac{1}{3}ax^3\Big]_{0}^{1}=\frac{2}{3}a$$

즉, $\dfrac{2}{3}a=2$이므로 $a=3$

$\therefore ab=3\times\dfrac{1}{6}=\dfrac{1}{2}$

044 답 ②

$f(-x)=-f(x)$이므로 $\displaystyle\int_{-1}^{1}f(x)\,dx=0$

$g(x)=xf(x)$, $h(x)=x^4f(x)$라 하면

$g(-x)=-xf(-x)=xf(x)=g(x)$
$h(-x)=x^4f(-x)=-x^4f(x)=-h(x)$

$$\therefore \int_{-1}^{1}(x^4+x+1)f(x)\,dx$$
$$=\int_{-1}^{1}x^4f(x)\,dx+\int_{-1}^{1}xf(x)\,dx+\int_{-1}^{1}f(x)\,dx$$
$$=2\int_{0}^{1}xf(x)\,dx=2\times3=6$$

045 답 ②

$f(-x)=f(x)$이므로 $\displaystyle\int_{-2}^{2}f(x)\,dx=2\int_{0}^{2}f(x)\,dx$

$g(-x)=-g(x)$이므로 $\displaystyle\int_{-2}^{2}g(x)\,dx=0$

$$\therefore \int_{-2}^{2}\{g(x)-f(x)\}\,dx=\int_{-2}^{2}g(x)\,dx-\int_{-2}^{2}f(x)\,dx$$
$$=0-2\int_{0}^{2}f(x)\,dx=-2\times3=-6$$

046 답 ④

$f(-x)=-f(x)$이므로 $\displaystyle\int_{-1}^{1}f(x)\,dx=0$

$$\int_{-1}^{3}f(x)\,dx=\int_{-1}^{1}f(x)\,dx+\int_{1}^{3}f(x)\,dx=\int_{1}^{3}f(x)\,dx=15$$

$$\therefore \int_{0}^{3}f(x)\,dx=\int_{0}^{1}f(x)\,dx+\int_{1}^{3}f(x)\,dx$$
$$=3+15=18$$

047 답 **2**

$f(-x)=-f(x)$, $g(-x)=g(x)$이므로
$h(-x)=f(-x)g(-x)=-f(x)g(x)=-h(x)$
따라서 함수 $h(x)$는 홀수 차수의 항만 있으므로 $h'(x)$는 짝수 차수의 항만 있다.

$$\therefore \int_{-3}^{3}(x+5)h'(x)\,dx=\int_{-3}^{3}xh'(x)\,dx+5\int_{-3}^{3}h'(x)\,dx$$
$$=10\int_{0}^{3}h'(x)\,dx=10\Big[h(x)\Big]_{0}^{3}$$
$$=10\{h(3)-h(0)\}$$

즉, $10\{h(3)-h(0)\}=20$이므로
$h(3)-h(0)=2$
이때 $f(0)=-f(0)$에서 $f(0)=0$이므로
$h(0)=f(0)g(0)=0$
$\therefore h(3)=h(0)+2=2$

048 답 **10**

모든 실수 x에 대하여 $f(x+2)=f(x)$이므로

$$\int_{0}^{1}f(x)\,dx=\int_{2}^{3}f(x)\,dx=\int_{4}^{5}f(x)\,dx=\int_{6}^{7}f(x)\,dx,$$
$$\int_{-1}^{0}f(x)\,dx=\int_{1}^{2}f(x)\,dx=\int_{3}^{4}f(x)\,dx$$
$$=\int_{5}^{6}f(x)\,dx=\int_{7}^{8}f(x)\,dx$$

$$\therefore \int_{4}^{8}f(x)\,dx$$
$$=\int_{4}^{5}f(x)\,dx+\int_{5}^{6}f(x)\,dx+\int_{6}^{7}f(x)\,dx+\int_{7}^{8}f(x)\,dx$$
$$=2\int_{0}^{1}f(x)\,dx+2\int_{-1}^{0}f(x)\,dx$$
$$=2\int_{0}^{1}(4x+1)\,dx+2\int_{-1}^{0}(1-4x^3)\,dx$$
$$=2\Big[2x^2+x\Big]_{0}^{1}+2\Big[x-x^4\Big]_{-1}^{0}$$
$$=2(2+1)-2(-1-1)=10$$

049 답 ③

$f(x+3)=f(x)$이므로

$$\int_{1}^{4}f(x)\,dx=\int_{4}^{7}f(x)\,dx=\int_{7}^{10}f(x)\,dx=3$$

$$\therefore \int_{1}^{10}f(x)\,dx=\int_{1}^{4}f(x)\,dx+\int_{4}^{7}f(x)\,dx+\int_{7}^{10}f(x)\,dx$$
$$=3+3+3=9$$

050 답 ⑤

모든 실수 x에 대하여 $f(x+4)=f(x)$이므로

$$\int_{-2}^{2} f(x)\,dx=\int_{2}^{6} f(x)\,dx=\int_{6}^{10} f(x)\,dx$$

$$\therefore \int_{-2}^{10} f(x)\,dx=\int_{-2}^{2} f(x)\,dx+\int_{2}^{6} f(x)\,dx+\int_{6}^{10} f(x)\,dx$$

$$=3\int_{-2}^{2} f(x)\,dx=3\int_{-2}^{2} x^2\,dx=6\int_{0}^{2} x^2\,dx$$

$$=6\left[\frac{1}{3}x^3\right]_{0}^{2}=6\times\frac{8}{3}=16$$

051 답 7

$f(-x)=-f(x)$이므로 $\displaystyle\int_{-1}^{1} f(x)\,dx=0$

$f(x+2)=f(x)$이므로

$$\int_{-1}^{1} f(x)\,dx=\int_{1}^{3} f(x)\,dx=\int_{3}^{5} f(x)\,dx=\int_{5}^{7} f(x)\,dx=0$$

한편 $g(x)=f(x-2)+1$이므로

$$\int_{2}^{7} g(x)\,dx=\int_{2}^{7}\{f(x-2)+1\}\,dx=\int_{2}^{7} f(x-2)\,dx+\int_{2}^{7} 1\,dx$$

$$=\int_{2}^{7} f(x-2)\,dx+\left[x\right]_{2}^{7}$$

$$=\int_{2}^{7} f(x-2)\,dx+(7-2)=\int_{2}^{7} f(x-2)\,dx+5$$

$f(x+2)=f(x)$의 양변에 $x=t-2$를 대입하면

$f(t)=f(t-2)$이므로 $f(x-2)=f(x)$

$$\therefore \int_{2}^{7} f(x-2)\,dx=\int_{2}^{7} f(x)\,dx$$

$$=\int_{2}^{3} f(x)\,dx+\int_{3}^{5} f(x)\,dx+\int_{5}^{7} f(x)\,dx$$

$$=\int_{0}^{1} f(x)\,dx+0+0=2$$

$$\therefore \int_{2}^{7} g(x)\,dx=\int_{2}^{7} f(x-2)\,dx+5=2+5=7$$

052 답 11

$\displaystyle\int_{0}^{2} f(t)\,dt=k\,(k$는 상수$)$로 놓으면 $f(x)=3x^2+2kx$이므로

$$\int_{0}^{2} f(t)\,dt=\int_{0}^{2}(3t^2+2kt)\,dt$$

$$=\left[t^3+kt^2\right]_{0}^{2}=8+4k$$

즉, $8+4k=k$이므로 $k=-\dfrac{8}{3}$

따라서 $f(x)=3x^2-\dfrac{16}{3}x$이므로

$f(3)=27-16=11$

053 답 ②

$\displaystyle\int_{-1}^{2} f'(t)\,dt=k\,(k$는 상수$)$로 놓으면 $f(x)=x^3-2x+k$이므로

$f'(x)=3x^2-2$

$$\therefore \int_{-1}^{2} f'(t)\,dt=\int_{-1}^{2}(3t^2-2)\,dt=\left[t^3-2t\right]_{-1}^{2}$$

$$=(8-4)-(-1+2)=3$$

따라서 $k=3$이므로 $f(x)=x^3-2x+3$

$$\therefore f(-2)=-8+4+3=-1$$

054 답 1

$\displaystyle\int_{0}^{1} f(t)\,dt=a,\ \int_{-1}^{0} f(t)\,dt=b\,(a,\ b$는 상수$)$로 놓으면

$f(x)=-6x^2+4ax+b$이므로

$$\int_{0}^{1} f(t)\,dt=\int_{0}^{1}(-6t^2+4at+b)\,dt$$

$$=\left[-2t^3+2at^2+bt\right]_{0}^{1}=-2+2a+b$$

즉, $-2+2a+b=a$이므로 $a+b=2$ ······ ㉠

$$\int_{-1}^{0} f(t)\,dt=\int_{-1}^{0}(-6t^2+4at+b)\,dt$$

$$=\left[-2t^3+2at^2+bt\right]_{-1}^{0}=-2-2a+b$$

즉, $-2-2a+b=b$이므로

$2a=-2$ $\therefore a=-1$

이를 ㉠에 대입하면

$-1+b=2$ $\therefore b=3$

따라서 $f(x)=-6x^2-4x+3$이므로

$f(-1)=-6+4+3=1$

055 답 8

$f(x)=12x^2+\displaystyle\int_{0}^{1}(6x-4t)f(t)\,dt$에서

$$f(x)=12x^2+6x\int_{0}^{1} f(t)\,dt-4\int_{0}^{1} tf(t)\,dt$$

$\displaystyle\int_{0}^{1} f(t)\,dt=a,\ \int_{0}^{1} tf(t)\,dt=b\,(a,\ b$는 상수$)$로 놓으면

$f(x)=12x^2+6ax-4b$이므로

$$\int_{0}^{1} f(t)\,dt=\int_{0}^{1}(12t^2+6at-4b)\,dt$$

$$=\left[4t^3+3at^2-4bt\right]_{0}^{1}=4+3a-4b$$

즉, $4+3a-4b=a$이므로 $a-2b=-2$ ······ ㉠

$$\int_{0}^{1} tf(t)\,dt=\int_{0}^{1}(12t^3+6at^2-4bt)\,dt$$

$$=\left[3t^4+2at^3-2bt^2\right]_{0}^{1}=3+2a-2b$$

즉, $3+2a-2b=b$이므로 $2a-3b=-3$ ······ ㉡

㉠, ㉡을 연립하여 풀면 $a=0,\ b=1$

따라서 $f(x)=12x^2-4$이므로

$f(1)=12-4=8$

056 답 3

$\displaystyle\int_{2}^{x} f(t)\,dt=x^3+ax^2+8$의 양변에 $x=2$를 대입하면

$0=8+4a+8$ $\therefore a=-4$

$\displaystyle\int_{2}^{x} f(t)\,dt=x^3-4x^2+8$의 양변을 x에 대하여 미분하면

$f(x)=3x^2-8x$ $\therefore f(3)=27-24=3$

057 답 4

$f(x)=\displaystyle\int_{3}^{x}(3t^2-2t)\,dt$의 양변을 x에 대하여 미분하면

$f'(x)=3x^2-2x$

$$\therefore \int_{0}^{2}(3x^2-2x)\,dx=\left[x^3-x^2\right]_{0}^{2}=8-4=4$$

058 답 ②

$\int_a^x f(t)\,dt=x^2+ax-8$의 양변에 $x=a$를 대입하면

$0=a^2+a^2-8$, $a^2=4$ $\quad\therefore a=2\ (\because a>0)$

$\int_2^x f(t)\,dt=x^2+2x-8$의 양변을 x에 대하여 미분하면

$f(x)=2x+2$ $\quad\therefore f(1)=2+2=4$

$\therefore a+f(1)=2+4=6$

059 답 $\dfrac{22}{3}$

$\int_1^x f(t)\,dt=xf(x)-\dfrac{4}{3}x^3$의 양변에 $x=1$을 대입하면

$0=f(1)-\dfrac{4}{3}$ $\quad\therefore f(1)=\dfrac{4}{3}$ $\quad\cdots\cdots$ ㉠

$\int_1^x f(t)\,dt=xf(x)-\dfrac{4}{3}x^3$의 양변을 x에 대하여 미분하면

$f(x)=f(x)+xf'(x)-4x^2$

$xf'(x)=4x^2$ $\quad\therefore f'(x)=4x$

$\therefore f(x)=\int f'(x)\,dx=\int 4x\,dx=2x^2+C$

㉠에서 $f(1)=2+C=\dfrac{4}{3}$ $\quad\therefore C=-\dfrac{2}{3}$

따라서 $f(x)=2x^2-\dfrac{2}{3}$이므로

$f(2)=8-\dfrac{2}{3}=\dfrac{22}{3}$

060 답 ①

$g(x)+\int_1^x f(t)\,dt=-4x^2+9x+5$의 양변에 $x=1$을 대입하면

$g(1)=-4+9+5=10$

$g(x)+\int_1^x f(t)\,dt=-4x^2+9x+5$의 양변을 x에 대하여 미분하면

$g'(x)+f(x)=-8x+9$

이때 $f(x)g'(x)=-20x^2+54x-36=-2(2x-3)(5x-6)$이므로

$\begin{cases} f(x)=2x-3 \\ g'(x)=-10x+12 \end{cases}$ 또는 $\begin{cases} f(x)=-10x+12 \\ g'(x)=2x-3 \end{cases}$

(i) $g'(x)=-10x+12$일 때

$\quad g(x)=\int g'(x)\,dx=\int(-10x+12)\,dx=-5x^2+12x+C_1$

$\quad g(1)=10$에서 $-5+12+C_1=10$ $\quad\therefore C_1=3$

$\quad$ 즉, $g(x)=-5x^2+12x+3$이므로

$\quad g(2)=-20+24+3=7$

(ii) $g'(x)=2x-3$일 때

$\quad g(x)=\int g'(x)\,dx=\int(2x-3)\,dx=x^2-3x+C_2$

$\quad g(1)=10$에서 $1-3+C_2=10$ $\quad\therefore C_2=12$

$\quad$ 즉, $g(x)=x^2-3x+12$이므로

$\quad g(2)=4-6+12=10$

$\quad$ 이는 조건을 만족시키지 않는다.

(i), (ii)에서 $g(x)=-5x^2+12x+3$이므로

$g(3)=-45+36+3=-6$

061 답 6

$\lim\limits_{x\to 3}\dfrac{x^2-9}{F(x)}=-2$에서 $x\to 3$일 때 (분자) $\to 0$이고 0이 아닌 극한

값이 존재하므로 (분모) $\to 0$이다.

즉, $\lim\limits_{x\to 3}F(x)=0$이고, 함수 $F(x)$가 다항함수이므로 $F(3)=0$

$F(x)=\int_x^a f(t)\,dt$의 양변에 $x=a$를 대입하면 $F(a)=0$

이때 함수 $F(x)$가 일대일대응이므로 $a=3$

$F(x)=-\int_3^x f(t)\,dt$의 양변을 x에 대하여 미분하면

$F'(x)=-f(x)$

$\therefore \lim\limits_{x\to 3}\dfrac{x^2-9}{F(x)}=\lim\limits_{x\to 3}\dfrac{(x+3)(x-3)}{F(x)-F(3)}$

$\qquad\qquad\qquad =\lim\limits_{x\to 3}\left\{\dfrac{x-3}{F(x)-F(3)}\times(x+3)\right\}$

$\qquad\qquad\qquad =\dfrac{1}{F'(3)}\times 6=-\dfrac{6}{f(3)}$

즉, $-\dfrac{6}{f(3)}=-2$이므로 $f(3)=3$

$\therefore a+f(3)=3+3=6$

062 답 16

$\int_1^x f(t)\,dt=\dfrac{x-1}{2}\{f(x)+f(1)\}$의 양변을 x에 대하여 미분하면

$f(x)=\dfrac{1}{2}\{f(x)+f(1)\}+\dfrac{x-1}{2}f'(x)$

$\therefore f(x)=(x-1)f'(x)+f(1)$ $\quad\cdots\cdots$ ㉠

$f(x)$의 최고차항을 $ax^n\,(a\neq 0)$이라 하면 $f'(x)$의 최고차항은

nax^{n-1}이므로 ㉠의 양변에서 최고차항을 비교하면

$ax^n=x\times nax^{n-1}$ $\quad\therefore n=1\ (\because a\neq 0)$

즉, $f(x)$는 일차함수이고 $f(0)=1$이므로 $f(x)=ax+1$이라 하면

$\int_0^2 f(x)\,dx=\int_0^2(ax+1)\,dx=\left[\dfrac{1}{2}ax^2+x\right]_0^2=2a+2$

$4\int_{-1}^1 xf(x)\,dx=4\int_{-1}^1(ax^2+x)\,dx=8\int_0^1 ax^2\,dx$

$\qquad\qquad\qquad\quad =8\left[\dfrac{1}{3}ax^3\right]_0^1=\dfrac{8}{3}a$

즉, $2a+2=\dfrac{8}{3}a$이므로 $a=3$

따라서 $f(x)=3x+1$이므로

$f(5)=15+1=16$

063 답 10

$\int_1^x (x-t)f(t)\,dt=x^3-x^2-x+1$에서

$x\int_1^x f(t)\,dt-\int_1^x tf(t)\,dt=x^3-x^2-x+1$

양변을 x에 대하여 미분하면

$\left\{\int_1^x f(t)\,dt+xf(x)\right\}-xf(x)=3x^2-2x-1$

$\therefore \int_1^x f(t)\,dt=3x^2-2x-1$

양변을 다시 x에 대하여 미분하면

$f(x)=6x-2$

$\therefore f(2)=12-2=10$

064 답 4

$F(x)=\displaystyle\int_{1}^{x}x(3t+1)\,dt$에서 $F(x)=x\displaystyle\int_{1}^{x}(3t+1)\,dt$

양변을 x에 대하여 미분하면

$f(x)=\displaystyle\int_{1}^{x}(3t+1)\,dt+x(3x+1)$

양변에 $x=1$을 대입하면

$f(1)=0+1\times(3+1)=4$

065 답 0

$\displaystyle\int_{2}^{x}(x-t)f(t)\,dt=x^3+ax^2+4x$의 양변에 $x=2$를 대입하면

$0=8+4a+8$ $\quad\therefore a=-4$

$\displaystyle\int_{2}^{x}(x-t)f(t)\,dt=x^3-4x^2+4x$에서

$x\displaystyle\int_{2}^{x}f(t)\,dt-\int_{2}^{x}tf(t)\,dt=x^3-4x^2+4x$

양변을 x에 대하여 미분하면

$\left\{\displaystyle\int_{2}^{x}f(t)\,dt+xf(x)\right\}-xf(x)=3x^2-8x+4$

$\therefore \displaystyle\int_{2}^{x}f(t)\,dt=3x^2-8x+4$

양변을 다시 x에 대하여 미분하면

$f(x)=6x-8$ $\quad\therefore f(2)=12-8=4$

$\therefore a+f(2)=-4+4=0$

066 답 9

$\displaystyle\int_{0}^{x}(x-t)f'(t)\,dt=x^4-x^3$에서

$x\displaystyle\int_{0}^{x}f'(t)\,dt-\int_{0}^{x}tf'(t)\,dt=x^4-x^3$

양변을 x에 대하여 미분하면

$\left\{\displaystyle\int_{0}^{x}f'(t)\,dt+xf'(x)\right\}-xf'(x)=4x^3-3x^2$

$\therefore \displaystyle\int_{0}^{x}f'(t)\,dt=4x^3-3x^2$

양변을 다시 x에 대하여 미분하면

$f'(x)=12x^2-6x$

$\therefore f(x)=\displaystyle\int f'(x)\,dx=\int(12x^2-6x)\,dx=4x^3-3x^2+C$

$f(0)=2$에서 $C=2$

따라서 $f(x)=4x^3-3x^2+2$이므로

$f'(1)+f(1)=(12-6)+(4-3+2)=9$

067 답 9

$x^2f(x)=x^3+\displaystyle\int_{0}^{x}(x^2+t)f'(t)\,dt$에서

$x^2f(x)=x^3+x^2\displaystyle\int_{0}^{x}f'(t)\,dt+\int_{0}^{x}tf'(t)\,dt$

이때 $\displaystyle\int_{0}^{x}f'(t)\,dt=\Big[f(t)\Big]_{0}^{x}=f(x)-f(0)=f(x)-3$이므로

$x^2f(x)=x^3+x^2\{f(x)-3\}+\displaystyle\int_{0}^{x}tf'(t)\,dt$

$\therefore \displaystyle\int_{0}^{x}tf'(t)\,dt=-x^3+3x^2$

양변을 x에 대하여 미분하면

$xf'(x)=-3x^2+6x$

$\therefore f'(x)=-3x+6$

$\therefore f(x)=\displaystyle\int f'(x)\,dx=\int(-3x+6)\,dx$

$\qquad=-\dfrac{3}{2}x^2+6x+C$

$f(0)=3$에서 $C=3$

따라서 $f(x)=-\dfrac{3}{2}x^2+6x+3$이므로

$f(2)=-6+12+3=9$

068 답 14

$\displaystyle\int_{-1}^{x}(x-t)f(t)\,dt=2x^3+ax^2+bx$의 양변에 $x=-1$을 대입하면

$0=-2+a-b$

$\therefore a-b=2$ $\quad\cdots\cdots$ ㉠

$\displaystyle\int_{-1}^{x}(x-t)f(t)\,dt=2x^3+ax^2+bx$에서

$x\displaystyle\int_{-1}^{x}f(t)\,dt-\int_{-1}^{x}tf(t)\,dt=2x^3+ax^2+bx$

양변을 x에 대하여 미분하면

$\left\{\displaystyle\int_{-1}^{x}f(t)\,dt+xf(x)\right\}-xf(x)=6x^2+2ax+b$

$\therefore \displaystyle\int_{-1}^{x}f(t)\,dt=6x^2+2ax+b$

양변에 $x=-1$을 대입하면

$0=6-2a+b$

$\therefore 2a-b=6$ $\quad\cdots\cdots$ ㉡

㉠, ㉡을 연립하여 풀면

$a=4$, $b=2$

$\therefore \displaystyle\int_{-1}^{x}f(t)\,dt=6x^2+8x+2$

양변을 다시 x에 대하여 미분하면

$f(x)=12x+8$

$\therefore \displaystyle\int_{0}^{1}f(x)\,dx=\int_{0}^{1}(12x+8)\,dx$

$\qquad=\Big[6x^2+8x\Big]_{0}^{1}=6+8=14$

069 답 ①

$f(x)=\displaystyle\int_{1}^{x}(4t-t^3)\,dt$의 양변을 x에 대하여 미분하면

$f'(x)=4x-x^3=-x(x+2)(x-2)$

$f'(x)=0$인 x의 값은 $x=-2$ 또는 $x=0$ 또는 $x=2$

함수 $f(x)$의 증가, 감소를 표로 나타내면 다음과 같다.

x	$\cdots$	-2	$\cdots$	0	$\cdots$	2	$\cdots$
$f'(x)$	$+$	0	$-$	0	$+$	0	$-$
$f(x)$	↗	극대	↘	극소	↗	극대	↘

함수 $f(x)$는 $x=0$에서 극소이므로 극솟값은

$f(0)=\displaystyle\int_{1}^{0}(4t-t^3)\,dt=\Big[2t^2-\dfrac{1}{4}t^4\Big]_{1}^{0}$

$\qquad=-\Big(2-\dfrac{1}{4}\Big)=-\dfrac{7}{4}$

070 답 81

$f(x)=\int_0^x (-t^2+t+a)\,dt$의 양변을 x에 대하여 미분하면

$f'(x)=-x^2+x+a$

함수 $f(x)$가 $x=3$에서 극댓값을 가지므로 $f'(3)=0$에서

$-9+3+a=0$ ∴ $a=6$

∴ $M=f(3)=\int_0^3 (-t^2+t+6)\,dt$

$=\left[-\dfrac{1}{3}t^3+\dfrac{1}{2}t^2+6t\right]_0^3=-9+\dfrac{9}{2}+18=\dfrac{27}{2}$

∴ $aM=6\times\dfrac{27}{2}=81$

071 답 5

$f(x)=\int_0^x (t^2+at+b)\,dt$의 양변을 x에 대하여 미분하면

$f'(x)=x^2+ax+b$

함수 $f(x)$가 $x=2$에서 극솟값 $\dfrac{2}{3}$를 가지므로

$f'(2)=0$, $f(2)=\dfrac{2}{3}$

$f'(2)=0$에서 $4+2a+b=0$

∴ $2a+b=-4$ ...... ㉠

$f(2)=\dfrac{2}{3}$에서

$f(2)=\int_0^2 (t^2+at+b)\,dt=\left[\dfrac{1}{3}t^3+\dfrac{a}{2}t^2+bt\right]_0^2$

$=\dfrac{8}{3}+2a+2b$

즉, $\dfrac{8}{3}+2a+2b=\dfrac{2}{3}$이므로 $a+b=-1$ ...... ㉡

㉠, ㉡을 연립하여 풀면 $a=-3$, $b=2$

∴ $b-a=2-(-3)=5$

072 답 ④

$f(x)=\int_x^{x+1} (2t^3-2t)\,dt$의 양변을 x에 대하여 미분하면

$f'(x)=\{2(x+1)^3-2(x+1)\}-(2x^3-2x)$

$=6x^2+6x=6x(x+1)$

$f'(x)=0$인 x의 값은 $x=-1$ 또는 $x=0$

함수 $f(x)$의 증가, 감소를 표로 나타내면 다음과 같다.

x	$\cdots$	-1	$\cdots$	0	$\cdots$
$f'(x)$	$+$	0	$-$	0	$+$
$f(x)$	↗	극대	↘	극소	↗

함수 $f(x)$는 $x=-1$에서 극대이므로 극댓값은

$M=f(-1)=\int_{-1}^0 (2t^3-2t)\,dt$

$=\left[\dfrac{1}{2}t^4-t^2\right]_{-1}^0=-\left(\dfrac{1}{2}-1\right)=\dfrac{1}{2}$

함수 $f(x)$는 $x=0$에서 극소이므로 극솟값은

$m=f(0)=\int_0^1 (2t^3-2t)\,dt$

$=\left[\dfrac{1}{2}t^4-t^2\right]_0^1=\dfrac{1}{2}-1=-\dfrac{1}{2}$

∴ $M-m=\dfrac{1}{2}-\left(-\dfrac{1}{2}\right)=1$

073 답 1

$F(x)=\int_{-1}^x f(t)\,dt$의 양변을 x에 대하여 미분하면

$F'(x)=f(x)$

즉, $f(x)$는 $F(x)$의 도함수이다.

함수 $F(x)$의 증가, 감소를 표로 나타내면 다음과 같다.

x	$\cdots$	1	$\cdots$	3	$\cdots$
$f(x)$	$+$	0	$-$	0	$+$
$F(x)$	↗	극대	↘	극소	↗

주어진 그래프에서 $f(x)=\begin{cases} x-3 & (x\geq 2) \\ -x+1 & (x\leq 2) \end{cases}$이고, 함수 $F(x)$는

$x=3$에서 극소이므로 극솟값은

$F(3)=\int_{-1}^3 f(t)\,dt$

$=\int_{-1}^2 (-t+1)\,dt+\int_2^3 (t-3)\,dt$

$=\left[-\dfrac{1}{2}t^2+t\right]_{-1}^2+\left[\dfrac{1}{2}t^2-3t\right]_2^3$

$=(-2+2)-\left(-\dfrac{1}{2}-1\right)+\left(\dfrac{9}{2}-9\right)-(2-6)=1$

074 답 31

$F(x)=\int_0^x f(t)\,dt$의 양변을 x에 대하여 미분하면

$F'(x)=f(x)=x^3-12x+a$

사차함수 $F(x)$가 극댓값과 극솟값을 모두 가지려면 삼차방정식

$F'(x)=0$, 즉 $f(x)=0$이 서로 다른 세 실근을 가져야 한다.

$f'(x)=3x^2-12=3(x+2)(x-2)$이므로

$f'(x)=0$인 x의 값은 $x=-2$ 또는 $x=2$

즉, $f(-2)f(2)<0$이어야 하므로

$(a+16)(a-16)<0$

∴ $-16<a<16$

따라서 정수 a는 -15, -14, -13, $\cdots$, 15의 31개이다.

075 답 ③

$f(x)=\int_{-1}^x (6t^3-6t)\,dt$의 양변을 x에 대하여 미분하면

$f'(x)=6x^3-6x=6x(x+1)(x-1)$

$f'(x)=0$인 x의 값은 $x=-1$ 또는 $x=0$ 또는 $x=1$

$-1\leq x\leq 1$에서 함수 $f(x)$의 증가, 감소를 표로 나타내면 다음과 같다.

x	-1	$\cdots$	0	$\cdots$	1
$f'(x)$	0	$+$	0	$-$	0
$f(x)$		↗	극대	↘	

따라서 함수 $f(x)$는 $x=0$에서 최대이므로 최댓값은

$f(0)=\int_{-1}^0 (6t^3-6t)\,dt$

$=\left[\dfrac{3}{2}t^4-3t^2\right]_{-1}^0$

$=-\left(\dfrac{3}{2}-3\right)=\dfrac{3}{2}$

076 답 −1

$F(x)=\int_0^x f(t)\,dt$의 양변을 x에 대하여 미분하면

$F'(x)=f(x)$

즉, $f(x)$는 $F(x)$의 도함수이다.

$f(x)=0$인 x의 값은 $x=1$ 또는 $x=3$ $(\because 0 \le x \le 3)$

구간 $[0, 3]$에서 함수 $F(x)$의 증가, 감소를 표로 나타내면 다음과 같다.

x	0	$\cdots$	1	$\cdots$	3
$f(x)$	+	+	0	−	0
$F(x)$		$\nearrow$	극대	$\searrow$	

$F(0)=0$

$F(1)=\int_0^1 f(t)\,dt=1$

$F(3)=\int_0^3 f(t)\,dt=\int_0^1 f(t)\,dt+\int_1^3 f(t)\,dt=1+(-2)=-1$

따라서 구간 $[0, 3]$에서 함수 $F(x)$의 최댓값은 1, 최솟값은 −1이므로 구하는 곱은 $1\times(-1)=-1$

077 답 ④

$F(x)=\int_0^x f(t)\,dt$의 양변을 x에 대하여 미분하면

$F'(x)=f(x)$

즉, $f(x)$는 $F(x)$의 도함수이다.

주어진 그래프에서 함수 $f(x)$는 $x=-2$에서 극대, $x=2$에서 극소이므로

$f'(-2)=0$, $f'(2)=0$

$f'(x)=a(x+2)(x-2)\ (a>0)$라 하면

$f(x)=\int f'(x)\,dx=\int a(x^2-4)\,dx=a\left(\dfrac{1}{3}x^3-4x\right)+C$

함수 $y=f(x)$의 그래프가 원점을 지나므로 $f(0)=0$에서

$C=0$

$\therefore\ f(x)=a\left(\dfrac{1}{3}x^3-4x\right)=\dfrac{1}{3}ax(x+2\sqrt{3})(x-2\sqrt{3})$

$f(x)=0$인 x의 값은 $x=0$ 또는 $x=2\sqrt{3}$ $(\because 0 \le x \le 4)$

구간 $[0, 4]$에서 함수 $F(x)$의 증가, 감소를 표로 나타내면 다음과 같다.

x	0	$\cdots$	$2\sqrt{3}$	$\cdots$	4
$f(x)$	0	−	0	+	+
$F(x)$		$\searrow$	극소	$\nearrow$	

따라서 함수 $F(x)$는 $x=2\sqrt{3}$에서 최소이므로 최솟값은 $F(2\sqrt{3})$

078 답 ㄱ, ㄴ, ㄷ

$f(x)=\int_0^x t(x-t)\,dt$에서

$f(x)=x\int_0^x t\,dt-\int_0^x t^2\,dt$

양변을 x에 대하여 미분하면

$f'(x)=\int_0^x t\,dt+x^2-x^2=\int_0^x t\,dt=\left[\dfrac{1}{2}t^2\right]_0^x=\dfrac{1}{2}x^2$

ㄱ. $f'(0)=0$

ㄴ. $f'(x)=\dfrac{1}{2}x^2\ge 0$이므로 모든 실수 x에서 함수 $f(x)$는 증가한다.

ㄷ. 구간 $[-1, 6]$에서 함수 $f(x)$의 최솟값은

$f(-1)=\int_0^{-1} t(-1-t)\,dt=\int_0^{-1}(-t^2-t)\,dt$

$\qquad=\left[-\dfrac{1}{3}t^3-\dfrac{1}{2}t^2\right]_0^{-1}$

$\qquad=\dfrac{1}{3}-\dfrac{1}{2}=-\dfrac{1}{6}$

따라서 보기 중 옳은 것은 ㄱ, ㄴ, ㄷ이다.

079 답 ①

$f(x)=5x^2-4x-8$이라 하고, 함수 $f(x)$의 한 부정적분을 $F(x)$라 하면

$\displaystyle\lim_{x\to 2}\dfrac{1}{x-2}\int_2^x (5t^2-4t-8)\,dt=\lim_{x\to 2}\dfrac{1}{x-2}\int_2^x f(t)\,dt$

$\qquad=\lim_{x\to 2}\dfrac{1}{x-2}\Big[F(t)\Big]_2^x$

$\qquad=\lim_{x\to 2}\dfrac{F(x)-F(2)}{x-2}$

$\qquad=F'(2)$

$\qquad=f(2)$

$\qquad=20-8-8=4$

080 답 6

함수 $f(x)$의 한 부정적분을 $F(x)$라 하면

$\displaystyle\lim_{h\to 0}\dfrac{1}{h}\int_1^{1+2h} f(x)\,dx=\lim_{h\to 0}\dfrac{1}{h}\Big[F(x)\Big]_1^{1+2h}$

$\qquad=\lim_{h\to 0}\dfrac{F(1+2h)-F(1)}{h}$

$\qquad=\lim_{h\to 0}\dfrac{F(1+2h)-F(1)}{2h}\times 2$

$\qquad=2F'(1)$

$\qquad=2f(1)$

$\qquad=2(-2+5)=6$

081 답 2

함수 $f(x)$의 한 부정적분을 $F(x)$라 하면

$\displaystyle\lim_{x\to 3}\dfrac{1}{x^2-9}\int_3^x f(t)\,dt=\lim_{x\to 3}\dfrac{1}{x^2-9}\Big[F(t)\Big]_3^x$

$\qquad=\lim_{x\to 3}\dfrac{F(x)-F(3)}{x^2-9}$

$\qquad=\lim_{x\to 3}\left\{\dfrac{F(x)-F(3)}{x-3}\times\dfrac{1}{x+3}\right\}$

$\qquad=\dfrac{1}{6}F'(3)$

$\qquad=\dfrac{1}{6}f(3)$

즉, $\dfrac{1}{6}f(3)=2$이므로 $f(3)=12$

$9+3a-3=12$, $3a=6$

$\therefore\ a=2$

082 답 22

$xf(x)-x^3=\displaystyle\int_1^x \{f(t)-t\}\,dt$의 양변에 $x=1$을 대입하면

$f(1)-1=0$ $\quad\therefore f(1)=1$

$xf(x)-x^3=\displaystyle\int_1^x \{f(t)-t\}\,dt$의 양변을 x에 대하여 미분하면

$f(x)+xf'(x)-3x^2=f(x)-x$

$xf'(x)=3x^2-x=x(3x-1)$

$\therefore f'(x)=3x-1$

$\therefore f(x)=\displaystyle\int f'(x)\,dx=\int (3x-1)\,dx$

$\qquad\quad =\dfrac{3}{2}x^2-x+C$

$f(1)=1$에서

$\dfrac{3}{2}-1+C=1$ $\quad\therefore C=\dfrac{1}{2}$

$\therefore f(x)=\dfrac{3}{2}x^2-x+\dfrac{1}{2}$

함수 $f(x)$의 한 부정적분을 $F(x)$라 하면

$\displaystyle\lim_{h\to0}\frac{1}{h}\int_{3-h}^{3+h} f(x)\,dx$

$=\displaystyle\lim_{h\to0}\frac{1}{h}\Big[F(x)\Big]_{3-h}^{3+h}$

$=\displaystyle\lim_{h\to0}\frac{F(3+h)-F(3-h)}{h}$

$=\displaystyle\lim_{h\to0}\frac{F(3+h)-F(3)-\{F(3-h)-F(3)\}}{h}$

$=\displaystyle\lim_{h\to0}\frac{F(3+h)-F(3)}{h}+\lim_{h\to0}\frac{F(3-h)-F(3)}{-h}$

$=2F'(3)$

$=2f(3)$

$=2\left(\dfrac{27}{2}-3+\dfrac{1}{2}\right)$

$=22$

083 답 4

함수 $f(x)$의 한 부정적분을 $F(x)$라 하면

$g'(x)=\displaystyle\lim_{h\to0}\frac{1}{h}\int_x^{x+h} f(t)\,dt$

$\qquad =\displaystyle\lim_{h\to0}\frac{1}{h}\Big[F(t)\Big]_x^{x+h}$

$\qquad =\displaystyle\lim_{h\to0}\frac{F(x+h)-F(x)}{h}$

$\qquad =F'(x)$

$\qquad =f(x)$

즉, $g'(x)=2x-4$이므로

$g(x)=\displaystyle\int g'(x)\,dx=\int (2x-4)\,dx$

$\qquad =x^2-4x+C$

$g(1)=-1$에서

$1-4+C=-1$ $\quad\therefore C=2$

$\therefore g(x)=x^2-4x+2$

따라서 방정식 $g(x)=0$의 모든 근의 합은 이차방정식의 근과 계수의 관계에 의하여 4이다.

084 답 ①

$\displaystyle\int_0^2 (x^2+2x+4)f(x)\,dx=\int_0^2 (x^2+2x+4)(x-2)\,dx$

$\qquad\qquad\qquad\qquad\quad =\displaystyle\int_0^2 (x^3-8)\,dx$

$\qquad\qquad\qquad\qquad\quad =\left[\dfrac{1}{4}x^4-8x\right]_0^2$

$\qquad\qquad\qquad\qquad\quad =4-16=-12$

085 답 ③

$\displaystyle\int_{-1}^2 (9x^2-2kx+3)\,dx=\Big[3x^3-kx^2+3x\Big]_{-1}^2$

$\qquad\qquad\qquad\qquad\qquad =(24-4k+6)-(-3-k-3)$

$\qquad\qquad\qquad\qquad\qquad =36-3k$

즉, $36-3k>6$이므로 $-3k>-30$

$\therefore k<10$

따라서 정수 k의 최댓값은 9이다.

086 답 2

$\displaystyle\int_{-1}^k (x^2-2x)\,dx-2\int_k^{-1}(x^2+x+3)\,dx$

$=\displaystyle\int_{-1}^k (x^2-2x)\,dx+\int_{-1}^k 2(x^2+x+3)\,dx$

$=\displaystyle\int_{-1}^k \{(x^2-2x)+2(x^2+x+3)\}\,dx$

$=\displaystyle\int_{-1}^k (3x^2+6)\,dx=\Big[x^3+6x\Big]_{-1}^k$

$=(k^3+6k)-(-1-6)=k^3+6k+7$

즉, $k^3+6k+7=9k+9$이므로

$k^3-3k-2=0$, $(k+1)^2(k-2)=0$

$\therefore k=2\ (\because k\ne-1)$

087 답 28

$\displaystyle\int_2^4 (\sqrt{x}+2)^2\,dx-\int_4^8 (\sqrt{t}-2)^2\,dt+\int_2^8 (\sqrt{y}-2)^2\,dy$

$=\displaystyle\int_2^4 (\sqrt{x}+2)^2\,dx+\int_8^4 (\sqrt{x}-2)^2\,dx+\int_2^8 (\sqrt{x}-2)^2\,dx$

$=\displaystyle\int_2^4 (\sqrt{x}+2)^2\,dx+\int_2^4 (\sqrt{x}-2)^2\,dx$

$=\displaystyle\int_2^4 \{(\sqrt{x}+2)^2+(\sqrt{x}-2)^2\}\,dx$

$=\displaystyle\int_2^4 (2x+8)\,dx=\Big[x^2+8x\Big]_2^4$

$=(16+32)-(4+16)=28$

088 답 ④

$\displaystyle\int_{-3}^3 f(x)\,dx=\int_{-3}^2 f(x)\,dx+\int_2^3 f(x)\,dx$

$\qquad\qquad\qquad =\displaystyle\int_{-3}^2 f(x)\,dx+\left\{\int_2^0 f(x)\,dx+\int_0^3 f(x)\,dx\right\}$

$\qquad\qquad\qquad =\displaystyle\int_{-3}^2 f(x)\,dx-\int_0^2 f(x)\,dx+\int_0^3 f(x)\,dx$

$\qquad\qquad\qquad =5-8+6=3$

089 답 ①

주어진 그래프에서 $f(x) = \begin{cases} -4 & (x \geq 0) \\ -2x-4 & (x \leq 0) \end{cases}$ 이므로

$\int_{-3}^{1} x f(x)\,dx = \int_{-3}^{0} x(-2x-4)\,dx + \int_{0}^{1} \{x \times (-4)\}\,dx$

$\qquad = \int_{-3}^{0} (-2x^2-4x)\,dx + \int_{0}^{1} (-4x)\,dx$

$\qquad = \left[-\dfrac{2}{3}x^3 - 2x^2 \right]_{-3}^{0} + \left[-2x^2 \right]_{0}^{1}$

$\qquad = -(18-18) + (-2) = -2$

090 답 ②

$|x| + |x-1| = \begin{cases} 2x-1 & (x \geq 1) \\ 1 & (0 \leq x \leq 1) \\ -2x+1 & (x \leq 0) \end{cases}$ 이므로

$\int_{-1}^{2} (|x| + |x-1|)\,dx$

$= \int_{-1}^{0} (-2x+1)\,dx + \int_{0}^{1} 1\,dx + \int_{1}^{2} (2x-1)\,dx$

$= \left[-x^2+x \right]_{-1}^{0} + \left[x \right]_{0}^{1} + \left[x^2-x \right]_{1}^{2}$

$= -(-1-1) + 1 + (4-2) - (1-1) = 5$

091 답 −20

$\int_{-2}^{0} (x^3-3x^2+5x-1)\,dx + \int_{0}^{2} (x^3-3x^2+5x-1)\,dx$

$= \int_{-2}^{2} (x^3-3x^2+5x-1)\,dx$

$= 2\int_{0}^{2} (-3x^2-1)\,dx$

$= 2\left[-x^3-x \right]_{0}^{2} = 2(-8-2) = -20$

092 답 ③

$f(-x) = -f(x)$ 이므로

$\int_{-4}^{4} f(x)\,dx = 0$

$g(-x) = g(x)$ 이므로

$\int_{-4}^{4} g(x)\,dx = 2\int_{0}^{4} g(x)\,dx$

$\therefore \int_{-4}^{4} \{f(x)+g(x)\}\,dx = \int_{-4}^{4} f(x)\,dx + \int_{-4}^{4} g(x)\,dx$

$\qquad\qquad = 0 + 2\int_{0}^{4} g(x)\,dx$

$\qquad\qquad = 2 \times 3 = 6$

093 답 1

㈎에서 모든 실수 x에 대하여 $f(x+1) = f(x-1)$이므로 x 대신 $x+1$을 대입하면

$f(x+2) = f(x)$

$\therefore \int_{-1}^{1} f(x)\,dx = \int_{1}^{3} f(x)\,dx = \int_{3}^{5} f(x)\,dx = \int_{5}^{7} f(x)\,dx$

$\therefore \int_{3}^{8} f(x)\,dx$

$= \int_{3}^{5} f(x)\,dx + \int_{5}^{7} f(x)\,dx + \int_{7}^{8} f(x)\,dx$

$= \int_{-1}^{1} f(x)\,dx + \int_{-1}^{1} f(x)\,dx + \int_{-1}^{0} f(x)\,dx$

$= \int_{-1}^{1} f(x)\,dx + \int_{-1}^{1} f(x)\,dx + \int_{-1}^{1} f(x)\,dx + \int_{1}^{0} f(x)\,dx$

$= 3\int_{-1}^{1} f(x)\,dx - \int_{0}^{1} f(x)\,dx$

$= 3 \times 2 - 5 = 1$

094 답 ⑤

$f(x) = -4x^3 + \int_{0}^{1} (2x+2)f(t)\,dt$에서

$f(x) = -4x^3 + 2x\int_{0}^{1} f(t)\,dt + 2\int_{0}^{1} f(t)\,dt$

$\int_{0}^{1} f(t)\,dt = k\,(k는 상수)$로 놓으면

$f(x) = -4x^3 + 2kx + 2k$이므로

$\int_{0}^{1} f(t)\,dt = \int_{0}^{1} (-4t^3+2kt+2k)\,dt$

$\qquad = \left[-t^4+kt^2+2kt \right]_{0}^{1}$

$\qquad = -1+k+2k = 3k-1$

즉, $3k-1 = k$이므로 $k = \dfrac{1}{2}$

따라서 $f(x) = -4x^3+x+1$이므로 $f(0) = 1$

095 답 ③

$\int_{a}^{x} f(t)\,dt = 2x^2-5x-3$의 양변에 $x=a$를 대입하면

$0 = 2a^2-5a-3$

$(2a+1)(a-3) = 0$ $\quad \therefore a=3\ (\because a>0)$

$\int_{3}^{x} f(t)\,dt = 2x^2-5x-3$의 양변을 x에 대하여 미분하면

$f(x) = 4x-5$

$\therefore f(5) = 20-5 = 15$

$\therefore a+f(5) = 3+15 = 18$

096 답 ②

$\int_{0}^{1} f(t)\,dt = k\,(k는 상수)$로 놓으면

$\int_{0}^{x} f(t)\,dt = -3x^3+2x^2-2kx$

양변을 x에 대하여 미분하면 $f(x) = -9x^2+4x-2k$

$\therefore \int_{0}^{1} f(t)\,dt = \int_{0}^{1} (-9t^2+4t-2k)\,dt$

$\qquad = \left[-3t^3+2t^2-2kt \right]_{0}^{1}$

$\qquad = -3+2-2k = -2k-1$

즉, $-2k-1 = k$이므로 $k = -\dfrac{1}{3}$

따라서 $f(x) = -9x^2+4x+\dfrac{2}{3}$이므로 $f(0) = \dfrac{2}{3}$

097 답 -6

$\int_0^x (x-t)f(t)\,dt = \frac{1}{2}x^4 - 3x^2$ 에서

$x\int_0^x f(t)\,dt - \int_0^x tf(t)\,dt = \frac{1}{2}x^4 - 3x^2$

양변을 x에 대하여 미분하면

$\left\{\int_0^x f(t)\,dt + xf(x)\right\} - xf(x) = 2x^3 - 6x$

$\therefore \int_0^x f(t)\,dt = 2x^3 - 6x$

양변을 다시 x에 대하여 미분하면

$f(x) = 6x^2 - 6$

따라서 함수 $f(x)$는 $x=0$에서 최솟값 -6을 갖는다.

098 답 ①

$f(x) = \int_2^x (3t^2 + 3t - 6)\,dt$ 의 양변을 x에 대하여 미분하면

$f'(x) = 3x^2 + 3x - 6 = 3(x+2)(x-1)$

$f'(x) = 0$인 x의 값은 $x=-2$ 또는 $x=1$

함수 $f(x)$의 증가, 감소를 표로 나타내면 다음과 같다.

x	$\cdots$	-2	$\cdots$	1	$\cdots$
$f'(x)$	$+$	0	$-$	0	$+$
$f(x)$	↗	극대	↘	극소	↗

함수 $f(x)$는 $x=-2$에서 극대이므로 극댓값은

$f(-2) = \int_2^{-2} (3t^2 + 3t - 6)\,dt$

$= 2\int_2^0 (3t^2 - 6)\,dt = 2\left[t^3 - 6t\right]_2^0$

$= 2\{-(8-12)\} = 8$

함수 $f(x)$는 $x=1$에서 극소이므로 극솟값은

$f(1) = \int_2^1 (3t^2 + 3t - 6)\,dt = \left[t^3 + \frac{3}{2}t^2 - 6t\right]_2^1$

$= \left(1 + \frac{3}{2} - 6\right) - (8 + 6 - 12) = -\frac{11}{2}$

따라서 극댓값과 극솟값의 곱은

$8 \times \left(-\frac{11}{2}\right) = -44$

099 답 ㄱ, ㄷ

ㄱ. $h(x) = \int_1^x \{f(t) - g(t)\}\,dt$의 양변에 $x=1$을 대입하면

$h(1) = 0$

ㄴ. $h(x) = \int_1^x \{f(t) - g(t)\}\,dt$의 양변을 x에 대하여 미분하면

$h'(x) = f(x) - g(x)$

$h'(x) = 0$인 x의 값은 $x=\alpha$ 또는 $x=\beta$

함수 $h(x)$의 증가, 감소를 표로 나타내면 다음과 같다.

x	$\cdots$	α	$\cdots$	β	$\cdots$
$h'(x)$	$-$	0	$+$	0	$-$
$h(x)$	↘	극소	↗	극대	↘

따라서 함수 $h(x)$는 $x=\alpha$에서 극소이고, $x=\beta$에서 극대이다.

ㄷ. ㄱ에서 $h(1)=0$이므로 함수 $y=h(x)$의 그래프는 다음 그림과 같다.

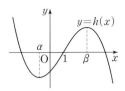

따라서 방정식 $h(x)=0$은 한 개의 음의 근과 두 개의 양의 근을 갖는다.

따라서 보기 중 옳은 것은 ㄱ, ㄷ이다.

100 답 18

$f(x) = \int_{x-1}^{x+1} (t^2 - 2t)\,dt$의 양변을 x에 대하여 미분하면

$f'(x) = \{(x+1)^2 - 2(x+1)\} - \{(x-1)^2 - 2(x-1)\}$

$= 4x - 4$

$f'(x) = 0$인 x의 값은 $x=1$

$-2 \leq x \leq 2$에서 함수 $f(x)$의 증가, 감소를 표로 나타내면 다음과 같다.

x	-2	$\cdots$	1	$\cdots$	2
$f'(x)$	$-$	$-$	0	$+$	$+$
$f(x)$		↘	극소	↗	

$f(-2) = \int_{-3}^{-1} (t^2 - 2t)\,dt = \left[\frac{1}{3}t^3 - t^2\right]_{-3}^{-1}$

$= \left(-\frac{1}{3} - 1\right) - (-9 - 9) = \frac{50}{3}$

$f(1) = \int_0^2 (t^2 - 2t)\,dt = \left[\frac{1}{3}t^3 - t^2\right]_0^2$

$= \frac{8}{3} - 4 = -\frac{4}{3}$

$f(2) = \int_1^3 (t^2 - 2t)\,dt = \left[\frac{1}{3}t^3 - t^2\right]_1^3$

$= (9 - 9) - \left(\frac{1}{3} - 1\right) = \frac{2}{3}$

따라서 $M = \frac{50}{3}$, $m = -\frac{4}{3}$이므로

$M - m = \frac{50}{3} - \left(-\frac{4}{3}\right) = 18$

101 답 ②

함수 $f(x)$의 한 부정적분을 $F(x)$라 하면

$\lim_{x \to 2} \frac{1}{x^2 - 4} \int_2^x f(t)\,dt = \lim_{x \to 2} \frac{1}{x^2 - 4}\left[F(t)\right]_2^x$

$= \lim_{x \to 2} \frac{F(x) - F(2)}{x^2 - 4}$

$= \lim_{x \to 2} \left\{\frac{F(x) - F(2)}{x - 2} \times \frac{1}{x+2}\right\}$

$= \frac{1}{4}F'(2)$

$= \frac{1}{4}f(2)$

$= \frac{1}{4}(8 + 12 - 4) = 4$

001 답 ④

곡선 $y=x^2-2x$와 x축의 교점의 x좌표는
$x^2-2x=0$에서
$x(x-2)=0$ ∴ $x=0$ 또는 $x=2$
따라서 구하는 도형의 넓이는

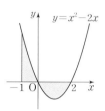

$$\int_{-1}^{2}|x^2-2x|\,dx$$
$$=\int_{-1}^{0}(x^2-2x)\,dx+\int_{0}^{2}(-x^2+2x)\,dx$$
$$=\left[\frac{1}{3}x^3-x^2\right]_{-1}^{0}+\left[-\frac{1}{3}x^3+x^2\right]_{0}^{2}$$
$$=\frac{4}{3}+\frac{4}{3}=\frac{8}{3}$$

002 답 $\dfrac{32}{3}$

곡선 $y=x^2-5x$와 직선 $y=-x$의 교점의
x좌표는 $x^2-5x=-x$에서
$x^2-4x=0$, $x(x-4)=0$
∴ $x=0$ 또는 $x=4$
따라서 구하는 도형의 넓이는

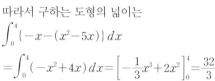

$$\int_{0}^{4}\{-x-(x^2-5x)\}\,dx$$
$$=\int_{0}^{4}(-x^2+4x)\,dx=\left[-\frac{1}{3}x^3+2x^2\right]_{0}^{4}=\frac{32}{3}$$

003 답 9

두 곡선 $y=x^2-3x+4$, $y=-x^2+7x-4$
의 교점의 x좌표는
$x^2-3x+4=-x^2+7x-4$에서
$x^2-5x+4=0$, $(x-1)(x-4)=0$
∴ $x=1$ 또는 $x=4$
따라서 구하는 도형의 넓이는

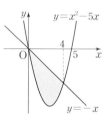

$$\int_{1}^{4}\{(-x^2+7x-4)-(x^2-3x+4)\}\,dx$$
$$=\int_{1}^{4}(-2x^2+10x-8)\,dx=\left[-\frac{2}{3}x^3+5x^2-8x\right]_{1}^{4}=9$$

004 답 ②

$f(x)=x^3+2$라 하면 $f'(x)=3x^2$이므로
점 $(1, 3)$에서의 접선의 기울기는
$f'(1)=3$이고, 접선의 방정식은
$y-3=3(x-1)$ ∴ $y=3x$
곡선 $y=x^3+2$와 직선 $y=3x$의 교점의 x
좌표는 $x^3+2=3x$에서
$x^3-3x+2=0$, $(x+2)(x-1)^2=0$
∴ $x=-2$ 또는 $x=1$

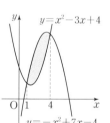

따라서 구하는 도형의 넓이는
$$\int_{-2}^{1}\{(x^3+2)-3x\}\,dx=\int_{-2}^{1}(x^3-3x+2)\,dx$$
$$=\left[\frac{1}{4}x^4-\frac{3}{2}x^2+2x\right]_{-2}^{1}=\frac{27}{4}$$

005 답 $\dfrac{3}{2}$

$A=B$이므로
$$\int_{0}^{2}(x^3-ax^2)\,dx=0, \left[\frac{1}{4}x^4-\frac{a}{3}x^3\right]_{0}^{2}=0$$
$$4-\frac{8}{3}a=0 \quad ∴ a=\frac{3}{2}$$

006 답 4

곡선 $y=-x^2+2x$와 직선 $y=ax$의 교점
의 x좌표는 $-x^2+2x=ax$에서
$x^2+(a-2)x=0$, $x(x+a-2)=0$
∴ $x=0$ 또는 $x=2-a$
곡선 $y=-x^2+2x$와 x축으로 둘러싸인
도형의 넓이를 S_1이라 하면

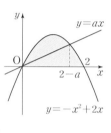

$$S_1=\int_{0}^{2}(-x^2+2x)\,dx=\left[-\frac{1}{3}x^3+x^2\right]_{0}^{2}=\frac{4}{3}$$
곡선 $y=-x^2+2x$와 직선 $y=ax$로 둘러싸인 도형의 넓이를 S_2라
하면
$$S_2=\int_{0}^{2-a}\{(-x^2+2x)-ax\}\,dx=\int_{0}^{2-a}\{-x^2+(2-a)x\}\,dx$$
$$=\left[-\frac{1}{3}x^3+\frac{2-a}{2}x^2\right]_{0}^{2-a}=-\frac{1}{3}(2-a)^3+\frac{1}{2}(2-a)^3$$
$$=\frac{1}{6}(2-a)^3$$
이때 $S_2=\frac{1}{2}S_1$이므로
$$\frac{1}{6}(2-a)^3=\frac{1}{2}\times\frac{4}{3} \quad ∴ (2-a)^3=4$$

007 답 ①

두 곡선 $y=f(x)$, $y=g(x)$는 직선
$y=x$에 대하여 대칭이다.
곡선 $y=f(x)$와 직선 $y=x$의 교점의 x
좌표는 두 곡선 $y=f(x)$, $y=g(x)$의
교점의 x좌표와 같으므로 $x^3=x$에서
$x^3-x=0$, $x(x+1)(x-1)=0$
∴ $x=0$ 또는 $x=1$ ($∵ x≥0$)
두 곡선 $y=f(x)$, $y=g(x)$로 둘러싸인 도형의 넓이는 곡선
$y=f(x)$와 직선 $y=x$로 둘러싸인 도형의 넓이의 2배와 같으므로
구하는 도형의 넓이는

$$2\int_{0}^{1}(x-x^3)\,dx=2\left[\frac{1}{2}x^2-\frac{1}{4}x^4\right]_{0}^{1}$$
$$=2\times\frac{1}{4}=\frac{1}{2}$$

008 답 ④

함수 $y=f(x)$와 그 역함수 $y=g(x)$의 그래프는 직선 $y=x$에 대하여 대칭이므로 오른쪽 그림에서 $A=B$

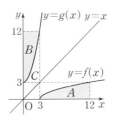

$$\therefore \int_3^{12} f(x)\,dx + \int_0^3 g(x)\,dx$$
$$=A+C=B+C=3\times 12=36$$

009 답 $\dfrac{31}{6}$

곡선 $y=x^2+3x$와 x축의 교점의 x좌표는 $x^2+3x=0$에서
$x(x+3)=0$ $\therefore x=-3$ 또는 $x=0$
따라서 구하는 도형의 넓이는

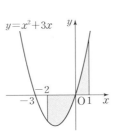

$$\int_{-2}^1 |x^2+3x|\,dx$$
$$=\int_{-2}^0 (-x^2-3x)\,dx + \int_0^1 (x^2+3x)\,dx$$
$$=\left[-\frac{1}{3}x^3-\frac{3}{2}x^2\right]_{-2}^0 + \left[\frac{1}{3}x^3+\frac{3}{2}x^2\right]_0^1$$
$$=\frac{10}{3}+\frac{11}{6}=\frac{31}{6}$$

010 답 $\dfrac{4}{3}$

구하는 도형의 넓이는

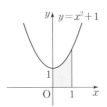

$$\int_0^1 |x^2+1|\,dx = \int_0^1 (x^2+1)\,dx$$
$$=\left[\frac{1}{3}x^3+x\right]_0^1=\frac{4}{3}$$

011 답 $\dfrac{1}{2}$

곡선 $y=x^3-3x^2+2x$와 x축의 교점의 x좌표는 $x^3-3x^2+2x=0$에서
$x(x-1)(x-2)=0$
$\therefore x=0$ 또는 $x=1$ 또는 $x=2$
따라서 구하는 도형의 넓이는

$$\int_0^2 |x^3-3x^2+2x|\,dx$$
$$=\int_0^1 (x^3-3x^2+2x)\,dx + \int_1^2 (-x^3+3x^2-2x)\,dx$$
$$=\left[\frac{1}{4}x^4-x^3+x^2\right]_0^1 + \left[-\frac{1}{4}x^4+x^3-x^2\right]_1^2$$
$$=\frac{1}{4}+\frac{1}{4}=\frac{1}{2}$$

012 답 ③

곡선 $y=ax^2-2ax$와 x축의 교점의 x좌표는 $ax^2-2ax=0$에서
$ax(x-2)=0$
$\therefore x=0$ 또는 $x=2$
$a>0$이므로 곡선 $y=ax^2-2ax$와 x축으로 둘러싸인 도형의 넓이는

$$\int_0^2 |ax^2-2ax|\,dx = \int_0^2 (-ax^2+2ax)\,dx$$
$$=\left[-\frac{a}{3}x^3+ax^2\right]_0^2=\frac{4}{3}a$$

따라서 $\dfrac{4}{3}a=4$이므로 $a=3$

013 답 2

$$S_2=\int_0^1 x^2\,dx = \left[\frac{1}{3}x^3\right]_0^1=\frac{1}{3}$$
$S_1+S_2=1$이므로 $S_1=1-\dfrac{1}{3}=\dfrac{2}{3}$
$$\therefore \frac{S_1}{S_2}=\frac{\frac{2}{3}}{\frac{1}{3}}=2$$

014 답 ④

(가)에서 $f'(x)=-3x^2-6x+1$이므로
$$f(x)=\int f'(x)\,dx=\int (-3x^2-6x+1)\,dx$$
$$=-x^3-3x^2+x+C$$
(나)에서 $f(-2)=-3$이므로
$8-12-2+C=-3$ $\therefore C=3$
$\therefore f(x)=-x^3-3x^2+x+3$
곡선 $y=f(x)$와 x축의 교점의 x좌표는
$-x^3-3x^2+x+3=0$에서
$(x+3)(x+1)(x-1)=0$
$\therefore x=-3$ 또는 $x=-1$ 또는 $x=1$
따라서 구하는 도형의 넓이는

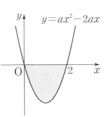

$$\therefore \int_{-3}^1 |-x^3-3x^2+x+3|\,dx$$
$$=\int_{-3}^{-1}(x^3+3x^2-x-3)\,dx + \int_{-1}^1 (-x^3-3x^2+x+3)\,dx$$
$$=\int_{-3}^{-1}(x^3+3x^2-x-3)\,dx + 2\int_0^1 (-3x^2+3)\,dx$$
$$=\left[\frac{1}{4}x^4+x^3-\frac{1}{2}x^2-3x\right]_{-3}^{-1} + 2\left[-x^3+3x\right]_0^1$$
$$=4+2\times 2=8$$

015 답 9

곡선 $y=f(x)$와 x축 및 두 직선 $x=-2$, $x=1$로 둘러싸인 도형의 넓이를 S_1, 곡선 $y=f(x)$와 x축 및 두 직선 $x=1$, $x=4$로 둘러싸인 도형의 넓이를 S_2라 하자.
(가)에서
$$2\int_{-2}^1 f(x)\,dx + \int_1^4 f(x)\,dx = 2S_1-S_2=0 \quad \cdots\cdots \ \bigcirc$$
(나)에서
$$\int_{-2}^4 f(x)\,dx = \int_{-2}^1 f(x)\,dx + \int_1^4 f(x)\,dx$$
$$=S_1-S_2=-3 \quad \cdots\cdots \ \bigcirc$$
$\bigcirc$, $\bigcirc$에서 $S_1=3$, $S_2=6$
따라서 곡선 $y=f(x)$와 x축 및 직선 $x=-2$, $x=4$로 둘러싸인 도형의 넓이는
$S_1+S_2=3+6=9$

016 답 $\dfrac{4}{3}$

$\displaystyle\int_0^{2020} f(x)\,dx = \int_3^{2020} f(x)\,dx$ 에서

$\displaystyle\int_0^{2020} f(x)\,dx - \int_3^{2020} f(x)\,dx = 0$

$\displaystyle\int_0^{2020} f(x)\,dx + \int_{2020}^{3} f(x)\,dx = 0$

$\therefore \displaystyle\int_0^3 f(x)\,dx = 0$

이차함수 $f(x)$의 최고차항의 계수가 1이고 $f(0)=3$이므로

$f(x) = x^2 + ax + 3 \,(a$는 상수$)$이라 하면

$\displaystyle\int_0^3 f(x)\,dx = \int_0^3 (x^2 + ax + 3)\,dx$

$\qquad\qquad = \left[\dfrac{1}{3}x^3 + \dfrac{a}{2}x^2 + 3x\right]_0^3 = \dfrac{9}{2}a + 18$

즉, $\dfrac{9}{2}a + 18 = 0$이므로 $a = -4$

$\therefore f(x) = x^2 - 4x + 3$

곡선 $y = f(x)$와 x축의 교점의 x좌표는

$x^2 - 4x + 3 = 0$에서

$(x-1)(x-3) = 0$ $\quad \therefore x = 1$ 또는 $x = 3$

따라서 구하는 도형의 넓이는

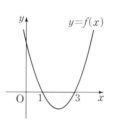

$\displaystyle\int_1^3 |x^2 - 4x + 3|\,dx$

$= \displaystyle\int_1^3 (-x^2 + 4x - 3)\,dx$

$= \left[-\dfrac{1}{3}x^3 + 2x^2 - 3x\right]_1^3 = \dfrac{4}{3}$

017 답 ②

곡선 $y = -x^2 + 2$와 직선 $y = -x$의 교점의 x좌표는 $-x^2 + 2 = -x$에서

$x^2 - x - 2 = 0$

$(x+1)(x-2) = 0$

$\therefore x = -1$ 또는 $x = 2$

따라서 구하는 도형의 넓이는

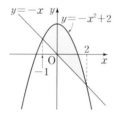

$\displaystyle\int_{-1}^2 \{(-x^2 + 2) - (-x)\}\,dx$

$= \displaystyle\int_{-1}^2 (-x^2 + x + 2)\,dx$

$= \left[-\dfrac{1}{3}x^3 + \dfrac{1}{2}x^2 + 2x\right]_{-1}^2 = \dfrac{9}{2}$

018 답 ④

곡선 $y = -x^3 + 2x + 1$과 직선

$y = -2x + 1$의 교점의 x좌표는

$-x^3 + 2x + 1 = -2x + 1$에서

$x^3 - 4x = 0$

$x(x^2 - 4) = 0$

$x(x+2)(x-2) = 0$

$\therefore x = -2$ 또는 $x = 0$ 또는 $x = 2$

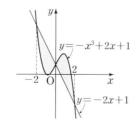

따라서 구하는 도형의 넓이는

$\displaystyle\int_{-2}^0 \{(-2x+1) - (-x^3 + 2x + 1)\}\,dx$

$\qquad\qquad + \displaystyle\int_0^2 \{(-x^3 + 2x + 1) - (-2x + 1)\}\,dx$

$= \displaystyle\int_{-2}^0 (x^3 - 4x)\,dx + \int_0^2 (-x^3 + 4x)\,dx$

$= \left[\dfrac{1}{4}x^4 - 2x^2\right]_{-2}^0 + \left[-\dfrac{1}{4}x^4 + 2x^2\right]_0^2$

$= 4 + 4 = 8$

019 답 $\dfrac{11}{3}$

곡선 $y = -2x^2 + 6x$와 x축으로 둘러싸인 도형의 넓이를 S라 하면

$S = \displaystyle\int_0^3 (-2x^2 + 6x)\,dx = \left[-\dfrac{2}{3}x^3 + 3x^2\right]_0^3 = 9$

곡선 $y = -2x^2 + 6x$와 직선 $y = 2x$의 교점의 x좌표는

$-2x^2 + 6x = 2x$에서

$2x^2 - 4x = 0$

$2x(x-2) = 0$

$\therefore x = 0$ 또는 $x = 2$

$\therefore S_1 = \displaystyle\int_0^2 \{(-2x^2 + 6x) - 2x\}\,dx = \int_0^2 (-2x^2 + 4x)\,dx$

$\qquad = \left[-\dfrac{2}{3}x^3 + 2x^2\right]_0^2 = \dfrac{8}{3}$

$\therefore S_2 = S - S_1 = 9 - \dfrac{8}{3} = \dfrac{19}{3}$

$\therefore S_2 - S_1 = \dfrac{19}{3} - \dfrac{8}{3} = \dfrac{11}{3}$

020 답 $\dfrac{9}{2}$

$\displaystyle\int_0^2 f(t)\,dt = k\,(k$는 상수$)$로 놓으면 $f(x) = x^3 - 3x + k$이므로

$\displaystyle\int_0^2 f(t)\,dt = \int_0^2 (t^3 - 3t + k)\,dt$

$\qquad\qquad = \left[\dfrac{1}{4}t^4 - \dfrac{3}{2}t^2 + kt\right]_0^2 = 2k - 2$

즉, $2k - 2 = k$이므로 $k = 2$

$\therefore f(x) = x^3 - 3x + 2$

곡선 $y = x^3 - 3x + 2$와 직선 $y = 2$의

교점의 x좌표는 $x^3 - 3x + 2 = 2$에서

$x^3 - 3x = 0$

$x(x^2 - 3) = 0$

$x(x+\sqrt{3})(x-\sqrt{3}) = 0$

$\therefore x = -\sqrt{3}$ 또는 $x = 0$ 또는 $x = \sqrt{3}$

따라서 구하는 도형의 넓이는

$\displaystyle\int_{-\sqrt{3}}^0 \{(x^3 - 3x + 2) - 2\}\,dx + \int_0^{\sqrt{3}} \{2 - (x^3 - 3x + 2)\}\,dx$

$= \displaystyle\int_{-\sqrt{3}}^0 (x^3 - 3x)\,dx + \int_0^{\sqrt{3}} (-x^3 + 3x)\,dx$

$= \left[\dfrac{1}{4}x^4 - \dfrac{3}{2}x^2\right]_{-\sqrt{3}}^0 + \left[-\dfrac{1}{4}x^4 + \dfrac{3}{2}x^2\right]_0^{\sqrt{3}}$

$= \dfrac{9}{4} + \dfrac{9}{4} = \dfrac{9}{2}$

021 답 ③

두 함수 $y=f(x)$, $y=g(x)$의 그래프의 교점의 x좌표가 0, 1, 2이므로 삼차방정식 $f(x)-g(x)=0$의 세 근은 0, 1, 2이다.

이때 $f(x)$의 최고차항의 계수가 양수이므로 $f(x)-g(x)$의 최고차항의 계수도 양수이다.

$f(x)-g(x)=ax(x-1)(x-2)=a(x^3-3x^2+2x)$ $(a>0)$라 하면 삼차함수 $y=f(x)$의 그래프와 직선 $y=g(x)$로 둘러싸인 도형의 넓이는

$$\int_0^1 \{f(x)-g(x)\}\,dx + \int_1^2 \{g(x)-f(x)\}\,dx$$

$$=\int_0^1 a(x^3-3x^2+2x)\,dx + \int_1^2 a(-x^3+3x^2-2x)\,dx$$

$$=a\left[\frac{1}{4}x^4-x^3+x^2\right]_0^1 + a\left[-\frac{1}{4}x^4+x^3-x^2\right]_1^2$$

$$=\frac{a}{4}+\frac{a}{4}=\frac{a}{2}$$

즉, $\dfrac{a}{2}=2$이므로 $a=4$

따라서 $f(x)-g(x)=4(x^3-3x^2+2x)$이므로

$f(-1)-g(-1)=4(-1-3-2)=-24$

022 답 8

곡선 $y=x^2-2x-a$와 직선 $y=-a$의 교점의 x좌표는 $x^2-2x-a=-a$에서 $x^2-2x=0$, $x(x-2)=0$

$\therefore x=0$ 또는 $x=2$

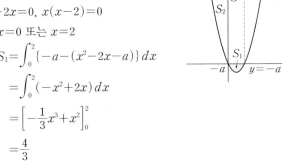

$$\therefore S_1=\int_0^2 \{-a-(x^2-2x-a)\}\,dx$$

$$=\int_0^2 (-x^2+2x)\,dx$$

$$=\left[-\frac{1}{3}x^3+x^2\right]_0^2$$

$$=\frac{4}{3}$$

곡선 $y=x^2-2x-a$ $(x<0)$와 x축의 교점의 x좌표를 α라 하면 α는 이차방정식 $x^2-2x-a=0$의 한 실근이므로

$\alpha^2-2\alpha-a=0$

$\therefore a=\alpha^2-2\alpha$ $\cdots\cdots$ ㉠

$$\therefore S_2=\int_\alpha^0 (-x^2+2x+a)\,dx$$

$$=\left[-\frac{1}{3}x^3+x^2+ax\right]_\alpha^0$$

$$=\frac{1}{3}\alpha^3-\alpha^2-a\alpha$$

이때 $S_2=7S_1$이므로

$$\frac{1}{3}\alpha^3-\alpha^2-a\alpha=7\times\frac{4}{3}$$

$$\frac{1}{3}\alpha^3-\alpha^2-(\alpha^2-2\alpha)\alpha=\frac{28}{3}\ (\because ㉠)$$

$2\alpha^3-3\alpha^2+28=0$, $(\alpha+2)(2\alpha^2-7\alpha+14)=0$

$\therefore \alpha=-2$ $(\because \alpha$는 실수$)$

이를 ㉠에 대입하면

$a=4+4=8$

023 답 ⑤

두 곡선 $y=x^2-x-2$, $y=-2x^2+5x+7$의 교점의 x좌표는 $x^2-x-2=-2x^2+5x+7$에서 $x^2-2x-3=0$

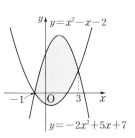

$(x+1)(x-3)=0$

$\therefore x=-1$ 또는 $x=3$

따라서 구하는 도형의 넓이는

$$\int_{-1}^3 \{(-2x^2+5x+7)-(x^2-x-2)\}\,dx$$

$$=\int_{-1}^3 (-3x^2+6x+9)\,dx$$

$$=\left[-x^3+3x^2+9x\right]_{-1}^3$$

$$=32$$

024 답 -8

$$\int_{-3}^9 \{f(x)-g(x)\}\,dx$$

$$=\int_{-3}^1 \{f(x)-g(x)\}\,dx + \int_1^5 \{f(x)-g(x)\}\,dx$$

$$\qquad\qquad\qquad + \int_5^9 \{f(x)-g(x)\}\,dx$$

$$=-\int_{-3}^1 \{g(x)-f(x)\}\,dx + \int_1^5 \{f(x)-g(x)\}\,dx$$

$$\qquad\qquad\qquad - \int_5^9 \{g(x)-f(x)\}\,dx$$

$$=-A+B-C$$

$$=-6+8-10$$

$$=-8$$

025 답 $\dfrac{37}{12}$

두 곡선 $y=x^3-2x$, $y=x^2$의 교점의 x좌표는 $x^3-2x=x^2$에서 $x^3-x^2-2x=0$

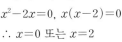

$x(x+1)(x-2)=0$

$\therefore x=-1$ 또는 $x=0$ 또는 $x=2$

따라서 구하는 도형의 넓이는

$$\int_{-1}^0 \{(x^3-2x)-x^2\}\,dx$$

$$\qquad\qquad + \int_0^2 \{x^2-(x^3-2x)\}\,dx$$

$$=\int_{-1}^0 (x^3-x^2-2x)\,dx + \int_0^2 (-x^3+x^2+2x)\,dx$$

$$=\left[\frac{1}{4}x^4-\frac{1}{3}x^3-x^2\right]_{-1}^0 + \left[-\frac{1}{4}x^4+\frac{1}{3}x^3+x^2\right]_0^2$$

$$=\frac{5}{12}+\frac{8}{3}$$

$$=\frac{37}{12}$$

026 답 $\dfrac{8}{3}$

곡선 $y=x^2$을 원점에 대하여 대칭이동하면

$-y=(-x)^2$ $\therefore y=-x^2$

이 곡선을 x축의 방향으로 2만큼, y축의 방향으로 4만큼 평행이동하면

$y=-(x-2)^2+4$ $\therefore f(x)=-(x-2)^2+4=-x^2+4x$

두 곡선 $y=x^2$, $y=-x^2+4x$의 교점

의 x좌표는 $x^2=-x^2+4x$에서

$x^2-2x=0$, $x(x-2)=0$

$\therefore x=0$ 또는 $x=2$

따라서 구하는 도형의 넓이는

$\displaystyle\int_0^2\{(-x^2+4x)-x^2\}\,dx$

$=\displaystyle\int_0^2(-2x^2+4x)\,dx=\left[-\dfrac{2}{3}x^3+2x^2\right]_0^2=\dfrac{8}{3}$

027 답 $\dfrac{11}{12}$

$f(x)=x^3-x$, $g(x)=x^2+ax+b$라 하면

$f'(x)=3x^2-1$, $g'(x)=2x+a$

(i) $x=1$인 점에서 두 곡선이 만나므로 $f(1)=g(1)$에서

$0=1+a+b$ $\therefore a+b=-1$ ······ ㉠

(ii) $x=1$인 점에서의 두 곡선의 접선의 기울기가 같으므로

$f'(1)=g'(1)$에서

$2=2+a$ $\therefore a=0$

$a=0$을 ㉠에 대입하면 $b=-1$

$\therefore g(x)=x^2-1$

두 곡선 $y=x^3-x$, $y=x^2-1$의 교점의

x좌표는 $x^3-x=x^2-1$에서

$x^3-x^2-x+1=0$, $(x+1)(x-1)^2=0$

$\therefore x=-1$ 또는 $x=1$

따라서 구하는 도형의 넓이는

$\displaystyle\int_{-1}^0\{(x^3-x)-(x^2-1)\}\,dx$

$=\displaystyle\int_{-1}^0(x^3-x^2-x+1)\,dx=\left[\dfrac{1}{4}x^4-\dfrac{1}{3}x^3-\dfrac{1}{2}x^2+x\right]_{-1}^0=\dfrac{11}{12}$

028 답 18

$0\le x\le 3$에서 $a^2x^2\ge -x^2$이므로

$S(a)=\displaystyle\int_0^3\{a^2x^2-(-x^2)\}\,dx$

$\qquad=\displaystyle\int_0^3(a^2+1)x^2\,dx$

$\qquad=\left[\dfrac{a^2+1}{3}x^3\right]_0^3=9(a^2+1)$

$\therefore \dfrac{S(a)}{a}=\dfrac{9(a^2+1)}{a}=9\left(a+\dfrac{1}{a}\right)$

이때 $a>0$, $\dfrac{1}{a}>0$이므로 산술평균과 기하평균의 관계에 의하여

$9\left(a+\dfrac{1}{a}\right)\ge 9\times 2\sqrt{a\times\dfrac{1}{a}}=18$ (단, 등호는 $a=1$일 때 성립)

따라서 구하는 최솟값은 18이다.

029 답 $\dfrac{27}{4}$

$f(x)=x^3-3x^2+2x+1$이라 하면 $f'(x)=3x^2-6x+2$이므로 점 $(0,1)$에서의 접선의 기울기는 $f'(0)=2$이고, 접선의 방정식은

$y-1=2x$ $\therefore y=2x+1$

곡선 $y=x^3-3x^2+2x+1$과 직선 $y=2x+1$의 교점의 x좌표는

$x^3-3x^2+2x+1=2x+1$에서

$x^3-3x^2=0$, $x^2(x-3)=0$

$\therefore x=0$ 또는 $x=3$

따라서 구하는 도형의 넓이는

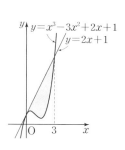

$\displaystyle\int_0^3\{(2x+1)-(x^3-3x^2+2x+1)\}\,dx$

$=\displaystyle\int_0^3(-x^3+3x^2)\,dx$

$=\left[-\dfrac{1}{4}x^4+x^3\right]_0^3=\dfrac{27}{4}$

030 답 $\dfrac{1}{3}$

$f(x)=x^2-1$이라 하면 $f'(x)=2x$이므로 점 $(1,0)$에서의 접선의 기울기는 $f'(1)=2$이고, 접선의 방정식은

$y=2(x-1)$ $\therefore y=2x-2$

따라서 구하는 도형의 넓이는

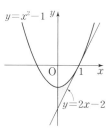

$\displaystyle\int_0^1\{(x^2-1)-(2x-2)\}\,dx$

$=\displaystyle\int_0^1(x^2-2x+1)\,dx$

$=\left[\dfrac{1}{3}x^3-x^2+x\right]_0^1=\dfrac{1}{3}$

031 답 $\dfrac{4\sqrt{2}}{3}$

$f(x)=x^2+2$라 하면 $f'(x)=2x$

접점의 좌표를 (t, t^2+2)라 하면 이 점에서의 접선의 기울기는 $f'(t)=2t$이므로 접선의 방정식은

$y-(t^2+2)=2t(x-t)$ $\therefore y=2tx-t^2+2$

이 직선이 원점을 지나므로

$0=-t^2+2$, $t^2-2=0$

$(t+\sqrt{2})(t-\sqrt{2})=0$

$\therefore t=-\sqrt{2}$ 또는 $t=\sqrt{2}$

즉, 접선의 방정식은

$y=-2\sqrt{2}\,x$ 또는 $y=2\sqrt{2}\,x$

따라서 구하는 도형의 넓이는

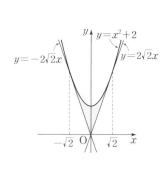

$2\displaystyle\int_0^{\sqrt{2}}\{(x^2+2)-2\sqrt{2}\,x\}\,dx$

$=2\displaystyle\int_0^{\sqrt{2}}(x^2-2\sqrt{2}\,x+2)\,dx$

$=2\left[\dfrac{1}{3}x^3-\sqrt{2}\,x^2+2x\right]_0^{\sqrt{2}}$

$=2\times\dfrac{2\sqrt{2}}{3}=\dfrac{4\sqrt{2}}{3}$

032 답 ②

$f(x)=-x^2$이라 하면 $f'(x)=-2x$이므로 점 $(a, -a^2)$에서의 접선의 기울기는 $f'(a)=-2a$이고, 접선의 방정식은
$y-(-a^2)=-2a(x-a)$
$\therefore y=-2ax+a^2$
$0\leq a\leq 2$이므로 구하는 도형의 넓이를 S라 하면

$$S=\int_0^2 \{(-2ax+a^2)-(-x^2)\}\,dx$$

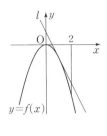

$$=\int_0^2 (x^2-2ax+a^2)\,dx$$
$$=\left[\frac{1}{3}x^3-ax^2+a^2x\right]_0^2$$
$$=2a^2-4a+\frac{8}{3}$$
$$=2(a-1)^2+\frac{2}{3}$$

따라서 $0\leq a\leq 2$에서 구하는 넓이의 최솟값은 $\frac{2}{3}$이다.

033 답 -6

함수 $f(x)$가 삼차함수이고 ㈎에서 $f(-x)=-f(x)$이므로
$f(x)=ax^3+bx\,(a, b$는 상수, $a\neq 0)$라 하면
$f'(x)=3ax^2+b$
㈏에서 이차함수 $f'(x)$의 최솟값이 2이므로
$a>0, b=2$
$\therefore f(x)=ax^3+2x$
$f'(x)=3ax^2+2$이므로 점 $(1, f(1))$, 즉 $(1, a+2)$에서의 접선의 기울기는 $f'(1)=3a+2$이고, 접선의 방정식은
$y-(a+2)=(3a+2)(x-1)$
$\therefore y=(3a+2)x-2a$
곡선 $y=ax^3+2x$와 접선 $y=(3a+2)x-2a$의 교점의 x좌표는
$ax^3+2x=(3a+2)x-2a$에서
$ax^3-3ax+2a=0$, $a(x+2)(x-1)^2=0$
$\therefore x=-2$ 또는 $x=1$
㈐에서 곡선 $y=f(x)$와 이 곡선 위의 점 $(1, f(1))$에서의 접선으로 둘러싸인 도형의 넓이가 27이므로

$$\int_{-2}^1 [(ax^3+2x)-\{(3a+2)x-2a\}]\,dx$$

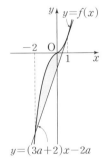

$$=a\int_{-2}^1 (x^3-3x+2)\,dx$$
$$=a\left[\frac{1}{4}x^4-\frac{3}{2}x^2+2x\right]_{-2}^1$$
$$=\frac{27}{4}a$$

즉, $\frac{27}{4}a=27$이므로 $a=4$
따라서 $f(x)=4x^3+2x$이므로
$f(-1)=-4-2=-6$

034 답 $\frac{7}{6}$

두 도형의 넓이가 서로 같으므로
$$\int_0^2 \{a(x-2)^2-(-x^2+2x)\}\,dx=0$$

$$\int_0^2 \{(a+1)x^2-2(2a+1)x+4a\}\,dx=0$$
$$\left[\frac{a+1}{3}x^3-(2a+1)x^2+4ax\right]_0^2=0$$
$$\frac{8}{3}a-\frac{4}{3}=0 \qquad \therefore a=\frac{1}{2}$$

두 곡선 $y=\frac{1}{2}(x-2)^2$, $y=-x^2+2x$의 교점의 x좌표는
$\frac{1}{2}(x-2)^2=-x^2+2x$에서
$3x^2-8x+4=0$
$(3x-2)(x-2)=0$
$\therefore x=\frac{2}{3}$ 또는 $x=2$
$\therefore k=\frac{2}{3}$
$\therefore a+k=\frac{1}{2}+\frac{2}{3}=\frac{7}{6}$

035 답 $\frac{1}{2}$

두 도형의 넓이가 서로 같으므로
$$\int_0^1 x(x-a)(x-1)\,dx=0$$
$$\int_0^1 \{x^3-(a+1)x^2+ax\}\,dx=0$$
$$\left[\frac{1}{4}x^4-\frac{a+1}{3}x^3+\frac{a}{2}x^2\right]_0^1=0$$
$$\frac{1}{6}a-\frac{1}{12}=0 \qquad \therefore a=\frac{1}{2}$$

036 답 $\frac{1}{3}$

$A=B$이므로
$$\int_0^1 (x^2-a)\,dx=0$$
$$\left[\frac{1}{3}x^3-ax\right]_0^1=0$$
$$\frac{1}{3}-a=0 \qquad \therefore a=\frac{1}{3}$$

037 답 -6

$A:B=1:2$에서 $B=2A$
곡선 $y=-x^2+6x+k$는 직선 $x=3$에 대하여 대칭이므로 오른쪽 그림에서 빗금친 부분의 넓이는 $\frac{1}{2}B$이다.

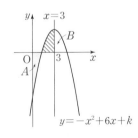

즉, 빗금친 부분의 넓이는 A와 같다.
따라서 구간 $[0, 3]$에서 곡선 $y=-x^2+6x+k$와 x축, y축 및 직선 $x=3$으로 둘러싸인 두 도형의 넓이가 같으므로
$$\int_0^3 (-x^2+6x+k)\,dx=0$$
$$\left[-\frac{1}{3}x^3+3x^2+kx\right]_0^3=0$$
$$18+3k=0 \qquad \therefore k=-6$$

038 답 $\dfrac{8}{3}$

$\displaystyle\int_{2-t}^{2}f(x)\,dx+\int_{2}^{2+t}f(x)\,dx=0$에서

$\displaystyle\int_{2-t}^{2}f(x)\,dx=-\int_{2}^{2+t}f(x)\,dx$

$\therefore \displaystyle\int_{2}^{2-t}f(x)\,dx=\int_{2}^{2+t}f(x)\,dx$

즉, 곡선 $y=f(x)$는 직선 $x=2$에 대하여 대칭이므로

$f(x)=(x-2)^2+k=x^2-4x+4+k$ (k는 상수)

라 하자.

오른쪽 그림에서 빗금친 부분의 넓이는
$\dfrac{1}{2}S_2$이고, $S_2=2S_1$이므로 빗금친 부분의
넓이는 S_1과 같다.

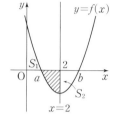

구간 $[0, 2]$에서 곡선 $y=x^2-4x+4+k$
와 x축, y축 및 직선 $x=2$로 둘러싸인 두
도형의 넓이가 같으므로

$\displaystyle\int_{0}^{2}(x^2-4x+4+k)\,dx=0$

$\left[\dfrac{1}{3}x^3-2x^2+(4+k)x\right]_{0}^{2}=0$

$2k+\dfrac{8}{3}=0$ $\therefore k=-\dfrac{4}{3}$

따라서 $f(x)=x^2-4x+\dfrac{8}{3}$이므로

$f(0)=\dfrac{8}{3}$

039 답 54

곡선 $y=x^2-3x$와 직선 $y=ax$의 교점의
x좌표는 $x^2-3x=ax$에서

$x^2-(a+3)x=0$, $x\{x-(a+3)\}=0$

$\therefore x=0$ 또는 $x=a+3$

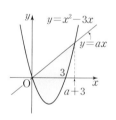

곡선 $y=x^2-3x$와 직선 $y=ax$로 둘러싸
인 도형의 넓이를 S_1이라 하면

$S_1=\displaystyle\int_{0}^{a+3}\{ax-(x^2-3x)\}\,dx=\int_{0}^{a+3}\{-x^2+(a+3)x\}\,dx$

$\quad=\left[-\dfrac{1}{3}x^3+\dfrac{a+3}{2}x^2\right]_{0}^{a+3}=\dfrac{(a+3)^3}{6}$

곡선 $y=x^2-3x$와 x축으로 둘러싸인 도형의 넓이를 S_2라 하면

$S_2=\displaystyle\int_{0}^{3}(-x^2+3x)\,dx=\left[-\dfrac{1}{3}x^3+\dfrac{3}{2}x^2\right]_{0}^{3}=\dfrac{9}{2}$

이때 $S_2=\dfrac{1}{2}S_1$이므로

$\dfrac{9}{2}=\dfrac{1}{2}\times\dfrac{(a+3)^3}{6}$ $\therefore (a+3)^3=54$

040 답 8

곡선 $y=2x^2$ $(x\geq0)$과 직선 $y=2$의 교점의 x좌표는 $2x^2=2$에서

$x^2=1$ $\therefore x=1$ ($\because x\geq0$)

곡선 $y=2x^2$ $(x\geq0)$과 y축 및 직선 $y=2$로 둘러싸인 도형의 넓이
를 S_1이라 하면

$S_1=\displaystyle\int_{0}^{1}(2-2x^2)\,dx=\left[2x-\dfrac{2}{3}x^3\right]_{0}^{1}=\dfrac{4}{3}$

곡선 $y=ax^2$ $(x\geq0)$과 직선 $y=2$의 교점의 x좌표는 $ax^2=2$에서

$x^2=\dfrac{2}{a}$ $\therefore x=\sqrt{\dfrac{2}{a}}$ ($\because x\geq0$)

곡선 $y=ax^2$ $(x\geq0)$과 y축 및 직선 $y=2$로 둘러싸인 도형의 넓이
를 S_2라 하면

$\displaystyle\int_{0}^{\sqrt{\frac{2}{a}}}(2-ax^2)\,dx=\left[2x-\dfrac{a}{3}x^3\right]_{0}^{\sqrt{\frac{2}{a}}}=\dfrac{4\sqrt{2}}{3\sqrt{a}}$

이때 $S_2=\dfrac{1}{2}S_1$이므로

$\dfrac{4\sqrt{2}}{3\sqrt{a}}=\dfrac{1}{2}\times\dfrac{4}{3}$, $\sqrt{a}=2\sqrt{2}$ $\therefore a=8$

041 답 ⑤

곡선 $y=x^2-4x+2$와 직선 $y=x-2$
의 교점의 x좌표는

$x^2-4x+2=x-2$에서

$x^2-5x+4=0$, $(x-1)(x-4)=0$

$\therefore x=1$ 또는 $x=4$

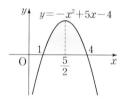

따라서 곡선 $y=x^2-4x+2$와 직선
$y=x-2$로 둘러싸인 도형의 넓이는

$\displaystyle\int_{1}^{4}\{(x-2)-(x^2-4x+2)\}\,dx=\int_{1}^{4}(-x^2+5x-4)\,dx$

이 넓이는 곡선

$y=-x^2+5x-4=-\left(x-\dfrac{5}{2}\right)^2+\dfrac{9}{4}$와 x

축으로 둘러싸인 도형의 넓이와 같으므

로 대칭축 $x=\dfrac{5}{2}$에 의하여 이등분된다.

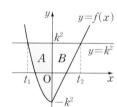

$\therefore a=\dfrac{5}{2}$

042 답 $\dfrac{4}{3}$

곡선 $y=2x^2-k^2$과 x축 및 직선 $y=k^2$으
로 둘러싸인 도형의 넓이를 A, 두 직선
$y=2x-k^2$, $y=k^2$과 y축으로 둘러싸인
도형의 넓이를 B라 하자.

(i) $x<0$일 때

곡선 $y=2x^2-k^2$과 직선 $y=k^2$의 교
점의 x좌표를 t_1이라 하면

$2t_1^2-k^2=k^2$, $t_1^2=k^2$

$\therefore t_1=-k$ ($\because t_1<0$)

$\therefore A=\displaystyle\int_{-k}^{0}\{k^2-(2x^2-k^2)\}\,dx$

$\quad=\displaystyle\int_{-k}^{0}(-2x^2+2k^2)\,dx=\left[-\dfrac{2}{3}x^3+2k^2x\right]_{-k}^{0}=\dfrac{4}{3}k^3$

(ii) $x\geq0$일 때

두 직선 $y=2x-k^2$, $y=k^2$의 교점의 x좌표를 t_2라 하면

$2t_2-k^2=k^2$ $\therefore t_2=k^2$

$\therefore B=\dfrac{1}{2}\times k^2\times2k^2=k^4$

(i), (ii)에서 $A=B$이므로

$\dfrac{4}{3}k^3=k^4$ $\therefore k=\dfrac{4}{3}$ ($\because k>0$)

043 답 ②

두 곡선 $y=f(x)$, $y=g(x)$는 직선
$y=x$에 대하여 대칭이다.
곡선 $y=f(x)$와 직선 $y=x$의 교점의
x좌표는 두 곡선 $y=f(x)$, $y=g(x)$
의 교점의 x좌표와 같으므로
$x^2-2x+2=x$에서
$x^2-3x+2=0$, $(x-1)(x-2)=0$
$\therefore x=1$ 또는 $x=2$

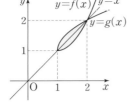

두 곡선 $y=f(x)$, $y=g(x)$로 둘러싸인 도형의 넓이는 곡선
$y=f(x)$와 직선 $y=x$로 둘러싸인 도형의 넓이의 2배와 같으므로
구하는 도형의 넓이는

$$2\int_1^2\{x-(x^2-2x+2)\}dx=2\int_1^2(-x^2+3x-2)dx$$
$$=2\left[-\frac{1}{3}x^3+\frac{3}{2}x^2-2x\right]_1^2$$
$$=2\times\frac{1}{6}=\frac{1}{3}$$

044 답 4

두 곡선 $y=f(x)$, $y=g(x)$로 둘러싸인
도형의 넓이는 곡선 $y=f(x)$와 직선
$y=x$로 둘러싸인 도형의 넓이의 2배와
같으므로 구하는 도형의 넓이는

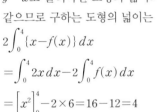

$$2\int_0^4\{x-f(x)\}dx$$
$$=\int_0^4 2x\,dx-2\int_0^4 f(x)\,dx$$
$$=\left[x^2\right]_0^4-2\times6=16-12=4$$

045 답 38

두 곡선 $y=f(x)$, $y=g(x)$는 직선 $y=x$에 대하여 대칭이다.
곡선 $y=f(x)$와 직선 $y=x$의 교점의 x좌표는 두 곡선 $y=f(x)$,
$y=g(x)$의 교점의 x좌표와 같으므로 $x^3-6=x$에서
$x^3-x-6=0$, $(x-2)(x^2+2x+3)=0$
$\therefore x=2\ (\because x$는 실수$)$

두 곡선 $y=f(x)$, $y=g(x)$와 직선
$y=-x-6$으로 둘러싸인 도형의 넓
이는 곡선 $y=f(x)$와 두 직선 $y=x$,
$y=-x-6$으로 둘러싸인 도형의 넓이
의 2배와 같으므로 구하는 도형의
넓이를 S라 하면 오른쪽 그림에서
$S=2(S_1+S_2)$

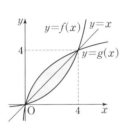

$$2S_1=2\int_0^2\{x-(x^3-6)\}dx=2\int_0^2(-x^3+x+6)dx$$
$$=2\left[-\frac{1}{4}x^4+\frac{1}{2}x^2+6x\right]_0^2=20$$
$$2S_2=\frac{1}{2}\times6\times6=18$$
$\therefore S=2(S_1+S_2)=2S_1+2S_2=20+18=38$

046 답 28

함수 $y=f(x)$와 그 역함수 $y=g(x)$의
그래프는 직선 $y=x$에 대하여 대칭이
므로 오른쪽 그림에서
$A=B$
$\therefore \int_2^3 f(x)\,dx+\int_4^{12} g(x)\,dx$
$\quad=C+A$
$\quad=C+B$
$\quad=3\times12-2\times4=28$

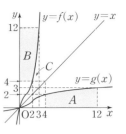

047 답 ③

함수 $y=f(x)$와 그 역함수 $y=g(x)$의
그래프는 직선 $y=x$에 대하여 대칭이
고, $f(1)=1$, $f(3)=3$이므로 함수
$y=f(x)$의 그래프가 오른쪽 그림과 같
다고 하면
$A=B$

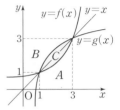

$\therefore \int_1^3 g(x)\,dx=A+C$
$\quad=3\times3-1\times1-B$
$\quad=8-B=8-A$
$\quad=8-\int_1^3 f(x)\,dx$
$\quad=8-\frac{7}{2}=\frac{9}{2}$

048 답 $\dfrac{65}{12}$

$g(9)=a$라 하면 $f(a)=9$이므로
$a(a+2)^2=9$
$a^3+4a^2+4a-9=0$
$(a-1)(a^2+5a+9)=0$
$\therefore a=1\ (\because a\geq0)$

함수 $y=f(x)$와 그 역함수 $y=g(x)$의
그래프는 직선 $y=x$에 대하여 대칭이
므로 오른쪽 그림에서
$A=B$

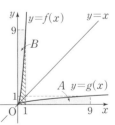

$\therefore \int_0^9 g(x)\,dx=A$
$\quad=B$
$\quad=1\times9-($빗금친 도형의 넓이$)$
$\quad=9-\int_0^1 f(x)\,dx$
$\quad=9-\int_0^1 x(x+2)^2\,dx$
$\quad=9-\int_0^1(x^3+4x^2+4x)\,dx$
$\quad=9-\left[\frac{1}{4}x^4+\frac{4}{3}x^3+2x^2\right]_0^1$
$\quad=9-\frac{43}{12}=\frac{65}{12}$

049 답 ③

$t=0$에서의 점 P의 좌표가 3이므로 $t=2$에서의 점 P의 위치는

$$3+\int_0^2(2t-1)\,dt=3+\Big[t^2-t\Big]_0^2=3+2=5$$

050 답 ②

$$\int_1^3|6t-3t^2|\,dt=\int_1^2(6t-3t^2)\,dt+\int_2^3(-6t+3t^2)\,dt$$
$$=\Big[3t^2-t^3\Big]_1^2+\Big[-3t^2+t^3\Big]_2^3$$
$$=2+4=6$$

051 답 ㄱ, ㄹ

ㄱ. $t=4$에서의 물체의 위치는

$$0+\int_0^4 v(t)\,dt=\int_0^1 v(t)\,dt+\int_1^3 v(t)\,dt+\int_3^4 v(t)\,dt$$
$$=\frac{1}{2}\times1\times2+\frac{1}{2}\times2\times1-\frac{1}{2}\times1\times1=\frac{3}{2}$$

ㄴ. $v(t)=0$이고 그 좌우에서 $v(t)$의 부호가 바뀔 때 운동 방향이 바뀌므로 물체는 $t=3$에서 운동 방향을 한 번 바꾼다.

ㄷ. $t=6$일 때 물체의 위치는

$$0+\int_0^6 v(t)\,dt=\int_0^1 v(t)\,dt+\int_1^3 v(t)\,dt+\int_3^6 v(t)\,dt$$
$$=\frac{1}{2}\times1\times2+\frac{1}{2}\times2\times1-\frac{1}{2}\times(3+1)\times1=0$$

따라서 $t=6$일 때 물체는 원점에 있다.

ㄹ. $v(t)=0$일 때 정지하므로 $t=1$에서 처음 정지한다.

따라서 $t=0$에서 $t=1$까지 물체가 움직인 거리는

$$\int_0^1|v(t)|\,dt=\frac{1}{2}\times1\times2=1$$

따라서 보기 중 옳은 것은 ㄱ, ㄹ이다.

052 답 ①

$t=0$에서의 점 P의 좌표가 1이므로 $t=3$에서의 점 P의 위치는

$$1+\int_0^3(t^2-4t+3)\,dt=1+\Big[\frac{1}{3}t^3-2t^2+3t\Big]_0^3$$
$$=1+0=1$$

053 답 −9

$v(t)=0$일 때 점 P가 움직이는 방향이 바뀌므로

$t^2-2t-3=0$, $(t+1)(t-3)=0$

$\therefore t=3 \;(\because t>0)$

시각 $t=0$에서 $t=3$까지 점 P의 위치의 변화량은

$$\int_0^3(t^2-2t-3)\,dt=\Big[\frac{1}{3}t^3-t^2-3t\Big]_0^3=-9$$

054 답 ④

공이 최고 지점에 도달했을 때 $v(t)=0$이므로

$30-10t=0$ $\therefore t=3$

따라서 공을 던진 지 3초 후에 최고 지점에 도달하므로 구하는 높이는

$$10+\int_0^3(30-10t)\,dt=10+\Big[30t-5t^2\Big]_0^3$$
$$=10+45=55\,(\text{m})$$

055 답 3초

두 점 P_1, P_2가 만나려면 위치가 같아야 하므로 두 점이 다시 만나는 시각을 $t=a$라 하면

$$\int_0^a(2t^2-4t+1)\,dt=\int_0^a(-t^2+8t-8)\,dt$$
$$\Big[\frac{2}{3}t^3-2t^2+t\Big]_0^a=\Big[-\frac{1}{3}t^3+4t^2-8t\Big]_0^a$$
$$\frac{2}{3}a^3-2a^2+a=-\frac{1}{3}a^3+4a^2-8a$$
$$a^3-6a^2+9a=0,\; a(a-3)^2=0$$
$$\therefore a=3\;(\because a>0)$$

따라서 두 점 P_1, P_2가 다시 만나는 시각은 3초 후이다.

056 답 ②

속도가 두 번째로 0이 되는 순간의 시각을 $t=k$라 하면 $v(k)=0$에서

$$k^4-2k^2+1-a=0$$
$$\therefore a=k^4-2k^2+1 \qquad \cdots\cdots \text{㉠}$$

속도가 두 번째로 0이 되는 순간까지 점 P의 위치의 변화량이 0이므로

$$\int_0^k(t^4-2t^2+1-a)\,dt=\Big[\frac{1}{5}t^5-\frac{2}{3}t^3+(1-a)t\Big]_0^k$$
$$=\frac{1}{5}k^5-\frac{2}{3}k^3+(1-a)k$$

즉, $\frac{1}{5}k^5-\frac{2}{3}k^3+(1-a)k=0$이므로

$$\frac{1}{5}k^4-\frac{2}{3}k^2+1-a=0\;(\because k\neq0)$$
$$\therefore a=\frac{1}{5}k^4-\frac{2}{3}k^2+1 \qquad \cdots\cdots \text{㉡}$$

㉠과 ㉡이 일치하므로

$$k^4-2k^2+1=\frac{1}{5}k^4-\frac{2}{3}k^2+1$$
$$\frac{4}{5}k^4-\frac{4}{3}k^2=0,\; \frac{4}{5}k^2=\frac{4}{3}\;(\because k\neq0)$$
$$\therefore k^2=\frac{5}{3}$$

이를 ㉠에 대입하면

$$a=\Big(\frac{5}{3}\Big)^2-2\times\frac{5}{3}+1=\frac{4}{9}$$

057 답 3

두 점 P, Q가 만나려면 위치가 같아야 하므로 두 점이 만나는 시각을 $t=a$라 하면

$$\int_0^a(4t+7)\,dt=-3+\int_0^a(3t^2-8t+16)\,dt$$
$$\Big[2t^2+7t\Big]_0^a=-3+\Big[t^3-4t^2+16t\Big]_0^a$$
$$2a^2+7a=-3+a^3-4a^2+16a$$
$$\therefore a^3-6a^2+9a-3=0 \qquad \cdots\cdots \text{㉠}$$

$f(a)=a^3-6a^2+9a-3$이라 하면

$$f'(a)=3a^2-12a+9=3(a-1)(a-3)$$

$f'(a)=0$인 a의 값은 $a=1$ 또는 $a=3$

$a>0$에서 함수 $f(a)$의 증가, 감소를 표로 나타내면 다음과 같다.

a	0	$\cdots$	1	$\cdots$	3	$\cdots$
$f'(a)$		$+$	0	$-$	0	$+$
$f(a)$		↗	1 극대	↘	-3 극소	↗

따라서 함수 $y=f(a)$의 그래프는 오른쪽 그림과 같고, $a>0$에서 a축과 서로 다른 세 점에서 만나므로 삼차방정식 ㉠의 실근은 3개이다.

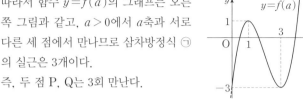

즉, 두 점 P, Q는 3회 만난다.

058 답 $\dfrac{16}{3}$

$\displaystyle\int_0^3 |4t-2t^2|\,dt = \int_0^2 (4t-2t^2)\,dt + \int_2^3 (-4t+2t^2)\,dt$

$\qquad = \left[2t^2-\dfrac{2}{3}t^3\right]_0^2 + \left[-2t^2+\dfrac{2}{3}t^3\right]_2^3 = \dfrac{8}{3}+\dfrac{8}{3}=\dfrac{16}{3}$

059 답 ④

$v(t)=0$일 때 자동차가 정지하므로

$10-2t=0$ $\therefore t=5$

따라서 자동차가 정지할 때까지 달린 거리는

$\displaystyle\int_0^5 |10-2t|\,dt = \int_0^5 (10-2t)\,dt = \left[10t-t^2\right]_0^5 = 25\,(\mathrm{m})$

060 답 ③

점 P가 출발한 후 다시 원점을 지나는 시각을 $t=a$라 하면

$\displaystyle\int_0^a (t^3-3t^2)\,dt=0$, $\left[\dfrac{1}{4}t^4-t^3\right]_0^a=0$

$\dfrac{1}{4}a^4-a^3=0$, $\dfrac{1}{4}a^3(a-4)=0$ $\therefore a=4\ (\because a>0)$

따라서 $t=4$까지 점 P가 움직인 거리는

$\displaystyle\int_0^4 |t^3-3t^2|\,dt = \int_0^3 (-t^3+3t^2)\,dt + \int_3^4 (t^3-3t^2)\,dt$

$\qquad = \left[-\dfrac{1}{4}t^4+t^3\right]_0^3 + \left[\dfrac{1}{4}t^4-t^3\right]_3^4 = \dfrac{27}{4}+\dfrac{27}{4}=\dfrac{27}{2}$

061 답 125 m

물체가 두 번째로 지면으로부터 60 m의 높이에 도달하는 시각을 $t=a$라 하면

$25+\displaystyle\int_0^a (40-10t)\,dt = 25 + \left[40t-5t^2\right]_0^a = -5a^2+40a+25$

즉, $-5a^2+40a+25=60$이므로

$a^2-8a+7=0$, $(a-1)(a-7)=0$ $\therefore a=1$ 또는 $a=7$

따라서 물체가 두 번째로 지면으로부터 60 m의 높이에 도달하는 시각은 $t=7$이다.

또 물체가 최고 높이에 도달했을 때 $v(t)=0$이므로

$40-10t=0$ $\therefore t=4$

따라서 시각 $t=0$에서 $t=7$까지 물체가 움직인 거리는

$\displaystyle\int_0^7 |40-10t|\,dt = \int_0^4 (40-10t)\,dt + \int_4^7 (-40+10t)\,dt$

$\qquad = \left[40t-5t^2\right]_0^4 + \left[-40t+5t^2\right]_4^7$

$\qquad = 80+45 = 125\,(\mathrm{m})$

062 답 24

시각 t에서의 점 P의 좌표는

$\displaystyle\int_0^t (6t^2+2t+2)\,dt = \left[2t^3+t^2+2t\right]_0^t = 2t^3+t^2+2t$

시각 t에서의 점 Q의 좌표는

$\displaystyle\int_0^t (3t^2+4t-5)\,dt = \left[t^3+2t^2-5t\right]_0^t = t^3+2t^2-5t$

두 점 $P(2t^3+t^2+2t)$, $Q(t^3+2t^2-5t)$에 대하여 선분 PQ를 $2:1$로 외분하는 점 R의 좌표는

$\dfrac{2(t^3+2t^2-5t)-(2t^3+t^2+2t)}{2-1} = 3t^2-12t$

점 R가 다시 원점을 지날 때의 시각은

$3t^2-12t=0$, $3t(t-4)=0$

$\therefore t=4\ (\because t>0)$

점 R의 속도는 $(3t^2-12t)'=6t-12$이므로 구하는 거리는

$\displaystyle\int_0^4 |6t-12|\,dt = \int_0^2 (-6t+12)\,dt + \int_2^4 (6t-12)\,dt$

$\qquad = \left[-3t^2+12t\right]_0^2 + \left[3t^2-12t\right]_2^4$

$\qquad = 12+12 = 24$

063 답 ③

(i) $0 \le t \le 5$에서의 점 P의 속도를 $k_1 t\ (k_1>0)$라 하면 시각 $t=0$에서 $t=5$까지 움직인 거리가 25이므로

$\displaystyle\int_0^5 k_1 t\,dt = 25$에서

$\displaystyle\int_0^5 k_1 t\,dt = \left[\dfrac{k_1}{2}t^2\right]_0^5 = \dfrac{25}{2}k_1$

즉, $\dfrac{25}{2}k_1=25$이므로 $k_1=2$

(ii) 시각 $t=5$에서의 점 P의 속도가 10이므로 $5 \le t \le a$에서의 점 P의 속도는 10이다.

이때 시각 $t=5$에서 $t=a$까지 움직인 거리가 50이므로

$\displaystyle\int_5^a 10\,dt = 50$에서

$\displaystyle\int_5^a 10\,dt = \left[10t\right]_5^a = 10a-50$

즉, $10a-50=50$이므로 $a=10$

(iii) $10 \le t \le b$에서의 점 P의 속도를 $-k_2(t-b)\ (k_2>0)$라 하면 시각 $t=10$에서의 속도가 10이므로

$-k_2(10-b)=10$ $\therefore k_2=\dfrac{10}{b-10}$

이때 시각 $t=10$에서 $t=b$까지 움직인 거리가 50이므로

$\displaystyle\int_{10}^b \left\{-\dfrac{10}{b-10}(t-b)\right\}dt = 50$에서

$\displaystyle\int_{10}^b \left\{-\dfrac{10}{b-10}(t-b)\right\}dt = \dfrac{10}{10-b}\left[\dfrac{1}{2}t^2-bt\right]_{10}^b$

$\qquad = \dfrac{5}{b-10}(b^2-20b+100)$

즉, $\dfrac{5}{b-10}(b^2-20b+100)=50$이므로

$b^2-30b+200=0$, $(b-10)(b-20)=0$

$\therefore b=20\ (\because b>10)$

따라서 $a=10$, $b=20$이므로

$a+b=10+20=30$

064 답 ㄴ, ㄷ

ㄱ. $t=5$에서의 점 P의 위치는

$$0+\int_0^5 v(t)\,dt=\int_0^3 v(t)\,dt+\int_3^5 v(t)\,dt$$
$$=\frac{1}{2}\times(1+3)\times2-\frac{1}{2}\times2\times2=2$$

따라서 $t=5$일 때 원점을 지나지 않는다.

ㄴ. $t=0$에서 $t=6$까지 점 P의 위치의 변화량은

$$\int_0^6 v(t)\,dt=\int_0^3 v(t)\,dt+\int_3^5 v(t)\,dt+\int_5^6 v(t)\,dt$$
$$=\frac{1}{2}\times(1+3)\times2-\frac{1}{2}\times2\times2+\frac{1}{2}\times1\times2$$
$$=3$$

따라서 $t=1$에서 $t=6$까지 위치의 변화량은 3이다.

ㄷ. $v(t)=0$이고 그 좌우에서 $v(t)$의 부호가 바뀔 때 운동 방향이 바뀌므로 점 P는 $t=3$, $t=5$에서 운동 방향을 두 번 바꾼다.

따라서 보기 중 옳은 것은 ㄴ, ㄷ이다.

065 답 ①

점 P는 $t=4$일 때 원점으로부터 가장 멀리 떨어져 있고 그때의 점 P의 위치는

$$0+\int_0^4 v(t)\,dt=-\frac{1}{2}\times4\times4=-8$$

066 답 8초

원점으로 돌아오는 시각을 $t=a$라 하면 $\int_0^a v(t)\,dt=0$

$$\int_0^4 v(t)\,dt=\frac{1}{2}\times4\times3=6,$$
$$\int_4^6 v(t)\,dt=-\frac{1}{2}\times2\times2=-2,$$
$$\int_6^8 v(t)\,dt=-2\times2=-4$$이므로

$$\int_0^4 v(t)\,dt+\int_4^6 v(t)\,dt+\int_6^8 v(t)\,dt=0$$

$$\therefore \int_0^8 v(t)\,dt=0$$

따라서 점 P가 출발한 후 원점으로 처음 다시 돌아올 때까지 걸리는 시간은 8초이다.

067 답 1

시각 $t=0$에서 $t=3$까지 점 P가 움직인 거리는

$$\int_0^3 |v(t)|\,dt=\int_0^2 |v(t)|\,dt+\int_2^3 |v(t)|\,dt$$
$$=\frac{1}{2}\times2\times2+\frac{1}{2}\times1\times(-a)=2-\frac{a}{2}$$

즉, $2-\dfrac{a}{2}=\dfrac{5}{2}$이므로 $a=-1$

따라서 $t=6$에서의 점 P의 위치는

$$\int_0^6 v(t)\,dt=\int_0^2 v(t)\,dt+\int_2^5 v(t)\,dt+\int_5^6 v(t)\,dt$$
$$=\frac{1}{2}\times2\times2-\frac{1}{2}\times(3+1)\times1+\frac{1}{2}\times1\times2=1$$

068 답 4

$t=4$에서의 점 P의 위치는 $\int_0^4 v(t)\,dt$이므로

$$\int_0^4 v(t)\,dt=4$$

이때 $\int_0^4 v(t)\,dt=\int_0^3 v(t)\,dt+\int_3^4 v(t)\,dt$이므로

$$4=6+\int_3^4 v(t)\,dt \quad\quad \therefore \int_3^4 v(t)\,dt=-2$$

따라서 $t=4$에서 $t=6$까지 점 P가 움직인 거리는

$$\int_4^6 |v(t)|\,dt=\int_3^6 |v(t)|\,dt-\int_3^4 |v(t)|\,dt=6-2=4$$

069 답 ㄱ, ㄴ, ㄹ

ㄱ. 점 P의 시각 t에서의 속도가 $v(t)$이므로 속력은 $|v(t)|$이다.
$t=3$일 때 $|v(3)|=|-3|=3$으로 속력이 가장 크다.

ㄴ. $\int_2^3 v(t)\,dt=-\int_0^2 v(t)\,dt$이므로 $t=3$일 때 점 P의 위치는

$$\int_0^3 v(t)\,dt=\int_0^2 v(t)\,dt+\int_2^3 v(t)\,dt$$
$$=\int_0^2 v(t)\,dt-\int_0^2 v(t)\,dt=0$$

따라서 $t=3$일 때 점 P는 원점에 있다.

ㄷ. 점 P의 시각 t에서의 속도가 $v(t)$이므로 가속도는 $v'(t)$이다.
$t=1$일 때 $v'(1)=0$이므로 가속도는 0이다.

ㄹ. $t=0$에서 $t=2$까지 $v(t)>0$이므로 $t=2$일 때 점 P는 원점에서 가장 멀리 떨어져 있다.

따라서 보기 중 옳은 것은 ㄱ, ㄴ, ㄹ이다.

070 답 2

$$\int_{-2}^a |2x^3|\,dx$$
$$=\int_{-2}^0 (-2x^3)\,dx+\int_0^a 2x^3\,dx$$
$$=\left[-\frac{1}{2}x^4\right]_{-2}^0+\left[\frac{1}{2}x^4\right]_0^a$$
$$=8+\frac{1}{2}a^4$$

즉, $8+\dfrac{1}{2}a^4=16$이므로 $a^4=16$

$$\therefore a=2 \ (\because a>0)$$

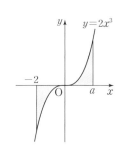

071 답 ③

$A=\int_{-2}^1 f'(x)\,dx=7$, $B=-\int_1^3 f'(x)\,dx=4$이므로

$$\int_{-2}^3 f'(x)\,dx=\int_{-2}^1 f'(x)\,dx+\int_1^3 f'(x)\,dx$$
$$=7+(-4)=3 \quad\quad\cdots\cdots ㉠$$

한편 $f'(x)$가 $f(x)$의 도함수이므로

$$\int_{-2}^3 f'(x)\,dx=\Big[f(x)\Big]_{-2}^3=f(3)-f(-2) \quad\quad\cdots\cdots ㉡$$

㉠, ㉡에서

$$f(3)-f(-2)=3$$

이때 $f(-2)=2$이므로 $f(3)=5$

072 답 ③

$\int_3^x f(t)\,dt = x^3 - ax^2$의 양변에 $x=3$을 대입하면

$0 = 27 - 9a$ ∴ $a=3$

$\int_3^x f(t)\,dt = x^3 - 3x^2$의 양변을 x에 대하여 미분하면

$f(x) = 3x^2 - 6x$

곡선 $y=f(x)$와 x축의 교점의 x좌표는

$3x^2 - 6x = 0$에서 $3x(x-2)=0$

∴ $x=0$ 또는 $x=2$

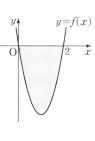

곡선 $y=f(x)$와 x축으로 둘러싸인 도형의 넓이 S는

$S = \int_0^2 |3x^2 - 6x|\,dx = \int_0^2 (-3x^2 + 6x)\,dx$

$\quad = \left[-x^3 + 3x^2 \right]_0^2 = 4$

∴ $a + S = 3 + 4 = 7$

073 답 8

$y = x|x-2| = \begin{cases} x^2 - 2x & (x \geq 2) \\ -x^2 + 2x & (x \leq 2) \end{cases}$

(i) $x \geq 2$일 때, 곡선 $y = x^2 - 2x$와 직선 $y = 2x$의 교점의 x좌표는

$x^2 - 2x = 2x$에서

$x^2 - 4x = 0$, $x(x-4) = 0$

∴ $x = 4$ $(\because x \geq 2)$

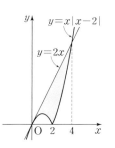

(ii) $x \leq 2$일 때, 곡선 $y = -x^2 + 2x$와 직선 $y = 2x$의 교점의 x좌표는

$-x^2 + 2x = 2x$에서

$x^2 = 0$ ∴ $x = 0$

따라서 구하는 도형의 넓이는

$\int_0^2 \{2x - (-x^2 + 2x)\}\,dx + \int_2^4 \{2x - (x^2 - 2x)\}\,dx$

$= \int_0^2 x^2\,dx + \int_2^4 (-x^2 + 4x)\,dx$

$= \left[\frac{1}{3}x^3 \right]_0^2 + \left[-\frac{1}{3}x^3 + 2x^2 \right]_2^4$

$= \frac{8}{3} + \frac{16}{3} = 8$

074 답 $\dfrac{27}{2}$

두 곡선 $y = 2x^2 - x - 4$, $y = -x^2 + 2x + 2$의 교점의 x좌표는

$2x^2 - x - 4 = -x^2 + 2x + 2$에서

$x^2 - x - 2 = 0$, $(x+1)(x-2) = 0$

∴ $x = -1$ 또는 $x = 2$

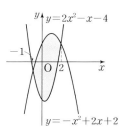

따라서 구하는 도형의 넓이는

$\int_{-1}^2 \{(-x^2 + 2x + 2) - (2x^2 - x - 4)\}\,dx$

$= \int_{-1}^2 (-3x^2 + 3x + 6)\,dx$

$= \left[-x^3 + \frac{3}{2}x^2 + 6x \right]_{-1}^2 = \frac{27}{2}$

075 답 $\dfrac{2}{3}$

$f(x) = x^2 - 3x + 4$라 하면 $f'(x) = 2x - 3$

접점의 좌표를 $(t, t^2 - 3t + 4)$라 하면 접선의 방정식은

$y - (t^2 - 3t + 4) = (2t - 3)(x - t)$

∴ $y = (2t - 3)x - t^2 + 4$

이 직선이 점 $(2, 1)$을 지나므로

$1 = (2t - 3) \times 2 - t^2 + 4$, $t^2 - 4t + 3 = 0$

$(t-1)(t-3) = 0$ ∴ $t = 1$ 또는 $t = 3$

즉, 접선의 방정식은

$y = -x + 3$ 또는 $y = 3x - 5$

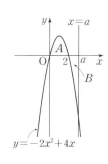

따라서 구하는 도형의 넓이는

$\int_1^2 \{(x^2 - 3x + 4) - (-x + 3)\}\,dx$

$\quad + \int_2^3 \{(x^2 - 3x + 4) - (3x - 5)\}\,dx$

$= \int_1^2 (x^2 - 2x + 1)\,dx + \int_2^3 (x^2 - 6x + 9)\,dx$

$= \left[\frac{1}{3}x^3 - x^2 + x \right]_1^2 + \left[\frac{1}{3}x^3 - 3x^2 + 9x \right]_2^3 = \frac{1}{3} + \frac{1}{3} = \frac{2}{3}$

076 답 3

곡선 $y = -2x^2 + 4x$와 x축의 교점의 x좌표는 $-2x^2 + 4x = 0$에서

$-2x(x-2) = 0$ ∴ $x = 0$ 또는 $x = 2$

$A = B$이므로

$\int_0^a (-2x^2 + 4x)\,dx = 0$

$\left[-\frac{2}{3}x^3 + 2x^2 \right]_0^a = 0$, $-\frac{2}{3}a^3 + 2a^2 = 0$,

$-\frac{2}{3}a^2(a - 3) = 0$ ∴ $a = 3$ $(\because a > 2)$

077 답 32

곡선 $y = x^2 - 4x$와 직선 $y = ax$의 교점의 x좌표는 $x^2 - 4x = ax$에서

$x\{x - (a+4)\} = 0$

∴ $x = 0$ 또는 $x = a + 4$

곡선 $y = x^2 - 4x$와 x축으로 둘러싸인 도형의 넓이를 S_1이라 하면

$S_1 = \int_0^4 (-x^2 + 4x)\,dx = \left[-\frac{1}{3}x^3 + 2x^2 \right]_0^4 = \frac{32}{3}$

곡선 $y = x^2 - 4x$와 직선 $y = ax$로 둘러싸인 도형의 넓이를 S_2라 하면

$S_2 = \int_0^{a+4} \{ax - (x^2 - 4x)\}\,dx = \int_0^{a+4} \{-x^2 + (a+4)x\}\,dx$

$\qquad = \left[-\frac{1}{3}x^3 + \frac{a+4}{2}x^2 \right]_0^{a+4}$

$\qquad = \frac{(a+4)^3}{6}$

이때 $S_2 = \frac{1}{2}S_1$이므로 $\frac{(a+4)^3}{6} = \frac{1}{2} \times \frac{32}{3}$

∴ $(a+4)^3 = 32$

078 답 ①

두 곡선 $y=f(x)$, $y=g(x)$는 직선
$y=x$에 대하여 대칭이다.
곡선 $y=f(x)$와 직선 $y=x$의 교점의
x좌표는 두 곡선 $y=f(x)$, $y=g(x)$의
교점의 x좌표와 같으므로
$x^3-2x^2+2x=x$에서
$x^3-2x^2+x=0$, $x(x-1)^2=0$
$\therefore x=0$ 또는 $x=1$
두 곡선 $y=f(x)$, $y=g(x)$로 둘러싸인 도형의 넓이는 곡선
$y=f(x)$와 직선 $y=x$로 둘러싸인 도형의 넓이의 2배와 같으므로
구하는 도형의 넓이는

$$2\int_0^1 \{(x^3-2x^2+2x)-x\}\,dx=2\int_0^1 (x^3-2x^2+x)\,dx$$
$$=2\left[\frac{1}{4}x^4-\frac{2}{3}x^3+\frac{1}{2}x^2\right]_0^1$$
$$=2\times\frac{1}{12}=\frac{1}{6}$$

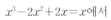

079 답 17

함수 $y=f(x)$와 그 역함수 $y=g(x)$의
그래프는 직선 $y=x$에 대하여 대칭이므
로 오른쪽 그림에서
$A=B$
$\therefore \int_1^2 f(x)\,dx+\int_1^9 g(x)\,dx$
$=$(빗금친 도형의 넓이)$+A$
$=$(빗금친 도형의 넓이)$+B$
$=2\times 9-1\times 1=17$

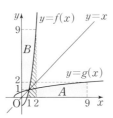

080 답 19

$v(t)=0$일 때 점 P가 움직이는 방향이 바뀌므로
$12-3t=0$ $\therefore t=4$
따라서 $t=4$에서의 점 P의 위치는
$-5+\int_0^4 (12-3t)\,dt=-5+\left[12t-\frac{3}{2}t^2\right]_0^4=-5+24=19$

081 답 ㄱ, ㄷ

ㄱ. $t=2$에서의 점 P의 위치는
$$2+\int_0^2 v(t)\,dt=2+\int_0^2 (-3t^2+4t+4)\,dt$$
$$=2+\left[-t^3+2t^2+4t\right]_0^2=2+8=10$$

ㄴ. $t=1$에서 $t=3$까지 점 P의 위치의 변화량은
$$\int_1^3 v(t)\,dt=\int_1^3 (-3t^2+4t+4)\,dt$$
$$=\left[-t^3+2t^2+4t\right]_1^3=-2$$

ㄷ. $t=0$에서 $t=3$까지 점 P가 움직인 거리는
$$\int_0^3 |v(t)|\,dt=\int_0^2 (-3t^2+4t+4)\,dt+\int_2^3 (3t^2-4t-4)\,dt$$
$$=\left[-t^3+2t^2+4t\right]_0^2+\left[t^3-2t^2-4t\right]_2^3$$
$$=8+5=13$$

따라서 보기 중 옳은 것은 ㄱ, ㄷ이다.

082 답 $\dfrac{4}{3}$

원점을 출발한 후 두 점 P, Q의 속도가 같아지는 시각은
$3t^2+t=2t^2+3t$에서
$t^2-2t=0$, $t(t-2)=0$
$\therefore t=2 \ (\because t>0)$
$t=2$일 때 점 P의 위치는
$$\int_0^2 (3t^2+t)\,dt=\left[t^3+\frac{1}{2}t^2\right]_0^2=10$$
$t=2$일 때 점 Q의 위치는
$$\int_0^2 (2t^2+3t)\,dt=\left[\frac{2}{3}t^3+\frac{3}{2}t^2\right]_0^2=\frac{34}{3}$$
따라서 두 점 사이의 거리는
$$\left|10-\frac{34}{3}\right|=\frac{4}{3}$$

083 답 ①

ㄱ. $t=5$일 때 점 P의 위치는
$$0+\int_0^5 v(t)\,dt=\frac{1}{2}\times 2\times 2-\frac{1}{2}\times(3+1)\times 1=0$$
따라서 $t=5$일 때 점 P는 원점을 다시 지난다.

ㄴ. $t=1$일 때 $|v(1)|=|2|=2$로 속력이 최대이다.

ㄷ. $v(t)=0$이고 그 좌우에서 $v(t)$의 부호가 바뀔 때 운동 방향이
바뀌므로 물체는 $t=2$, $t=5$에서 운동 방향을 두 번 바꾼다.

ㄹ. $t=0$에서 $t=6$까지 점 P가 움직인 거리는
$$\int_0^6 |v(t)|\,dt=\int_0^2 |v(t)|\,dt+\int_2^5 |v(t)|\,dt+\int_5^6 |v(t)|\,dt$$
$$=\frac{1}{2}\times 2\times 2+\frac{1}{2}\times(3+1)\times 1+\frac{1}{2}\times 1\times 1=\frac{9}{2}$$

따라서 보기 중 옳은 것은 ㄱ, ㄴ이다.